ANTONIO MACHADO
Poeta en el exilio

ÁMBITOS LITERARIOS/Ensayo

11

Monique Alonso

Con la colaboración de
Antonio Tello

ANTONIO MACHADO
Poeta en el exilio

Prólogo de Carmen Conde

ANTHROPOS
EDITORIAL DEL HOMBRE

Diseño gráfico: AUDIOVISA
Muntaner, 445, 4.°, 1.ª 08021 Barcelona

Primera edición: mayo 1985

Edita: Anthropos Editorial del Hombre
Enric Granados, 114 08008 Barcelona Tel.: (93) 217 25 45
ISBN: 84-85887-66-2
Depósito legal: B. 18.522-1985
Composición: Llovet, S.A., Còrsega, 199 08036 Barcelona
Impresión: Gráf. Pareja, Montaña, 16 08026

Impreso en España - *Printed in Spain*

ANTE ESTE LIBRO

Algo tan hermoso, cual su noble poesía, infunde la ternura hacia el inolvidable don Antonio Machado. Esta ternura hacia él es la que mueve el amoroso desvelo de Monique Alonso, la infatigable secretaria de la Fundación Antonio Machado por el Ayuntamiento de Collioure (Francia). Con él y por él se creó el Premio Internacional de Literatura con el nombre imperecedero de nuestro poeta, fallecido a las tres y media de la triste tarde del 22 de febrero de 1939: fecha que ningún español borró de su memoria.

Monique Alonso se propuso y logró cumplidamente, recoger cuanto hizo y dejó don Antonio en los poquísimos días de su amparo en Collioure, hasta su fallecimiento. El poeta «vive» aún entre quienes acompañaron su desolación; pasó entre ellos doliente y dolorido, enfermo sin remedio junto a su madre y su hermano dejándoles el suave rumor de su apagada voz. Y, como el rumor del cercano mar apacible, podemos evocarla porque nos apacigua. Oyendo a Monique, leyendo sus páginas, don Antonio es más nuestro desde su universalidad humana. Se nos ahínca su recuerdo en el corazón que, desde hace muchos años, ya lo llevaba dentro.

Este documentado libro de Monique Alonso, prolijo en

detalles, fechas, acontecimientos, asume el penoso tránsito de los últimos días del poeta en tierra francesa tan inmediata a la nuestra. Testimonios, cartas, poemas de los años de funesta guerra española: todo ello comprobado, veraz por haberlo escuchado de los que participaron de los mismos malos días del exilio. Una afanosa y apasionada indagatoria para poder afirmar lo auténtico de aquel breve tiempo. Con su franciscana humildad, don Antonio pasa por estas páginas, tan llenas de admiración y cariño, tal como le conocimos: humildad pura y desinteresada, fervor por sus ideas nacidas y heredadas a favor del pueblo que, justamente, no le ha olvidado ni olvidará. Porque don Antonio fue un ser que se nos metía en el alma.

La primera vez que leí sus poemas aún era yo una muchachita que, con esfuerzo, compró un libro suyo; desde entonces fui apasionada lectora que nunca dejó de seguirle. Durante la guerra y antes del obligado traslado del poeta a Barcelona, pasé toda una mañana a su lado en Valencia; por entonces yo estudiaba en su Universidad. Aunque enfermo, don Antonio hablaba con energía de cuanto pensaba y sentía. Nos acompañaba otro gran amigo, secretario y alma de las Misiones Pedagógicas que fundara el gran don Manuel Bartolomé Cossío (tan inicuamente tratado cuando *llegó* la llamada paz...), de cuyo magisterio bebió la flor de la juventud que le seguía.

Con Monique Alonso, y por ella, conocí los limitados lugares que vio el poeta en Collioure y su última morada; oí hablar de él con inmenso cariño y admiración respetuosa. Todos los años se reúnen allí quienes le conocieron vivo y los que no, aunque sí le quieren como poeta y hombre. Un cálido ambiente abraza su memoria.

En la obra dedicada a los angustiados días de don Antonio, ellos reviven. Monique Alonso, fuerte de ánimo e inteligente criatura, nos acompaña. Ternura la suya, sí, en sus sobrias páginas; fidelidad de su exposición histórica e imprescindible.

Copio unas palabras emocionadas de José Machado transportadas por Monique sobre la última visita (o la primera) de don Antonio, al tan cercano mar de Collioure:

El sol de mediodía no daba casi calor. Era en ese momento único en que se diría que el cuerpo entierra su sombra bajo los pies...

A pies y sombra del maltratado cuerpo de don Antonio Machado, cubre la hospitalaria tierra que le acogió.

Gracias, Monique, por tu libro y tu amor a nuestro don Antonio Machado.

CARMEN CONDE,
de la Real Academia Española.
Enero de 1985.

A mi madre, que no llegó a ver este trabajo.
A mi padre, que, como don Antonio, sufrió el exilio.
A mis padres políticos, que tanto admiro.

A MODO DE INTRODUCCIÓN

«Incierto es, en verdad, lo porvenir. ¿Quién sabe lo que va a pasar? Pero incierto es también lo pretérito, ¿quién sabe lo que ha pasado?», nos decía Antonio Machado en boca de Juan de Mairena. Es cierto. ¿Quién sabe lo que ha pasado, lo que le pasó al poeta Antonio Machado en los años 1936-1939? Nadie. *«Las cosas no se hacen inmutables al pasar de nuestra percepción a nuestro recuerdo»*, según dice nuestro poeta. Por ello, todo lo que podemos afirmar en este libro es *«con relativa seguridad»*. Pero sí, de lo que sí estamos seguros es que cuanto hemos escrito en este libro está escrito con la mejor fe. Para que este libro sea realmente un libro de Historia, nos limitamos a referir únicamente datos que se pueden comprobar con documentos o confrontando varias entrevistas.

Antes de dar luz a este libro hemos trabajado largos años para poder recoger material y confrontarlo. De lo recogido, más de la mitad ha tenido que eliminarse por falta de pruebas contundentes (no descartamos por ello poder averiguar su autenticidad algún día). Hemos seguido muchas pistas, muchas de ellas fueron arduos caminos o senderos con indicadores inverosímiles; no obstante allí hemos ido, nos hemos arriesgado hasta llegar al final. Algunas de estas pistas tenían como meta una recompensa, otras un fracaso. A pesar de todo, las consideramos todas fructíferas.

Esperamos, así, que este pasado, que estos años trágicos de Antonio Machado no «*sean trabajados ni moldeados a voluntad*».

Quisiéramos agradecer públicamente la colaboración de cuantas personas aceptaron ayudarnos de modo generoso y amistoso. Son muchas, muchísimas las que nos han abierto sus puertas para concedernos una entrevista o enseñarnos un documento. Por ello es imposible nombrarlas a todas; sin embargo, queremos que encuentren aquí nuestro más sincero agradecimiento. También queremos que sepan que sin su ayuda este libro no hubiera alcanzado su objetivo: ser un libro de Historia y para la Historia.

DE MADRID A VALENCIA
(24-26 noviembre 1936)

En este café
se sentaba don Antonio
Machado.
Silencioso
y misterioso, se incorporó
al pueblo,
blandió la pluma,
sacudió
la ceniza,
y se fue...

BLAS DE OTERO

1936 empieza en España con una gran pérdida para las letras. Apenas iniciado el año muere don Ramón del Valle-Inclán, y esta pérdida va seguida a los pocos días por la de Villaespesa; seguirían luego las de Lorca y Unamuno...

Pero 1936 empieza también con malestar político. El 18 de abril de 1936, unas elecciones proclaman vencedor al Frente Popular y exactamente tres meses después, el 18 de julio de 1936, estalla la llamada «Guerra Civil Española».

Entre los literatos que lloran la muerte de sus compañeros y maestros, está Antonio Machado. Entre esta gente que se preocupa por el malestar político de su patria, está también Antonio Machado.

Después de un peregrinar por tierras castellanas y andaluzas, Antonio Machado regresa a Madrid en 1931, donde es nombrado catedrático en el Instituto Calderón de la Barca. En 1935 es trasladado al Instituto Cervantes.[1] Actividad docente,

1. La cátedra de francés de dicho Instituto había quedado vacante después de la muerte de su titular don Natalio de Anta y Asís, en 1934. La sustitución se hizo por medio de un concurso cuya convocatoria se firmó el 25 de noviembre de 1935 y fue publicada en *La Gaceta de Madrid* del 12 de diciembre de 1935. El nombramiento de Antonio Machado como nuevo catedrático de francés del Instituto Cervantes lleva fecha del 10 de marzo de 1936 y apareció en *La Gaceta de Madrid* del 13 de marzo de 1936.

COLLIOURE
Cerbère
BARCELONA
MADRID
Tarancón
Puerto de Contreras
Utiel
VALENCIA
RUTA DEL EXILIO

pues, de don Antonio, pero también actividad literaria. En abril de 1936, la editorial Espasa-Calpe publica la cuarta edición de *Poesías completas;* en mayo se edita *Juan de Mairena. Sentencias, donaires, apuntes y recuerdos de un profesor apócrifo.* Colabora también en *El Socialista* y otras publicaciones madrileñas. Afectado por la muerte de Federico García Lorca publica su famoso poema «El crimen fue en Granada», aparecido por vez primera en *Ayuda,* de Valencia, y el 23 de octubre de 1936 en *El Liberal* de Murcia, y recogido luego en todos los homenajes al poeta granadino.

Las actividades del Instituto Cervantes cesan durante la guerra por estar éste ubicado en el centro de la ciudad. ¿Y don Antonio? ¿Por qué partido iba a optar Antonio Machado en esta contienda? Volvamos unos años atrás y recordemos que Antonio Machado Núñez y Antonio Machado Álvarez, respectivamente abuelo y padre del poeta, eran republicanos. Recordemos también que por deseo expreso de su padre, Antonio Machado se educó en la Institución Libre de Enseñanza. Y recordemos también, mucho más cerca de los años que nos ocupan, que en 1931 Antonio Machado izó en el Ayuntamiento de Segovia la bandera republicana. En 1934 se publica en *El Heraldo de Madrid* un manifiesto de los intelectuales españoles contra el terror nazi, y el primero en firmarlo es Antonio Machado. Recordemos, por fin, que cuando el 18 de abril de 1936 las elecciones proclaman vencedor al Frente Popular, Machado firma con el presidente de la República, Manuel Azaña, con Ángel Ossorio y Gallardo, con el doctor Hernando y con Julio Álvarez del Vayo, el manifiesto de la Unión Universal por la Paz en nombre del Comité Español.

¿Qué actitud podía adoptar, pues, Antonio Machado en julio de 1936 con estos antecedentes? Ni más ni menos que la que nos indica Ilya Ehrenburg, desde París, en una carta a Miguel de Unamuno con fecha del 21 de agosto de 1936:[2] «El poeta Antonio Machado, lírico y filósofo, digno heredero del

2. Esta carta fue publicada en *El Mono Azul,* 17 de octubre de 1936.

Casa de Antonio Machado en Madrid, calle de General Arrando, n.º 4.

Antonio Machado en el almuerzo de despedida en Madrid, en los locales del Quinto Regimiento.

gran Jorge Manrique, está con el pueblo y no con los verdugos». El mismo don Antonio nos dirá más tarde: «*Mi posición política es hoy la misma de siempre. Yo soy un viejo republicano para quien la voluntad del pueblo es sagrada. Toda mi vida estuve frente a los gobiernos que, a mi juicio, no lo representaban*».

Cada día más preocupado por la actualidad política de España, el 7 de noviembre de 1936 escribía:

> «¡Madrid, Madrid! ¡qué bien suena tu nombre
> rompeolas de todas las Españas!
> La tierra se desgarra, el cielo truena,
> tú sonríes con plomo en las entrañas.»

Escasos días después, el domingo 24 de noviembre, no con plomo en las entrañas sino con plomo en el corazón, Antonio Machado tuvo que resignarse, y tras recoger los enseres más imprescindibles abandona sobre las 12 del mediodía, con toda su familia, la casa de General Arrando n.º 4 (1.er piso, derecha), en el barrio de Chamberí. Casa sencilla llena de recuerdos para el poeta, que tenía como único decorado de su habitación abarrotada de libros, un retrato de Leonor. En esta casa de General Arrando n.º 4 quedarían los propios libros de Antonio Machado y los que componían su biblioteca. Cuando, años más tarde, regresó su familia, había nuevos propietarios en la casa y dijeron que allí no habían encontrado nada. ¿A dónde fueron a parar?...

Convencer a don Antonio para que saliera de Madrid no fue fácil. Los poetas León Felipe y Rafael Alberti tuvieron que visitarle varias veces y don Antonio siempre ponía excusas. Su última condición fue que con él saliera toda su familia: su madre, su hermano José y la esposa de éste, Matea Monedero, y todos sus sobrinos.[3]

---

3. En ese mismo día es enterrado un amigo de Antonio Machado, el escultor y militante socialista Emiliano Barral, que hizo un busto de Machado

Machado tenía que dirigirse junto con otros intelectuales hacia Valencia, en una expedición organizada por el Quinto Regimiento.[4] Para que estos intelectuales pudieran despedirse, el Quinto Regimiento de Milicias Populares celebró en su local, sito en la calle Francos Rodríguez, un acto de despedida. Acto sencillo pero de gran elocuencia, recalcando que el único fin de aquel traslado de intelectuales a Valencia era alejarles de las molestias y peligros de la guerra: «El respeto por la cultura es el respeto por nosotros mismos y por los ideales que a todos nos animan».[5]

Salían de Madrid con el poeta en este primer traslado de intelectuales a la ciudad del Turia: el doctor Pío del Río Hortega, investigador en el campo de la neurología, muerto en Buenos Aires en 1945; don Enrique Moles, catedrático de química orgánica en la Universidad Central de Madrid, muerto en 1953 en Madrid; el doctor José Sánchez Covisa, catedrático de dermatología y sifilografía en la Universidad de Madrid, diputado socialista en las Cortes de 1931, muerto en Caracas en 1944; don Antonio Madinaveitia Tabuyo, catedrático de química orgánica y decano de la Facultad de Farmacia de Madrid; el doctor José María Sacristán, psiquiatra, director del Manicomio de Ciempozuelos; el poeta José Moreno Villa, muerto en México en 1955; Miguel Prados Such, profesor de anatomía patológica del Instituto Cajal de Madrid, hermano del poeta Emilio Prados, muerto en Canadá en 1969; y Arturo

---

cuando éste se hallaba en Segovia y a quien el poeta dedicó una elegía en su libro *La guerra*.

4. El Quinto Regimiento nació el 19 de julio de 1936 de la reagrupación de las milicias al concentrarse éstas en los frentes de Madrid, y por iniciativa de los mejores jefes que fueron elegidos por todos los combatientes. Estos hombres eran Enrique Líster, Castro, Heredia, Modesto, Cartón, Tagüeña, «El Campesino», José María Galán, etc... También intervinieron en la fundación del mismo el comandante Trifón Medrano, el comisario político Carlos J. Contreras y el comandante Arellano, que murió en el frente en noviembre de 1936. Para más detalles sobre el Quinto Regimiento, véase el artículo de Antonio Machado «El Quinto Regimiento del 19 de julio», publicado en *Nuestro Ejército,* 18 de julio de 1938.

5. *Milicia Popular,* n.º 109, p. 3.

Antonio Machado en el acto celebrado por la Agrupación al Servicio de la República, en el Teatro Juan Bravo de Segovia, el 14 de febrero de 1931.

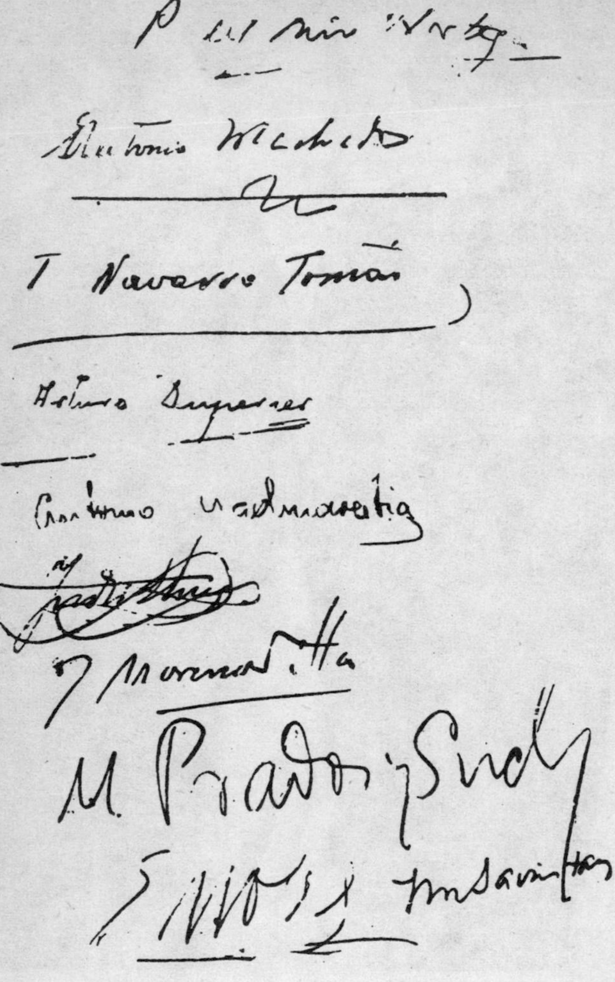

Firmas de los intelectuales evacuados de Madrid junto con Antonio Machado.

Duperier Valiesa, catedrático de geofísica de la Universidad Central de Madrid, muerto en Madrid en 1959.

En el transcurso del acto pronunciaron unas palabras el comandante Carlos J. Contreras, comisario político del Quinto Regimiento (que no era otro sino Vittorio Vidali, líder comunista, fallecido recientemente en Italia); Antonio Mije, consejero de Defensa y miembro del Comité Central del Partido Comunista; y Nicoletti, comisario político de la Brigada Internacional. Los tres destacaron que el único fin del Quinto Regimiento era cuidar de que no se perdieran los investigadores y creadores de arte.[6]

Antonio Machado contestó en nombre de los intelectuales allí reunidos con estas palabras: «*Yo no me hubiera marchado; estoy viejo y enfermo. Pero quería luchar al lado vuestro. Quería terminar una vida que he llevado dignamente, muriendo con dignidad. Y esto sólo podría conseguirlo cayendo a vuestro lado, luchando por la causa justa como vosotros lo hacéis*».[7]

Años más tarde, Rafael Alberti recordaba así esta emocionante despedida: «Quizá se encuentre escrito en algún lado. Pero de su sencilla despedida no he podido perder —ni perderé ya nunca— el instante aquel en que don Antonio, con una sinceridad que nos hizo a todos brotar las lágrimas, dirigiéndose a Líster y a Modesto, ofreció sus brazos —ya que sus piernas enfermas no podían— para la defensa de Madrid».

Al atardecer de ese día 24 se inició el primer viaje hacia Tarancón, donde llegó el poeta con su familia hacia las nueve de la noche. Se «hospedaron» en una casa oscura. En una sala mal iluminada por candiles se habían puesto unas largas mesas y unos bancos. Ahí durmieron, o mejor dicho «lo intentaron», como especifica José Machado.

De esta primera etapa del viaje, José Moreno Villa, compañero de exilio de Antonio Machado, nos dejó este testimonio: «Salimos de Madrid en el mismo camión. Llevaba ocho o

---

6. Palabras del comandante Carlos.
7. *Milicia Popular*, n.º 109, p. 3.

nueve personas de la familia. Hicimos noche en el terrorífico pueblo de Tarancón y su pobre madre tuvo que dormir en el suelo...».[8]

Al amanecer del día siguiente, «más cansados que cuando nos acostamos» —según nos sigue diciendo José Machado—, reemprendieron el viaje hasta llegar al puerto de Contreras, donde tuvieron que detenerse nuevamente por una avería del autocar en que viajaban. Antonio Machado y su madre fueron trasladados en coche particular hasta Utiel, donde más tarde llegaron los demás familiares e intelectuales. Desde Utiel reanudaron todos juntos el viaje hasta Valencia. Viaje difícil en que a las dificultades del trayecto se unieron la pena y las dificultades físicas: todo el día y toda la noche sin dormir comiendo solamente unas salchichas.

---

8. José Moreno Villa, *Vida en claro,* México, F.C.E., 1944, p. 90.

ESCRITOS Y MANIFIESTOS
(Madrid)

EL CRIMEN FUE EN GRANADA[1]
A Federico García Lorca

I
(EL CRIMEN)

Se le vio, caminando entre fusiles
por una calle larga,
salir al campo frío,
aún con estrellas, de la madrugada.
Mataron a Federico
cuando la luz asomaba.
El pelotón de verdugos
no osó mirarle a la cara.
Todos cerraron los ojos;
rezaron: ¡ni Dios te salva!
Muerto cayó Federico
—sangre en la frente y plomo en las entrañas—
...Que fue en Granada el crimen
sabed —¡pobre Granada!— ¡en su Granada!...

1. Publicado por primera vez en *Ayuda* el 17 de octubre de 1936.

Retratos de García Lorca y Emiliano Barral por José Machado.

II

(EL POETA Y LA MUERTE)

Se le vio caminar solo con Ella,
sin miedo a su guadaña.
—Ya el sol en torre y torre; los martillos
en yunque, yunque y yunque de las fraguas—.
Hablaba Federico,
requebrando a la Muerte. Ella escuchaba.
«Porque ayer en mi verso, compañera,
sonaba el eco de tus secas palmas,
y diste el hielo a mi cantar, y el filo
a mi tragedia de tu hoz de plata,
te cantaré la carne que no tienes,
los ojos que te faltan,
tus cabellos que el viento sacudía,
los rojos labios donde te besaban...
Hoy como ayer, gitana, muerte mía,
qué bien contigo a solas,
por estos aires de Granada, ¡mi Granada!»

III

Se les vio caminar...
                                        Labrad amigos
de piedra y sueño, en el Alhambra,
un túmulo al poeta,
sobre una fuente donde llore el agua,
y eternamente diga:
el crimen fue en Granada, ¡en su Granada!

AL ESCULTOR *EMILIANO BARRAL*[2]

Cayó Emiliano Barral, capitán de las milicias de Segovia, a las puertas de Madrid, defendiendo a su patria contra un ejército de traidores, de mercenarios y de extranjeros. Era tan gran escultor que hasta su muerte nos dejó esculpida en un gesto inmortal.

Y aunque su vida murió,
nos dejó harto consuelo
su memoria.
(Jorge Manrique).

Madrid, 1936.

---

2. Publicado en Antonio MACHADO, *La guerra,* junto con un poema dedicado al escultor que lleva fecha de 1922 (Madrid) y que transcribimos a continuación:

«...Y tu cincel me esculpía
en una piedra rosada,
que lleva una aurora fría
eternamente encantada.
Y la agria melancolía
de una soñada grandeza,
que es lo español (fantasía
con que adobar la pereza),
fue surgiendo de esa roca,
que es mi espejo,
línea a línea, plano a plano,
y mi boca de sed poca,
y, so el arco de mi cejo,
dos ojos de un ver lejano,
que yo quisiera tener
como están en tu escultura:
cavados en piedra dura,
en piedra, para no ver.

Madrid, 1922.»

EL FASCISMO INTENTA DESTRUIR EL MUSEO DEL PRADO[3]

En esta trágica guerra civil, provocada por las fuerzas que representan los intereses imposibles, antiespañoles, antipopulares y de casta, se ventila el destino del espíritu, su persistencia como valor superior de la vida. Y es el pueblo quien defiende el espíritu y la cultura. El amor que yo he visto en los milicianos comunistas guardando el palacio del duque de Alba sólo tiene comparación con el furor de los fascistas destruyendo.

El porvenir lo defiende el pueblo. Y el pasado. Los Museos son el recinto de la historia del espíritu, del pasado espiritual. Los fascistas los bombardean e incendian. El pueblo monta guardia en el Museo del Prado y en la Biblioteca Nacional, en el Palacio del duque de Alba... Todo el mundo debe desear el triunfo del pueblo, porque representa el porvenir como continuidad histórica del pasado.

Los intelectuales extranjeros están con el pueblo español. Ya hay valiosas pruebas de ello. Y esta adhesión ha de acentuarse.

DECLARACIÓN AL SEMANARIO *AHORA*[4]

A los que éramos hace treinta años jóvenes, se nos hablaba de una revolución desde arriba. En el fondo, de una transformación de España a cargo de los viejos. Yo no he creído nunca en ella, y en esto estuve siempre en desacuerdo con los jóvenes apolíticos de mi generación. La revolución es siempre

---

3. Publicado en un folleto de las Ediciones del Quinto Regimiento, con el título *El fascismo intenta destruir el Museo del Prado*. Este folleto es un informativo sobre el ataque del 16 de noviembre de 1936, de las 7 a las 8 de la tarde.

4. *Ahora* (Madrid), 3 de octubre de 1936.

desde abajo y la hace el pueblo. Una gran parte de la juventud española ha abrazado valientemente la causa popular, y España tiene hoy lo que hace mucho tiempo necesitaba: una juventud sana y enérgica, capaz de mirar serenamente al mañana; una juventud realmente joven.

Yo no soy un verdadero socialista y, además, no soy joven; pero, sin embargo, el socialismo es la gran esperanza humana ineludible en nuestros días, y toda superación del socialismo lleva implícita su previa realización. Soy de los pocos viejos que no creyeron nunca en las falsas juventudes. Siempre pensé que la renovación de nuestra vieja España comenzaría por una estrecha cooperación del esfuerzo juvenil férreamente disciplinado. Confío en vosotros, que sois la juventud con que he soñado hace muchos años. Con vosotros estoy de todo corazón.

LOS SABIOS ESPAÑOLES Y EL QUINTO REGIMIENTO

Los profesores, catedráticos de Universidad, médicos, poetas, investigadores, que salen para Valencia por las gestiones, la ayuda del 5.º Regimiento y bajo la orden de la Junta de Defensa, manifestada por su comisario de Guerra, declaran lo siguiente:

«Jamás nosotros, académicos y catedráticos, poetas e investigadores, con títulos de universidades españolas y extranjeras, nos hemos sentido tan profundamente arraigados a la tierra de nuestra patria; jamás nos hemos sentido tan españoles como en el momento que los madrileños que defienden la libertad de España nos han obligado a salir de Madrid para que nuestra labor de investigación no se detenga, para librarnos en nuestro trabajo de los bombardeos que sufre la población civil de la capital de España; jamás nos hemos sentido tan españoles como cuando hemos visto que, para librar nuestro tesoro artístico y científico, los milicianos que exponen su vida por el bien de España se preocupan de salvar los libros de nuestras bibliotecas, los materiales de nuestros laboratorios de las bombas incendiarias que lanzan los aviones extranjeros sobre nuestros edificios de cultura.

Queremos expresar esta satisfacción, que nos honra como hombres, como científicos y como españoles ante el mundo entero, ante toda la humanidad civilizada.»

Antonio Machado, poeta; Pío del Río Hortega, director del Instituto del Cáncer, profesor «honoris causa» de varias universidades extranjeras, invitado últimamente por la Universidad de Montreaux; Enrique Moles Ormella, catedrático de la Universidad Central, director del Instituto Nacional de Física y Química, académico de las Academias de Madrid, Praga y Varsovia, secretario general de la Sociedad de Física y Química; Isidro Sánchez Covisa, académico de la de Medicina, uno de los mejores urólogos del mundo; Antonio Madinaveitia Tabugo, catedrático de la Facultad de Farmacia, jefe de la Sección de Química Orgánica del Instituto de Física y Química; José María Sacristán, psiquiatra, director del Manicomio de Ciempozuelos, jefe de la Sección de Higiene Mental de la Dirección de Sanidad; José Moreno Villa, poeta y pintor, muy conocido en el extranjero; Miguel Prados Such, investigador del Instituto Cajal, psiquiatra; Arturo Duperier Vallesa, catedrático de Geofísica de la Universidad Central, jefe de Investigaciones Especiales del Servicio Meteorológico Nacional, presidente de la Sociedad Española de Física y Química.

DISCURSO DE DESPEDIDA A LOS INTELECTUALES, DEL COMANDANTE CARLOS[5]

El pueblo español está demostrando ante el mundo entero su enorme caudal de fuerzas creadoras.

No quiere perder a sus artistas y hombres de ciencia. Por

---

5. *Milicia Popular,* n.º 109, 24 de noviembre de 1936.

eso, el 5.º Regimiento toma la decisión de enviarles a ustedes a Valencia poniéndoles a salvo de los bombardeos. Es nuestro deber cuidar de que no se pierdan los investigadores y los creadores de arte.

La lucha en España se desarrolla entre dos fuerzas, de las que en un lado está un Ejército, con sus cuadros de oficiales profesionales y fuerzas mercenarias, y del otro lado un Ejército creado por el pueblo en cuatro meses.

Nosotros somos distintos a Queipo. Él y los suyos transforman los pueblos en mataderos; ellos hacen acciones como las que nos relataba un miliciano de Baza, que nos dijo que en aquel pueblo no quedaban más que viudas y huérfanos.

Nosotros respetamos la vida de los prisioneros y cuidamos por salvar las vidas y las obras de los hombres de ciencia. Por eso les decimos a ustedes: a pesar de la resistencia que ustedes pudieran oponer a abandonar en estos momentos Madrid, nosotros les enviamos a Valencia, porque la vida de ustedes no les pertenece; pertenece al pueblo, pertenece a toda la humanidad.

Nadie tiene derecho a disponer de sí mismo cuando su vida está puesta al servicio de la ciencia o del arte.

Nosotros hablamos un lenguaje distinto al del enemigo; decimos a los legionarios que fueron engañados, y les ofrecemos posibilidad de rehacer su vida. Les decimos a los moros que han venido engañados, que nosotros luchamos, no solamente por la libertad de España, sino por la de Marruecos también. Incluso a los falangistas y a los requetés les decimos: si queréis una España grande, fuerte, no la tendréis con los generales que venden Baleares a Mussolini y las Canarias a Hitler. Sólo la tendréis estando al lado del pueblo.

Ustedes marchan a Valencia, o a donde ustedes quieran. Quedamos aquí luchando para, dentro de poco, poderles invitar a que regresen a este Madrid a seguir trabajando todos por una España grande y feliz.

RESOLUCIÓN ADOPTADA POR EL SECRETARIADO INTERNACIONAL DE LA ASOCIACIÓN DE ESCRITORES PARA LA DEFENSA DE LA CULTURA, HECHA PÚBLICA EN PARÍS A COMIENZOS DEL MES DE NOVIEMBRE DE 1936[6]

De Madrid, de este Madrid donde el pueblo defiende su independencia, su libertad, que el fascismo destructor de toda cultura amenaza, el Secretariado de la Asociación Internacional de Escritores para la Defensa de la Cultura, quiere llamar la atención a todos los intelectuales, artistas, hombres de ciencia, sea cual sea en este momento su actividad, sobre esta lucha que los pone a todos en juego. Pues esta lucha pone en juego la cultura y con ella la libertad, la independencia, la dignidad humana, condiciones de toda creación. Es absolutamente necesario que los intelectuales sigan este combate donde se forja de una manera heroica el porvenir de la inteligencia.

La herencia espiritual que el pueblo español defiende al precio de su vida, corresponde al más profundo de los sentimientos y de los valores de España. Todas las civilizaciones modernas deben algo a esta cultura constantemente vivificada por la más pura savia popular. No hay ni un solo hombre que cuente en España en la poesía, la literatura, la religión, la música, la pintura, ni una sola obra maestra de la tradición española, que no venga del pueblo, que no viva del pueblo, que no encuentre en él su verificación.

Somos deudores a este pueblo de lo que constituye la esencia poética del inmenso tesoro dispensado por España al mundo entero en todas las actividades literarias y espirituales, en todos los dominios del pensamiento. Esta sangre vertida hoy en los asaltos bárbaros y fratricidas de quienes lanzan las tro-

6. *Commune* (París), n.º 40, diciembre de 1936; recogido posteriormente en el libro *La voz de la inteligencia y la lucha del pueblo español,* editado por el Comisariado de Propaganda de la Generalitat de Catalunya, en París.

pas mercenarias contra España, es la misma sangre del pueblo, inventor, creador de la auténtica cultura que dio a España significación universal entre las civilizaciones del mundo. Es necesario que lo proclamemos: querer destruir el pueblo español, es querer destruir el pasado cultural de España, su vida presente, su magnífico porvenir, es destruir una de las bases de la cultura universal, la cual, durante siglos, se ha enriquecido de las aportaciones de la cultura española.

Esta herencia cultural que el pueblo español defiende cada día con heroísmo, es la afirmación de una tradición popular española que comunica su esperanza a Europa entera.

No ayudar a este pueblo, dejarlo solo defendiendo un patrimonio que no es solamente el suyo, que es común a todos los hombres, significa oponerse al pueblo en lucha con su independencia y para la conquista, pagada día tras día con su sangre, de la herencia cultural del mundo. Quien afirme que esta lucha en la que se debaten los españoles no afecta más que a ellos mismos, extenderá el dominio de la falsedad y hará traición a la dignidad humana, ya en grave peligro.

Los pueblos que la contemplen están comprometidos en esta lucha de los españoles contra el fascismo. Esperar lo contrario y creer imparcial la actual neutralidad, es una actitud que el espíritu no puede concebir. Tendría como consecuencia el suicidio, el más lamentable de los suicidios: aquel del hombre que no tiene conciencia de lo que hace.

Pedimos que los escritores de todo el mundo comprendan que la lucha del pueblo español no pone solamente en juego el porvenir de un país, sino mejor el porvenir del hombre. Les pedimos que se junten con nosotros y unan las suyas a las voces inquietas que nos llegan de Europa y de América con objeto de ayudar concretamente al triunfo del pueblo español.

Ayudar a los españoles contra el fascismo es querer el éxito de este pueblo, y quererlo rápido para que sea menos sangriento. Y es querer, además, que con esa victoria sean salvados el destino humano de la cultura, la libertad y la independencia de todos los hombres y de todos los pueblos.

El Secretariado de la Asociación confirma la decisión

adoptada en el pleno preparatorio de Londres el mes de junio de 1936, en el cual se decidió que el segundo Congreso Internacional de Escritores para la Defensa de la Cultura tuviese lugar en Madrid en 1937, y desde hoy convoca a todos sus miembros para este congreso.

Rafael Alberti; José Bergamín; *Antonio Machado;* Ilya Ehrenburg; Mikhail Kolstov; Aragon; André Malraux; Georges Soria; André Viollis; Louis Fischer; Gustav Regler; Ludwig Renn; Kurt Stern.

A LOS INTELECTUALES ANTIFASCISTAS DEL MUNDO ENTERO[7]

La Alianza de Intelectuales Antifascistas se dirige a los intelectuales, a los antifascistas y, en suma, a todos aquellos a los que no ciegue un turbio egoísmo, cobardía o fariseísmo.

Desde Madrid, presenciando la patológica crueldad de los fascistas no sólo enemigos nuestros sino vuestros, queremos denunciar ante vosotros, haceros testimonio de los últimos acontecimientos, asesinatos incalificables, que lleva a cabo, consecuentemente con su ideología el enemigo.

No se trata de lamentarnos en nombre de nuestro pueblo en armas, de nuestros heroicos milicianos, de los *horrores de la guerra*. Nuestros combatientes, con los dientes apretados, resisten silenciosamente y, con su gesto, son ya una exigencia de responsabilidades históricas a todos aquellos que, estando obligados a mantener una conducta, la eluden ahora cobardemente. No; no nos quejamos de nada cuanto ocurre en los frentes de combate, entre otras razones, porque en los frentes de combate, nuestro indudable triunfo final dirá claramente que no era necesaria la queja.

Pero queremos haceros saber, para que vuestra palabra a

7. *El Mono Azul,* n.º 13, 19 de noviembre de 1936.

su vez lo proclame por todos los rincones del mundo, lo que lucha, la calidad humana que lucha a cada uno de los lados que hoy se enfrentan en España. Queremos haceros saber en qué se emplean las bombas incendiarias meticulosamente preparadas en los laboratorios alemanes. Y os decimos: todos los días arden manzanas enteras de casas madrileñas. Todos los días, en las colas que forman las mujeres de las barriadas obreras para coger su pan, su carbón, su leche, etc., los expertos aviadores alemanes e italianos pueden apuntarse nuevas victorias, ya que no alcanzadas en combate con nuestros aviadores heroicos, que rehúyen, a costa de las vidas de esas mujeres, de esos niños. De esas mujeres y de esos niños que son hoy los únicos habitantes de esas barriadas obreras, pobres, ya que todos los hombres útiles se hallan en los frentes, y que parecen constituir objetivo especial de la aviación extranjera al servicio de la traición. Os decimos el espectáculo siniestro de las noches en llamas, cruzadas por lívidas caras de ancianos y mujeres tratando puerilmente de salvar su jergón miserable, sus amarillos retratos familiares, para tener que llevarlos bajo los arcos umbríos de las bodegas, a la humedad entumecida y harapienta de multitudes cobijadas, hacinadas terriblemente en los sótanos. Os hablamos de las caravanas coléricas de mujeres despeinadas que pueblan en las madrugadas madrileñas, las calles y las plazas, trasladando sus pobres objetos queridos sin una queja, sin un llanto, sino con un murmullo de insulto a los traidores, con un rumor de maldición a los canallas.

Os hablamos del Palacio de Liria que fue del duque de Alba, ayer cuidadosamente custodiado por las milicias del Partido Comunista, con sus cuadros valiosos en los sótanos, y esta noche pasada en llamas. Os hablamos del resentido despecho señorito que ha debido ordenar su incendio con el mismo gesto plebeyo y chabacano del tradicional «mía o de nadie». Os hablamos de la trayectoria significativa, en línea recta, de una serie de bombas que comienza unas casas más arriba del Hotel Savoy y termina, dejando un hueco casual y de seguro lamentado en el Museo del Prado, en la iglesia de San

Jerónimo. Os hablamos del boquete inmenso que una bomba de doscientos kilos ha dejado unos metros antes del Museo del Prado, rompiendo todos sus cristales.

La prensa de Burgos aún hablaba de la *provocación roja;* de los incendios provocados en Madrid por los *rojos* para utilizarlos en su favor. No importa; nadie lo cree. Nadie que no ignore en absoluto, intencionadamente, la serena condición de nuestros heroicos milicianos que cuidadosamente ayudan a trasladar mujeres y niños con el mismo respeto cariñoso con que salvan un cuadro o un libro importante que se les encomiende, puede creerlo. La verdad está con nosotros y no puede ser falseada. Está con nosotros y nadie puede dudar de ella porque al margen de toda propaganda, sinceramente, de corazón a corazón como hablan los hombres en los momentos graves, os la decimos nosotros que somos poetas, escritores, artistas y tenemos un alto sentido de nuestro oficio que se halla por encima de la propaganda, de la mentira útil, de la mentira jesuítica.

Os la decimos nosotros que somos poetas, escritores y artistas antes que nada y que por serlo no estamos sino al servicio del hombre, de lo más alto y noble del hombre, por encima de los partidos y de la propaganda interesada.

Creedla. Tenéis que creer en nuestra palabra si no habéis perdido vuestro corazón.

Pero no equivocaros. Tened muy en cuenta que esto, todo esto, no significa lamentación jeremíaca sino enardecido y colérico anuncio de nuestro triunfo decisivo y final. Nuestras palabras no respiran otra atmósfera que la de nuestro pueblo y como éste no hacemos otra cosa que dirigirnos a la conciencia, a lo más profundo de vuestra conciencia, hombres honrados del mundo, para que vuestra airada protesta palpite en vuestro corazón con la misma fuerza que en el nuestro.

José Bergamín; Manuel Altolaguirre; Luis Cernuda; Miguel Prieto; Antonio Rodríguez Luna; Alberto Sánchez; Manuel Sánchez Arcas; Eugenio Imaz; Vicente Aleixandre; Miguel

Hernández; Rodolfo Halffter; Bacarisse; Gabriel García Maroto; Vicente Salas Viu; Rafael Dieste; Arturo Souto; Antonio Aparicio; León Felipe; María Teresa León; Rafael Alberti; Felipe Camarero; Emilio Prados; Arturo Serrano Plaja; *Antonio Machado;* Ramón Menéndez Pidal; Pío del Río Hortega; Adolfo Salazar.

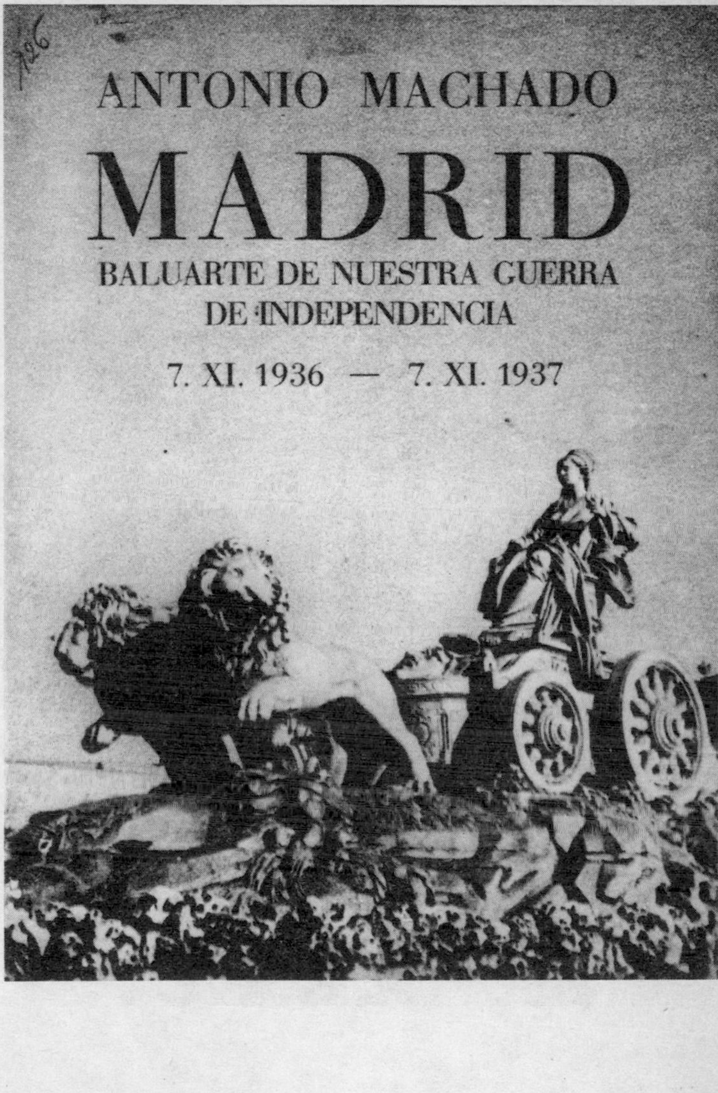
ANTONIO MACHADO
MADRID
BALUARTE DE NUESTRA GUERRA
DE INDEPENDENCIA
7. XI. 1936 — 7. XI. 1937

M A D R I D

A la memoria de Emiliano Barral

I

¡Madrid, Madrid ¡qué bien tu nombre suena,
rompeolas de todas las Españas!
La tierra se desgarra, el cielo truena,
tú sonríes con plomo en las entrañas.

Madrid, 7 de Noviembre de 1936

II

Más de una vez he dicho que si Madrid no hubiera sido capital de España cuando estalló la rebelión militar, habría conquistado, en este año de abnegación y heroísmo la capitalidad que más de tres siglos no han podido disputarle. Y la habría conquistado sin pretenderlo, como se conquistan todas las co..s grandes: aspirando a otras mucho mayores.

Madrid ha sabido ser España, España entera, que es la España leal al Gobierno de nuestra gloriosa República. Luchando sin tregua contra los traidores de dentro y los invasores de fuera, Madrid, no tuvo una hora de vacilación, de desconfianza o de cobardía: ni siquiera un momento de jactancia en que gritase: ¡Viva Madrid! porque siempre ha gritado: ¡Arriba el pueblo!

Madrid ha sabido ser más que capital de España y espejo de todos los buenos españoles; porque al defender la causa popular, —la justicia para el pueblo— vierte su sangre por todos los pueblos y defiende el porvenir del mundo.

Valencia, 27 de Julio de 1937

Los primeros defensores de Madrid

Varios aspectos de la toma por el pueblo madrileño del cuartel de la Montaña

III

LA SONRISA MADRILEÑA

Madrid tenía ya —¿quién puede dudarlo?— una breve y gloriosa tradición salpicada de sangre y de heroísmo, su breve historia trágica, que Don Francisco de Goya anotó para siempre. Pero el pueblo madrileño, que no lo ignoraba, nunca se jactó de ella; en los labios madrileños Bailén, Cádiz, Zaragoza, Gerona, eran, entre las gestas de nuestra guerra de la independencia, tanto o más que Madrid. Cuando Madrid hace del 2 de Mayo una fiesta piadosa específicamente madrileña, quitándole la solemnidad y el atuendo de fiesta nacional, para no

Estudiantes y obreros acuden a alistarse en las Milicias

Aprendiendo el manejo del fusil

El glorioso marinero Antonio Coll, precursor de los antitanquistas que pereció en la defensa de Madrid

El comandante Carrasco, heroico antitanquista

Otro héroe popular: el antitanquista [illegible]

VII

Entre nosotros, españoles, nada señoritos por naturaleza, el señoritismo es una enfermedad epidérmica, cuyo origen puede encontrarse, acaso, en la educación jesuítica, profundamente anticristiana y —digámoslo con orgullo— perfectamente antiespañola. Porque el señoritismo lleva implícita una estimativa errónea y servil, que antepone los hechos sociales más de superficie —signos de clase, hábitos e indumentos— a los valores propiamente dichos, religiosos y humanos. El señoritismo ignora, se complace en ignorar —jesuíticamente— la insuperable dignidad del hombre. El pueblo, en cambio, la conoce y la afirma, en ella tiene su cimiento más firme la ética popular. «Nadie es más que nadie» reza un adagio de Castilla. ¡Expresión perfecta de modestia y de orgullo! Sí, «nadie es más que nadie» porque a nadie le es dado aventajarse a todos, pues, a todo hay quien gane, en circunstancias de lugar y de tiempo. «Nadie es más que nadie», porque —y éste es el más hondo sentido de la frase—, por mucho que valga un hombre, nunca tendrá valor más alto que el valor de ser hombre. Así habla Castilla, un pueblo de señores que siempre ha despreciado al señorito.

Agosto 1936

VIII

Madrid, el *frívolo* Madrid nos reservaba la sorpresa de revelarnos, a tono con las circunstancias más trágicas de la vida española, toda la castiza grandeza de su pueblo. En los rostros madrileños, durante unos días de seriedad, vimos a España entera en su mejor retrato. Madrid, frunciendo el ceño oportunamente, había eliminado al señorito y ya podía sonreír otra vez.

El enemigo —los traidores de dentro y los invasores de fuera— se iba poco a poco aproximando a Madrid. La aviación enemiga multiplicaba sus asesinatos monstruosos de los inermes y los indefensos: de enfermos, de ancianos, de mujeres, de niños. El cielo otoñal madrileño, con sus nubes de plata y sus brisas ligeras, tan alegre antaño, tan hospitalario y acogedor cuando nos anunciaba los días del renacer de la vida ciudadana, la vuelta de los escolares a sus estudios, la reapertura de sus centros de solaz y cultura, era ahora una constante incitación a la blasfemia, a una blasfemia que los combatientes no proferían. Madrid había recobrado su sonrisa *a pesar de todo*, expresiva ahora de una ironía mucho más honda. Madrid había llegado a una plena conciencia de su grandeza y de su soledad.

FRENTES DE MADRID

1.—La Ciudad Universitaria
2.—El puente de Segovia
3.—El puente de Toledo
4.—El puente de los Franceses

La [illegible] de Madrid [illegible] general Miaja, [illegible] defensor de la capital.

V

MADRID [illegible]

[illegible]

JORGE MANRIQUE

¿Por qué recordar yo estos versos de don Jorge Manrique [illegible]

VI

Cuando una gran ciudad —como Madrid en estos días— vive una experiencia trágica, cambia totalmente de fisonomía, y en ella advertimos un extraño fenómeno, comprobado de mucho [illegible] la súbita desaparición del señorito. No es que el señorito [illegible] huya o se esconda, sino que desaparece —literalmente—, se borra, lo borra la tragedia humana, lo borra el hombre. La verdad es que, como decía Juan de Mairena, no hay señoritos, sino más bien señoritismo, una forma entre varias, de hombría degradada, un estilo peculiar de no ser hombre, que puede observarse a veces en individuos de diversas clases sociales, y que nada tiene que ver con los cuellos planchados, las corbatas o el lustre de las botas.

IV
MADRID!

Una fiesta deportiva a la que acuden soldados que descansan del combate

Valencia, 7 de Noviembre de 193
ANTONIO MACHADO

VALENCIA - ROCAFORT
(noviembre 1936 - abril 1938)

Valencia de fecundas primaveras,
de floridas almunias y arrozales,
feliz quiero cantarte, como eras...

ANTONIO MACHADO

Sobre la una de la madrugada del día 26 de noviembre, llegaron por fin a Valencia, donde fueron recibidos por el ministro de Instrucción Pública e instalados en el Hotel Palace, sito en el n.º 27 de la calle de la Paz (el nombre de la calle cobra todo su significado en aquellos días). El Hotel Palace había sido inaugurado para la Exposición Regional y Nacional de 1910 y fue incautado para albergar a los intelectuales antifascistas. Al día siguiente de la llegada de estos intelectuales, el Hotel Palace lucía en sus balcones un gran lienzo blanco con el rótulo «Casa de la Cultura». A esta Casa de la Cultura, los valencianos la llamaban «El Casal dels Sabuts de tota mena» (La Casa de los Sabios de todas clases).

A pesar de su cansancio, el mismo día de su llegada a Valencia, Antonio Machado habló con los periodistas y dio algunos detalles del bombardeo de los centros culturales y artísticos, y declaró que sobre las bibliotecas y museos de Madrid se arrojaron en pocos minutos 18 bombas incendiarias. Siguió diciendo: «*Los fascistas pretenden demostrar con estos inexplicables bombardeos que no respetan nada y que todo les ha sido y es indiferente, por elevada que esté la escuela de los valores eternos*».[1] El día 30 de noviembre, Antonio Machado

1. *Milicia Popular*, n.º 112, p. 3.

hace nuevas declaraciones en que recalca las palabras anteriores: «*El fascismo es la fuerza de la incultura, la negación del espíritu. El pueblo guarda las obras de arte con calor, y el fascismo las destruye con saña, intencionadamente, por ser obras del espíritu y de la cultura. Yo lo afirmo rotundamente. El Museo del Prado, la Biblioteca Nacional, el Palacio del Duque de Liria, han sido bombardeados sin otro objetivo bélico que la fatal necesidad de destruir que siente el fascismo*».[2]

En estas declaraciones de Machado se aprecia claramente la amargura del poeta al ver destruir todo cuanto atañe a la cultura; por ello más que nunca quiere estar con el pueblo, con ese pueblo que defiende a toda costa su patrimonio artístico.

La familia Machado se quedó pocos días en la Casa de la Cultura donde habían sido alojados. «Pero estos días —dice José Machado— fueron de tan difícil acomodación para el poeta, que agravado en sus dolencias y acabado de desarraigar de su vida normal, llegó a estar de una nerviosidad y extenuación realmente alarmante.»[3]

Gracias a unos amigos, la familia Machado encontró una casita en el pueblo de Rocafort, en los Serranos, a escasos kilómetros de Valencia. Permanecerán allí unos quince meses en Villa Amparo, casa desde cuya torre se divisaba el mar, con un patio de naranjos y limoneros y una acequia. Todo ello —el mar, a lo lejos; los naranjos, los limoneros, el rumor del agua en la acequia que le recordaba su infancia sevillana— parecía los más adecuado para que don Antonio recobrara alguna fuerza.

Don Antonio reanuda su trabajo con gran actividad. El día 10 de diciembre de 1936, a las cuatro y media de la tarde fue inaugurada en la plaza de Emilio Castelar, la Tribuna para Propaganda levantada por el Ministerio de Instrucción. Antonio Machado leyó unas poesías, entre las que destacó «El

---

2. *Milicia Popular*, n.º 115, p. 3.
3. José Machado, *Últimas soledades del poeta Antonio Machado*, p. 137.

ESTE EDIFICIO ALBERGO
A LOS MAS PRESTIGIOSOS
INTELECTVALES Y ARTISTAS
ESPAÑOLES, CVANDO DESDE
MADRID ASEDIADA (1936-39)
FVERON EVACVADOS A VALENCIA.
LLAMOSE CASA D LA CVLTVRA
CVYO PATRONATO PRESIDIO
EL POETA ANTONIO MACHADO.
EN TESTIMONIO D HOMENAJE.
EXCMO. AYVNTAMIENTO DE
VALENCIA.
FEBRERO 1984.

Hotel Palace (Valencia).

Villa Amparo (Rocafort).

crimen fue en Granada», y el ministro de Instrucción Pública pronunció un discurso. Numerosos milicianos perfectamente formados y una banda de música dieron color al acto, según nos dice la prensa. De este acto nos dejó también su testimonio José Moreno Villa: «... levantaron una tribuna bastante flaca e incómoda, sin un mal banco para sentarse, ni escalera para subir. Recuerdo los apuros de Machado para trepar por unas vigas o tablones, estando tan torpe de movimientos como estaba. El ministro explayó su discurso, Machado leyó su poema "A la muerte de Federico García Lorca", León Felipe un romance». Otro testimonio de este acto nos lo da José Machado: «Del fondo de este improvisado escenario subió lentamente y con gran esfuerzo el poeta y surgió su figura como si saliera por el escotillón de una comedia de magia. No creo que el autor de *Soledades* haya hecho en su vida mayor sacrificio. Verse sobre un tablado, en medio de una gran plaza pública y rodeado por un mar de cabezas que se apiñaban para verle y oírle, fue sin duda, algo insólito para él».[4]

Don Antonio se desplaza en contadas ocasiones a Valencia. Otra de ellas fue para asistir a la Conferencia Nacional de Juventudes Socialistas que tuvo lugar el 12 de enero de 1937 en el salón de sesiones del Ayuntamiento de Valencia, organizada por las Juventudes Socialistas Unificadas, con la asistencia de unos doscientos delegados. Antonio Machado se sentó en la mesa presidencial junto al alcalde de Valencia. En esta mesa estaban también: José Díaz, «La Pasionaria», Carrasco, y los ministros de Instrucción y Propaganda. El primero de mayo de ese mismo año tenía que leer ante estas mismas Juventudes Socialistas Unificadas, y en el local de éstas, su famoso discurso.[5]

El 4 de julio de 1937 asiste a la inauguración del II Congreso Internacional de Escritores Antifascistas, que se celebró en el salón de actos del Ayuntamiento de Valencia. La delegación española estaba integrada, además de Antonio Machado,

---

4. José MACHADO, *op. cit.*, p. 140.
5. Véase este discurso en la p. 117.

ANTONIO MACHADO
LA GUERRA
DIBUJOS DE
JOSÉ MACHADO
1936 - 1937
ESPASA-CALPE, S. A.

Portada
del último libro de
Antonio Machado:
La guerra.

Antonio Machado
(10-12-36), leyendo su
poema a F. García Lorca
*El crimen fue en
Granada,* en la Plaza
Castelar (Valencia).

por Jacinto Benavente, Álvarez del Vayo, Ricardo Baeza, Margarita Nelken, María Teresa León, José Bergamín, Rafael Alberti, Tomás Navarro Tomás y León Felipe. Cataluña estaba representada por Pompeu Fabra, Pous y Pages, y Emilio Mira.

El 5 de julio de 1937, *El Mono Azul* publica la noticia de que Antonio Machado y José Bergamín han sido elegidos para la Directiva de la Asociación Internacional de Escritores. Durante este Congreso, Machado leyó su «Discurso sobre la defensa y la difusión de la cultura».[6]

Aparte de asistir a actos de este tipo, Machado iba a Valencia en muy contadas ocasiones, ya que le costaba mucho trabajo desplazarse. En alguna ocasión, aunque no en muchas, fue a la Casa de la Cultura, ya que fue nombrado presidente del Patronato de dicha Casa. Aceptó el cargo por varios motivos, que explica a don Tomás Navarro Tomás en carta fechada en Rocafort, en diciembre de 1936: «*Querido amigo: Enfermo, como usted sabe, e imposibilitado totalmente para abandonar durante algunos días mi domicilio de Rocafort, me es forzoso confiar a la pluma la expresión de mi gratitud a todos cuantos me honraron nombrándome presidente del Patronato de la Casa de la Cultura*».[7] No obstante esta escasez de desplazamientos no significa ni mucho menos que el poeta viviese totalmente aislado. Recibe muchas visitas. Entre las personas que le visitaron nos queda constancia de las visitas de Carmen Conde, Juan Gil-Albert, Vicente Gaos, Pascual Pla y Beltrán, Antonio Sánchez Barbudo, Rafael Pérez Contel, Rafael Ferreres, Carola Reig, Vicente Carrasco, Rafael Alberti, José Bergamín, Ilya Ehrenburg, Juan Marinello, y un largo etcétera. Todas estas visitas, fueran de viejos amigos o de admiradores, las recibía Machado con la misma bondad.

Y a pesar de todo, don Antonio escribía, y escribía mucho. Colaboró desde el primer número (enero de 1937) en *Hora de España,* cuyo objetivo era demostrar «que España prosigue su

---

6. Véase p. 143.
7. Véase esta carta en la p. 218.

vida intelectual o de creación artística en medio del conflicto gigantesco en que se debate... Nuestros escritos han de estar, pues, en la línea de los acontecimientos, al filo de las circunstancias, teñidos por el color de la hora, traspasados por el sentimiento general». Las colaboraciones en *Hora de España* son de las pocas que cobra Machado: se le pagan cincuenta duros por ensayo.

Colabora también —¿cómo no?— en los Cuadernos que publica la Casa de la Cultura bajo el título *Madrid,* y cuya publicación se empieza en febrero de 1937. Se encuentran asimismo artículos del poeta en una serie de revistas o diarios, como *La voz de España, Ahora,* el *Boletín del Servicio Español de Información, Ayuda, Nuestra Bandera, ABC, AERCU, Boletín del Consejo Regional de Defensa de Aragón, Boletín del 5.º Regimiento, Comisario, Commune, Ejército del Ebro, El Liberal, Fragua Social, Frente Rojo* y *Nueva Cultura.* Siempre está dispuesto a colaborar en la lucha en la medida de sus posibilidades, es decir, con su pluma, como explica muy bien en una carta al comandante Carlos con fecha de febrero de 1938: «*Mándeme siempre, nada tiene usted que agradecerme. Es para mí un gran consuelo y una plena satisfacción el acompañarles con la pluma ya que mi espada se melló hace tiempo y de nada serviría en la actual contienda*».[8] También se lo decía a Juan Chabas en el Ideal Room, café de la calle de la Paz junto a la Casa de la Cultura: «*¡Ah, si yo pudiera, también hubiese sido soldado! Es lo mejor que se puede ser hoy*».

Todos sus artículos los escribe don Antonio a mano, ya que no tiene máquina de escribir. Luego, la mayoría los pasa a limpio su hermano José, fiel compañero del exilio. Se encuentra también su colaboración en un libro que Ediciones Españolas publica en Valencia con motivo del II Congreso Internacional de Escritores, con el título *Poetas en la España leal,* en que se insertan poemas de Rafael Alberti, Manuel Altolaguirre, Luis Cernuda, Juan Gil-Albert, Miguel Hernández, León

---

8. Véase esta carta en la p. 251.

HORA
DE
ESPAÑA
REVISTA MENSUAL
1

TOPOS VERLAG AG
VADUZ
LIECHTENSTEIN

EDITORIAL LAIA, S. A.
CONSTITUCION, 18-20
BARCELONA (14)

MADRID
CUADERNOS DE LA CASA
DE LA CULTURA
1

VALENCIA
FEBRERO
1937

Felipe, José Moreno Villa, Emilio Prados, Arturo Serrano Plaja y Lorenzo Varela. Según se explica en este libro, «el orden adoptado en el texto para la inserción de nombres es el alfabético con una sola excepción, Antonio Machado, que preside estas páginas». El poema de Antonio Machado inserto en *Poetas de la España leal* es «El crimen fue en Granada».

Antonio Machado quiere también trabajar para su obra. En una carta al poeta Juan José Domenchina, afirma: «*Como comprendo que me queda poco tiempo para mi obra, desearía consagrarme a ella*».[9] Así, en Valencia recopiló varios poemas que formarían parte de su último libro, *La guerra,* que ilustraría su hermano José. Este libro, editado por Espasa-Calpe, consta de 115 páginas y de siete textos. El poeta había empezado ya esta recopilación en Madrid en agosto de 1936 con «Los milicianos de 1936», «El crimen fue en Granada», «A Emiliano Barral», y es probable que escribiera también en Madrid «Apuntes», que son meditaciones de Juan de Mairena. El primer poema que aparece firmado en Valencia es «Meditación del día», y lleva fecha de febrero de 1937; con la misma fecha está también la «Carta a David Vigodsky». Cierra el libro el «Discurso a las Juventudes Socialistas Unificadas». De *La guerra* nos dice María Zambrano: «Palabras paternales son las de Machado, en que se vierte el saber amargo y a la vez consolador de los padres, y que con ser a veces de honda melancolía, nos dan seguridad al darnos certidumbre».

Pero el poeta llevó en Rocafort una actividad demasiado densa para lo que le permitía su estado de salud. José nos dice: «cada día su gabán parecía mayor y él más pequeño, entre el frío que le hacía encogerse y su cuerpo que se consumía no tanto bajo el peso de los años como por el agotamiento de sus energías físicas».[10] El propio Antonio Machado escribe a David Vigodsky con fecha de 20 de febrero de 1937: «*Mi querido y lejano amigo: con algún retraso me llega su amable carta del 25 de enero, que habría contestado a vuelta de correo si mis*

---

9. Véase esta carta en la p. 224.
10. José Machado, *Últimas soledades del poeta Antonio Machado,* p. 138.

achaques habituales no se hubiesen complicado con una enfermedad de los ojos, que me ha impedido escribir durante varios días. En efecto soy viejo y enfermo [...] *las vísceras más importantes de mi organismo se han puesto de acuerdo para no cumplir exactamente sus funciones»*. Vicente Gaos nos dice también, relatando una de sus visitas al poeta: «Su cansancio y su abatimiento trascendían en el vacilante pulso con que firmó nuestros libros. Recuerdo que para escribir se puso unas gafas, mientras nos explicaba que ya no tenía vista suficiente para trabajar sin ellas».

Cuando los intelectuales evacuados de Madrid llegaron a Valencia, no se oían ni los cañones ni las bombas. La gente paseaba tranquilamente por las calles, y las tiendas, cafés y teatros estaban abiertos y concurridos. Pero poco a poco la situación fue cambiando y hubo que hacerse a la triste realidad del avance de las tropas franquistas hacia Valencia. El 11 de febrero de 1938, Antonio Machado rechaza una propuesta de Juan José Domenchina para trasladarse a Barcelona: *«Aquí trabajo bastante y aunque siempre estoy a disposición del Gobierno, me agradaría permanecer en este ambiente más reposado que el de Barcelona»*. Pero una tarde de abril de 1938, Machado recibió un telegrama de Barcelona que le invitaba a dejar Rocafort, poniendo a su disposición un coche para que saliese a primera hora del día siguiente.

Una vez más Machado recogió sus papeles de mayor interés, y emprendió viaje hacia Barcelona. Un viaje también lleno de escollos en que la familia Machado perdió parte del equipaje que afortunadamente se volvería a recuperar.

TESTIMONIOS SOBRE ANTONIO MACHADO

TESTIMONIO DE JUAN GIL-ALBERT[1]

La casa de Machado, cercada de verja y ligeramente desnivelada hacia el poniente, era un naranjal. A él se abrían las puertas sobre unos cuantos peldaños que servían como de peana a la construcción, cuadrada, y con zócalo de azulejos, que ayudaban a dar al conjunto, con las copas esmeraldinas de los naranjos, tupidas y bajas, árbol no para la sombra, para el decorado, y dos o tres palmeras de jardín que curvaban sus altos cuellos sobre un confín calmoso, esa resonancia moruna incrustada en los flancos de la latinidad. Machado me pareció, en medio de la incuria de las habitaciones, alguien que está de paso sobre un mundo removido. Más viejo de lo que, seguramente, era. Y descuidado, el cuello sin abotonar, los cordones de los zapatos a medio anudar, el belfo caído; entrecanoso. Sobre sus hombros, a la luz del sol que entraba oblicua por los ventanales, se percibía depositado un polvillo blanco que, en aquellas alturas, en torno a la antigua testa creadora, hacía pensar, metafóricamente, en la lava de un volcán. Nuestras

1. Juan Gil-Albert, *Obra completa en prosa,* tomo 2, «Memorabilia», pp. 317-321.

visitas se confunden en mi memoria, unas dentro, otras sentados al exterior frente a las bolas oscuras de los naranjos. La familia entraba y salía sin poner en nada el orden de lo que se vive en propiedad; con despego y negligencia envidiable; despego y entrega a la vez; entrega a lo que no nos responsabiliza. Había unas sobrinas, un hermano que dibujaba muy modestamente, y la madre, inverosímilmente frágil, con los cabellos blancos revueltos y la tez arrugada, como una gitanilla vieja. Resultaba curioso que tratando de camaradas a los ministros, a nadie se nos ocurrió llamarle nunca de otro modo que don Antonio. Escritas a mano nos entregaba las tres o cuatro cuartillas de su colaboración que le pagábamos, como se dice, no sé por qué, religiosamente, y en las que, encontró, al fin de su vida, y en medio del fracaso espantoso de la convivencia de los españoles, al que había denunciado tantas veces la ausencia de caridad, la ocasión de poner punto final al sutil espejismo de esos tres personajes supuerpuestos, Antonio Machado, Juan de Mairena y Abel Martín, que, encajado uno en el otro, de fuera a dentro, de dentro a fuera, en la delicada mecánica de las cajas chinas, crean esa transparencia profunda del pensamiento humano que posee como el agua, en una como unidad indehiscente, claridad y misterio. No quiero olvidarme de lo que, un día que regresamos de estas visitas, tuvimos que oír de uno de los altos empleados del Ministerio de Instrucción Pública, cuando fuimos a entregarle la protesta escrita de Machado, con ocasión del bombardeo de Almería, por unos barcos extranjeros, y que había de ser publicada, con otros enjuiciamientos igualmente condenatorios, en la prensa. El citado burócrata nos preguntó, con sorna apenas disimulada, si lo habíamos encontrado retocando versos, él dijo versitos. Sin caer en la cuenta que a tamaña dedicación, al parecer suyo tan futil, se debía el que hubiéramos ido a pedirle una opinión que, en boca de cualquier funcionario habría ofrecido, como repercusión de un testimonio personal, escasa garantía...

En una ocasión, sentados en sillones de mimbre, con el comienzo, enfrente, de un ocaso violeta, y sintiendo bajo nuestros pies el contacto de esos grumos de tierra característicos de los naranjales entrecavados, me habló de Valencia y de la finura de su luz que, según él, no había sido captada en toda su sutileza. Como si se hubiera prestado más atención a la abundancia que a la calidad, quiso decir.

PLA Y BELTRÁN: MI ENTREVISTA CON ANTONIO MACHADO[2]

Rocafort, asentado sobre el declive de un cerro enano, tiende largamente sus pies al cercano mar donde las espumas marinas se confunden con las jaspeadas barcas pescadoras. La tierra fulge verdes rabiosos, amarillos tonantes y acalorados sienas, cruzado de continuo —de día y de noche— por ese rumor fresco que tiene el agua de las acequias. Esto son los pies de Rocafort. Su frente está coronada por un pinar menguado; de su hombro diestro baja en las noches del estío el azahar de los naranjales, cuyos huertos han ganado los hombres horadando en la piedra, a fuerza de sudorosos sacrificios: sangre, trabajo y tiempo.

En este Rocafort levantino moró Machado algunos meses. Ocupaba un bello chalet en la parte baja del pueblo, con un huerto de jazmines, de rosales y limoneros. Este paisaje, en el crepúsculo de su edad le recordaba su niñez en Sevilla. El edificio tenía —o tiene— un mirador abierto, desde donde podía adivinarse el mar. En aquella pequeña terraza solía recibir Machado sus visitas. Allí, o a la sombra de aquellos limoneros cuajados de amarillos frutos, compuso seguramente el poeta sus últimas estrofas. Debió, también, dialogar más de una vez con Dios allí, pues vivía como a las barbas del mundo, y él había dicho: «Quien habla solo, espera hablar a Dios un día».

Yo había decidido aquella tarde ver al poeta. Era en agosto de 1937. Sentía —siento, como todo joven español que

---

2. Pla y Beltrán, «Mi entrevista con Antonio Machado», *Cuadernos Americanos* (México), enero-febrero de 1954, pp. 233-238.

lleva la raíz de España en su sangre— veneración por él. Sus versos, con los de Juan Ramón, son lo más sustancial, lo más hondo y latente de nuestra poesía contemporánea. Es el barro, la materia hecha temblor. Yo conocía bien al poeta, pero casi desconocía al hombre. Le había visto por primera y única vez hacía unas semanas, en una reunión literaria, en Valencia. Me lo presentó don Tomás Navarro Tomás. Después, terminada la pequeña fiesta, Antonio Machado tuvo la amabilidad de llevarme hasta Rocafort en su coche. Apenas hablamos durante el viaje. Le adivinaba fatigado, o en muda conversación con Abel Martín. Alguna palabra sobre las huertas, los naranjos y la obra hidráulica de los moros; el contraste de Valencia con Castilla, que hizo a España. Al despedirnos me dijo Machado: «Pues que somos vecinos, venga usted a verme; verá que hermosa casa tengo».

Le prometí que iría; pero mi visita se fue demorando hasta aquella tarde del mes de agosto. Conmigo llevaba un ejemplar de sus *Páginas escogidas,* para que me lo firmara el poeta. Más de una vez me detuve en el camino, abrí el libro y leí sobre la concepción de su poesía y su estética. Era la emoción, el cordial sentimiento humano lo que más vivamente parecía interesarle. La poesía como prolongación del ser y del existir del hombre colosal que era y existía en Antonio Machado. Conjugar la voz interior con el contorno, la sangre con la gracia, no como un ángel podría hacerlo sino como la criatura humana lo hace. Así sus versos son directos, tal puras experiencias o testimonios vivos. A la difícil facilidad de Juan Ramón Jiménez, puede oponerse la sencilla profundidad de Machado; a la juanramoniana definición del poema, no lo toquéis ya más: así es la rosa, podría y parece decir Machado: no lo toquéis ya más: así fue el hombre.

(No creo que S.M. haya pretendido ir mucho más allá de donde fue Machado al proclamar la necesidad imperiosa de una poesía capaz de hacer llorar a las mecanógrafas. Hay que vitalizar, vivificar, poner en ascua pura la poesía.)

Me hallé frente al chalet. La sangre me estallaba en los pulsos. De las verjas pendía una maraña confusa de jazmines.

Me abrió la puerta una muchacha delicada, muy joven, sobrina del poeta. Me hizo aguardar en el jardín mientras ella subía a comunicar mi llegada. Los limoneros desgarraban sus ramas con la acongojada acidez de sus frutos. Reapareció la muchacha en lo alto de la escalera y con un gesto de su mano me invitó a subir. Detrás de ella divisé a don Antonio; le acompañaba su hermano José. Me acogieron con tanta cordialidad que mi nerviosismo cesó.

Fuimos a la terraza o mirador de que antes he hablado. Allí había una mesa, a cuyo alrededor tomamos asiento. Antonio Machado —con su perpetuo traje marrón— se sentó al frente; su hermano se colocó a mi diestra. «He frente a mí —pensé— el hombre sobre cuyos hombros reposa la más entrañable poesía española.»

Era conmovedor ver el cariño con que se trataban ambos hermanos. Es difícil ser artista y no poseer un rencor, una envidia, un veneno... «Soy en el buen sentido de la palabra bueno», había escrito el poeta. Ahora hablaba con su ligero acento andaluz, con su dura timbrada voz agradable. De vez en vez requería el asentimiento de su hermano; éste corroboraba sus aseveraciones con una palabra, con una sonrisa, con un gesto, con una mirada.

—Esto es hermoso, muy hermoso —comentaba Machado—. Esto es como un poco de paraíso. Sobre las huertas flamean todos los verdes, todos los amarillos, todos los rojos. El agua roja de esas venas surca graciosamente y abastece el cuerpo de esta tierra. ¡Cuánto ha debido laborar el hombre para conseguir esto! Los valencianos están orgullosos de sus tierras, que no tienen que desgarrar sino acariciar con el mimo con que se besa a una muchacha; pero esto, que yo amo y admiro como una bendición, no es la tierra, la tierra ancha y dura, ascética y peleadora de Castilla. ¡Castilla hizo a España! Sin Castilla posiblemente esos naranjos no dejarían ahora caer su azahar bajo estos cielos..., al menos para nosotros. Estos campos (estos campos son la vida y otros campos son la muerte, he leído en no sé qué lugar), esta hermosura materializa al hombre, lo vuelve en exceso terreno. Aquí, entre esta verdura, difícilmente se angustia uno con la muerte. Y no existe contradicción en esto, pues lo que pasa es que aquí la idea de la muerte muy raramente conturba el espíritu del hombre. El hombre es aquí tan material, que parece vivir con la convicción de que su permanencia será eterna sobre la tierra. ¡Castilla es tan distinta! ¡Tierra de místicos, de guerreros y de truhanes! El hombre vive allí con la esperanza del más allá, desdeñoso de la tierra, con una lanzada de Dios en el espíritu. Los pies en el suelo, mas la cabeza clavada en la infinitud del espacio. Castilla es la conquista, la expansión, la fe, lo absoluto; Valencia es el laboreo, la constancia, la conservación de lo por aquélla conquistado. ¡Castilla es el espíritu de España!

(Yo me acordé de Eusebio García-Luengo, el cual, una tarde en que caminábamos por campos de Foyos, me dijo mientras devoraba una punta de boniato y abarrotaba de naranjas su gran cartera —migas de pan, cuartillas a medio escribir, cacahuetes, recortes de prensa y algún Eugenio d'Ors deslomado—: «Tienes que convencerte de que esto, esto en que apoyamos los pies, no es tierra. La tierra es Extremadura; la tierra es Castilla. ¡Pero esto! ¡No ves que el verde no deja ver la tierra!». Tuve que darle la razón.)

—La llevada y traída y calumniada generación del 98, en la cual se me incluye —siguió hablando el poeta un poco abstraído, sereno y alegre: con esa alegría tan seria de Machado y del español— ha amado a España como nadie, nos duele España —como dijo, y dijo bien, ese donquijotesco don Miguel de Unamuno— como a nadie ha podido dolerle jamás patria alguna. Pero los españoles habíamos soñado con exceso, habíamos vivido demasiado de nuestros antepasados, demasiado como milagro. Nuestro sueño cayó con la bancarrota de las últimas empresas ultramarinas. La razón contundente de nuestros fracasos nos demostró que podía lucharse pero no vencerse con lanzas de papel. Recogimos velas, las pocas y desgarradas velas que aún nos quedaban, y nos volvimos patria adentro. Había que poner un poco de orden aquí. Nuestra universalidad, la universalidad de España no puede ser ya una universalidad física sino espiritual. No nos engañemos.

Del cielo encapotado, fosco, desprendióse una fulminante llamarada; seguidamente se escuchó un imponente trueno. Comenzó a llover.

Yo dije, tal vez tontamente:

> El pesado balón de la tormenta
> de monte en monte rebotar se oía.

Antonio Machado sonrió.

—No sé —dijo de nuevo— si han sido mis palabras o mis versos, que fluían en la mente de usted, los que han convocado la tormenta, pues no creí que fuera a llover esta tarde. Veo también que usted lee mis versos; yo no los leo nunca. No los leo porque creo que los versos son intuiciones cuajadas, experiencias latentes, cuando son y significan algo; pero precisamente por lo que tienen de testimonios de momentos que fueron, de sombras del pasado nos llevan fatalmente a la elegía. Yo dejo caer mis poemas como hojas frescas, como esas hojas de limonero tan relucientes bajo el agua, sin volver sobre ellos; así tengo la impresión de que permanecen tan juveniles como cuando los concebí y creé.

—Lo siento por usted, don Antonio —le interrumpí—. Debería leer al mejor poeta de España.

—Me basta —y su palabra cobró una entonación especial— con leer a Jorge Manrique y a Federico García Lorca.

Sus sobrinas aparecían de cuando en cuando, preguntaban alguna cosa, traían un vaso de agua; a veces se las oía palmotear bajo la lluvia en el jardín. Machado las trataba como si llevara el corazón en la mano.

Era un hombre tan bueno, que aun al mayor criminal le hubiera encontrado una disculpa. Hubiera dicho: «Habrá que estudiar bajo qué circunstancias ha cometido tal acto. El hombre que es un arcano temblor para la poesía, para la razón no puede ni debe ser un asombro. Investiguemos. La humana criatura es buena. En el fondo —¿no te parece a ti José?— todos tenemos algo noble, todos llevamos algo, un poco de Dios en el corazón». No sé si Machado fue siempre así, si en su juventud —la juventud es intransigente llama destructora, voz o intuición del caos— fue también así; pero aquella tarde del pueblecito levantino, bajo el clamor de la tormenta, así era Machado, así me pareció que era Machado. Había envejecido, y la edad le pesaba demasiado en los huesos:

> Sin placer y sin fortuna,
> pasé como una quimera
> mi juventud la primera...,
> la sola, no hay más que una:
> la de dentro es la de fuera.

Yo cometí otra pequeña indiscreción (debo confesar que nunca pensé utilizar aquella entrevista para un artículo; hoy lo hago; que su memoria me perdone). Llamé al corazón del poeta.

—¿Qué sabe de su hermano Manuel? —dije.

El rostro de Machado se iluminó.

—Es para mí una tremenda desgracia este estar separado de Manuel —me contestó—. Él es un gran poeta. Él, además de mi hermano, ha sido mi colaborador fiel en una serie de obras teatrales; sin su ánimo nunca esas obras hubieran sido escritas —hizo una breve pausa—. La vida es cruel a veces; a veces es excesivamente dura. Pero este dolor nuestro, por profundo que sea, no es nada comparado con tanta catástrofe como va cayendo sobre el pecho de los hombres. Sin embargo, cuando pienso en un posible destierro, en una tierra que no sea esta atormentada tierra española, mi corazón se llena de pesadumbre. Tengo la certeza de que el extranjero significaría para mí la muerte.

No sé qué sombra posó su ala sobre el espíritu del poeta. Había cesado de llover. Del jardín ascendía un oloroso azahar de limonero. José se levantó y trajo una pluma. Machado me firmó el ejemplar de sus *Páginas escogidas*, que yo, entre tanta catástrofe he terminado por perder. Luego bajamos al jardín. Anochecía cuando les di mi adiós.

Ya no volví a ver al poeta en vida, aunque le pude ver en su muerte. Diecinueve meses después moría sobre tierras francesas. Debía de ir como serenamente había presentido en uno de los más conmovedores versos: casi desnudo como los hijos de la mar. Y es que Antonio Machado era tan español, que le era imposible vivir sobre otra tierra que no fuese esta áspera y atormentada tierra de España.

POESÍAS
(Valencia-Rocafort, noviembre 1936 - abril 1938)

A MÉJICO[1]

Varón de nuestra raza,
équite egregio de las altas tierras
entre dos Sierras Madres,
noble por español y por azteca,
tú has sentido solícito y piadoso
—sonrisa paternal, mano fraterna—
el rudo parto de la vieja España,
y a la que va a nacer España nueva
acudes con amor, Méjico, libre
libertador que el estandarte llevas
de las Españas todas:
¡te colme Dios de luz y de riquezas!

---

1. Este poema, publicado en *La Torre,* n.º 45-46, no lleva fecha y lo incluimos en la poesía de guerra de Antonio Machado, pues nos parece que alude a la ayuda de México a España durante la guerra.

MEDITACIÓN DEL DÍA[2]

Frente a la palma de fuego
que deja el sol que se va,
en la tarde silenciosa
y en este jardín de paz,
mientras Valencia florida
se bebe el Guadalaviar
—Valencia de finas torres,
en el lírico cielo de Ausias March,
trocando su río en rosas
antes que llegue a la mar—,
pienso en la guerra. La guerra
viene como un huracán
por los páramos del alto Duero,
por las llanuras de pan llevar,
desde la fértil Extremadura
a estos jardines de limonar,
desde los grises cielos astures
a las marismas de luz y sal.
Pienso en España vendida toda
de río a río, de monte a monte,
de mar a mar.

Valencia, febrero 1937.

HIMNO DE LA REPÚBLICA ESPAÑOLA[3]

Es el sol de una mañana
de gloria y vida, paz y amor;
libertad florece y grana
en el milagro de su ardor:
¡Libertad!

---

2. Antonio MACHADO, *La guerra,* Madrid, Espasa-Calpe, 1937.
3. Música de Esplá. Reproducido de Joan LLARCH, *Cantos y poemas de la guerra civil de España,* Barcelona, Producciones Editoriales, 1978.

España brilla a su fulgor
como una rosa de verdad
y de amor.
Gloria de escuchar fe y esperanza,
cantar,
España avanza,
gloria del cantar
de campo y mar de armonía,
España mía,
a quien con fe se ve lucir
fiero incendio que devora
al que quiere combatir:
¡Libertad!
El mundo brilla a tu fulgor
como un poema de verdad
y amor.

ALERTA[4]

Himno para las juventudes deportivas y militares

Día es de alerta, día
de plena vigilancia en plena guerra
todo día del año. ¡Ay del dormido,
del que cierra los ojos, del que ciega!
no basta despertar cuando amanece:
Hay que mirar al horizonte. ¡Alerta!

Los que bañáis los cuerpos juveniles
en las aguas más frías de la alberca,
y el pecho dais desnudo al viento helado
de la montaña, ¡alerta!
Alerta, deportistas y guerreros,
hoy es el día de la España vuestra.

---

4. En algunas ediciones aparece con el subtítulo de «Himno para las juventudes *deportistas* y militares».

Fortaleced los brazos,
agilizad las piernas,
los músculos despierten al combate,
cuando la sangre roja grite: ¡Alerta!

Alerta, el cuerpo vigoroso es santo,
sagrado el juego cuando el alma vela
y aprende el golpe recto
al pecho de la infamia, ¡alerta, alerta!
Alerta, amigos, porque el tiempo es malo,
el cielo se ennegrece, el mar se encrespa;
alerta al gobernalle,
al remo y a la vela;
patrón y marineros, todos de pie en la nave,
¡alerta, alerta!

En las encrucijadas del camino
crueles enemigos nos acechan:
dentro de casa se esconde,
fuera de casa la codicia espera.
Vendida fue la puerta de los mares,
y las ondas del viento entre las sierras,
y el suelo que se labra,
y la arena del campo en que se juega,
y la roca en que yace el hierro duro;
sólo la tierra en que se muere es nuestra.

Alerta al sol que nace,
y al rojo parto de la madre vieja.
Con el arco tendido hacia el mañana
hay que velar. ¡Alerta, alerta, alerta!

Rocafort, 1937.

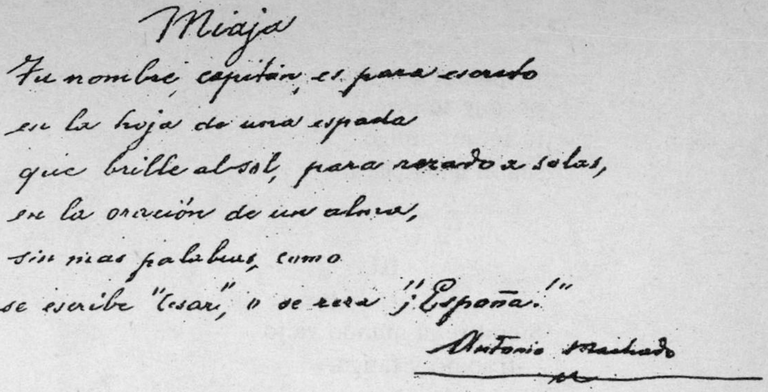
Miaja
Tu nombre, capitán, es para escrito
en la hoja de una espada
que brille al sol, para rezado a solas,
en la oración de un alma,
sin mas palabras, como
se escribe "César", o se reza "¡España!"
Antonio Machado

MIAJA[5]

Tu nombre, capitán, es para escrito
en la hoja de una espada
que brille al sol, para rezado a solas,
en la oración de un alma,
sin más palabras, como
se escribe «César», o se reza «¡España!».

TARJETAS POSTALES[6]

I

Si vino la primavera
volad a las flores, como las abejas;
volad a las flores, niños;
no chupéis la cera.

---

5. *Nueva Cultura,* n.° 4-5, junio-julio de 1937. El general José Miaja fue el jefe de la Junta de Defensa de Madrid.

6. Los poemas siguientes fueron publicados en unas postales editadas por el Ministerio de Comunicaciones de la República, para la correspondencia gratuita entre niños evacuados. No hemos conseguido las postales, y reproducimos los poemas del libro de Félix Gordon Ordaz, *Mi política fuera de España.*

II

Pequeñín que lloras
porque te lavan:
tu mejor amigo
sea el agua clara.

III

Siempre al mundo viejo
—trabajo y fatiga—
el niño lo salva
con sus ojos nuevos.

IV

Ved al niño encaramado
en el árbol de la ciencia;
entre sus piernas, la rama;
el fruto, entre ceja y ceja.

V

Respeto y amor a la vejez.

VI

Cada nido es un hogar: respetadlo.

VOZ DE ESPAÑA
(A los intelectuales de la Rusia soviética)

¡Oh Rusia, noble Rusia, santa Rusia,
cien veces noble y santa
desde que roto el báculo y el cetro,
empuñas el martillo y la guadaña!,
en este promontorio de Occidente,
por estas tierras altas
erizadas de sierras, vastas liras
de piedra y sol, por sus llanuras pardas
y por sus campos verdes,
sus ríos hondos, sus marinas claras,
bajo la negra encina y el áureo limonero,
junto al clavel y la retama,
de monte a monte y río a río
¿oyes la voz de España?
Mientras la guerra truena
de mar a mar, ella te grita: ¡Hermana!

Octubre, 1937.

SONETOS[7]

I

LA PRIMAVERA

Más fuerte que la guerra —espanto y grima—
cuando con torpe vuelo de avutarda
el ominoso trimotor se encima,
y sobre el vano techo se retarda,

7. Los ocho sonetos siguientes fueron publicados en *Hora de España*, n.º 18, junio de 1938.

hoy tu alegre zalema el campo anima,
tu claro verde el chopo en yemas guarda.
Fundida irá la nieve de la cima
al hielo rojo de la tierra parda.

Mientras retumba el monte, el mar humea,
da la sirena el lúgubre alarido,
y en el azul el avión platea,

¡cuán agudo se filtra hasta mi oído,
niña inmortal, infatigable dea,
el agrio son de tu rabel florido!

II

EL POETA RECUERDA LAS TIERRAS DE SORIA

¡Ya su perfil zancudo en el regato,
en el azul el vuelo de ballesta,
o, sobre el ancho nido de ginesta,
en torre, torre y torre, el garabato

de la cigüeña!... En la memoria mía
tu recuerdo a traición ha florecido;
y hoy comienza tu campo empedernido
el sueño verde de la tierra fría,

Soria pura, entre montes de violeta.
Di tú, avión marcial, si el alto Duero
a donde vas recuerda a su poeta,

al revivir su rojo Romancero;
¿o es, otra vez, Caín, sobre el planeta,
bajo tus alas, moscardón guerrero?

III

AMANECER EN VALENCIA
(Desde una torre)

Estas rachas de marzo, en los desvanes
—hacia la mar— del tiempo; la paloma
de pluma tornasol, los tulipanes
gigantes del jardín, y el sol que asoma,

bola de fuego entre morada bruma,
a iluminar la tierra levantina...
¡Hervor de leche y plata, añil y espuma,
y velas blancas en la mar latina!

Valencia de fecundas primaveras,
de floridas almunias y arrozales,
feliz quiero cantarte, como eras,

domando a un ancho río en tus canales,
al dios marino con tus albuferas,
al centauro de amor con tus rosales.

IV

LA MUERTE DEL NIÑO HERIDO

Otra vez en la noche... Es el martillo
de la fiebre en las sienes bien vendadas
del niño. —Madre, ¡el pájaro amarillo!
¡las mariposas negras y moradas!

—Duerme, hijo mío. —Y la manita oprime
la madre, junto al lecho. —¡Oh, flor de fuego!
¿quién ha de helarte, flor de sangre, dime?
Hay en la pobre alcoba olor de espliego;

fuera, la oronda luna que blanquea
cúpula y torre a la ciudad sombría.
Invisible avión moscardonea.

—¿Duermes, oh dulce flor de sangre mía?
El cristal del balcón repiquetea.
—¡Oh, fría, fría, fría, fría, fría!

V

De mar a mar entre los dos la guerra,
más honda que la mar. En mi parterre,
miro a la mar que el horizonte cierra.
Tú asomada, Guiomar, a un finisterre,

miras hacia otro mar, la mar de España
que Camoens cantara, tenebrosa.
Acaso a ti mi ausencia te acompaña.
A mí me duele tu recuerdo, diosa.

La guerra dio al amor el tajo fuerte.
Y es la total angustia de la muerte,
con la sombra infecunda de la llama

y la soñada miel de amor tardío,
y la flor imposible de la rama
que ha sentido del hacha el corte frío.

VI

Otra vez el ayer. Tras la persiana,
música y sol; en el jardín cercano,
la fruta de oro, al levantar la mano,
el puro azul dormido en la fontana.

Mi Sevilla infantil ¡tan sevillana!
¡cual muerde el tiempo tu memoria en vano!
¡Tan nuestra! Aviva tu recuerdo, hermano.
no sabemos de quién va a ser mañana.

Alguien vendió la piedra de los lares
al pesado teutón, al hambre mora,
y al italo las puertas de los mares.

¡Odio y miedo a la estirpe redentora
que muele el fruto de los olivares,
y ayuna y labra, y siembra y canta y llora!

VII

Trazó una odiosa mano, España mía,
—ancha lira, hacia el mar, entre dos mares—
zonas de guerra, crestas militares,
en llano, loma, alcor y serranía.

Manos del odio y de la cobardía
cortan la leña de tus encinares,
pisan la baya de oro de tus lagares,
muelen el grano que tu suelo cría.

Otra vez —¡otra vez!— ¡oh triste España,
cuanto se anega en viento y mar se baña
juguete de traición, cuanto se encierra

en los templos de Dios mancha el olvido,
cuanto acrisola el seno de la tierra
se ofrece a la ambición, ¡todo vendido!

VIII

(A otro Conde Don Julián)

Mas tú, varona fuerte, madre santa,
sientes tuya la tierra en que se muere,
en ella afincas la desnuda planta,
y a tu Señor suplicas: ¡Miserere!

¿Adónde irá el felón con su falsía?
¿En qué rincón se esconderá, sombrío?
Ten piedad del traidor. Paríle un día.
Se engendró en el amor, es hijo mío.

Hijo tuyo es también, Dios de bondades.
Cúrale con amargas soledades.
Haz que su infamia su castigo sea.

Que trepe a un alto pino en la alta cima,
y en él ahorcado, que su crimen vea,
y el horror de su crimen lo redima.

Rocafort, marzo 1938.

COPLAS[8]

I

Papagayo verde,
lorito real,
di tú lo que sabes
al sol que se va.

Tengo un olvido, Guiomar,
todo erizado de espinas,
hoja de nopal.

Cuando truena el cielo
(¡qué bonito está
para la blasfemia!)
y hay humo en el mar...

En los yermos altos
veo unos chopos de frío
y un camino blanco.

---

8. *Revista de las Españas,* n.° 103-104, julio-agosto de 1938.

En aquella piedra...
(¡tierras de la luna!)
¿nadie lo recuerda?

Azotan el limonar
las ráfagas de febrero.
No duermo por no soñar.

II

Sobre la maleza,
las brujas de Macbeth
danzan en corro y gritan:
¡tú serás rey!
(¡thou shall be king, all hail!)

«Y en el ancho llano:
me quitarán la ventura
—dice el viejo hidalgo—,
me quitarán la ventura,
no el corazón esforzado.»

Con el sol que luce
más allá del tiempo
(¿quién ve la corona
de Macbeth sangriento?)
los encantadores
del buen caballero
bruñen los mohosos
harapos de hierro.

MEDITACIÓN[9]

Ya va subiendo la luna
sobre el naranjal.
Luce Venus como una
pajarita de cristal.

Ámbar y berilo
tras de la sierra lejana,
el cielo, y de porcelana
morada en el mar tranquilo.

Ya es de noche en el jardín
—¡el agua en sus atanores!—,
y sólo huele a jazmín,
ruiseñor de los olores.

---

9. *Madrid*, n.º 3, mayo de 1938. En el manuscrito enviado al poeta cubano Juan Marinello, aparecen algunas variantes que señalamos a continuación:

«Ya va subiendo la luna
sobre el naranjal
Brilla Venus como una
pajarita de cristal.

De verde glauco berilo
tras de la sierra lejana,
el cielo, y de porcelana
morada en el mar tranquilo.

Ya es de noche en *mi* jardín
—¡el agua en sus atanores!—,
y sólo huele *el* jazmín,
que es ruiseñor de las flores.

¡Cómo parece dormida
la guerra de mar a mar,
mientras Valencia florida
se bebe el Guadalaviar!»

¡Cómo parece dormida
la guerra de mar a mar,
mientras Valencia florida
se bebe el Guadalaviar!

Valencia de finas torres
y suaves noches, Valencia
¿Estaré contigo,
cuando mirarte no pueda,
donde crece la arena del campo
y se aleja la mar de violeta?

Rocafort, Villa Amparo.

ESCRITOS
(Valencia-Rocafort, noviembre 1936 - abril 1938)

CONSEJOS, SENTENCIAS Y DONAIRES DE JUAN DE MAIRENA Y DE SU MAESTRO ABEL MARTÍN[1]

Nunca peguéis con lacre las hojas secas de los árboles para fatigar al viento. Porque el viento no se fatiga, sino que se enfada, y se lleva las hojas secas y las verdes.

*

Aprendió tantas cosas —escribía mi maestro, a la muerte de un su amigo erudito—, que no tuvo tiempo para pensar en ninguna de ellas.

*

Cuando el Cristo vuelva —decía mi maestro—, predicará el orgullo a los humildes, como ayer predicaba la humildad a los poderosos. Y sus palabras serán, aproximadamente, las mismas: «Recordad que vuestro padre está en los cielos; tan

1. *Hora de España,* n.º 1, enero de 1937.

alta es vuestra alcurnia por parte de padre. Sobre la tierra sólo hay ya para vosotros deberes fraternos, independientes de los vínculos de la sangre. Licenciad de una vez para siempre al bíblico semental humano».

*

No olvidéis que es tan fácil quitarle a un maestro la batuta, como difícil dirigir con ella la quinta sinfonía de Beethoven.

*

También quiero recordaros algo que saben muy bien los niños pequeñitos y olvidamos los hombres con demasiada frecuencia: que es más difícil andar en dos pies que caer en cuatro.

*

Decía mi maestro que deseaba morir sin llamar la atención de nadie; que su muerte pasase completamente inadvertida. Un mutis bien hecho —añadía aquel buen farsante— no debe hacerse aplaudir.

*

Aprende a dudar, hijo, y acabarás dudando de tu propia duda. De este modo premia Dios al escéptico y confunde al creyente.

*

Cuando los hombres acuden a las armas, la retórica ha terminado su misión. Porque ya no se trata de convencer, sino de vencer y abatir al adversario. Sin embargo, no hay guerra sin retórica. Y lo característico de la retórica guerrera consiste en ser ella la misma para los dos beligerantes, como si ambos comulgasen en las mismas razones y hubiesen llegado a un previo acuerdo sobre las mismas verdades. De aquí deducía mi maestro la irracionalidad de la guerra, por un lado, y de la retórica, por otro.

*

¿Un arte proletario? Para mí no hay problema. Todo arte verdadero será arte proletario. Quiero decir que todo artista trabaja siempre para la prole de Adán. Lo difícil sería crear un arte para señoritos, que no ha existido jamás.

*

—Siempre está usted descubriendo mediterráneos, amigo Mairena.

—Es el destino ineluctable de todos los navegantes, amigo Tortolez.

*

Para descubrir la cuarta dimensión de vuestro pensamiento, buscad el perfil gedeónico de vuestras paradojas, en el espejo bobo de vuestra sabiduría.

*

Ayudadme a comprender lo que os digo, y os lo explicaré más despacio.

*

Donde varios hombres o, si queréis, varios sabios se reúnen a pensar en común hay un orangután invisible que piensa por todos. Frase ingeniosa, que expresa una verdad incompleta. Porque en los diálogos platónicos, si alguien piensa por todos, es nada menos que Sócrates. Nada menos que Sócrates, y nadie más... que el divino Platón.

*

Fugit irreparabile tempus. He aquí un latín que siempre me ha preocupado hondamente. Pero mucho más este dicho español: *dar tiempo al tiempo.* Meditad sobre lo que esto puede querer decir.

*

Sólo en el silencio, que es, como decía mi maestro, *el aspecto sonoro de la nada,* puede el poeta gozar plenamente del gran regalo que le hizo la divinidad, para que fuese cantor, descubridor de un mundo de armonías. Por eso el poeta huye de todo guirigay y aborrece esas máquinas parlantes con que se pretende embargarnos el poco silencio de que aún pudiéramos disponer.

*

El verdadero invento de Satanás —profetizaba Mairena— será la película sonora en que las imágenes fotografiadas, no ya sólo se muevan, sino que hablen, chillen y berreen como demonios dentro de una tinaja. El día en que ese engendro se logre coincidirá con la extensión del empleo de los venenos insecticidas al aniquilamiento de la especie humana. Por una vez estuvo Mairena algo acertado en sus vaticinios; porque la película sonora y el uso bélico de los gases deletéreos son realmente contemporáneos. Que sean dos fenómenos concomitantes, como efectos de una misma causa, es muy discutible. Sin embargo...

*

De ningún modo quisiera yo —habla Juan de Mairena a sus alumnos— educaros para señoritos, para hombres que eludan el trabajo con que se gana el pan. Hemos llegado ya a una plena conciencia de la dignidad esencial, de la suprema aristocracia del hombre; y de todo privilegio de clase pensamos que no podrá sostenerse en lo futuro. Porque si el hombre, como nosotros creemos, de acuerdo con la ética popular, no lleva sobre sí valor más alto que el de ser hombre, el aventajamiento de un grupo social sobre otro carece de fundamento moral. De la gran experiencia cristiana todavía en curso, es ésta una consecuencia ineludible, a la cual ha llegado el pueblo, como de costumbre, antes que nuestros doctores. El divino Platón filosofaba sobre los hombros de los esclavos. Para nosotros es esto éticamente imposible. Porque nada nos autoriza ya a arrojar sobre la espalda de nuestro prójimo las faenas de pan llevar, el trabajo marcado con el signo de la necesidad, mientras nosotros vacamos a las altas y libres actividades del espíritu, que son las específicamente humanas. No. El trabajo propiamente dicho, la actividad que se realiza por necesidad ineluctable de nuestro destino, en circunstancias obligadas de lugar y de tiempo, puede coincidir o no coincidir con nuestra vocación. Esta coincidencia se da unas veces, otras no; en algunos casos es imposible que se produzca. Pensad en las faenas de las minas, en la limpieza y dragado de las alcantarillas, en muchas labores de oficina, tan embrutecedoras... Lo necesario es trabajar, de ningún modo la coincidencia del trabajo con la vocación del que lo realiza. Y es este trabajo necesario que, lejos de enaltecer al hombre, le humilla, y aun pudiera degradarle, el que debe repartirse por igual entre todos, para que todos puedan disponer del tiempo preciso y la energía necesaria que requieren las actividades libres, ni superfluas ni parasitarias, merced a las cuales el hombre se aventaja a los otros primates. Si queda esto bien asentado entre nosotros, podremos pasar a examinar cuánto hay de supersticioso en el culto apologético del trabajo. Quede para otro día, en que hablaremos de *los ejércitos del trabajo.*

*

Escribir para el pueblo —decía mi maestro— ¡qué más quisiera yo! Deseoso de escribir para el pueblo, aprendí de él cuanto pude, mucho menos, claro está, de lo que él sabe. Escribir para el pueblo es escribir para el hombre de nuestra raza, de nuestra tierra, de nuestra habla, tres cosas inagotables que no acabamos nunca de conocer. Escribir para el pueblo es llamarse Cervantes, en España; Shakespeare, en Inglaterra; Tolstoi, en Rusia. Es el milagro de los genios de la palabra. Por eso yo no he pasado de folklorista, aprendiz, a mi modo, de saber popular. Siempre que advirtáis un tono seguro en mis palabras, pensad que os estoy enseñando algo que creo haber aprendido del pueblo.

NOTAS DE ACTUALIDAD[2]

En España —habla Juan de Mairena a sus alumnos—, este ancho promontorio de Europa, han de reñirse todavía batallas muy importantes para el mundo occidental. Cuando penséis en España, no olvidéis ni su historia ni su tradición; pero no creáis que la esencia española os la puede revelar el pasado. Esto es lo que suelen ignorar los historiadores. Un pueblo es siempre una empresa futura, un arco tendido hacia el mañana. El que este mañana nos sea desconocido no invalida la necesidad de su previo conocimiento para explicarnos todo lo demás. De modo que la verdadera historia de un pueblo no la encontraréis casi nunca en lo que de él se ha escrito. El hombre lleva la historia —cuando la lleva— dentro de sí; ella se le revela como deseo y esperanza, como temor, a veces, mas siempre complicada con el futuro. Un pueblo es una muchedumbre de hombres que temen, desean y esperan aproximadamente las mismas cosas. Sin conocer alguna de ellas, no haréis nada, en historia, que merezca leerse.

No olvidéis, sin embargo, que, desde otro punto de vista, el hombre, futurista incurable, es el único animal tradicionalista, y que el pasado adquiere para él un extraño prestigio. Reparad —aunque sólo de paso— en que es el hombre, entre los primates, el único animal capaz de preocuparse más de sus mayores que de sus pequeños y, por descontado, el único animal que venera a sus abuelos. Reparad también en que la memoria humana es tan extensa y vigorosa, que por ella, sobre todo, aventaja el hombre a las otras alimañas de su grupo zoológico. Justamente enorgullecido de su memoria, llega el hombre a pensar que es, precisamente, lo pasado aquello que no pasa, porque los hechos cósmicos, cualquiera que sea su naturaleza, quedan solidificados e inmutables en el fluir de nuestra conciencia, al pasar de la percepción al recuerdo. Tal es uno de los milagros que atribuye el hombre a su intervención en el universo.

* * *

2. *Madrid,* n.º 1, febrero de 1937.

Contra el prestigio desmesurado de lo pretérito hemos de estar en guardia y esgrimir todas las armas de nuestro escepticismo. Vivimos hacia el futuro, ante una inagotable caja de sorpresas, y el más hondo y veraz sentimiento del hombre es su inquietud ante la infinita imprevisibilidad del mañana. Y no menos en guardia hemos de colocarnos contra el futurismo radical, tan reductible al absurdo, como el futurismo extremado. Porque, en la máquina de silogismos que llevamos a cuestas, nuestras razones son valores conocidos, en los cuales pervive un pasado. De otro modo las premisas de nuestros razonamientos no conservarían su validez en el momento de concluir algo de ellas.

Es muy posible —hubiera dicho Mairena en nuestros días— que la súbita desaparición del señorito y la no menos súbita aparición del *señorío* en los rostros de nuestros milicianos sean dos fenómenos concomitantes, que tengan como causa común la presencia de la muerte en los umbrales de la conciencia humana. Porque la muerte es cosa de hombres —digámoslo a la manera popular—, o, como piensa Heidegger, una característica esencial de la existencia humana, de ningún modo un accidente de ella; y sólo el hombre —nunca el señorito—, el hombre íntimamente humano, en cuanto ser consagrado a la muerte *(Sein zum Tode)*, puede mirarla cara a cara. Hay en los rostros de nuestros milicianos —hombres que van a la guerra por convicción moral, nunca como profesionales de ella— el signo de una profunda y contenida reflexión sobre la muerte. Vistos a la luz de la metafísica heideggeriana es fácil advertir en estos rostros una expresión de angustia, dominada por una decisión suprema, el signo de resignación y triunfo de aquella *libertad para la muerte (Freiheit zum Tode)* a que alude el ilustre filósofo de Friburgo.

* * *

A la muerte de D. Miguel de Unamuno hubiera dicho Juan de Mairena: «De todos los grandes pensadores que hicieron de la muerte tema esencial de sus meditaciones, fue Unamuno el que menos habló de resignarse a ella. Tal fue la nota *antise-*

nequista, original y españolísima, no obstante, de este incansable poeta de la angustia española. Porque fue Unamuno todo menos que un estoico,* le negaron muchos el don filosófico que poseía en sumo grado. La crítica, sin embargo, deberá señalar que, coincidiendo con los últimos años de Unamuno, renace en Europa toda una metafísica existencialista, profundamente humana, que tiene a Unamuno, no sólo entre sus adeptos, sino también —digámoslo sin rebozo— entre sus precursores. De ello hablaremos largamente otro día. Señalemos hoy que Unamuno ha muerto repentinamente, como el que muere en guerra. ¿Contra quién? Quizás contra sí mismo; acaso también, aunque muchos no lo crean, contra los hombres que han vendido a España y traicionado a su pueblo. ¿Contra el pueblo mismo? No lo he creído nunca ni lo creeré jamás».

SIGUE HABLANDO MAIRENA A SUS ALUMNOS[3]

Siempre he creído, con Benedetto Croce, en la índole moral —la naturaleza práctica— del error. Los tópicos más solemnes y equivocados son hijos de voluntad perversa, no sólo de razón extraviada. Muchos son verdaderos sacos de malicias o cajas fatales de Pandora. Algún día tendremos que agarrar-

---

* En su carta a David Vigodsky, A. Machado señala una errata en este texto. Se trata de una línea omitida, que copiamos a continuación: «es decir, todo antes que un maestro de resignación a la fatalidad de morirse». (Véase pp. 115 y 116.)

3. *Hora de España,* n.º 2, febrero de 1937.

nos a donde bien podamos, para ver lo que lleva dentro eso de la *revolución desde arriba.*

*

¡Revolución desde arriba! Como si dijéramos —comentaba Mairena— renovación del árbol por la copa. Pero el árbol —añadía— se renueva por todas partes, y, muy especialmente, por las raíces. Revolución desde abajo, me suena mejor. Claro que «revolución desde arriba» es un eufemismo desorientador y descaminante. Porque no se trata de renovar el árbol por la copa, sino, ¡por la corteza! Reparad en que esa *revolución desde arriba* estuvo siempre a cargo de los viejos, por un lado, y de las *juventudes,* por otro (conservadoras, liberales, católicas, monárquicas, tradicionalistas, etc.), a cargo de la vejez, en suma. Y acabará un día por una *contrarrevolución desde abajo,* un plante popular, acompañado de una inevitable rebelión de menores.

*

La cultura, vista desde fuera, como la ven quienes nunca contribuyeron a crearla, puede aparecer como un caudal en numerario o mercancías, el cual, repartido entre muchos, entre los más, no es suficiente para enriquecer a nadie. La difusión de la cultura sería, para los que así piensan, un despilfarro o dilapidación de la cultura, realmente lamentable. Esto es muy lógico. Pero es extraño que sean, a veces, los antimarxistas, que combaten la interpretación materialista de la historia, quienes expongan una concepción tan espesamente materialista de la difusión cultural.

*

En efecto —añadía Mairena— la cultura vista desde fuera, como si dijéramos, desde la ignorancia o, también, desde la pedantería, puede aparecer como un tesoro cuya posesión y custodia sean el privilegio de unos pocos; y el ansia de cultura que siente el pueblo, y que nosotros quisiéramos contribuir a aumentar en el pueblo, como la amenaza a un sagrado depósito, la ingente ola de barbarie que lo anegue y destruya. Pero nosotros, que vemos la cultura desde dentro, quiero decir desde el hombre mismo, no pensamos ni en el caudal, ni en el tesoro, ni en el depósito de la cultura, como fondos o existencias que puedan repartirse a voleo, mucho menos ser entrados a saco por la turba indigente. Para nosotros, difundir y defender la cultura son una misma cosa: aumentar en el mundo el humano tesoro de conciencia vigilante. ¿Cómo? Despertando al dormido. Y mientras mayor sea el número de despiertos... ¿Qué piensa el oyente?

—Que desde ese punto de vista —respondió el oyente—, la difusión de la cultura sería en beneficio de la misma, contra lo que piensan quienes pretenden defenderla como privilegio de clase. ¿Es esto lo que se trataba de demostrar?

—Ni más ni menos.

—Repare usted, sin embargo, querido maestro, en que ese punto de vista es exclusivamente el nuestro. Nosotros, futuros alumnos o maestros de la Escuela Popular de Sabiduría Superior, sólo pretenderíamos despertar al dormido, y sólo de este modo contribuiríamos a la difusión de la cultura. Pero enfrente de nosotros estarán siempre, no precisamente los dormidos, sino aquellos que, medio desvelados, no quieren despertar del todo, ni mucho menos despertar a su prójimo. No sé si me explico.

—Prosiga.

—En nuestra Escuela Popular de Sabiduría Superior habría pocos alumnos, lo que no supondría un daño para la Escuela; pero serían muchos, en cambio, los enemigos de ella, los que pretendieran cerrarla. Y aun días pudieran llegar en que a profesores y alumnos de la tal escuela nos oliese la cabeza a pólvora. Ojo a esto, que es muy grave.

Los alumnos de Mairena rieron la última frase del oyente, que parecía remedar el estilo del maestro.

—Tendríamos, en efecto, muchos enemigos —observó Mairena—, lo que no implica ninguna seria objeción a nuestra tesis. ¿Conformes?

—Conformes.

*

Para mí —continuó Mairena— sólo habría una razón de peso contra la difusión de la cultura —o tránsito desde un estrecho círculo de elegidos y de privilegiados a otros ámbitos más extensos— si averiguásemos que el principio de Carnot rige también para esta clase de energía espiritual que despierta al dormido. En ese caso, habríamos de proceder con sumo tiento; porque una difusión de la cultura implicaría, a fin de cuentas, una degradación de la misma, que la hiciese prácticamente inútil. Pero nada hay averiguado sobre este particular. Nada serio podríamos oponer a una tesis contraria que, de acuerdo con la más acusada apariencia, afirmase la constante reversibilidad de la energía espiritual que produce la cultura, como no fuese nuestra duda, más o menos vehemente, de la existencia de la tal energía. Pero esto habría de llevarnos a una discusión metafísica en la cual el principio Carnot Clausius, o no podría sostenerse, o perdería toda su trascendencia al estadio de la pedagogía.

*

Vamos a otra cosa o, mejor dicho, a examinar otro aspecto de la cuestión. Nuestra *Escuela Popular de Sabiduría Superior* trendría muchos enemigos; todos aquellos para quienes la cultura es, no sólo un instrumento de poder sobre las cosas, sino también, y muy especialmente, de dominio sobre los hombres. Nos acusarían de corruptores del pueblo, sin razón, pero no sin motivo. Porque si la cultura sirve a unos pocos para mandar, sólo hay una manera muy otra que la nuestra de conservarla: enseñar a obedecer a todos los demás. Y reparad en que esos hombres se preocupan, a su modo, de la educación del pueblo, tanto o más que nosotros. ¿Tendríamos enfrente a la Iglesia, órgano supremo de salvación de las masas? Acaso. Pero no por motivos de competencia. Porque a nosotros no nos preocupa la salvación de las masas. Recordad lo que tantas veces os he dicho. El concepto de masa aplicado al hombre, de origen eclesiástico y burgués, lleva implícita la más anticristiana degradación de nuestro prójimo que cabe imaginar. Muchas gentes de buena fe, nuestros mejores amigos, lo emplean hoy, sin reparar en que el tópico proviene del campo enemigo. Salvación de las masas, educación de las masas... Desconfiad de ese yerro lógico, que es otra terrible caja de Pandora. Se me dirá que el concepto de masa, puramente cuantitativo, puede aplicarse al hombre y a las muchedumbres humanas, como a todo cuanto ocupa lugar en el espacio. Sin duda; pero a condición de no concederle ningún otro valor cualitativo. No olvidemos que, para llegar al concepto de masas humanas, hemos hecho abstracción de todas las cualidades del hombre, con excepción de aquella que el hombre comparte con las cosas materiales: la de poder ser medido con relación a unidad de volumen. De modo que, en estricta lógica, las masas humanas ni pueden salvarse, ni ser educadas. En cambio siempre se podrá disparar sobre ellas. He aquí la malicia que lleva implícita la falsedad de un tópico que nosotros, demócratas incorregibles y enemigos de todo señoritismo cultural, no emplearemos nunca, por un respeto y un amor al pueblo que nuestros adversarios no sentirán nunca.

SIGUE HABLANDO MAIRENA A SUS ALUMNOS[4]

Sobre la duda

Claro es que la duda que yo os aconsejo no es la duda metódica a que aluden los filósofos, recordando a Descartes. Una duda metódica será siempre pura *contradictio in adjeto,* como un *círculo cuadrado,* un *metal de madera,* un *guardia de*

4. *Hora de España,* n.º 3, marzo de 1937.

asalto, etc. Porque el que tiene un método o cree tenerlo, tiene o cree tener un camino que conduce a alguna verdad, que es precisamente lo necesario para no dudar. Cuando leáis la obra de Descartes, el mayor padre de la filosofía moderna, veréis cómo es la duda lo que no aparece en ella por ninguna parte. Descartes es fe madura en la ciencia matemática, sin la cual es casi seguro que no habría nunca filosofado. Y en verdad que nadie ha pensado en colocar a Descartes entre los escépticos. Pero yo no os aconsejo la duda a la manera de los filósofos, ni siquiera de los escépticos propiamente dichos, sino la duda poética, que es duda humana, de hombre solitario y descaminado, entre caminos. Entre caminos que no conducen a ninguna parte.

Jhonson y Dewey

Os confieso mi poca simpatía por los boxeadores americanos. Hay algo en ellos que revela la perfecta ñoñez de las luchas superfluas a que se consagran, y es la indefectible jactancia previa de la victoria. Si interrogáis a Jhonson en víspera de combate, Jhonson os dirá que su triunfo sobre Dewey es seguro. Si interrogáis a Dewey, Dewey no vacilará en contestaros que Jhonson es pan comido. Y yo desearía un juez de campo tan hercúleo, que fuese capaz de coger a Jhonson y a Dewey, y de aplicarles una buena docena de azotes en el trasero. ¡Qué falta de respeto al adversario! Y, sobre todo, ¡qué falta de modestia! ¡Cómo se ve que estas luchas, no siempre incruentas, tan del gusto de los papanatas, no pueden contener un átomo de heroísmo! Porque lo propio de todo noble luchador no es nunca la seguridad del triunfo, sino el anhelo ferviente de merecerlo, el cual lleva implícita —¿cómo no?— la desconfianza de lograrlo.

El torero —el gladiador estúpido, según el apóstrofe airado de un poeta— es mucho menos estúpido que el boxeador.

—¿Y qué nos va usted a *enseñá* esta tarde, *Sarvaó*?

—*Pue* que a *sartá* el olivo.

—¡Maestro!

—Si sale un torillo claro, *s'hará* lo que se *puea*.

Es decir, lo que hace un hombre, en las circunstancias en que un hombre puede hacer algo con un toro de lidia. Quien habla así, podrá ser un héroe, pero no es un bruto. ¿Conformes?

—(La clase en coro) Conformes.

De los ingleses

Vivimos —sigue hablando Mairena a sus alumnos— en las postrimerías de un siglo marcadamente anglosajón, que rinde culto a la lucha y al juego. Se juega a pelear; se pelea jugando. Esto es lo que saben hacer los ingleses mejor que nadie. Casi me atreveré a decir que son los ingleses del viejo continente los únicos que saben hacer esto bien. Ellos han dado al juego algo de la gravedad de la lucha, y algo a la lucha de la alegre innocuidad del juego. El resultado no carece de belleza ni de elegancia. Pero nosotros, que no somos ingleses, como otros pueblos que, a su manera, tampoco lo son, debemos estar en guardia contra el genio deportivo y peleón de los ingleses, y no incurrir nunca en imitarlos, por mucha que sea nuestra simpatía hacia ellos.

El hombre cinético

Nunca nosotros hemos de profesar un culto desmedido a las actividades cinéticas, convencidos de que éstas se nos darán siempre por añadidura, mientras no logremos sustraernos al universo físico de que formamos parte. Ni el trabajo por el trabajo, ni el juego por el juego, ni la lucha por la lucha misma, que son maneras de rendir un homenaje —realmente superfluo— al movimiento. La gracia está en pararse a ver, a contemplar, a meditar, en consagrarse un poco a las actividades quietistas. Quiero decir con esto que no pretendo educaros para hombres de acción, que son hombres de movimiento, porque estos hombres abundan demasiado. El mundo occidental padece plétora de ellos, y es su exceso, precisamente —no su existencia—, lo que trae al mundo entero de cabeza.

Sobre las convicciones

Las convicciones —decía Federico Nietzsche— son enemigos más peligrosos de la verdad que las mismas mentiras. He aquí una de las proposiciones más escépticas que conozco. Confieso mi simpatía hacia ella. Pero, ¿a dónde irá un hombre sin convicciones, incapaz de convencer a nadie? El mismo Nietzsche, después de esta confesión, se nos mostró terriblemente convencido de cosas muy temerarias y problemáticas: la voluntad de poder, el superhombre, el eterno retorno, etc., etc. Y son estas convicciones desesperadas, con que los escépticos pretenden compensar toda una vida de estéril rebusca de la verdad, las que más honda huella dejan en nosotros, si queréis, las más dañinas y que más confirman la tesis nietzschiana, como enemigas de esta misma verdad.

*

Pero acaso no son ellas las más peligrosas, sino otras de apariencia superficial, que revelan el rígido mecanismo del *sí* y el *no,* que funciona solo, automáticamente, en el fondo de nuestras almas.

*

Cuenta Mairena, ya en los últimos años de su vida, haber visto a una madre que llevaba de la mano dos niños pequeñitos, los cuales iban jugando a la política del día. Y uno de ellos gritaba: ¡Maura, sí! Y el otro: ¡Maura, no! Mairena vio alejarse aquel grupo encantador con cierta compleja melancolía de viejo solterón, por un lado, y de profeta rasurado y a corto plazo, por otro.

Sobre una filosofía cristiana

Sobre la divinidad de Jesús he de deciros que nunca he dudado de ella. O el Cristo fue el divino Verbo encarnado milagrosamente en las entrañas vírgenes de María, y salido al mundo para expiar en él los pecados del hombre, que es la versión ortodoxa, difícil de comprender, pero no exenta de fecundidad; o fue, por el contrario, el hombre que se hace Dios, *deviene* Dios para expiar en la Cruz los pecados más graves de la divinidad misma, que es la versión heterodoxa, y no menos profunda, de mi maestro. Como veis ambas ponen a salvo la divinidad de Jesús. Sobre las dos habéis de meditar, bien con el propósito de conciliarlas, salvando, no ya la divinidad, que por sí misma se salva, sino el origen divino del Crucificado, bien, si ello no fuere posible, con el valor suficiente para eliminar una de ellas y ver en la otra el hecho cristiano en toda su pureza.

Para mí es evidente —sigue hablando Mairena a sus alumnos— que el Cristo trajo al mundo, entre otras cosas, un nuevo tema de reflexión, sobre el cual no hemos meditado bastante todavía. Por esta razón, creo yo en una filosofía cristiana del porvenir, la cual nada tiene que ver —digámoslo sin ambages— con esas filosofías católicas, más o menos embozadamente eclesiásticas, con que hoy, como ayer, se pretende enterrar al Cristo en Aristóteles. Se pretende, he dicho, no que se consiga, porque el Cristo —como pensaba mi maestro— no se deja enterrar. Nosotros partiríamos de una total jubilación de Aristóteles, convencidos de la profunda heterogeneidad del intelectualismo helénico, maduro en el Estagirita, con las intuiciones, o si queréis, revelaciones del Cristo. Porque esto es para nosotros un acierto definitivo de la crítica filosófica, sobre el cual no hay por qué volver.

Otro de los grandes enemigos del Cristo y, por ende, de una filosofía cristiana sería, para nosotros, la Biblia, ese cajón de sastre de la sabiduría semítica. Para ver la esencia cristiana en toda su pureza y originalidad, los mismos Evangelios reputamos fuente de error, si antes no son limpiados de toda la escoria mosaica que contienen.

Otrosí: ni la investigación histórica, por un lado, ni, por otro, la interpretación de textos dogmáticos, han de aprovecharnos demasiado.

Nosotros partiríamos de una investigación de lo esencialmente cristiano en el alma del pueblo, quiero decir en la conciencia del hombre, impregnada de cristianismo. Porque el cristianismo ha sido una de las grandes experiencias humanas, tan completa y de fondo que, merced a ella, el *zoon politikon,* de Aristóteles, se ha convertido en un *ente cristiano* que viene a ser, aproximadamente, el hombre occidental.

Los cuatro Migueles

Decía Juan de Mairena que algún día tendríamos que consagrar España al arcángel San Miguel, tantos eran ya sus Migueles ilustres y representativos: Miguel Servet, Miguel de Cervantes, Miguel de Molinos y Miguel de Unamuno. Parecerá un poco arbitrario definir a España como la tierra de los cuatro Migueles.

Sin embargo, mucho más arbitrario es definir a España, como vulgarmente se hace, descartando a tres de ellos, por heterodoxos, y sin conocer a ninguno de los cuatro.

Los del 98

Estos jóvenes —Mairena aludía a los que hoy llamamos veteranos del 98— son, acaso, la primera generación española que no sestea ya a la sombra de la Iglesia, o si os place mejor, a la sombra de la sombra de la Iglesia. Son españoles españolísimos, que despiertan más o menos malhumorados al grito de: ¡sálvese quien pueda!

Y ellos se salvarán, porque no carecen de pies ligeros ni de plumas recias. Pero vosotros tendréis que defender su obra del doble *Index Librorum Prohibitorum* que la espera: del eclesiástico, indefectible y... del otro. Del otro también, porque, frente a los que sestean a la sombra de la Iglesia, están los que duermen al sol, sin miedo a la congestión cerebral, los cuales llevan también el lápiz rojo en el bosillo.

La patria grande

La patria —decía Juan de Mairena— es, en España, un sentimiento esencialmente popular, del cual suelen jactarse los señoritos. En los trances más duros, los señoritos la invocan y la venden, el pueblo la compra con su sangre y no la mienta siquiera. Si algún día tuviereis que tomar parte en una lucha de clases, no vaciléis en poneros del lado del pueblo, que es el lado de España, aunque las banderas populares ostenten los lemas más abstractos. Si el pueblo canta La Marsellesa, la canta en español; si algún día grita: ¡Viva Rusia!, pensad que la Rusia de ese grito del pueblo, si es en guerra civil, puede ser mucho más española que la España de sus adversarios.

MEDITACIÓN DEL DÍA[5]

Frente a la palma de fuego
que deja el sol que se va,
en la tarde silenciosa
y en este jardín de paz,
mientras Valencia florida
se bebe el Guadalaviar
—Valencia de finas torres,
en el lírico cielo de Ausias March,
trocando su río en rosas
antes que llegue a la mar—,
pienso en la guerra. La guerra
viene como un huracán
por los páramos del alto Duero,
por las llanuras de pan llevar,
desde la fértil Extremadura
a estos jardines de limonar,
desde los grises cielos astures
a las marismas de luz y sal.
Pienso en España vendida toda
de río a río, de monte a monte, de mar a mar.

---

5. Publicado en *Crónica general de la guerra civil,* tomo I, Ediciones de la Alianza de Intelectuales Antifascistas.

Toda vendida a la codicia extranjera: el suelo y el cielo y el subsuelo. Vendida toda por lo que pudiéramos llamar —perdonadme lo paradójico de la expresión— la trágica frivolidad de los reaccionarios.

Y es que, en verdad, el precio de las grandes traiciones suele ser insignificante en proporción a cuanto se arriesga para realizarlas, y a los terribles males que se siguen de ellas, y sus motivos no son menos insignificantes y mezquinos, aunque siempre turbios e inconfesables.

Si preguntáis: Aparte de los treinta dineros, ¿por qué vendió Judas al Cristo?, os veríais en grave aprieto para responderos.

Yo he leído los cuatro Evangelios canónicos para hallar una respuesta categórica a esta pregunta. No la he encontrado. Pero la hipótesis más plausible sería esta: entre los doce apóstoles que acompañaban a Jesús, era Judas el único mentecato. En el análisis psicológico de las grandes traiciones encontraréis siempre la trágica mentecatez del Iscariote. Si preguntáis ahora, ¿por qué esos militares rebeldes volvieron contra el pueblo las mismas armas que el pueblo había puesto en sus manos para defensa de la nación? ¿Por qué, no contentos con esto, abrieron las fronteras y los puertos de España a los anhelos imperialistas de las potencias extranjeras? Yo os contestaría: en primer lugar, por los treinta dineros de Judas; quiero decir por las míseras ventajas que obtendrían ellos, los pobres traidores a España, en el caso de una plena victoria de las armas de Italia y Alemania en nuestro suelo. En segundo lugar, por la rencorosa frivolidad, no menos judaica, que no mide nunca las consecuencias de sus actos. Ellos se rebelaron contra un Gobierno de hombres honrados, atentos a las aspiraciones más justas del pueblo, cuya voluntad legítimamente representaban. ¿Cuál era el gran delito de este Gobierno lleno de respeto, de mesura y de tolerancia? Gobernar en un sentido de porvenir, que es el sentido esencial de la historia. Para derribar a este Gobierno, que ni había atropellado ningún derecho ni olvidado ninguno de sus deberes, decidieron vender a España entera a la reacción europea. Por fortuna la venta se ha realizado en falso, como siempre que el vendedor no dispone de la mercancía que ofrece. Porque a España, hoy como ayer, la defiende el pueblo, es el pueblo mismo, algo muy difícil de enajenar. Porque por encima y por debajo y a través de la truhanería inagotable de la política internacional burguesa, vigila la conciencia universal de los trabajadores.

¡Viva España! ¡Viva el pueblo! ¡Viva el Socorro Rojo Internacional! ¡Viva la República española!

11 de abril de 1937.

EL 14 DE ABRIL DE 1931 EN SEGOVIA[6]

Era un hermoso día de sol. Con las primeras hojas de los chopos y las últimas flores de los almendros llegaba al fin, la segunda y gloriosa República española. ¿Venía del brazo de la primavera? La canción infantil que yo oí cantar, o soñé que se cantaba en aquellas horas, lo decía de este otro modo:

La primavera ha venido
del brazo de un capitán.
Cantad, niñas, en coro
¡Viva Fermín Galán!

Florecía la sangre de los héroes de Jaca, enterrados bajo las nieves del invierno, y el nombre abrileño del capitán muerto era evocado por la canción infantil como un fantasma de primavera.

La primavera ha venido
y don Alfonso se va.
Muchos duques lo acompañan
hasta cerca de la mar.
Las cigüeñas de las torres
quisieron verlo embarcar.

---

6. *La Voz de España,* abril de 1937.

Fue un día profundamente alegre —muchos que ya éramos viejos no recordábamos otro más alegre—, un día maravilloso en que la naturaleza y la historia parecían fundirse para vibrar juntas en el alma de los poetas y en los labios de los niños.

Mi amigo Antonio Ballesteros y yo izamos en el Ayuntamiento la bandera tricolor. Se cantó La Marsellesa; sonaron los compases del Himno de Riego. La Internacional no había sonado todavía. Era muy legítimo nuestro regocijo. La República había venido por sus cabales, de un modo perfecto; como resultado de unas elecciones; todo un régimen caía sin sangre para asombro del mundo. Ni siquiera el crimen profético de un loco que hubiera eliminado a un traidor turbó la paz de aquellas horas. La República salía de las urnas acabada y perfecta como Minerva de la cabeza de Júpiter.

Así recuerdo yo el 14 de abril de 1931.

Desde aquél día —no sé si vivido o soñado— hasta el día de hoy en que vivimos demasiado despiertos y nada soñadores, han transcurrido seis años repletos de realidades que pudieran estar en la memoria de todos. Sobre esos seis años escribirán los historiadores del porvenir muchos miles de páginas, algunas de las cuales acaso merecerán leerse. Entretanto, yo, los resumiría con unas pocas palabras. Unos cuantos hombres honrados, que llegaban al poder sin haberlo deseado, acaso sin haberlo esperado siquiera pero obedientes a la voluntad progresiva de la nación, tuvieron la insólita y genial ocurrencia de legislar atenidos a normas estrictamente morales, de gobernar en el sentido esencial de la historia, que es el del porvenir. Para estos hombres eran sagradas las más justas y legítimas aspiraciones del pueblo; contra ellas no se podía gobernar, porque el satisfacerlas era precisamente la más honda razón de ser de todo Gobierno. Y esos hombres nada revolucionarios, llenos de respeto, mesura y tolerancia, ni atropellaron ningún derecho ni desertaron de ninguno de sus deberes. Tal fue a grandes rasgos, la segunda gloriosa República española, que terminó, a mi juicio, con la disolución de las Cortes Constituyentes. Destaquemos este claro nombre representativo: Manuel Azaña.

Vinieron después los días de laboriosa y pertinaz traición, dentro de casa. Aquellos hombres nobilísimos republicanos y socialistas habían interrumpido ingenuamente toda una tradición de picarismo y la inercia social tendía a restaurarla. Fueron más de dos años tan pobres de heroísmo, en la vida burguesa, como ricos en anécdotas sombrías. Un político nefasto, un verdadero monstruo de vileza, mixto de Judas Iscariote y caballo de Troya, tomó a su cargo el vender —literalmente y a poco precio— a la República, el dar acogida en su vientre insondable a los peores enemigos del pueblo. A esto llamaban los hombres de aquellos días: ensanchar la base de la República. Destaquemos un nombre entre los viles que los representa a todos: Alejandro Lerroux.

Pero la traición fracasó dentro de casa porque el pueblo, despierto y vigilante la había advertido. Y surgió la República actual, la más gloriosa de las tres —digámoslo hoy valientemente, porque dentro de veinte años lo dirán a coro los niños de las escuelas—, surgió la tercera República española con el triunfo en las urnas del Frente Popular. Volvían los mismos hombres de 1931, obedientes al pueblo, cuya voluntad legítimamente representaban; y otra vez traían un mandato del pueblo, que no era precisamente la Revolución social, pero sí el deber ineludible de no retroceder ante ningún esfuerzo, ante ningún sacrificio, si la reacción vencida intentaba nuevas y desesperadas traiciones. Y surgió la rebelión de los militares, la traición madura y definitiva que se había gestado durante años enteros. Fue uno de los hechos más cobardes que registra la historia. Los militares rebeldes volvieron contra el pueblo todas las armas que el pueblo había puesto en sus manos para defender a la nación, y como no tenían brazos voluntarios para empuñarlas, los compraron al hambre africana, pagaron con el oro que tampoco era suyo, toda una horda de mercenarios; y como esto no era todavía bastante para triunfar de un pueblo casi inerme, pero heroico y abnegado, abrieron nuestras puertas y nuestras fronteras a los anhelos imperialistas de dos grandes potencias europeas. ¿A qué seguir?... Vendieron a España. Pero la fortaleza de la tercera República sigue en pie. Hoy la defiende el pueblo contra los traidores de dentro y los invasores de fuera, porque la República, que empezó siendo una noble experiencia española, es hoy España misma. Y es, el nombre de España, sin adjetivos, el que debemos destacar en este 14 de abril de 1937.

CARTA A DAVID VIGODSKY. LENINGRADO[7]

Mi querido y lejano amigo:

Con algún retraso me llega su amable carta del 25 de enero, que habría contestado a vuelta de correo, si mis achaques habituales no se hubiesen complicado con una enfermedad de los ojos, que me ha impedido escribir durante varios días.

En efecto, soy *viejo y enfermo,* aunque usted por su mucha bondad no quiera creerlo: viejo, porque paso de los sesenta, que son muchos años para un español; enfermo, porque las vísceras más importantes de mi organismo se han puesto de acuerdo para no cumplir exactamente su función. Pienso, sin embargo, que hay algo en mí todavía poco solidario de mi ruina fisiológica, y que parece implicar salud y juventud de espíritu, si no es ello también otro signo de senilidad, de regreso a la feliz creencia en la dualidad de substancias.

De todos modos, mi querido Vigodsky, me tiene usted del

7. *Hora de España,* n.º 4, abril de 1937.

lado de la España joven y sana, de todo corazón al lado del pueblo, de todo corazón también enfrente de esas *fuerzas negras* —¡y tan negras!— a que usted alude en su carta.

En España lo mejor es el pueblo. Por eso la heroica y abnegada defensa de Madrid, que ha asombrado al mundo, a mí me conmueve, pero no me sorprende. Siempre ha sido lo mismo. En los trances duros, los señoritos —nuestros *barinas*— invocan la patria y la venden; el pueblo no la nombra siquiera, pero la compra con su sangre y la salva. En España, no hay modo de ser persona bien nacida sin amar al pueblo. La demofilia es entre nosotros un deber elementalísimo de gratitud.

He visto con profunda satisfacción la intensa corriente de simpatía hacia Rusia que ha surgido en España. Esta corriente es, acaso, más honda de lo que muchos creen. Porque ella no se explica totalmente por las circunstancias históricas en que se produce, como una coincidencia en Carlos Marx y en la experiencia comunista, que es hoy el gran hecho mundial. No. Por debajo y por encima y a través del marxismo, España ama a Rusia, se siente atraída por el alma rusa. Lo tengo dicho hace ya más de quince años, en una fiesta que celebramos en Segovia, para recaudar fondos que enviar a los niños rusos. «Rusia y España, se encontrarán un día como dos pueblos hondamente cristianos, cuando los dos sacudan el yugo de la Iglesia que los separa.»

Leyendo hace unos meses *El adolescente,* de Dostoievski —vuestro gran Dostoievski— encontré algunas páginas, en mi opinión proféticas, que me afirman en la idea que tuve siempre del alma rusa. Un personaje de esta novela, Versilov —cito y resumo de memoria, porque mis libros se han quedado en Madrid—, dice, conversando con su hijo, que llegará un día en que los hombres vivan sin Dios. Y cuando se haya agotado esa gran fuente de energía que les prestaba calor y nutría sus almas, los hombres se sentirán solitarios y huérfanos. Pero, añade —y esto es a mi juicio lo específicamente ruso— que él no ha podido nunca imaginar a los hombres ingratos y embrutecidos. Los hombres entonces se abrazarán más estrecha y amorosamente que nunca, se darán la mano con emoción insólita, comprendiendo que, en lo sucesivo, serán ya los unos para los otros. La idea y el sentimiento de la inmortalidad serán suplidos por el sentido fraterno del amor. Claramente se ve cómo Dostoievski es un alma tan impregnada de Cristianismo, que ni en los días de mayor orfandad y más negro ateísmo que él imagina, puede concebir la ausencia del sentimiento específicamente cristiano. Y expresamente lo dice Versilov, al fin de su discurso, en estas o parecidas palabras: Entre los hombres huérfanos y solitarios, veo al Cristo tendiéndoles los brazos y gritándoles: ¿cómo habéis podido olvidarme?

Como maestra de cristianismo, el alma rusa, que ha sabido captar lo específicamente cristiano —el sentido fraterno del amor, emancipado de los vínculos de la sangre— encontrará un eco profundo en el alma española, no en la *calderoniana,* barroca y eclesiástica, sino en la *cervantina,* la de nuestro generoso hidalgo Don Quijote, que es, a mi juicio, la genuinamente popular, nada católica, en el sentido sectario de la palabra, sino humana y universalmente cristiana.

Uno de los más grandes bienes que espero del triunfo popular es nuestro mayor acercamiento a Rusia, la mayor difusión de su lengua y de su gran literatura, poco y mal conocida aún entre nosotros y que, no obstante, ha dejado ya muy honda huella en España.

Con toda el alma agradezco a usted como español la labor de hispanista a que usted ahora se consagra. Por nuestro amigo Rafael Alberti tenía de ella la mejor noticia. Ahora me anuncia usted su traducción de *El mágico prodigioso,* el magnífico drama de Calderón de la Barca. El teatro calderoniano es, a mi juicio, la gran catedral estilo jesuita de nuestro barroco literario. Su traducción a la lengua rusa llenará de orgullo y satisfacción a todos los amantes de nuestra literatura.

Sobre la tragedia de Unamuno, que es tragedia de España, publiqué una nota en el primer cuaderno de la Casa de la Cultura. Se la copio levemente retocada para subsanar una errata importante de su texto. Dice así: «A la muerte de don Miguel de Unamuno, hubiera dicho Juan de Mairena: de todos los grandes pensadores, que hicieron de la muerte tema esencial de sus meditaciones, fue Unamuno quien menos habló de resignarse a ella. Tal fue la nota *antisenequista* —original y españolísima, no obstante— de este incansable poeta de la angustia española. Porque fue Unamuno todo, menos un estoico, es decir, todo antes que un maestro de resignación a la fatalidad de morirse, le negaron muchos el don filosófico, que poseía en sumo grado. La crítica, sin embargo, debe señalar que, coincidiendo con los últimos años de Unamuno, florece en Europa toda una metafísica existencialista, profundamente humana, que tiene a Unamuno, no sólo entre sus adeptos, sino también —digámoslo sin rebozo— entre sus precursores. De ello hablaremos largamente otro día. Señalemos hoy que Unamuno ha muerto repentinamente, como el que muere en guerra. ¿Contra quién? Quizás contra sí mismo; acaso también, aunque muchos no lo crean, contra los hombres que han vendido a España y traicionado a su pueblo. ¿Contra el pueblo mismo? No lo he creído nunca ni lo creeré jamás».

La muerte de García Lorca me ha entristecido mucho. Era Federico uno de los grandes poetas jóvenes andaluces. El otro es Rafael Alberti. Ambos, a mi juicio, se complementaban como expresión de dos aspectos de la patria andaluza: la oriental y la atlántica. Lorca, más lastrado de folklore y de campo, era genuina y esencialmente granadino. Alberti, hijo de un *finis terrae,* la planicie gaditana, donde el paisaje se borra, y se acentúa el perfil humano sobre un fondo de mar o de salinas, es un poeta más universal, pero no menos, a su manera, andaluz. Un crimen estúpido apagó para siempre la voz de Federico. Rafael visita los frentes de combate y, acompañado de su brava esposa María Teresa León, se expone a los más graves riesgos.

Releyendo, cosa rara en mí, los versos que dediqué a García Lorca, encuentro en ellos la expresión poco estéticamente elaborada de un pesar auténtico, y además, por influjo de lo subconsciente *sine qua non* de toda poesía, un sentimiento de amarga queja, que implica una acusación a Granada. Y es que

Granada, pienso yo, una de las ciudades más bellas del mundo y cuna de españoles ilustres, es también —todo hay que decirlo— una de las ciudades más beocias de España, más entontecidas por su aislamiento y por la influencia de su aristocracia degradada y ociosa, de su burguesía irremediablemente provinciana. ¿Pudo Granada defender a su poeta? Creo que sí. Fácil le hubiera sido probar a los verdugos del fascio, que Lorca era políticamente innocuo, y que el pueblo que Federico amaba y cuyas canciones recogía no era precisamente el que canta la Internacional.

En *Madrid libertado* o en *Leningrado libre,* yo también tendría sumo placer en estrechar su mano. Por de pronto me tiene usted en Valencia (Rocafort) al lado del Gobierno cien veces legítimo de la gloriosa República española y sin otra aspiración que la de no cerrar los ojos antes de ver el triunfo definitivo de la causa popular, que es —como usted dice muy bien— la *causa común a toda la humanidad progresiva.*

En fin, querido Vigodsky, no quiero distraer más su atención. Mis afectos a su hijo, el joven bautista de sus canarios con nombres de ríos españoles. Dígale que me ha conmovido mucho su gentil homenaje a la memoria del poeta querido.

Y usted disponga de su buen amigo,

Antonio Machado.

P.D. Le envío a usted esos dibujos de mi hermano José para que vea algunos auténticos aspectos gráficos de nuestra España.

DISCURSO A LAS JUVENTUDES SOCIALISTAS UNIFICADAS[8]

Acaso el mejor consejo que puede darse a un joven es que lo sea realmente. Ya sé que a muchos parecerá superfluo este consejo. A mi juicio, no lo es. Porque siempre puede servir

8. Antonio MACHADO, *La guerra,* Madrid, Espasa-Calpe, 1937.

para contrarrestar el consejo contrario, implícito en una educación perversa: *procura ser viejo lo antes posible.*

Se vela por la pureza de la niñez; se la defiende, sobre todo, de los peligros de una pubescencia anticipada. Muy pocos velan por la pureza de la juventud; a muy pocos inquieta el peligro, no menos grave, de una vejez prematura. Sabemos ya, y acaso lo hemos creído siempre, que la infancia no se enturbia a sí misma, y hemos adquirido un respeto al niño, loable, en verdad, si no alcanzase los linderos de la idolatría. Se sigue creyendo, en cambio, que toda la turbulencia que advertimos en los jóvenes es de fuente juvenil, y que al joven sólo puede curarle la vejez. Yo he pensado siempre lo contrario. Por ello he dicho siempre a los jóvenes: adelante con vuestra juventud. No que ella se extienda más allá de sus naturales límites en el tiempo, sino que, dentro de ellos, la viváis plenamente. Adelante, sobre todo, con vuestra faena juvenil: ella es absolutamente intransferible; nadie la hará, si vosotros no la hacéis.

Uno de los graves pecados de España, tal vez el más grave, acaso el que hoy purgamos con la tragedia de nuestra patria, es el que pudiéramos llamar «gran pecado de las juventudes viejas». Yo las conozco bien, amigos queridos, perdonadme esta pequeña jactancia. En mi ya larga vida, he visto desfilar varias promociones y diversos equipos de jóvenes pervertidos por la vejez: ratas de sacristía, flores de patinillo, repugnantes lombrices de caño sucio. Los conozco bien. Y son esos mismos jóvenes sin juventud los que hoy, ya maduros, mejor diré, ya podridos, levantan, en la retaguardia de sus ejércitos mercenarios, los estandartes de la reacción, los mismos que decidieron, fría y cobardemente, vender a su patria y traicionar el porvenir de su pueblo. Son esos mismos también, aunque no siempre lo parezcan, los que hoy quisieran corromperos, sembrar la confusión y el desorden en vuestras filas, los enemigos de vuestra disciplina, en suma, cualesquiera que sean los ideales que digan profesar.

¡La disciplina!... He aquí una palabra, que vosotros, jóvenes socialistas unificados, no necesitáis, por fortuna, que yo os recuerde. Porque vosotros sabéis que la disciplina, útil para el logro de todas las empresas humanas, es imprescindible en tiempos de guerra. De disciplina sabéis vosotros, por jóvenes, mucho más que nosotros, los viejos, pudiéramos enseñaros. Contra lo que se cree, o afecta creerse, también la disciplina es una virtud esencialmente juvenil, que muy rara vez alcanza a los viejos. Sólo la edad generosa, abierta a todas las posibilidades del porvenir, realiza gustosa el sacrificio de todo lo mezquinamente individual a las férreas normas colectivas que el ideal impone. Sólo los jóvenes verdaderos saben obedecer sin humillación a sus capitanes, velar por el prestigio, sin sombra de adulación, de los hombres que, en los momentos de peligro, manejan el timón de nuestras naves; sólo ellos saben que en tiempo de guerra y de tempestad los capitanes y los pilotos, cuando están en sus puestos, son sagrados.

Nada temo de la indisciplina juvenil, porque nunca he creído en ella. Mucho temo, mucho he temido siempre de la mansa indisciplina de la vejez, de esa *vejez anárquica,* en el sentido peyorativo de estas dos palabras —un hombre encanecido en actividades heroicas sabe guardar como un tesoro la llama íntegra de su juventud, y un anarquista verdadero puede ser un santo— de ese espíritu díscolo y rebelde a toda idealidad, siempre avaro de bienes materiales, codicioso de mando para imponer la servidumbre, que, en suma, sólo obedece a lo más groseramente individual: los humores, y apetitos de su cuerpo averiado, sus rencores más turbios, sus lujurias más extemporáneas. A eso, que es la vejez misma, he temido siempre.

Si repasáis la breve historia de nuestra República, que se inaugura magníficamente con signo juvenil, dominada por hombres que gobiernan y legislan atentos al porvenir de su pueblo, veréis que es un hombre profundamente viejo, un alma decrépita de ramera averiada y reblandecida, el llamado Lerroux, quien se encarga de acarrear a ella, de amontonar sobre ella —¡nuestra noble República!— todos los escombros de la rancia política de derribo, toda la cochambre de la inagotable picaresca española. A esto llamaba él *ensanchar la base de la República.*

Yo os saludo, pues, jóvenes socialistas unificados, con un respeto que no siempre pude sentir por los ancianos de mi tiempo, porque muchos de ellos estaban deshaciendo a España, y vosotros pretendéis hacerla. Desde un punto de vista teórico, yo no soy marxista, no lo he sido nunca, es muy posible que no lo sea jamás. Mi pensamiento no ha seguido la ruta que desciende de Hegel a Carlos Marx. Tal vez porque soy demasiado romántico, por el influjo, acaso, de una educación demasiado idealista, me falta simpatía por la idea central del marxismo; me resisto a creer que el factor económico, cuya enorme importancia no desconozco, sea el más esencial de la vida humana y el gran motor de la historia. Veo, sin embargo, con entera claridad, que el Socialismo, en cuanto supone una manera de convivencia humana, basada en el trabajo, en la igualdad de los medios concedidos a todos para realizarlo, y en la abolición de los privilegios de clase, es una etapa inexcusable en el camino de la justicia; veo claramente que es esa la gran experiencia humana de nuestros días, a que todos de algún modo debemos contribuir. Ella coincide plenamente con vuestra juventud, y es una tarea magnífica, no lo dudéis. De modo que, no sólo por jóvenes verdaderos, sino también por socialistas, yo os saludo con entera cordialidad. Y en cuanto habéis sabido unificaros, que es mucho más que uniros, o juntaros para hacer ruido, contáis con toda mi simpatía y con mi más sincera admiración.

1 de mayo de 1937.

A LOS ESTUDIANTES[9]

A los estudiantes os está reservado un gran papel en la revolución, ya que toda revolución no es sino una rebelión de menores. Además, yo he tenido siempre un alto concepto de vosotros. He expresado ya en otras ocasiones que la enseñanza española no podía reformarse, encauzarse de manera efi-

---

9. *Ahora,* 1 de mayo de 1937.

caz, sin la colaboración de los estudiantes. Tampoco he creído justa la idea del estudiante apolítico. Los estudiantes deben hacer política, si no, la política se hará contra ellos.

APUNTES Y RECUERDOS DE JUAN DE MAIRENA[10]

A D. Tomás Navarro.

SOBRE LA VOZ. «*Hombre necio habla recio,* dice un proverbio popular, de cuyo total acierto no respondo: porque he conocido a hombres nada huecos de voz tonante, y a más de un gaznápiro de voz apagada. Mas siempre he desconfiado de la voz desmedida —sobrada o insuficiente— de quien no calcula bien la distancia que media entre sus labios y los oídos de su interlocutor. En la medida de la voz —como en la medida de tantas cosas— son maestros los franceses, entre quienes pudieran muy bien nuestros actores aprender lo más elemental de su oficio.»

A causa de esta nota, fue acusado Mairena por cierto erudito, un tanto malicioso, de hombre que pretende encubrir su propia insuficiencia auditiva. Y la nota, en efecto, pudiera ser de un sordo vergonzante, a quien irrita la voz normal de su interlocutor, que él no alcanza claramente a oír, y, no menos, la voz reforzada y chillona de quien conoce su secreto, y lo revela, gritando, a todo el mundo. Porque esto tiene el sordo, que explica la perennidad de su mal humor: cuando no oye se entristece; si llega a oír, se enfada. Pero los hechos no siempre

---

10. *Hora de España,* n.º 5, mayo de 1937.

dan razón a las conjeturas más sutiles: porque lo cierto es que Mairena fue un hombre de oído finísimo, de los que oyen —no ya sienten— crecer la hierba.

Sin embargo, para un psicólogo *behaviorista,* algo había en Mairena que podía explicar la opinión de sordo, y hasta de sordo intelectual en que algunos le tuvieron: la lentitud y el desorden de sus reacciones o reflejos fonéticos.

Mairena, en efecto, tardaba en contestar cuando se le hablaba, y, alguna vez, ni contestaba siquiera. Pero la verdadera explicación de todo esto debe buscarse no sólo en los olvidos, arrobos y ensimismamientos que le eran habituales, sino también, y sobre todo, en su costumbre de someter a lazareto de reflexión las preguntas que se le dirigían, antes de contestarlas. Esto llegó a irritar más de una vez a su tertulia, y no faltó quien le gritase: ¿no me ha oído usted!!! A lo cual respondía Mairena con frase, en apariencia, de sordo atrabiliario: porque lo he oído a usted, precisamente, no le contesto.

*

Sobre el sonido de nuestra propia voz —escribe Mairena en sus cuadernos inéditos— quiero recordar esta fina observación de Federico Nietzsche: *A veces, en la conversación, el sonido de nuestra propia voz nos causa una cierta inquietud y nos lleva a afirmar cosas muy contrarias a nuestras opiniones.* El hecho, cuya causa no indaga Nietzsche, es cierto. Y aún pudiéramos añadir que ello explica el rubor que a veces nos invade al oírnos hablar, y sorprendernos en flagrante delito de insinceridad; como explica también un fenómeno de apariencia contraria: la seguridad y refuerzo de su propia insolencia que adquiere, al escucharse, el hombre fresco y vacío, el cual encuentra en el tono de su propia voz una invitación a la oratoria, y hasta un comienzo de elocuencia. Porque en ambos casos se produce la ilusión de ser otro el que habla por nuestros propios labios, lo que, si a unos avergüenza o entristece, a otros halaga, con la esperanza de llegar a emitir conceptos que no sean demasiado estúpidos.

*

Ganar amigos. La fama de sordo que padeció Mairena en los últimos años de su vida llegó un día hasta la trompetilla o cucharón acústico de un sordo auténtico, el cual, con ese tono de aparte de teatro que suele acompañar a la sordera, exclamó: Ya lo había sospechado. ¿Y qué habrá, en efecto, que un sordo no sospeche? Cuando Mairena lo supo, se dedicó a simular levemente la sordera, en sus diálogos con el sordo, en parte por lo que él consideraba un cuasi deber de cortesía, en parte —decía él— por conservar a aquel buen hombre la ilusión de tener entre sus compañeros de infortunio a una persona relativamente distinguida.

*

Mairena no era, en verdad, un hombre modesto; pero no aceptó nunca la responsabilidad de las afirmaciones rotundas, ni aun tratándose de su propia honorabilidad.

—Porque yo —dijo un día en clase—, que he vivido, hasta la fecha, con relativa dignidad...

—Relativa no, maestro —le atajó un discípulo—, ¡absoluta!

—Porque yo —corregía Mairena—, que viví hasta la fecha con una decencia tan considerable, que obtuvo, alguna vez, la hiperbólica reputación de absoluta...

*

Sobre las paradojas. Dos formas hay de enunciar las paradojas, que recomiendo a vuestra reflexión, por si algún día dais en paradojistas: la primera es la dogmática y rotunda, cínicamente engastada entre silogismos, la calderoniana, siempre impresionante.

Ejemplo:

Porque el delito mayor
del hombre es haber nacido.

La segunda es la popular, más graciosa y sutil, que ni siquiera parece paradójica, la del gitano que ahorcaron en Úbeda, sin otro delito —decía él— *que haber venío a este mundo.* Tras la paradoja calderoniana, hay toda una teología muy bien sabida, y están las aulas de Salamanca y de los Estudios de San Isidro; en la frase del cañí, toda una experiencia vital, y el análisis exhaustivo de una conciencia, a la hora de la muerte. Si me preguntáis cuál de estas dos maneras de expresar lo paradójico es la más poética, os contestaré: eso va en gustos; para mí, desde luego, la del gitano.

*

Decía Federico Nietzsche que la ventaja de una mala memoria consiste en poder gozar varias veces de una misma cosa, por primera vez. La frase —comentaba Mairena— es ingeniosa y, *sin embargo,* no es ninguna tontería.

*

Dos cosas importantes ha de saber el poeta: la primera, que el pasado no es sólo imperfecto, como ya se ha dicho con sobradas razones, sino también perfectible a voluntad; la segunda, que el olvido es una potencia activa, sin la cual no hay creación propiamente dicha, como se explica o pretende explicarse en la metafísica de mi maestro Abel Martín.

*

Mairena, crítico de teatros. Nuestros actores que, en general, no carecen de inteligencia, suelen entender lo que dicen, pero muy rara vez lo sienten. Y es su inopia sentimental lo que les lleva a simular el sentimiento, exagerando sus gestos exteriores. Pero un sentimiento simulado es algo tan insoportable en el teatro como fuera de él. Sólo nuestro gran Antonio Vico logra, en momentos determinados, el perfecto ajuste del gesto y la palabra, su coincidencia exacta en la expresión *teatral* de una emoción *auténtica.* En estos momentos inolvidables, es Antonio Vico el actor más grande que ha pisado nuestra escena. (De un artículo de Mairena, publicado en *La Venencia de Jerez,* 1900.)

*

La ineptitud de nuestros profesionales de la crítica teatral —Mairena alude a los de su tiempo— ha convertido a más de una fina actriz de comedia en máscara *destrozona* de la tragedia.

*

Cuidado, niña —decía Mairena a una joven actriz, descaminada por la crítica—, que no basta berrear para ser trágica. Y hasta convendría no berrear. En último caso, hay que sentir lo que se berrea.

*

Se miente más de la cuenta
por falta de fantasía:
también la verdad se inventa.

Estos versos —de un coplero sevillano, que vaga hoy por las estepas de Soria— deben ser meditados por nuestros actores, los cuales no aciertan con el más leve acento de verdad cuando representan personajes que, como Hamlet, Segismundo, Don Juan, no pueden ser *copiados,* sino que han de ser, necesariamente, *imaginados.* (Recortado de *El Faro de Chipiona*, 1907.)

*

SOBRE LO ORDINARIO

Siempre he oído decir —habla Mairena a sus alumnos— que las personas ordinarias dicen: *mi señora,* cuando aluden a la propia consorte, y las personas distinguidas, en el mismo caso: *mi mujer.* El hecho es cierto y, como tal, no lo discuto. Sin embargo, una persona distinguida, que no sea demasiado ordinaria, tendría algo que oponer al hecho mismo, si tratásemos de convertirlo en norma universal de buena crianza. Reparad en lo mal que suena la expresión: mi hombre, proferida por una mujer, que no haya perdido totalmente la vergüenza. Porque aquí el posesivo degrada al sustantivo, sin la menor compensación. *Mi hombre,* parece querer decir: el hombre que tengo yo para mi uso personal y exclusivo. Nuestro orgullo masculino se subleva, no lo dudéis. ¿Pensáis vosotros que la mujer no tiene el menor derecho a sublevarse contra una expresión equivalente? Aunque así lo penséis, y yo os lo conceda, que es mucho conceder, habréis de convenir conmigo en esto: el hecho de que la familiaridad no engendre el menosprecio, y que la mujer de nuestra mayor intimidad, y la más desdichada, en cuanto comparte nuestras horas más tristes, sea enunciada en términos de castidad y de respeto, no es una prueba de ordinariez, sino de modestia, de piedad y de cultura que suelen dar las personas ordinarias, para ejemplo y edificación de las distinguidas.

*

Lo que hubiera dicho Mairena el 14 de abril de 1937.

Hoy hace seis años que fue proclamada la segunda República española. Yo no diré que esta República lleve seis años de vida; porque, entre la disolución de las ya importantes Cortes Constituyentes y el triunfo en las urnas del Frente Popular, hay muchos días sombríos de restauración picaresca, que no me atrevo a llamar republicanos. De modo que, para entendernos, diré que hoy evocamos la fecha en que fue proclamada la segunda gloriosa República española. Y que la evocamos en las horas trágicas y heroicas de una tercera República, no menos gloriosa, que tiene también su fecha conmemorativa —16 de febrero— y cuyo porvenir nos inquieta y nos apasiona.

Vivimos hoy, 14 de abril de 1937, tan ahincados en el presente y tan ansiosamente asomados a la atalaya del porvenir que, al volver por un momento nuestros ojos a lo pasado, nos aparece aquel día de 1931, súbitamente, como imagen salida, nueva y extraña, de una encantada caja de sorpresas.

¡Aquellas horas, Dios mío, tejidas todas ellas con el más puro lino de la esperanza, cuando unos pocos viejos republicanos izamos la bandera tricolor en el Ayuntamiento de Segovia!... Recordemos, acerquemos otra vez aquellas horas a nuestro corazón. Con las primeras hojas de los chopos y las últimas flores de los almendros, la primavera, traía a nuestra República de la mano. La naturaleza y la historia parecían fundirse en una clara leyenda anticipada, o en un romance infantil.

La primavera ha venido
del brazo de un capitán.
Cantad niñas, en corro:
¡Viva Fermín Galán!

Florecía la sangre de los héroes de Jaca, y el nombre abrileño del capitán muerto y enterrado bajo las nieves del invierno, era evocado por una canción que yo oí cantar, o soñé que cantaban los niños en aquellas horas.

La primavera ha venido
y Don Alfonso se va.
Muchos duques le acompañan
hasta cerca de la mar.
Las cigüeñas de las torres
quisieran verlo embarcar...

Y la canción seguía, monótona y gentil. Fue aquel un día de júbilo en Segovia. Pronto supimos que lo fue en toda España. Un día de paz, que asombró al mundo entero. Alguien, sin embargo, echó de menos el crimen profético de un loco, que hubiera eliminado a un traidor. Pero nada hay, amigos, que sea perfecto en este mundo.

SOBRE EL CINISMO. ANTÍSTENES, ROUSSEAU, LENIN[11]

También la cultura —habla Juan de Mairena— necesita ser podada, en beneficio de sus frutos, como los árboles demasiado frondosos. Y a falta de una poda consciente y sabia, bueno

11. *Servicio Español de Información,* n.º 143, 23 de junio de 1937.

es el huracán. Muchas veces ha sido, muchas veces será a través de la historia, sacudido el árbol de la cultura por fuerte vendaval de cinismo: quiero decir de elementalidad humana. No hay que asustarse, amigos míos: la historia procede por vendavales, y en el declive de muchas civilizaciones sopla el cinismo con demasiada frecuencia. ¿Es el árbol mismo de la cultura lo que peligra? No lo creo. Muchas hojas secas se lleva ese viento y, de paso, algunas ramas; no todas superfluas. Mas cuanto el árbol pierde en la espesura de su ramaje puede ganarlo en el vigor de su savia, en la hondura de sus raíces, a última hora, en la sazón de sus frutos.

Entre los socráticos incompletos, fue Antístenes el *cínico,* que profesó su doctrina en el Gimnasio de *Cinosargos,* quien refleja mejor entre los griegos, según opinión muy generalizada, el aspecto moral de la personalidad del maestro. Y fue el cínico Antístenes un profesor de virtud, un fanático de la veracidad, quiero decir de la verdad del hombre, en pugna con toda hipocresía, uno de los primeros en declarar superflua gran parte de la refinada y copiosa cultura de su templo. Fue el cinismo una escuela de ascetismo y renunciación, no siempre bien interpretada, que lleva implícito un pensamiento tan helénico que los griegos no se curaron nunca de encerrarlo en fórmulas rígidas: *no es el hombre para la cultura, sino la cultura para el hombre, para los hombres libres, en última instancia para cada hombre, de ningún modo un ingente fardo para levantarlo en vilo por todos los hombres.* El problema humano, a que responde el cinismo, se plantea siempre que la cultura acumulada pierde vigor y se aleja del espíritu que la engendró, cuando se trueca, parcialmente al menos, en cultura muerta. Se produce entonces el fenómeno específicamente cínico: la rebelión de la elementalidad contra la cultura, con su consiguiente regresión a los llamados estados de naturaleza, denominados por las urgencias vitales, a la creencia más o menos ingenua en que son éstas la fuente originaria de los valores humanos más auténticos. Por eso decía mi maestro —Mairena alude a Abel Martín—: *en toda catástrofe moral sólo quedan en pie las virtudes cínicas.*

Y no ha sido el cinismo, ciertamente, un ideal tan negativo que no contribuyera más de una vez a fecundar la historia con la revelación de valores nuevos. Dejando a un lado el Cristianismo, que tiene mucho de oleada frente a la cultura pagana, por ser tema demasiado vasto, y viniendo a nuestra edad moderna, nos encontramos, en pleno siglo XVIII, con la gigantesca personalidad del cínico Juan Jacobo Rousseau.

Hacia los días en que se anuncia la enorme Enciclopedia contesta Rousseau negativamente a la Academia de Dijon, que había preguntado *si la renovación de las ciencias y las artes contribuye al mejoramiento de las costumbres.* La pregunta llevaba implícita una intención cínica. Plenamente cínica fue la respuesta del ginebrino en su *Discours sur les sciences et les arts.* Inicia Rousseau con aquel trabajo el que publicó algunos años más tarde sobre *El origen de la desigualdad entre los hombres,* después con toda su obra, una potente reacción sentimental contra una cultura lastrada en demasía de razón y de inteligencia, una nueva fe en la bondad de la naturaleza, una fe renovada en el estado original del hombre. Y surge con Rousseau, con el influjo de aquel cínico *enfant de la nature,* todo el Romanticismo, esa vasta corriente emocional que lleva tantas enormes y dispersas [...] sin excluir a los ingentes rascacielos de las metafísicas postkantianas —razón desmesurada por el sentimiento—. El cinismo de Rousseau buscó el hombre auténtico en el hombre sentimental. Lo que de ningún modo quiere decir que lo encontrara.

Con Rousseau y contra Rousseau —hubiera dicho hoy Mairena— aparece el cinismo de nuestros días. Contra Rousseau, en cuanto combate la vieja cultura romántica que pretende sobrevivir convertida en patrimonio de clase, en cuanto impugna la mentalidad burguesa, que fustiga Lenin con el odio implacable de los cínicos a los hipócritas. Con Rousseau, el inmortal ginebrino, en cuanto prosigue en la afanosa búsqueda del hombre verídico, y propugna una regresión desde una cultura ficticia y decadente, a una auténtica elementalidad humana.

Y el viejo Antístenes sonríe, contra su costumbre, ante el

culto de Hércules, su héroe preferido, que tiende a restaurarse.

Mas de los tiempos hercúleos que se avecinan hablaremos más largamente otro día.

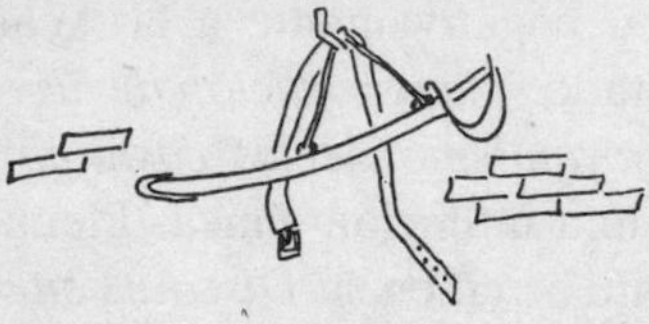

APUNTES Y RECUERDOS DE JUAN DE MAIRENA[12]

Confieso mi escasa simpatía —habla Juan de Mairena a sus alumnos— hacia aquellos pensadores que parecen estar siempre seguros de lo que dicen. Porque si no lo están y tan bien lo simulan, son unos farsantes; y si lo están, no son verdaderos pensadores, sino, cuando más, literatos, oradores, retóricos, hombres de ingenio y de acción, sensibles a los tonos y a los gestos, pero que nunca se enfrentaron con su propio pensar, propicios siempre a aceptar sin crítica el ajeno. Confieso mi poca simpatía hacia ellos. Porque estos hombres, en las horas pacíficas, se venden por filósofos y ejercen una cierta matonería intelectual, que asusta a los pobres de espíritu, sin provecho de nadie; y en tiempos de combate se dicen siempre *au dessus de la mêlée*. No son hombres despreciables, pero creo que Platón los habría expulsado de su República, mucho antes, y con menos honores, que a los poetas.

Nunca profeséis de graciosos. Porque no siempre hay ganas de reír. Aunque nunca faltan motivos para ello.

*

12. *Hora de España*, n.º 6, junio de 1937.

Nunca os aconsejaré el escepticismo cansino y melancólico de quienes piensan estar de vuelta de todo. Es la posición más falsa y más ingenuamente dogmática que puede adoptarse. Ya es mucho que vayamos a alguna parte. Estar de vuelta, ¡ni soñarlo...!

*

El escepticismo a que yo quisiera llevaros es más fuente de regocijo que de melancolía. Consiste en haceros dudar del pensamiento propio, aunque aceptéis el ajeno, por cortesía y sin daño de vuestra conciencia, porque, al fin, del pensamiento ajeno nunca sabréis gran cosa. Quiero enseñaros a dudar del pensamiento propio cuando éste lleva a callejones sin salida, que es indicaros la salida de esos callejones.

*

Que no siempre es más triste dudar que creer, me parece una verdad casi averiguada, contra la cual militan todos los creyentes de mala fe que pretenden haber averiguado lo contrario.

La creencia en la impenetrabilidad de la materia —os pongo un ejemplo de creencia generalizada— no es ningún motivo de satisfacción, para quien pretenda explicarse muchos fenómenos del mundo físico. Pero nosotros, escépticos a nuestro modo, pensamos que de la impenetrabilidad contra la cual militan muchas apariencias sensibles y todo nuestro mundo interior, sabemos muy poco. Todo lo que sabemos de la impenetrabilidad es que no podemos pensar la existencia de un cuerpo, allí donde pensamos la existencia de otro.

Pero esto sólo prueba la insuficiencia de nuestro pensamiento lógico, obligado a moverse por actos sucesivos. Dejando a un lado nuestro pensamiento lógico, todo lo demás, incluso la materia, pudiera ser perfectamente penetrable. Antes nos habíamos entristecido; ahora sonreímos.

*

El regionalismo de Juan de Mairena

De aquellos que se dicen ser gallegos, catalanes, vascos, extremeños, castellanos, etc., antes que españoles, desconfiad siempre. Suelen ser españoles incompletos, insuficientes, de quienes nada grande puede esperarse.

*

—Según eso, amigo Mairena —habla Tortolez en un café de Sevilla—, un andaluz andalucista será también un español de segunda clase.

—En efecto —respondía Mairena—: un español de segunda clase y un andaluz de tercera.

*

Sobre el porvenir militar del mundo

Algún día —decía mi maestro— se acabarán las guerras entre naciones. Dará fin de ellas la táctica oblicua de las luchas de clase, cuando los preparados a pelear de frente tengan que pelear de frente y de costado.

*

Sobre la notoriedad

Si algún día alcanzáis un poco de notoriedad —habla Mairena a sus alumnos— seréis interrogados sobre lo humano y lo divino: «¿Qué opina usted, maestro, del porvenir del mundo? ¿Piensa usted que el pasado puede ser totalmente abolido?». Etc. Y habréis de responder, so pena de pasar por descorteses o por usurpadores de una reputación totalmente inmerecida. Tendréis, sobre todo, que aceptar entrevistas y diálogos con hábiles periodistas, que os harán decir en letras de molde, con vuestras mismas palabras, no precisamente lo que vosotros habéis dicho, sino lo que ellos creen que debisteis decir y que puede ser lo contrario...

Hay en esto un problema difícil, que los viejos políticos resuelven, a su modo, con ciertas bernardinas y frases amorfas, hábilmente combinadas, las cuales, vueltas del revés, vienen a decir aproximadamente lo mismo que del derecho. Y el mayor peligro para vosotros es que deis en imitar a los viejos políticos.

*

Sobre la Alemania guerrera

Los alemanes —escribía Mairena— son los grandes maestros de la guerra. Sobre la guerra, ellos lo saben todo. Todo, menos ganarla, sin que la victoria sea tan lamentable, por lo menos, como la derrota. Las guerras en que intervengan los alemanes serán siempre las más violentas, las más crueles, las más catastróficas, las más guerreras, digámoslo de una vez, de todas las guerras. Si las pierden, no será por su culpa. Porque ellos llevan a la guerra todo lo necesario para guerrear: 1º Una metafísica guerrera, y en ella definida la esencia de la guerra misma, de un modo inconfundible, perfectamente aislada de las otras esencias que integran la total concepción de la vida humana. 2º Toda una aforística guerrera, que aconseja el amor a la guerra como *conditio sine qua non* del guerrero, y su consecuente: *si vis bellum para bellum,* o como dice Nietzsche: *vivid en peligro,* o en lenguaje de Pero Grullo: *si quieres guerra, despídete de la paz,* etc. 3º Toda una ciencia supeditada a la guerra, que implica, entre otras cosas: a) un árbol zoológico coronado por el blondo germano, el ario puro, el teutón incastrable, etc.; b) setenta mil laboratorios en afanosa búsqueda de la fórmula química definitiva, que permita al puro germano extender el empleo de los venenos insecticidas al exterminio de todas las razas humanas inferiores. 4º ¿A qué seguir? Toda una cultura colosal, perfectamente militarizada, llevarán los alemanes a la guerra, al son de músicas que puedan escucharse entre cañones. Con todo ello, los alemanes se detendrán ante una plaza militar insuficientemente defendida, para ponerle un cerco tan a conciencia, tan perfecto y cabal que, al dispararse el primer obús, la plaza sitiada tendrá un millón de defensores, y la batalla que se entable durará años y costará otro millón de vidas humanas (Mairena profetiza en esta nota algo de lo que pasó en Verdún, durante la guerra europea). La plaza, al fin, no será debelada. Pero Alemania habrá afirmado una vez más su voluntad de poderío, que era, en el fondo, cuanto se trataba de afirmar, y, desde un punto de vista metafísico, su victoria será indiscutible.

Algún día Alemania será declarada gran enemiga de la paz, y las tres cuartas partes de nuestro planeta militarán contra ella. Será el día de su victoria definitiva, porque habrá realizado plenamente, poco antes de desaparecer del mapa de los pueblos libres, su ideal bélico, el de su guerra total contra el género humano, sin excluir a los inermes y a los inofensivos. Si para entonces queda —todavía— quien piense a lo Mairena, se dirá: fue la Alemania prusiana un gran pueblo, conocedor, como ninguno, del secreto de la guerra, que consiste en saber crearse enemigos. ¿Cómo podrá guerrear quien no los tiene? Cuando Alemania llegó a comprender hondamente esta sencilla verdad: «la guerra verdadera se hace contra la paz», hubo cumplido su misión en el mundo; porque había enseñado a guerrear al mundo entero con los métodos más eficaces para exterminar al hombre pacífico. Y el mundo entero decidió, ingratamente, exterminar a su maestra, cuando ella sólo aspiraba ya a una decorosa jubilación.

CARTA DIRIGIDA A *FRENTE ROJO*[13]

Dos palabras sin la menor intención polémica. Como he sido aludido por algún periódico (aunque de un modo indirecto) en una campaña política a la cual soy totalmente ajeno —la suscitada con motivo de la disolución de la «Casa de la Cultu-

13. Carta publicada en *Frente Rojo,* 17 de julio de 1937. Esta carta fue dirigida al periódico *Frente Rojo* tras haber sido aludido Antonio Machado en un artículo de Lucía Sánchez Saornil sobre la polémica en torno a la disolución de la Casa de la Cultura, titulado «¿Miserias políticas?», publicado en *Fragua Social* del 15 de julio de 1937.

ra»— quiero hacer constar, para evitar todo equívoco, lo siguiente:

Primero.—Yo he sido evacuado de Madrid por el Gobierno de nuestra gloriosa República, entre el primer grupo de intelectuales —24 de noviembre de 1936— que vino a Valencia, y bajo la custodia del Quinto Regimiento. Por ambas cosas estoy, hoy como ayer, no sólo agradecido, sino orgulloso.

Segundo.—Yo me complazco en proclamar —y con ello creo cumplir también un deber elementalísimo—, que ni directa ni indirectamente, ni con la más leve insinuación, he sido objeto de ninguna presión de partido por parte del Ministerio de Instrucción Pública ni de ningún otro órgano del Estado.

Tercero.— Mi posición política es hoy la misma de siempre. Yo soy un viejo republicano para quien la voluntad del pueblo es sagrada.

Toda mi vida estuve frente a los gobiernos que, a mi juicio, no lo representaban. Porque pienso que el Gobierno actual lo representa plena y legítimamente en los momentos más trágicos de la vida española, profeso y aconsejo la más estricta disciplina.

Cuarto.— Respeto todas las ideologías en quienes sinceramente las profesan. Pero de ningún modo puedo simpatizar con campañas políticas que pretenden mermar el prestigio del Gobierno actual, porque, como he dicho más de una vez, vivimos en días de guerra y de tormenta, y, en estos días, los capitanes y los pilotos, cuando están en sus puestos, deben ser sagrados.

DECLARACIÓN CON MOTIVO DEL PRIMER ANIVERSARIO DE LA GUERRA CIVIL[14]

El 18 de julio de 1936 estalló la rebelión militar contra el Gobierno cien veces legítimo que tenía España en aquella

14. *Servicio Español de Información,* n.º 167, 18 de julio de 1937.

Madrid.

Si Madrid no hubiera sido capital de España cuando estalló la rebelión militar, habría conquistado, en este año de abnegación y heroísmo, la capitalidad que más de tres siglos no han podido disputarle. Y la habría conquistado sin pretenderlo, como se conquistan todas las cosas grandes: aspirando a otras mucho mayores.

Madrid ha sabido ser España, España entera, que es la España leal al Gobierno del pueblo. Luchando sin tregua contra los traidores de dentro y los invasores de fuera, Madrid no tuvo un momento de vacilación, de desconfianza ni de cobardía; ni siquiera tuvo un momento de jactancia en que gritase: ¡viva Madrid! porque siempre ha gritado: ¡arriba el pueblo!

Madrid ha sabido ser más que capital de España y espejo de todos los buenos españoles, porque al defender la causa popular, vierte su sangre por todos los pueblos y defiende el porvenir del mundo.

Valencia 29 Julio 1937

Antonio Machado

fecha. Ha pasado un año y nosotros vivimos con entera dignidad, porque sigue en pie, y más firme que nunca, el baluarte de nuestra gloriosa República.

De nuestros enemigos, los rebeldes de entonces, ya no queda nada. Para nosotros no son los rebeldes, sino los traidores; para sus aliados de Italia y Alemania son, sencillamente, los siervos.

Cuando se tiene alma de esclavo, toda rebeldía conduce a la servidumbre.

Valencia, 16 de julio de 1937.

MADRID

Si Madrid no hubiera sido capital de España cuando estalló la rebelión militar, habría conquistado, en este año de abnegación y heroísmo, la capitalidad que más de tres siglos no han podido disputarle. Y la habría conquistado sin pretenderlo, como se conquistan todas las cosas grandes: aspirando a otras mucho mayores.

Madrid ha sabido ser España, España entera, que es la España leal al Gobierno del pueblo. Luchando sin tregua contra los traidores de dentro y los invasores de fuera, Madrid no tuvo un momento de vacilación, de desconfianza ni de cobardía; ni siquiera tuvo un momento de jactancia en que gritase: ¡viva Madrid! porque siempre ha gritado: ¡arriba el pueblo!

Madrid ha sabido ser más que capital de España y espejo de todos los buenos españoles: porque al defender la causa popular, vierte su sangre por todos los pueblos y defiende el porvenir del mundo.

Valencia, 29 de julio de 1937.

HABLA JUAN DE MAIRENA A SUS ALUMNOS[15]

Sobre las creencias

Sería conveniente —habla Juan de Mairena a sus alumnos— que el hombre más o menos occidental de nuestros días, ese hombre al margen de todas las iglesias —o incluido sin fe en alguna de ellas— que ha vuelto la espalda a determinados dogmas, intentase una profunda investigación de sus creencias últimas. Porque todos —sin excluir a los herejes, coleccionistas de excomuniones, etc.—, creemos en algo, y es este algo, a fin de cuentas, lo que pudiera explicar el sentido total de nuestra conducta. Sin una *pura investigación de las creencias,* que sólo puede encomendarse a los escépticos propiamente dichos, carecemos de una norma medianamente segura para juzgar los hechos más esenciales de la historia.

*

Los idealistas, más o menos rezagados —el rezago no implica apartamiento de la verdad, sino de la moda— creen en el espíritu como resorte decisivo, supremo imán o primer impul-

15. *Hora de España,* n.º 7, julio de 1937.

sor de la historia. Es una creencia como otra cualquiera, y más generalizada de lo que se piensa. La Biblia de estos hombres —no siempre leída, como es destino ineluctable de todas las Biblias— abarca las metafísicas postkantianas que culminan en Hegel y que hoy, no obstante su relativo descrédito, influyen poderosamente, hasta infiltrarse en la retórica de las multitudes. Frente a esta legión de románticos, milita la hueste de los que pudiéramos llamar, aunque no con mucha precisión, *realistas,* de los que creen que la vida social y la historia se mueven por impulsos ciegos (intereses económicos, apetitos materiales, etc.), con independencia de toda espiritualidad. Es otra creencia enormemente generalizada, que ha llegado a determinar corrientes populares, o, como bárbaramente se dice, movimientos de masas humanas. La Biblia de estos hombres abarca, entre otras cosas, la filosofía de la izquierda hegeliana —la línea que desciende de Hegel a Marx y a su compadre Engels—, y a cuantos profesan, con más o menos restricciones, el llamado *materialismo histórico.* Los unos y los otros —idealistas y realistas— se mueven *con* sus creencias, siempre en compañía de sus creencias. ¿Se mueven *por* ellas, como pensaba mi maestro Abel Martín? He aquí lo que convendría averiguar.

*

Nota Bene. No faltan, ciertamente, quienes después de haber decretado la absoluta incapacidad de los factores reales para dar un sentido a la vida humana, y la no menos absoluta inania de las ideas para influir dinámicamente en los factores reales, piensen que, unidos los unos a las otras, se obtiene un resultado integral positivo, para la marcha de la historia. Como si dijéramos: el carro que un percherón no logra llevar a ninguna parte camina como sobre rieles si, unido al percherón, se le unce la sombra de un hipogrifo. Son síntesis a la alemana que nosotros, los pobres iberos, no acertaremos nunca a realizar.

*

Alguien preguntó a Mairena: ¿por qué han de ser los escépticos los encargados de investigar nuestras creencias? Respondió Mairena: nuestras creencias últimas, a las cuales mi maestro y yo nos referimos, no son, no pueden ser aquellos ídolos de nuestro pensamiento que procuramos poner a salvo de la crítica, mucho menos las mentiras averiguadas que conservamos por motivos sentimentales o de utilidad política, social, etc., sino el resultado, mejor diré los residuos de los más profundos análisis de nuestra conciencia. Se obtienen por una actividad escéptica honda y honradamente inquisitiva que todo hombre puede realizar —quien más, quien menos— a lo largo de su vida. La buena fe, que no es la fe ingenua anterior a toda reflexión, ni mucho menos la de los pragmatistas, siempre hipócrita, es el resultado del escepticismo, de la franca y sincera rebusca de la verdad. Cuando subsiste, si algo subsiste, tras el análisis exhaustivo o que pretende serlo, de la razón, nos descubre esa zona de lo fatal a que el hombre de algún modo presta su asentimiento. Es la zona de la creencia, luminosa u opaca —tan creencia es el sí como el no— donde habría que buscar, según mi maestro, el imán de nuestra conducta.

*

Sobre el pacifismo

Si yo creyera que había venido a este mundo a pelear; que todo en esta vida, esencialmente batallona, nos era concedido a título de botín de guerra, yo no sería pacifista. Porque carezco de convicciones polémicas, y porque sospecho que lo específicamente humano es la aspiración a substraerse de algún modo al *bellum omnium contra omnes,* me inclino a militar entre los partidarios y defensores de la paz. Pero cuál sea mi posición personal ante esta grave cuestión, que acaso divida al mundo en días no lejanos, importa poco. Importa mucho, en cambio, que reparéis en esto: *superabundan* en nuestro mundo occidental las convicciones bélicas, de aquellos para quienes el templo de Jano nunca debería cerrarse. Para estos hombres, la cultura misma es, fundamentalmente, polémica: arte de agredir y de defenderse. Bajo el dogma goethiano —*en el principio era la acción*— en el clima activista de nuestra vieja Europa —la continental y la británica— y de Norteamérica, el concepto de lucha, como actividad vital ineluctable y, al par, como instrumento de selección y de progreso, medra hasta convertirse en ídolo de las multitudes. Interpretaciones más o menos correctas o fantásticas del *struggle-for-life* darwiniano, que llevan, no obstante, el auténtico impulso polémico de un gran pueblo de presa, han hecho demasiada suerte en el mundo. Y es muy difícil que tantos hombres cargados de razones polémicas, convencidos —¿hasta qué punto?— de que sólo hay buenos motivos para pelear, puedan contribuir de algún modo a evitar una futura conflagración universal. Organizaciones pacifistas, *ligas pro paz,* etc., en un ambiente de belicosos y beligerantes, son pompas de jabón que rompe el viento; porque los mismos hombres que militan en ellas están ganados por el enemigo, son conciencias vencidas que prestan su más hondo asentimiento a la fatalidad de la guerra. Y la verdad es que estas mismas instituciones apenas si tienen de pacifistas más que el nombre; son, cuando más, ligas entre matones que se unen para espiarse, y que apenas si actúan como no sea con ánimo de acelerar la ruina o el exterminio de los débiles. Sin que germine, o se restaure, una forma de conciencia religiosa de sentido amoroso; sin una metafísica de la paz, como la intentada por mi maestro, que nos lleve a una total idea del mundo esencialmente armónica, y en la cual los supremos valores se revelen en la contemplación, y de ningún modo sean un producto de actividades cinéticas; sin una ciencia positiva que no acepte como verdad averiguada la virtud del asesinato para el mejoramiento de la especie humana, ¿creéis que hay motivo alguno que nos obligue a ser pacifistas? Adrede os hago esta pregunta en la forma menos ventajosa para mi tesis. Tan persuadido estoy de la superabundancia de mis razones.

*

Ola de cinismo.

Una ola gigantesca de cinismo amenaza al mundo entero. Por cinismo entiendo, en este caso, inclinándome a uno de los sentidos etimológicos que se asigna a la palabra cínico (de *kyón, kynós,* perro) una cierta fe en que la animalidad humana, el llamado estado de naturaleza, contiene virtudes más auténticas que los valores culturales, una cierta rebelión de la elementalidad contra la cultura, que adopta formas muy diversas. La pugna es muy antigua y se recrudece en el declive de muchas civilizaciones. En pleno *Iluminismo,* el cínico Rousseau, aquel *enfant de la nature* inicia el romanticismo y, consiguientemente, una cultura romántica al rebelarse contra una cultura clásica —quiero decir lastrada en demasía de razón y de inteligencia—, abogando por los fueros de la sentimentalidad. El cinismo actual milita contra Rousseau, en cuanto se rebela contra la cultura romántica, que había desmesurado a la razón por influjo del sentimiento y creado lo que durante todo el siglo XIX hemos estado llamando ideales; y está con Rousseau, el inmortal ginebrino, en cuanto sigue siendo *cinismo,* es decir, fe en la elementalidad como fuente de los valores humanos más verídicos. El cinismo actual se llama, con mayor o menor precisión, *interpretación materialista de la historia.* La obra de un judío alemán, ingente rama desprendida del árbol de Hegel, lo representa en nuestros días. Carlos Marx, conserva su fe hegeliana en un proceso evolutivo de lo absoluto, y aun el esquema lógico del maestro, injertos en otra fe cínica que hubiera aprobado el viejo Antístenes: no son factores ideales, sino económicos, en última instancia, las necesidades de la animalia humana, los agentes determinantes de la historia. El marxismo invadirá el mundo. ¿Es una ola de cinismo? Sin duda. Pero entendamos: yo no os he dicho todavía en qué estriba, a mi juicio, la fuerza incontrastable del cinismo, por qué causa el cinismo atraviesa la historia y ha sido tantas veces fecundo y lo será tantas otras. El cinismo más auténtico, el que profesaron los griegos en el gimnasio de Cinosargos, es un culto fanático a la veracidad, que no retrocede ante las más amargas verdades del hombre. Os pondré un ejemplo: Si el hombre fuera esencialmente un cerdo —cosa que yo disto mucho de creer— sólo el cínico no se inclinaría —como los pragmatistas— a guardarle el secreto, la virtud cínica consistiría en reconocerlo, proclamarlo y en aceptar valientemente el destino porcuno del hombre a través de la historia. ¿Comprendéis ahora por qué en épocas de pragmatismo hipócrita, el cinismo es una reacción necesaria? ¿Comprendéis ahora cómo el marxismo, por muy equivocado que esté, en cuanto pretende señalar una verdad, en medio de un diluvio de mentiras, tiene un valor ético indiscutible?

SOBRE LA DEFENSA Y LA DIFUSIÓN DE LA CULTURA.
Discurso pronunciado en Valencia en la sesión de clausura del Congreso Internacional de Escritores[16]

EL POETA Y EL PUEBLO

Cuando alguien me preguntó, hace ya muchos años, ¿piensa usted que el poeta debe escribir para el pueblo, o permanecer encerrado en su *torre de marfil* —era el tópico al uso de aquellos días— consagrado a una actividad aristocrática, en esferas de la cultura sólo accesibles a una minoría selecta?, yo contesté con estas palabras, que a muchos parecieron un tanto evasivas o ingenuas: «Escribir para el pueblo —decía mi maestro— ¡qué más quisiera yo! Deseoso de escribir para el pue-

16. *Hora de España,* n.º 8, agosto de 1937.

blo, aprendí de él cuanto pude, mucho menos —claro está— de lo que él sabe. Escribir para el pueblo es, por de pronto, escribir para el hombre de nuestra raza, de nuestra tierra, de nuestra habla, tres cosas de inagotable contenido que no acabamos nunca de conocer. Y es mucho más, porque escribir para el pueblo nos obliga a rebasar las fronteras de nuestra patria, es escribir también para los hombres de otras razas, de otras tierras y de otras lenguas. Escribir para el pueblo es llamarse Cervantes, en España; Shakespeare, en Inglaterra; Tolstoi, en Rusia. Es el milagro de los genios de la palabra. Tal vez alguno de ellos lo realizó sin saberlo, sin haberlo deseado siquiera. Día llegará en que sea la más consciente y suprema aspiración del poeta. En cuanto a mí, mero aprendiz de gay-saber, no creo haber pasado de folk-lorista, aprendiz, a mi modo, de saber popular».

Mi respuesta era la de un español consciente de su hispanidad, que sabe, que necesita saber cómo en España casi todo lo grande es obra del pueblo o para el pueblo, cómo en España lo esencialmente aristocrático, en cierto modo, es lo popular. En los primeros meses de la guerra que hoy ensangrienta a España, cuando la contienda no había aún perdido su aspecto de mera guerra civil, yo escribí estas palabras que pretenden justificar mi fe democrática, mi creencia en la superioridad del pueblo sobre las clases privilegiadas.

LOS MILICIANOS DE 1936

I

Después de puesta su vida
tantas veces por su ley
al tablero...

¿Por qué recuerdo yo esta frase de don Jorge Manrique, siempre que veo, hojeando diarios y revistas, los retratos de nuestros milicianos? Tal vez será porque estos hombres, no precisamente soldados, sino pueblo en armas, tienen en sus rostros el grave ceño y la expresión concentrada o absorta en lo invisible de quienes, como dice el poeta, «ponen al tablero su vida por su ley», se juegan esa moneda única —si se pierde, no hay otra— por una causa hondamente sentida. La verdad es que todos estos milicianos parecen capitanes, tanto es el noble señorío de sus rostros.

II

Cuando una gran ciudad —como Madrid en estos días— vive una experiencia trágica, cambia totalmente de fisonomía, y en ella advertimos un extraño fenómeno, compensador de muchas amarguras: la súbita desaparición del señorito. Y no es que el señorito, como algunos piensan, huya o se esconda, sino que desaparece —literalmente—, se borra, lo borra la tragedia humana, lo borra el hombre. La verdad es que, como decía Juan de Mairena, no hay señoritos, sino más bien «señoritismo», una forma, entre varias, de hombría degradada, un estilo peculiar de no ser hombre, que puede observarse a veces en individuos de diversas clases sociales, y que nada tiene que ver con los cuellos planchados, las corbatas o el lustre de las botas.

III

Entre nosotros, españoles, nada señoritos por naturaleza, el señoritismo es una enfermedad epidérmica, cuyo origen puede encontrarse, acaso, en la educación jesuítica, profundamente anticristiana y —digámoslo con orgullo— perfectamente antiespañola. Porque el señoritismo lleva implícita una estimativa errónea y servil, que antepone los hechos sociales más de superficie —signos de clase, hábitos e indumentos— a los valores propiamente dichos, religiosos y humanos. El señoritismo ignora, se complace en ignorar —jesuíticamente— la insuperable dignidad del hombre. El pueblo, en cambio, la conoce y la afirma, en ella tiene su cimiento más firme la ética popular. «Nadie es más que nadie» reza un adagio de Castilla. ¡Expresión perfecta de modestia y de orgullo! Sí, «nadie es más que nadie» porque a nadie le es dado aventajarse a todos, pues a todo hay quien gane, en circunstancias de lugar y de tiempo. «Nadie es más que nadie», porque —y este es el más hondo sentido de la frase—, por mucho que valga un hombre, nunca tendrá valor más alto que el valor de ser hombre. Así habla Castilla, un pueblo de señores, que siempre ha despreciado al señorito.

IV

Cuando el Cid, el señor, por obra de una hombría que sus propios enemigos proclaman, se apercibe, en el viejo poema, a romper el cerco que los moros tienen puesto a Valencia, llama a su mujer, doña Jimena, y a sus hijas Elvira y Sol, para que vean «cómo se gana el pan». Con tan divina modestia habla Rodrigo de sus propias hazañas. Es el mismo, empero, que sufre destierro por haberse erguido ante el rey Alfonso y exigídole, de hombre a hombre, que jure sobre los Evangelios no deber la corona al fratricidio. Y junto al Cid, gran señor de sí mismo, aparecen en la gesta inmortal aquellos dos infantes de Carrión, cobardes, vanidosos y vengativos; aquellos dos señoritos felones, estampas definitivas de una aristocracia encanallada. Alguien ha señalado, con certero tino, que el Poema del Cid es la lucha entre una democracia naciente y una aristocracia declinante. Yo diría, mejor, entre la hombría castellana y el señoritismo leonés de aquella centuria.

V

No faltará quien piense que las sombras de los yernos del Cid acompañan hoy a los ejércitos facciosos y les aconsejan hazañas tan lamentables como aquella del «robledo de Corpes». No afirmaré yo tanto, porque no me gusta denigrar al adversario. Pero creo, con toda el alma, que la sombra de Rodrigo acompaña a nuestros heroicos milicianos y que en el Juicio de Dios que hoy, como entonces, tiene lugar a orillas del Tajo, triunfarán otra vez los mejores. O habrá que faltarle al respeto a la misma divinidad.

Madrid, agosto 1936.

*

Entre españoles, lo esencial humano se encuentra con la mayor pureza y el más acusado relieve en el alma popular. Yo no sé si puede decirse lo mismo de otros países. Mi folk-lore no ha traspuesto las fronteras de mi patria. Pero me atrevo a asegurar que, en España, el prejuicio aristocrático, el de escribir exclusivamente para los mejores, pueda aceptarse y aun convertirse en norma literaria, sólo con esta advertencia: la aristocracia española está en el pueblo, escribiendo para el pueblo se escribe para los mejores. Si quisiéramos, piadosamente, no excluir del goce de una literatura popular a las llamadas clases altas, tendríamos que rebajar el nivel humano y la categoría estética de las obras que hizo suyas el pueblo y entreverarlas con frivolidades y pedanterías. De un modo más o menos consciente, es esto lo que muchas veces hicieron nuestros clásicos. Todo cuanto hay de superfluo en *El Quijote* no proviene de concesiones hechas al gusto popular, o, como se decía entonces, a la necedad del vulgo, sino, por el contrario, a la perversión estética de la corte. Alguien ha dicho con frase desmesurada, inaceptable *ad pedem litterae,* pero con profundo sentido de verdad: en nuestra gran literatura casi todo lo que no es folk-lore es pedantería.

*

Pero dejando a un lado el aspecto español o, mejor, españolista de la cuestión, que se encierra a mi juicio en este claro dilema: o escribimos sin olvidar al pueblo, o sólo escribiremos tonterías, y volviendo al aspecto universal del problema, que es el de la difusión de la cultura, y el de su defensa, voy a leeros palabras de Juan de Mairena, un profesor apócrifo o hipotético, que proyectaba en nuestra patria una *Escuela Popular de Sabiduría Superior.*

La cultura vista desde fuera, como la ven quienes nunca contribuyeron a crearla, puede aparecer como un caudal en numerario o mercancías, el cual, repartido entre muchos, entre los más, no es suficiente para enriquecer a nadie. La difusión de la cultura sería, para los que así piensan —si esto es pensar—, un despilfarro o dilapidación de la cultura, realmente lamentable. ¡Esto es tan lógico!... Pero es extraño que sean, a veces, los antimarxistas, que combaten la interpretación materialista de la Historia, quienes expongan una concepción tan materialista de la difusión cultural.

En efecto, la cultura vista desde fuera, como si dijéramos desde la ignorancia o, también, desde la pedantería, puede aparecer como un tesoro cuya posesión y custodia sean el privilegio de unos pocos; y el ansia de cultura que siente el pueblo, y que nosotros quisiéramos contribuir a aumentar en el pueblo, aparecería como la amenaza a un sagrado depósito. Pero nosotros, que vemos la cultura desde dentro, quiero decir desde el hombre mismo, no pensamos ni en el caudal, ni el tesoro, ni el depósito de la cultura, como en fondos o existencias que puedan acapararse, por un lado, o, por otro, repartirse a voleo, mucho menos que puedan ser entrados a saco por las turbas. Para nosotros, defender y difundir la cultura es una misma cosa: aumentar en el mundo el humano tesoro de conciencia vigilante. ¿Cómo? Despertando al dormido. Y mientras mayor sea el número de despiertos...

Para mí —decía Juan de Mairena— sólo habría una razón atendible contra una gran difusión de la cultura —o tránsito de la cultura concentrada en un estrecho círculo de elegidos o privilegiados a otros ámbitos más extensos— si averiguásemos que el principio de Carnot-Clausius rige también para esa clase de energía espiritual que despierta al durmiente. En ese caso, habríamos de proceder con sumo tiento; porque una excesiva difusión de la cultura implicaría, a fin de cuentas, una degradación de la misma que la hiciese prácticamente inútil. Pero nada hay averiguado, a mi juicio, sobre este particular. Nada serio podríamos oponer a una tesis contraria que, de acuerdo con la más acusada apariencia, afirmase la constante reversibilidad de la energía espiritual que produce la cultura.

*

Para nosotros, la cultura ni proviene de energía que se degrada al propagarse, ni es caudal que se aminore al repartirse; su defensa, obra será de actividad generosa que lleva implícitas las dos más hondas paradojas de la ética: sólo se pierde lo que se guarda, sólo se gana lo que se da.

Enseñad al que no sabe; despertad al dormido; llamad a la puerta de todos los corazones, de todas las conciencias. Y como tampoco es el hombre para la cultura, sino la cultura para el hombre, para todos los hombres, para cada hombre, de ningún modo un fardo ingente para levantado en vilo por todos los hombres, de tal suerte que tan sólo el peso de la cultura pueda repartirse entre todos, si mañana un vendaval de cinismo, de elementalidad humana, sacude el árbol de la cultura y se lleva algo más que sus hojas secas, no os asustéis. Los árboles demasiado frondosos necesitan perder algunas de sus ramas en beneficio de sus frutos. Y a falta de una poda sabia y consciente, pudiera ser bueno el huracán.[17]

*

Cuando a Juan de Mairena se le preguntó si el poeta y, en general, el escritor debía escribir para las masas, contestó: cuidado, amigos míos. Existe un hombre del pueblo, que es, en España al menos, el hombre elemental y fundamental, y el que está más cerca del hombre universal y eterno. El hombre masa, no existe; las masas humanas son una invención de la burguesía, una degradación de las muchedumbres de hombres, basada en una descualificación del hombre que pretende dejarle reducido a aquello que el hombre tiene de común con los objetos del mundo físico: la propiedad de poder ser medido con relación a unidad de volumen. Desconfiad del tópico *«masas humanas»*. Muchas gentes de buena fe, nuestros mejores amigos, lo emplean hoy, sin reparar en que el tópico proviene del campo enemigo: de la burguesía capitalista que explota al hombre, y necesita degradarlo; algo también de la Iglesia, órgano de poder, que más de una vez se ha proclama-

---

17. Hasta este punto fue el texto publicado en *La Vanguardia* de 16 de julio de 1937. El texto que sigue, más el anterior, fue publicado en *Hora de España*, n.º 8, agosto de 1937.

do instituto supremo para la salvación de las masas. Mucho cuidado; a las masas no las salva nadie; en cambio, siempre se podrá disparar sobre ellas. ¡Ojo!

Muchos de los problemas de más difícil solución que plantea la poesía futura —la continuación de un arte eterno en nuevas circunstancias de lugar y de tiempo— y el fracaso de algunas tentativas bien intencionadas provienen, en parte, de esto: escribir para las masas no es escribir para nadie, menos que nada para el hombre actual, para esos millones de conciencias humanas, esparcidas por el mundo entero, y que luchan —como en España— heroica y denodadamente por destruir cuantos obstáculos se oponen a su hombría integral, por conquistar los medios que les permitan incorporarse a ella. Si os dirigís a las masas, el hombre, el *cada hombre* que os escuche no se sentirá aludido y necesariamente os volverá la espalda.

He aquí la malicia que lleva implícita la falsedad de un tópico que nosotros, demófilos incorregibles y enemigos de todo señoritismo cultural, no emplearemos nunca de buen grado, por un respeto y un amor al pueblo que nuestros adversarios no sentirán jamás.

NOTAS AL MARGEN[18]

I

¡Qué bien escribe Manuel Azaña! Porque estoy seguro de haberlo dicho hace muchos años, cuando nos reuníamos unos cuantos «escritores irremediables» en el ya viejo entonces y hoy olvidado café Inglés de Madrid, en amena tertulia que presidía D. Ramón del Valle-Inclán, me atrevo —y en ello me complazco— a repetirlo hoy. ¡Qué bien escribe Manuel Azaña! Después de haber leído su *Viaje de Hipólito,* trozo de inédita novela que publica la Casa de la Cultura en su cuaderno segundo, pienso que Azaña escribe plenamente bien, como

18. *Servicio Español de Información,* agosto de 1937.

un español que ha estudiado y vivido su lengua, entre muchos que la estudiaron sin vivirla y no pocos que ni la vivieron ni la estudiaron. ¡Qué bien escribe Azaña! ¡Y que este maestro de la lengua imperial de todas las Españas sea el Presidente de nuestra amada República!... Satisfacciones trae el tiempo compensadoras de muchas amarguras.

Arteta

Las figuras que hoy traza Aurelio Arteta, el pintor bilbaíno —las serenas como las patéticas y atormentadas—, nos eran conocidas y familiares. Vistas, sin embargo, a la luz de la guerra, nos parecen símbolos o alegorías de la gran contienda. Les basta, en verdad, ser lo que eran para su actualidad. ¡Cuán plenamente expresa Arteta la gracia vigorosa de esa madre joven que levanta en brazos a su niño! Yo no sé si la guerra puede crear en arte valores nuevos, mas sí que nos exalta y aun nos renueva los valores auténticos que ya conocíamos.

Solana

También el Solana de hoy sigue siendo el Solana de siempre: el pintor extraño, y magnífico que ve lo vivo muerto y lo muerto vivo, dicho de otro modo: que nos revela la mucha vida que no sabemos ver, y la mucha muerte que llevamos encima sin saberlo: un monstruo auténtico, entre farsantes de lo monstruoso, que pinta con el vigor de los grandes maestros. El pintor Solana, para quien ignore su obra anterior, puede parecer como un engendro de la guerra actual. Sin embargo, es evidente que la guerra no ha añadido un ápice de horror a esas figuras de pesadilla a que Solana nos tenía ya acostumbrados.

Duperier y Vidal

Un trabajo admirable sobre *La conductibilidad eléctrica del aire en Madrid,* de que son autores A. Duperier y J.M. Vidal. *Es de leer todo:* así escribía Felipe II, el rey papelero, al pie de los mejores documentos que llegaban a sus manos, porque en él se contienen observaciones y juicios atinadísimos, hasta la fecha inéditos, sobre experiencias meteorológicas recientes, que hubieron de interrumpirse cuando la heroica defensa de Madrid exigió el emplazamiento de una batería al lado de nuestro Observatorio. Que esos cañones contribuyan con toda su potencia a alejar de Madrid lo antes posible a nuestros enemigos, y que sea algo más que el aire cuanto allí nos quede para esa fecha. Que Duperier y Vidal puedan pronto reanudar sus experiencias, para gloria y provecho de la ciencia española, de esa ciencia que el heroico saber de nuestro pueblo defiende hoy contra la barbarie de nuestros doctores.

Ereutofobia o temor de ruborizarse

Un trabajo «completo» de don Gonzalo R. Lafora sobre *el sentimiento de la vergüenza.* Al llamarse «completo», quiero decir que en él se contiene a mi juicio, no sólo una aguda crítica de cuanto más sustancioso se ha escrito sobre un tema ya viejo (1864), en los anales de la Psiquiatría, sino también, y sobre todo, copiosa mies de observaciones propias y reflexiones originales de nuestro gran psiquiatra. Que el doctor Lafora perdone la incompetencia del elogio en gracia a la sinceridad del mismo. De algún modo hemos de manifestar nuestra gratitud a quien siempre leímos con todo el respeto que debe inspirarnos el verdadero saber, y con el provecho —no siempre confesado— que alguna vez se obtiene del saber ajeno, para el mejoramiento de nuestra exigua minerva.

Notas de Juan de Mairena sobre el rubor

Cuatro clases conozco de rubor —habla Mairena a sus alumnos—, aunque no todas por la propia experiencia. PRIMERO.— El clásico rubor de los tímidos, inseguros o insuficientes, el rubor por miedo a revelar defectos, vicios o pecados que merecen la repulsa social o, al menos, un juicio poco favorable de la opinión ajena. SEGUNDO.— Un rubor menos frecuente, que a veces nos asalta, por miedo a la calumnia, a ser acusados de acciones reprobables que no hemos cometido y que, acaso, no habríamos nunca pensado cometer. También este rubor es propio de los tímidos, pero no de los tímidos por insuficiencia mental, sino por exceso de reflexión autoinspectiva; es un rubor de hombres nada frívolos que ahondaron en el *nosce te ipsum,* en la sentencia délfica, hasta alcanzar una perfecta comprensión del clásico aforismo: *homo sum nihil humanum,* etc. Así, cuando en esta clase faltó un reloj, que uno de vosotros había dejado por olvido sobre mi mesa, yo enrojecí —¿lo recordáis?— temiendo que pudierais pensar que era yo, vuestro amado maestro, quien lo había hurtado o distraído; acaso también porque no estaba yo completamente seguro —¿quién puede estarlo?— de una absoluta incapacidad para cosa tan humana como es el atentar contra la propiedad ajena. Afortunadamente, el reloj apareció y fue devuelto alegremente a su dueño por uno de vosotros, que había querido gastar una broma a su compañero. TERCERO.— El rubor que pudiéramos llamar *rubor compensatorio de la frescura.* Con este rubor nos avergonzamos de la *inverecundia* de nuestros prójimos y por pecados que nosotros no cometeríamos nunca. Más de una vez he sentido mi tez aborracharse hasta el rojo guindilla, oyendo a nuestros recitadores y recitadoras bramar, y aún rugir, los versos más suaves de nuestra lírica, atiplar los más graves, saltarse a la torera los pocos acentos emotivos que les puso el poeta, recalcar hasta la impertinencia todo lo inepto o malogrado de los más lozanos frutos de nuestro Parnaso. CUARTO.— El rubor nada ereutofóbico, que advertimos en algunas mujeres, las cuales nunca enrojecen por el miedo, sino por el deseo y el gusto de ruborizarse; quiero decir que dominan y disponen de sus reacciones vasomotoras para adornarse con el carmín de la vergüenza, en ocasiones más o menos oportunas, como otras mujeres disponen de lágrimas auténticas y abundantes para vertidas en todos los funerales.

II

Algo sobre el mensaje de la música

Unas cuantas reflexiones de don Pedro San Juan, muy bien orientadas, a mi juicio, sobre la esencia de la música.

Durante el pasado siglo, todo el arte parecía huir de sí mismo, todas las artes se buscaron unas en otras. La música pretendió ser pictórica, literaria, metafísica, etc, olvidando casi siempre el ser —sencillamente— musical. Y hoy, en efecto, las artes, todas las artes, y entre ellas la música, tornan a sí mismas, pretenden recobrar la conciencia de sus fines y de sus medios. Hoy la música quiere ser, como en Bach, como en Mozart, música y nada más que música.

Y ahora surge el difícil problema —alguién dirá insoluble— de la inocencia perdida que pretende recobrarse, agravado por el problema de las definiciones, que es el grave problema de la crítica. ¿Qué es lo pictórico? ¿Qué es lo poético? ¿Qué es lo musical?

Recordemos la reciente polémica sobre la «poesía pura», que decidió M. de la Palisse, con estas o parecidas razones: si eliminamos de cuanto se vende por poesía todo lo que no es poesía, obtendremos, como resultado y premio a nuestra labor depuradora, una poesía perfectamente purificada: la pura poesía que buscábamos. M. de la Palisse es siempre, a su manera, incontrovertible.

Don Pedro San Juan, que no es, por suerte suya, M. de la Palisse, rehúye toda clase de análisis y definiciones que serían en última instancia, meras tautologías. Pero nos dice cosas muy finas y atinadas, más sugestivas que probatorias, sobre la técnica y sobre el «mensaje», que él define, provisoriamente y sin intención dogmática, *como la unión precisa del material sonoro con la intuición del artista.* Todo el trabajo de don Pedro San Juan merece leerse.

El desorientado (glosa, ditirambo y vejamen de un nuevo Don Juan apócrifo)

Un tema tan español como el de Don Juan y tan universal e inagotable al mismo tiempo, no podría nunca ser ajeno a un poeta de nuestra raza. Y si este poeta es Juan José Domenchina... De Domenchina, como de todos los poetas auténticos, se anuncia el nombre y basta.

Digamos algunas palabras sobre el Don Juan de Domenchina, el Don Juan que entrevemos a través de las *notas, sentencias, citas y experiencias* del personaje hipotético con que nuestro poeta contribuye a enriquecer la ya copiosa y enmarañada silva del erotismo donjuanesco.

Cuando se quiso de veras, y por primera vez, nunca se olvida, me dijo, en el revés de una madrugada, y a través de una alcohol elocuente, no recuerdo qué ex honesta y amable ex joven.

En el Don Juan apócrifo de Domenchina, así habla ella, una mujer, para engañar, acaso —¿por qué no?— con la verdad de un tópico venerable. Mentir con la verdad es propio de mujeres, aunque no tanto como lo contario: revelar ingenuamente la verdad inconfesable, a fuerza de arroparla con embustes.

Y el Don Juan apócrifo de Domenchina responde con suma gracia y la más castiza impudencia donjuanesca: *Inconcusa verdad.* Nunca se olvida. *A los treinta años se sabe ya, por experiencia, que eso es bien cierto; pues ha tenido una ocasión de amar de veras, y por primera vez, lo menos veinte o treinta veces.* Como si dijéramos: ese es mi oficio, señora mía: amar por vez primera y con toda mi fuerza, siempre que se presenta una ocasión oportuna. La paradoja nietzschiana: *gozar varias veces* de una misma cosa *por primera vez,* se confirma en Don Juan y acaso explica y cohonesta, como en opinión de Nietzsche, por la falta de memoria. Don Juan, el gran desmemoriado, sólo recuerda experiencias primeras del amor, primeras y últimas, puesto que ninguna de ellas dejó nada en el recuerdo que pudiera trabarse con las sucesivas. Un gran desmemoriado es Don Juan, un desalmado en la opinión romántica

—para los románticos, como para Bergson, la sustancia inextensa empieza en la memoria— aunque yo diría, con más exactitud: un gran *olvidador*. Porque Don Juan no carece de memoria; posee el olvido como potencia activa y destructora, creadora, a fin de cuenta, de experiencias insólitas y que, en verdad, no podrán repetirse.

Yo me he echado el alma atrás, dice el gigantesco Don Félix, de Espronceda, y con el alma, la memoria de Elvira.

El Don Juan hipotético de Domenchina, aunque algo ecléctico en sus maneras, como cumple a un hombre de nuestros días, es, en el fondo, de pura estirpe cínica española. El fraile mercedario —si fue Gabriel Téllez el autor de *El convidado de piedra*— no lo hubiera descalificado nunca:

—¿Qué es aquesto?
—¿Qué ha de ser?
—Un hombre y una mujer.

Los cínicos versos de nuestro fraile —pues un fraile tuvo que ser, sin duda, quien lo escribió— me vienen a la memoria cuando leo el nuevo Don Juan, de Domenchina.

Sí, un cínico, en el mejor sentido de la palabra, y como el viejo Antístenes, admirador de Hércules, el héroe incansable y hazañoso en los trabajos elementales. *El arquetipo o molde de Don Juan* —habla el Don Juan de Domenchina— *lo constituye Herakles, el genuino Herakles, que pernoctó y cumplió holgadamente con las cincuenta hijas de Thespios. Este alarde de varonía dice bien a las claras quién es Don Juan.* Y que se chupe esa un doctor sapientísimo, en opinión del cual era Don Juan poco menos que un mirliflor.

Es en verdad un acierto de nuestro poeta —¿cómo no acertará un poeta cuando medita sobre temas esenciales?— el definir a Don Juan como Hércules del amor, poniendo de resalto su energía, su vitalidad, su buena y superabundante salud, aunque sólo sea para contrarrestar la labor demoledora de los *donjuanéfobos,* que pretenden definir a Don Juan por su patología. Claro es que Don Juan la tiene —como Hamlet y

Don Quijote y Segismundo— pero no es justo que se le defina por ella, como si no tuviera otra cosa.

Mas el Don Juan de nuestro poeta, tan perito en las esencias de Don Juan, no responde exactamente —y ello sin duda por voluntad de su creador— a su propio arquetipo; *enfant du siècle* —del suyo, naturalmente, que no es el de Musset— es sobradamente hombre de un mundo en crisis, harto preocupado del objeto constante de sus aventuras, y muy reflexivo, ingenioso, descontento de sí mismo, y aun *desorientado,* como sugiere su autor, para producir en nosotros, atentos lectores, una impresión de estricto donjuanismo. Es un Don Juan de vuelta, muy lejos ya de su siglo de oro, y aun de sus días barrocos y románticos, que se detiene inquieto, meditabundo y malhumorado en el umbral de tiempos nuevos, que pudieran serle hostiles.

Juan José Domenchina, poeta y crítico, quiero decir paciente de dos males incurables, se habrá preguntado más de una vez: ¿qué va a ser de Don Juan en los tiempos que vienen? Porque Don Juan es un tema humano, antes que literario, tan perdurable como el cinismo erótico en pugna con la moral erótica o menos hipócrita de cada tiempo. Un nuevo Don Juan puede esperarse, debe esperarse siempre. Don Juan el burlador, el infamador, el violador, el castigador de la eterna fémina, su *impregnador* irresponsable, no puede morir —aunque a muchos nos sea francamente antipático— porque nunca faltará un *desnudador,* un revelador desvergonzado del eterno Priapo *sine qua non* de la especie, siempre que ésta pretenda arroparle en paños sobradamente alcanforados. ¿Lo veremos pronto como un hercúleo gozador del amor libre? ¡Quién sabe! Don Juan ha sido siempre un héroe de contrapunto; su sentido erótico aparece maduro y acabado en los albores del Renacimiento, al margen del *inteletto d'amore* de los platonizantes. Fue también en verdad, un héroe de complemento, que vino a decirnos todo lo que callaba el Dante en su *Vita Nuova* y en sus sonetos inmortales. De un Don Juan futuro sólo podemos decir que su advenimiento es inevitable.

Y volviendo al Don Juan apócrifo de Domenchina, sólo

quiero anotar que me parece un fragmento admirable de una obra más vasta, en la cual no ha de ser Don Juan el único personaje.

III

Guerra y soberanía

El maestro don Antonio Zozaya diserta sobre el aspecto de la guerra moderna y sobre los más esenciales problemas políticos, religiosos, filosóficos, científicos, sociales que la guerra plantea.

Sus conclusiones no son pesimistas. Para Zozaya, el problema de la paz está íntimamente ligado al de la soberanía. Cuando ésta recaiga en manos de los trabajadores, consagrados a las actividades de la paz, *las fraguas y los hornos no forjarán espadas ni cañones, ni tanques, sino tornos, máquinas tejedoras, martillos y tractores agrícolas; porque el bienestar de todos no está en la absorción de los valores materiales ni en el reparto de la riqueza, sino en la producción. Entonces* —añade— *no habrá guerras; porque la vida del Derecho, de nacional habrá pasado a ser internacional.*

El ilustre Zozaya profesa el optimismo de nuestros viejos progresistas, para quienes todo, a última hora, será para bien. Muchos hombres como nuestro gran Zozaya, necesita hoy España.

Dibujo

Un portentoso dibujo al carbón de Vitorio Macho, nuestro gran escultor. Véase y admírese.

El principio amargo de algunas compuestas (por don Antonio Madinaveitia)

El estudio de los componentes de las plantas —dice Madinaveitia— *que es de gran interés en todas partes, lo es especialmente en nuestro país. Nuestra flora es una de las más variadas, debido, de un lado, a la situación de nuestra Península entre*

Europa y África, y de otro, a los diversos climas que en ella existen. Es obligación de los químicos españoles —añade Madinaveitia— *el estudio de esta fuente de riqueza.*

Don Antonio Madinaveitia predica con el ejemplo, consagrando una gran parte de su actividad científica a la investigación química de los principios amargos que contienen algunas plantas de la familia de las compuestas.

El breve trabajo que hoy nos ofrece don Antonio Madinaveitia es original y substancioso; en él tienen, sin duda, mucho que aprender los hombres de ciencia: botánicos, químicos, médicos y farmacéuticos. Algo hay también en ese estudio para los profanos a todas las ciencias, que apenas si llegamos a meros folkloristas en botánica. Yo no olvidaré nunca que entre las plantas amargas, hay una, la *centáurea,* conocida con el nombre popular de *hiel del campo.*

Rousseau, paseante en sueños (por José Bergamín)

Toda una nueva teoría de Rousseau nos ofrece Pepe Bergamín en este trabajo: *Lo que Rousseau ha traído de nuevo a las letras europeas* —dice Bergamín— *como aportación característica, es esta agudización de la sensibilidad para la exclusiva percepción del presente.* Llamo nueva a esta teoría, que Bergamín explica y fundamenta con muchas razones y observaciones propias, porque de Rousseau se ha dicho que fue el iniciador del romanticismo, y el romanticismo se ha definido como una forma de temporalización del arte y de la vida en función nostálgica de lo pasado.

Pero la contradicción entre ambas teorías es más aparente que real. Porque lo específicamente romántico es un sentimiento del tiempo, ajeno a todo clasicismo, del tiempo vivo, en el fluir de nuestra conciencia, y un tiempo vivo, una vivencia temporal, es siempre un presente. Todo sentir del tiempo, empieza, necesariamente, con un sentir lo actual. Lo demás es consecuencia inevitable de este hecho elementalísimo. Bergamín lo sabe muy bien y muy certeramente lo apunta con estas palabras: *esta misma flor del instante —flor de la maravilla—*

esta superficie fluyente, aunque sea nuestra misma sangre, o por serlo —lo que es nuestro vivir, la conciencia de que vivimos— pone en la palabra de Rousseau aquel acento melancólico de esperanza que acentúa sobre la dulzura padecida de tan sensual o sensado, existir, la amargura de perderlo todo.

Con certero tino llama Bergamín a Rousseau *neoparadisíaco.* Rousseau es, en efecto, un nostálgico de la edad de oro, atormentado, como todo intenso vividor del presente, de la imposible esperanza de lo pasado.

Para Rousseau fue el tiempo, como para todos los hombres de su temple, el peor enemigo, aquel de que nunca pudo librarse. Porque contra el tiempo sólo hay un remedio, que hubiera sido, para Rousseau peor que la enfermedad: la lógica, esencialmente intemporal. Fuera de ella y zambullido en el tiempo pasó Rousseau toda su vida. Tal fue su gran servidumbre y su mayor grandeza.

Bergamín, que ha estudiado profundamente a nuestro gran barroco Calderón de la Barca, tan lastrado de lógica, nos habla hoy del romántico Juan Jacobo Rousseau, con palabras definitivas.

Cristóbal Ruiz

Los retratos de niños que pinta Cristóbal Ruiz expresan una emoción equivalente a la de sus *paisajes de infancia,* no paisajes infantiles, puesto que nada tiene de infantil el arte con que están realizados. La crítica —una crítica propiamente dicha, que descubra y señale lo que hay, no lo que falta en las obras de arte— pudiera revelarnos cuál sea esa emoción matriz, ese profundo sentimiento que tiene en Cristóbal Ruiz dos modos de expresión igualmente auténticos: la representación de los niños y la pintura de los campos.

Leopoldo Alas (por José María Ots)

En unas cuantas líneas lapidarias resume don José María Ots gran parte de la limpia y nobilísima historia de Leopoldo Alas, el sabio catedrático y rector de la Universidad de Oviedo, condenado a muerte contra todas las normas de la justicia, y ejecutado inexorablemente contra el clamor, entre indignado y suplicante, de la conciencia universal.

Era un hombre recto, de un fondo liberal insobornable. Era un investigador y un maestro. Reaccionaba con humana cordialidad frente a todas las injusticias. Por eso —añade con amarga frase don José María Ots— *la España del odio, del fanatismo y del rencor tenía que fusilarle.*

Melaninas (por don José Giral)

Algún día, cuando se escriba la historia de nuestra gloriosa República, alguien hará constar que las figuras más representativas de ella, tanto en los días trágicos y borrascosos, como en los días de bonanza, no fueron profesionales de la política ni de la guerra, sino hombres consagrados a las actividades de la cultura, a las nobles y arduas faenas del pensamiento, hombres conocidos ya, durante la monarquía, por sus valiosas aportaciones a la ciencia, a la literatura, a las artes, a la jurisprudencia, y de los cuales sabíamos, además, que eran republicanos, es decir, que nada debían y nada esperaban del régimen entonces imperante.

De don José Giral sabíamos ya que era un hombre de laboratorio y un ilustre profesor, de quien muchas promociones de estudiantes habían aprendido, primero en Salamanca, después en Madrid, la química biológica. La política no añadía nada a su gloria, menos a su provecho, pero él ennoblecía la política, contribuía a convertirla en actividad fecunda para su pueblo, consagrándole su tiempo y su trabajo, por un imperativo patriótico que le apartaba temporalmente de sus amadas tareas profesionales. A nadie puede extrañar que don José Giral, nuestro actual ministro de Estado, y el sabio químico de siempre, nos ofrezca hoy un magnífico estudio sobre las Melaninas, sobre esos pigmentos negros o pardos que, si no entiendo mal, se complican, alguna vez, con la luz negra

que hace cantar a Pan bajo las viñas

y a la cual aludía el poeta Rubén Darío en su *Elogio de los ojos de Julia.*

Nota de Juan de Mairena (a don José Giral)

Los bachilleres de mi tiempo estudiábamos una química a ojo de buen cubero, que se detenía en los umbrales de la química orgánica y en una lección, de funesta memoria para mí, que se titulaba *Brevísima idea de los hidrocarburos.* Era la última y más extensa lección del libro y la única que no alcancé a estudiar. Por desdicha, me tocó en suerte a la hora del examen. *Los hidrocarburos* —dije yo, con voz entrecortada por el terror al suspenso inevitable— *son unas substancias compuestas de hidrógeno y de carbono.* Y como el catedrático me invitase a continuar, añadí humildemente: *Como dice: brevísima idea...* Tal fue mi primer examen de química en el Instituto del Cardenal Cisneros de Madrid. Del segundo, menos desdichado, sólo recuerdo que fue en septiembre y en una tarde lluviosa.

IV

Datos literarios sobre el valor fisonómico de la voz (por T. Navarro Tomás)

Hay algo —dice don Tomás Navarro— *en el modo de hablar de cada individuo que, por su sola virtud, sin necesidad de otros datos o señales, caracteriza y distingue a ese individuo entre los demás. Muchos elementos de la palabra contribuyen a producir este efecto. El más revelador y significativo es, sin duda, el sonido de la voz.*

Muchas y sutiles observaciones sobre el timbre, y otras cualidades peculiares de cada voz, contiene el trabajo de don Tomás Navarro, fonetista, psicólogo y estudioso de nuestras letras clásicas y modernas. Es el primer estudio metódico, profundo y minucioso sobre el valor fisonómico de la voz en la literatura española, éste que viene ofreciéndonos don Tomás Navarro, en los dos cuadernos que lleva publicados la Casa de la Cultura. No sólo nuestros eruditos, también nuestros artistas de la palabra —novelistas sobre todo— tienen mucho que aprender en él. Don Tomás Navarro nos recuerda que fue Cervantes, el más grande de nuestros escritores, quien prestó mayor atención a la voz de los personajes de sus novelas; que en ningún otro autor del Siglo de Oro el conocimiento de la voz aparece representado con tanta frecuencia, ni con sentido tan real y humano.

Tres evocaciones de Madrid (por Ángel Ossorio y Gallardo)

Propio es, es verdad, del madrileño ilustre no jactarse de serlo, sino en las horas trágicas y solemnes en que peligra la vida de su ciudad natal. Por eso don Ángel Ossorio nos habla hoy de su Madrid, en tres magníficas páginas de antología. Es la primera una invocación admirable del Madrid de su infancia y de sus años mozos; la segunda, una vibrante alocución dirigida por radio desde Holanda al pueblo madrileño; la tercera y más conmovedora de las tres, fue escrita expresamente para la revista *Madrid,* en 16 de marzo de 1937.

Arturo Souto o la evocación (por Juan de la Encina)

Quien escribe estas líneas —habla Juan de la Encina— *arrojó por la ventana su pobre pluma de crítico la noche del 20 de julio de 1936, porque se dio melancólica cuenta de que en mucho tiempo —tal vez para siempre— nada tenía ya que hacer en ese oficio y menester que venía cultivando con pasión, con espíritu de justicia y desinterés, durante un cuarto de siglo.* Y añade, después de muy atinadas reflexiones sobre la absorbente preocupación de la guerra: *Sólo un artista como Souto, un artista que viene hacia nosotros con las manos cargadas de dones trágicos y actuales, que monta su espejo veraz, como en tiempos el viejo Goya, ante el dolor de España, ha podido hacerle volver, aunque sólo sea por instante, a un oficio y a una acción, que tenía por desuso olvidados.*

¡Bien haya Arturo Souto que nos devuelve a Juan de la Encina, nuestro crítico de arte predilecto! En verdad que ya echábamos de menos su palabra. ¡Bien haya Juan de la Encina que nos revela un nuevo valor en la pintura!

Se levantan los muertos (por Emilio Prados)

En la ya copiosa literatura bélica de nuestro tiempo, elegiría yo, como pieza de antología, esta composición de Emilio Prados.

La guerra, a mi juicio, ha sido fecunda para nuestros poetas más jóvenes. Les ha dado un tema poético: lo que tal vez les faltaba para ser plenamente poetas. Adolecían sus composiciones de una cierta frivolidad estética: el afán de borrar las relaciones entre las imágenes, para poner de resalto la novedad de cada una de ellas. Como si las imágenes lo fuesen todo por sí mismas, gemas brillantes de insuperable precio, pensaban nuestros poetas que, vertiéndolas en series o arrojándolas a voleo, nos regalaban un poema. La guerra, como tema obligado, con su terrible urgencia apasionante, va apartando a nuestros mejores poetas del fetichismo de las imágenes. Y hoy nuestros poetas —leed los versos de Emilio Prados— empiezan a disponer sus imágenes en orden de batalla. Ya es mucho. Las imágenes recobran su valor por el lugar que ocupan y la relación que guardan unas con otras. Mañana volverán a ser —sencillamente— los materiales, más o menos preciosos, con que se construye un poema, cuya total arquitectura importa sobre todo.

VOCES DE CALIDAD[19]

Siempre pensé que Juan Ramón Jiménez, en España o fuera de España, allí donde se encontrase, estaría con nosotros, con los amantes del pueblo español, del lado de nuestra gloriosa República. Y deseaba —porque nunca faltan malsines que gustan de enturbiar la opinión sobre la conducta de los excelentes— que esta convicción mía ganase la conciencia de todos.

---

19. *Mediodía,* n.º 45, 1937.

Bien hizo el *Servicio Español de Información* en publicar, hace ya muchos días, las palabras de nuestro gran lírico, a su llegada a América: «Madrid ha sido —dice Juan Ramón Jiménez—, durante este primer mes de guerra, yo lo he visto, una loca fiesta trágica. La alegría, la extraña alegría de una fe ensangrentada rebosaba por todas partes; alegría de convencimiento, alegría de voluntad, alegría de destino, favorable o adverso. Y este frenesí entusiasta, esta violenta unión con la verdad, habrían decidido desde el primer momento el triunfo justo del pueblo si la rebelión militar no hubiese sido amparada por codiciosos poderes extraños. Y España, la República española, democrática y legal, estaría hoy reorganizándose, completando su firme ejemplo ante el mundo».

Palabras son éstas de testigo presencial, algo más, de quien hizo suya y vivió con el pueblo, con su pueblo, la gran experiencia trágica de la España actual. «Yo he visto», dice Juan Ramón Jiménez, aludiendo sin la menor jactancia a ojos excepcionales, los suyos, de verdadero poeta, que ven en lo profundo. «Como una violenta unión con la verdad», nos define Juan Ramón aquel ímpetu popular que realizó el milagro de Guadarrama y obró, luego, tantas hazañas portentosas, que son hoy el asombro del mundo. En efecto, nuestro pueblo ha necesitado siempre de la violencia: del frenesí entusiasta para unirse con la verdad, con su propia verdad; tantos son entre nosotros los poderes sombríos que contra ella militan, tantos los enemigos de la más humilde como de la más egregia verdad española. Por suerte, abundan ya los ojos que la han visto desnuda. Tal ha sido para muchos, para los mejores, la gran revelación de la guerra; la verdad española está en el corazón del pueblo como un arco tendido hacia el mañana, y es hoy una consciente voluntad de vivir en el sentido esencial de la historia.

Cuando Juan Ramón escribió las nobles palabras transcritas, eran los días en que la contienda que ensangrienta a España nos aparecía con vagos caracteres de guerra civil entre dos categorías de españoles, o, si queréis, entre dos Españas: la España popular, ávida de nuevas experiencias humanas,

España viva y, por ende, incapaz de vivir a retrotiempo, y la España desmayada y sombría, tantas veces cobarde ante la historia, que invoca vanamente una tradición de cultura que ella nunca hubiera contribuido a crear, y cuya tradición verdadera está hecha de renuncias, fracasos y traiciones: una España triste que alguien, no yo, llamará burguesa, con adjetivo sobradamente holgado para su mezquindad, una España de viejas infecundas, que compró al hambre africana los brazos que habían de defenderla.

La guerra civil, tan desigual éticamente, pero, al fin, entre españoles, ha terminado hace muchos meses. España ha sido vendida al extranjero por hombres que no pueden llamarse españoles: quien vende a su patria se desnaturaliza y ha de sobreentenderse que renuncia a su patria para buscar cobijo en la patria del comprador. De suerte que ya no hay más que una España, invadida, como otras veces, por la codicia extranjera y, como otras veces, a solas con su pueblo y con su destino, quiero decir con su razón de ser en lo futuro, para luchar sin tregua ni desmayo por su propia existencia, contra dos potencias criminales, tan fuertes como viles, que le han salido al paso en la más peligrosa encrucijada de su historia.

Mucho alienta escuchar las voces de los buenos —su claro timbre español—, en los momentos más trágicos, que han de ser también los más fecundos, de esta magnífica soledad española.

Valencia, 12 de septiembre de 1937.

SOBRE LA RUSIA ACTUAL[20]

Nunca olvidaré unas palabras de Dostoievski, leídas recientemente, pero que coinciden con la idea que hace ya muchos años me había yo formado del alma rusa: «*Sí, hijo mío, te lo repito, yo no puedo dejar de respetar mi nobleza. Se ha creado entre nosotros, en el curso de los siglos, un tipo superior de civilización, desconocido en otras partes, que no se encuentra en todo el universo: el hombre que sufre por el mundo*». Como a nuestro Unamuno España, le dolía al ruso el mundo entero.

Dejando a un lado cuanto puede haber de jactancia y aun de prejuicio aristocrático en las citadas frases, que pone Dostoievski en boca de un personaje de sus novelas, reparemos en que ellas expresan una esencialísima verdad rusa. ¿Y es ahí donde hemos de buscar la más honda raíz de la Rusia de hoy?

*

Como las grandes montañas cuando nos alejamos de ellas, la nueva Rusia se nos agiganta al correr de los años. ¿Quién será hoy tan ciego que no vea su grandeza? La proclaman sus mismos enemigos. Los millones de hombres con el escudo al brazo que militan contra la nueva Rusia, nos dicen claramente con su actitud defensiva que es hoy Moscú el foco activo de la

20. *Hora de España*, n.º 9, septiembre de 1937.

historia. Londres, París, Berlín, Roma son faros intermitentes, luminarias mortecinas que todavía se trasmiten señales, pero que ya no alumbran ni calientan, y que han perdido toda virtud de guías universales.

Reparemos en la pobre idea que dan de sí mismas esas democracias que fueron un día el orgullo del mundo; veamos cuánto sale o se guisa en sus cancillerías, incapaces de invocar —siquiera sea a título de dignidad formularia— ningún principio ideal, ninguna severa forma de justicia. Como si estuvieran vencidas de antemano, o subrepticiamente vendidas al enemigo, como si presintiesen que la llave de su futuro no está ya en su poder, apenas si tienen movimiento que no revele un miedo insuperable a lo que puede venir. Reparemos en su actuación desdichada en la Sociedad de Naciones, convirtiendo una institución nobilísima, que hubiera honrado a la humanidad entera, en un organismo superfluo, cuando no lamentable, y que sería de la más regocijante ópera bufa, si no coincidiese con los momentos más trágicos de la historia contemporánea.

Reparemos en esos dos hinchados dictadores que pretenden asustar al mundo y a quienes Roma y Berlín soportan y exaltan. Ellos no invocan la abrumadora tradición de cultura de sus grandes pueblos respectivos: la declaran superflua; proclaman, en cambio, una voluntad ambiciosa, un culto al poder por el poder mismo, un deseo arbitrario de avasallar al mundo, que pretenden cohonestar con una ideología rancia, cien veces refutada y reducida al absurdo por el solo hecho de la guerra europea. Roma y Berlín son hoy los pedestales de esas dos figuras de teatro, abominables máscaras que suelen aparecer en los imperios llamados a ser aniquilados, por enemigos del género humano. La historia no camina al ritmo de nuestra impaciencia. No vivirá mucho, sin embargo, quien no vea el fracaso de esas dos deleznables organizaciones políticas que hoy representan Roma y Berlín.

Moscú, en cambio —resumamos en este claro nombre toda la vasta organización de la Rusia actual— aunque salude con el puño cerrado, es la mano abierta y generosa, el corazón hospitalario para todos los hombres libres, que se afanan por crear una forma de convivencia humana, que no tiene sus límites en las fronteras de Rusia. Desde su gran revolución, un hecho genial surgido en plena guerra entre naciones, Moscú vive consagrado a una labor constructora, que es una empresa gigante de radio universal.

La fuerza incontrastable de la Rusia actual radica en esto: Rusia no es ya una entidad polémica, como lo fue la Rusia de los zares, cuya misión era imponer un dominio, conquistar por la fuerza una hegemonía entre naciones. De esa vanidad, que todavía calienta los sesos de Mussolini, ese faquino endiosado, se curaron los rusos hace ya veinte años. La Rusia actual nace con la renuncia a todas las ambiciones del Imperio, rompiendo todas las cadenas, reconociendo la libre personalidad de todos los pueblos que la integran. Su mismo ejército, el primero del mundo, no sólo en número, sino, sobre todo, en calidad, no es esencialmente el instrumento de un poder que amenace a nadie, ni a los fuertes ni a los débiles, responde a la imperiosa necesidad de defensa que le imponen la muchedumbre y el encono de sus enemigos; porque contra Rusia militan las fuerzas al servicio de todos los injustos privilegios del mundo. Sus gobernantes no lo olvidan. La política de Lenin y Stalin se caracteriza, no sólo por su alcance universal, sino también por un claro sentido de lo real, cuya ausencia es siempre en política causa de fracaso. Mas la Rusia actual, la *Gran República de los Soviets* va ganando, de hora en hora, la simpatía y el amor de los pueblos; porque toda ella está consagrada a mejorar las condiciones de la vida humana, al logro efectivo, no a la mera enunciación, de un propósito de justicia. Esto es lo que no quieren ver sus enemigos, lo que muchos de sus amigos no han acertado a ver con claridad: el sentido generoso y fraterno, íntegramente humano, de todas las creaciones del alma rusa, el que impera en esa magnífica *Unión de Repúblicas Soviéticas,* cuyo vigésimo aniversario se celebrará en el año que corre.

Pero Rusia, la Rusia actual, que todos admiramos y que ilumina a muchos con sus potentes reflectores enfocados hacia el porvenir, no es, como algunos creen, un fenómeno meteórico e inexplicable, venido de otras esferas para asombro de nuestro planeta; no es, como piensan otros, una consecuencia asiática del pensamiento teutónico de Carlos Marx; no es, tampoco, un engendro de la Revolución de octubre, ni mucho menos ha salido —la Rusia actual— acabada y perfecta, de la cabeza de Lenin, como Minerva de la cabeza de Júpiter. No. A mi juicio no es nada de esto. Los viejos amigos de Rusia, los que conocíamos, antes de su gran Revolución y aun antes de la guerra mundial, algo de su admirable literatura —Dostoievski, Turguenef, Tolstoi— sabemos que, bajo el dominio despótico de los *zares,* estaban ya maduras las virtudes específicamente rusas sobre las cuales se asienta la Rusia de hoy. Aquellos libros que leíamos siendo niños, y que llegaban a nosotros, trasegados del ruso al alemán, del alemán al francés y del francés al español chapucero de los más baratos traductores de Cataluña, dejaban en nuestras almas, a pesar de tantas torpes decantaciones lingüísticas, una huella muy honda, nos conmovían más que muchas de nuestras mejores novelas contemporáneas. —Buena lección para meditada por nuestros culteranos deshumanizadores del arte literario.— Y es que a través de la más inepta traducción de *La guerra y la paz* —por aducir un ejemplo ingente— llega a nosotros, todavía, un mensaje del alma eslava, amplia y profundamente humano, que parece revelarnos un mundo nuevo. Entendámonos: nuevo con relación al mundo mezquino y provinciano de la moderna literatura occidental. En verdad, no es un mensaje literario éste que el alma rusa nos envía en sus obras maestras. Ni siquiera sabemos si las novelas de Tolstoi o Dostoievski están bien o mal escritas en su lengua. Suponemos que lo estarán soberbiamente. Pero sabemos con certeza la mucha humanidad que contienen, la gran copia de vidas humanas al margen de toda frivolidad que en ellas se representa; sabemos que esas vidas humanas, las más humildes como las más egregias, parecen movidas por un resorte esencialmente religioso, una inquietud verdadera por el total destino del hombre. Bajo la férula de su imperio despótico, de espíritu más o menos tártaro o mongólico, al margen de su Iglesia fosilizada en normas bizantinas, el alma eslava ha captado, ha hecho suyas las más finas esencias del cristianismo. Sólo el ruso, al juzgar por su gran literatura, nos parece vivir en cristiano, quiero decir auténticamente inquieto por el mandato del amor de sentido fraterno, emancipado de los vínculos de la sangre, de los apetitos de la carne, y del afán judaico de perdurar, como rebaño, en el tiempo. Sólo en labios rusos esta palabra: *hermano,* tiene un tono sentimental de compasión y amor y una fuerza de humana simpatía que traspasa los límites de la familia, de la tribu, de la nación, una vibración cordial de radio infinito.

Roma contra Moscú, se dice hoy; yo diría, mejor: Roma y Berlín, las dos fortalezas paganas, la germánica y la latina, del cristianismo occidental contra el foco ruso del cristianismo auténtico. Pero Roma y Berlín —Berlín sobre todo— militan contra Moscú hace ya tiempo. En los momentos de mayor auge de la literatura rusa, hondamente cristiana, el semental humano de la Europa central, lanza por boca de Nietzsche, su bramido de alarma, su terrible invectiva contra el Cristo viviente en el alma rusa, su crítica corruptora y corrosiva de las virtudes específicamente cristianas. Bajo un disfraz romántico, a la germánica, aquel pobre borracho de darwinismo escupe al Cristo vivo, al ladrón de energías, al enemigo, según él, del porvenir zoológico de la especie humana, toda una filosofía tejida de blasfemias y contradicciones. Nietzsche contra Tolstoi. ¿Por qué no decirlo en esta época de gruesas simplificaciones, a la teutónica?

Cuando el año 14 estalla la guerra, Berlín embiste contra Moscú con la mitad de su cornamenta, y hubiera embestido con toda ella, sin la obsesión de París que le embargaba la otra mitad. Y es el imperio de Pedro el Grande lo que se viene abajo, la gran coraza que ahogaba el pecho ruso lo que salta en pedazos. Moscú, considerado como hogar simbólico del alma rusa, ha quedado intacto y libre.

Libre, en efecto, de su imperio y de su Iglesia, instrumentos férreos que atenazaban el corazón de Rusia. Fuerzas autóctonas, las de su gran Revolución que se gestaba hacía ya mucho tiempo, colaboraron desde dentro con los cañones germanos que atacaban desde fuera.

Y volvamos a la Rusia actual, la Rusia soviética, que dice profesar un puro marxismo. El fenómeno parece extraño. La historia es una caja de sorpresas, cuando no un ameno relato de lo pretérito, o, como decía Valera, aludiendo a la filosofía de la historia: el arte de profetizar lo pasado. Pero el hecho no es tan sorprendente como a primera vista pudiéramos juzgarlo. Es muy posible, casi seguro, que el alma rusa no tenga, en el fondo y a la larga, demasiada simpatía por el dogma central del marxismo, que es una fe materialista, una creencia en el hombre como único y decisivo motor de la historia. Pero el marxismo tiene para Rusia, como para todos los pueblos del mundo, un valor instrumental inapreciable. El marxismo contiene las visiones más profundas y certeras de los problemas que plantea la economía de todos los pueblos occidentales. A nadie debe extrañar que Rusia haya pretendido utilizar el marxismo en su mayor pureza, al ensayar la nueva forma de convivencia humana, de comunión cordial y fraterna, para confrontarse con todos los problemas de índole económica que necesariamente habían de salirle al paso. Tal vez sea este uno de los grandes aciertos de sus gobernantes.

Mi tesis es esta: la Rusia actual, que a todos nos asombra, es marxista, pero es mucho más que marxismo. Por eso el marxismo, que ha traspasado todas las fronteras y está al alcance de todos los pueblos, es en Rusia donde parece hablar a nuestro corazón.

Y de esto trataremos largamente otro día.

ALGUNAS IDEAS DE JUAN DE MAIRENA SOBRE LA GUERRA Y LA PAZ[21]

I

Algún día —habla Juan de Mairena a sus alumnos— pudiéramos encontrarnos con esta dualidad: por un lado, la guerra, inevitable, por otro, la paz, vacía. Dicho en otra forma: cuando la paz esté hueca, horra de todo contenido religioso, metafísico, ético, etc. y la guerra cargada de razones polémicas, de motivos para guerrear, apoyada en una religión y una metafísica y una moral, y hasta una ciencia de combate, ¿qué podrá la paz contra la guerra? El pacifismo entonces sólo querrá decir: miedo a los terribles estragos de la guerra. La guerra, *matribus detestata,* tendrá de su parte a todos los hombres animosos, frente a una paz sólo acompañada por el miedo. En mala compañía irá entonces la paz. Os juro que no quisiera alcanzar esos tiempos.

*

Algún día —habla Juan de Mairena, cinco años antes de estallar la guerra mundial— irá Europa a una guerra de proporciones incalculables; porque todas, o casi todas, las naciones de Europa son entidades polémicas, como si dijéramos: gallos con espolones afilados cuya misión es pelear. Todas se definen como potencias —de primero, segundo, o tercer orden—, el culto al poder es común a todas. Y, más que al disfrute del poder, a su ejercicio, a la tensión del esfuerzo combativo por el cual tiende a evaluarse la calidad humana en el mundo occidental. El *struggle-for-life* darwiniano se ha ido convirtiendo en un *vivir para pelear* que declara superfluas todas las actividades de la paz.

Que esto sea un hecho, amigos míos, no quiere decir que existan razones absolutas para aceptarlo como norma de conducta universal. Por lo demás, no todos los pueblos ni todas

21. *Hora de España,* n.º 10, octubre de 1937.

las civilizaciones, han gustado de enaltecer al *boxer,* al hombre de pelea que se prepara para romperle alegremente el esternón a su prójimo; de modo que el hecho mismo es más limitado de lo que se cree.

Son los ingleses, acaso, quienes más han contribuido a dar esta bélica tonalidad, esta tensión polémica al mundo occidental. Reconozcamos, sin embargo, que ellos lo han hecho con cierta elegancia y —me atreveré a decirlo— no sin cierta inocencia. Pueblo naturalmente de presa, el anglo-sajón, necesitado de vastos dominios para poder vivir con algún decoro en su archipiélago nada pródigo en mantenencias, no podía ser un pueblo contemplativo, estático y renunciador; pero ha logrado ser —reconozcámoslo— algo más que pirata y dominador. Él ha creado formas de convivencia humana muy aceptables, que palían y cohonestan —en apariencia, al menos— el *bellum omnium contra omnes,* de Hobbes. Sobre una base agnóstica y escéptica —un escepticismo de corto radio, que no agota nunca el contenido negativo de sus premisas— él ha creado esa flor de la política occidental, el liberalismo, hoy en quiebra, un equilibrio dinámico de combate, que concede al adversario el máximum de derechos compatible con la intangibilidad del cimiento económico y social de un imperio. El mar y la Biblia han hecho lo demás para que fuese el inglés un tipo humano bastante recomendable, que algún día será en el mundo objeto de nostalgia.

Pronto asistiremos —añade proféticamente Juan de Mairena— al ocaso de Inglaterra, que enseñó a boxear al Occidente, a mantenerse en perfecta disponibilidad polémica. Asistiremos a un rápido descenso de Inglaterra, debido, en parte, a que algunos pueblos de Oriente han aprendido demasiado bien sus lecciones, en parte a que en Europa misma la concepción bélico-dinámica del mundo ha sido desmesurada por el genio metafísico de los alemanes. Algo también —todo hay que decirlo— a causa de la incapacidad de los alemanes para la convivencia pacífica con otros pueblos, que sacará a Inglaterra, necesariamente, de su *splendid isolation.*

*

Reparad en que los alemanes han contribuido en proporción enorme a crear en el mundo un estado de paz agresiva tan lamentable como la guerra misma, dominado por un concepto de rivalidad mucho más nociva que el mero campeonismo inglés, no exento de caballerosidad generosa. Ellos han buscado por encima de todo la razón metafísica (buscándola digo, sin encontrarla, claro es) que permita a un pueblo vivir para el exterminio de los demás. Ellos han creado, algo peor, han nacionalizado ese sentido de la tierra irremediablemente combativo, esa jactancia de grupo zoológico privilegiado, que hoy envenena y divide a Europa, y que mañana pretenderá agruparla en una más vasta entidad no menos polémica, cuando la palabra Occidente suene en nuestros oídos como grito de bandera para las *guerras de color,* intercontinentales, que la misma Europa, si Dios no lo remedia, habrá desencadenado.

Es deseable, en efecto (añadía Mairena) que el Imperio alemán sea destruido en la próxima guerra y ello en beneficio de los mismos grupos germánicos que lo integran. Porque la Alemania imperial prusianizada, tiende fatalmente a declarar superflua su admirable tradición de cultura, para quedarse a solas con su voluntad de poder, como ella dice, amenazando al mundo entero, y no menos del mundo entero amenazada y aborrecida.

La verdad es que Zaratustra, por su jactancia ético-biológica y por su tono destemplado y violento, está pintiparado para un puntapié en el bajo vientre, que le obligue a ceder el campo a otros maestros más hondamente humanos, que la misma Alemania puede producir, a otros maestros que nos enseñen a contemplar, a meditar, a renunciar...

II

Los futuros maestros de la paz, si algún día aparecen (sigue hablando Mairena) no serán, claro está, propugnadores de ligas pacifistas entre entidades polémicas. Ni siquiera nos hablarán de paz, convencidos de que una paz entre matones de oficio es mucho más abominable que la guerra misma. Ni habrán de perseguir la paz como un fin deseable sobre todas las cosas. ¿Qué sentido puede tener esto? Pero serán maestros cuyo consejo, cuyo ejemplo y cuya enseñanza no podrán impulsarnos a pelear, sino por causas justas, si estas causas existen, lo que esos maestros siempre pondrán en duda.

¿Pensáis vosotros que de una *clase* como esta puede salir nadie dispuesto a pelearse con su vecino, y mucho menos por motivos triviales? Perdonad que me cite y proponga como ejemplo: no encuentro otro más a mano. Reparad en que cuando yo elogio cosas o personas que dejan mucho que desear, como en el caso mío, no elogio ni estas cosas ni a estas personas, sino las ideas trascendentes de que ellas son copias borrosas, que pueden aclararse, o imperfectas y, por ende, perfectibles.

Reparad en mi enseñanza. Yo os enseño, o pretendo enseñaros, a contemplar. ¿El qué?, me diréis. El cielo y sus estrellas, y la mar y el campo, y las ideas mismas, y la conducta de los hombres. A crear la distancia en este continuo abigarrado de que somos parte, esa distancia sin la cual los ojos —cualesquiera ojos— no habrían de servirnos para nada. He aquí una actividad esencialísima que por venturoso azar es incompatible con la guerra.

Yo os enseño, o pretendo enseñaros, a meditar sobre todas las cosas contempladas, y sobre vuestras mismas meditaciones. La paz se nos sigue dando por añadidura.

Yo os enseño, o pretendo enseñaros, a renunciar a las tres cuartas partes de las cosas que se consideran necesarias. Y no por el gusto de someteros a ejercicios ascéticos o a privaciones que os sean compensadas en paraísos futuros, sino para que aprendáis por vosotros mismos cuánto más limitado es de lo que se piensa el ámbito de lo necesario, cuánto más amplio, por ende, el de la libertad humana, y en qué sentido puede afirmarse que la grandeza del hombre ha de medirse por su capacidad de renunciación. Espero que de esta enseñanza mía tampoco habréis de sacar ninguna consecuencia batallona.

Yo enseño, o pretendo enseñaros, a trabajar sin hurtar el cuerpo a las faenas más duras, pero libres de la jactancia del trabajador y de la superstición del trabajo. La superstición del trabajo consiste en pensar que el trabajo es por sí mismo valioso, y en tal grado que, si los fines que el trabajo persigue pudieran realizarse sin él, tendríamos motivo de pesadumbre. Contra tamaño error de esclavos os he puesto muchas veces en guardia. Que vuestro culto al trabajo sea el culto a Hércules, a un semidiós, no a una plena deidad, porque los dioses propiamente dichos no trabajan. Merced a mi enseñanza, amigos míos, la palabra *huelga*, que tanto viene resonando en nuestro siglo —acaso sea ella la gran palabra de nuestro siglo— ha de perder en vuestros labios, si alguna vez la proferís, parte de su carácter polémico para revelar su más honda significación: tregua a las actividades necesarias para los capaces de actividades libres. ¡Paz a los hombres de buena voluntad!

Yo os enseño, o pretendo enseñaros, oh amigos queridos, el amor a la filosofía de los antiguos griegos, hombres de agilidad mental ya desusada, y el respeto a la sabiduría oriental, mucho más honda que la nuestra y de mucho más largo radio metafísico. Ni la una ni la otra podrán induciros a pelear; ambas, en cambio, os harán perder el miedo al pensamiento, mostrándoos hasta qué punto la mera espontaneidad pensante, bien conducida, puede ser fecunda en el hombre.

Yo os enseño o pretendo enseñaros a que dudéis de todo: de lo humano y de lo divino, sin excluir vuestra propia existencia como objeto de duda, con lo cual iréis más allá que Descartes. Descartes tenía enorme talento; ninguno de nosotros le llegará nunca al zancajo. Pero nosotros podemos pensar mejor que Descartes, porque las pocas centurias que nos separan de él nos han hecho ver claramente que su célebre *cogito ergo sunt*, que deduce el existir del pensar, después de haber hecho del pensamiento un instrumento de duda, de posible negación de toda existencia, es lógicamente inaceptable, una verdadera birria lógica, digámoslo con todo respeto.

Claro es que Descartes —en el fondo— no deduce la existencia del pensamiento, el *sunt* del *cogito*, mucho menos del *dubito*, sino de todo lo contrario: de lo que él llama *representaciones claras y distintas*, es decir, de las cosas que él reputa evidentes —no sabemos por qué— entre las cuales incluye la substancia, que sería la existencia misma. Aquí ya no hay contradicción, sino lo que suele llamarse círculo vicioso o viaje para el cual no hacen falta alforjas.

Fue Cartesio —creo haberlo demostrado más de una vez— un gran matemático que padecía el error propio de su oficio: la creencia en la indubitabilidad de la matemática y en la claridad de sus proposiciones, sin reparar en que si el hombre no pudiera dudar de la matemática, es decir de su propio pensamiento, no hubiera dudado nunca de nada. De tamaño error, el más grave de la filosofía occidental, desde Platón a Kant, está perfectamente limpia mi modesta enseñanza. Yo os enseño una duda sincera, nada metódica, por ende, pues si yo tuviera un método, tendría un camino conducente a la verdad y mi duda sería pura simulación. Yo os enseño una duda integral, que no puede excluirse a sí misma, dejar de convertirse en objeto de duda, con lo cual os señalo la única posible salida del lóbrego callejón del escepticismo. Espero que de esta enseñanza no habréis de salir armados para la camorra.

Yo os enseño —en fin— o pretendo enseñaros, el amor al prójimo y al distante, al semejante y al diferente y un amor que exceda un poco al que os profesáis a vosotros mismos, que pudiera ser insuficiente.

No diréis, amigos míos, que os preparo en modo alguno para la guerra, ni que a ella os azuzo y animo como anticipado jaleador de vuestras hazañas. Contra el célebre latinajo, yo enseño: *si quieres paz, prepárate a vivir en paz con todo el mundo*. Mas si la guerra viene, porque no está en vuestra mano evitarla, ¿qué será de nosotros —me diréis— los preparados para la paz? Os contesto: si la guerra viene vosotros tomaréis partido sin vacilar por los mejores, que nunca serán los que la hayan provocado, y al lado de ellos sabréis morir con una elegancia de que nunca serán capaces los hombres de vocación batallona.

¡MADRID![22]

Madrid, el «frívolo» Madrid, nos reservaba la sorpresa de revelarnos, a tono con las circunstancias más trágicas de la vida española, toda la castiza grandeza de su pueblo. En los rostros madrileños, durante unos días de seriedad, vimos a España entera en su mejor retrato. Madrid, frunciendo el ceño oportunamente, había eliminado al señorito y ya podía sonreír otra vez.

El enemigo —los traidores de dentro y los invasores de fuera— se iba poco a poco aproximando a Madrid. La aviación enemiga multiplicaba sus asesinatos monstruosos de los inermes y los inofensivos: de enfermos, de ancianos, de mujeres, de niños. El cielo otoñal madrileño, con sus nubes de plata y sus lluvias ligeras, tan alegre antaño, tan hospitalario y acogedor cuando nos anunciaba los días del renacer de la vida ciudadana, la vuelta de los escolares a sus estudios, la reapertura de sus centros de solaz y de cultura, era ahora una constante invitación a la blasfemia, a una blasfemia que los combatientes no proferían. Madrid había recobrado su sonrisa, «a pesar de todo», expresiva ahora de una ironía mucho más honda. Madrid había llegado a una plena conciencia de su grandeza y de su soledad, quiero decir que Madrid se sentía a solas con España, con lo más hondo y perdurable de su raza, con ese ímpetu español que no mienta a la patria, porque es la patria misma, y que, cuando otros la invocan para traicionarla y venderla, acude a defenderla y a comprarla con la propia sangre. Con España —y algunos nobles amigos extranjeros—, y enfrente de los traidores, de los cobardes, de los asesinos, de las hordas compradas al hambre africana, enfrente de los siervos incondicionales, ciegos instrumentos de la reacción europea, frente a los más sombríos fantasmas de la historia, más o menos motorizados, frente a las tropas italianas de flamantes equipos militares, al servicio de un faquín endiosado, frente a los técnicos de la guerra, de una guerra sin posible victoria,

22. *Servicio Español de Información,* n.° 280, 7 de noviembre de 1937.

sabios verdugos del género humano, a sueldo de la ambición germánica... Era todo eso lo que Madrid tenía enfrente, lo que Madrid oía tronar a sus puertas.

Quien oyó los primeros cañonazos disparados sobre Madrid por las baterías facciosas, emplazadas en la Casa de Campo, conservará para siempre en la memoria una de las emociones más antipáticas, más angustiosas y perfectamente demoníacas que pueda el hombre experimentar en su vida. Allí estaba la guerra, embistiendo testaruda y bestial, una guerra sin sombra de espiritualidad, hecha de maldad y rencor, con sus ciegas máquinas destructoras vomitando la muerte de un modo frío y sistemático sobre una ciudad casi inerme, despojada vilmente de todos sus elementos de combate, sobre una ciudad que debía ser sagrada para todos los españoles, porque en ella teníamos todos —ellos también— alguna raíz sentimental y amorosa. Los asesinos de Madrid, asesinos de España, estaban allí, crueles, implacables... Pero no entraban. ¡Ah! No podían entrar. Hubo de aplazarse indefinidamente el sacrílego *Te Deum* en la Puerta del Sol, que proyectaban aquellos enemigos de Dios, para festejar la consumación de su crimen. No entraban, no podían entrar, porque Madrid no lo consentía. Un general insigne y unos cuantos capitanes egregios —¿habrá algún día bronce bastante para ellos?— cuajaron con pechos madrileños un frente de combate, una barrera infranqueable por el odio faccioso. Ha pasado un año y, para asombro del mundo —¿merece el mundo tan sublime espectáculo?— esa barrera sangra, pero no cede. ¿Triunfará Madrid? La victoria la ha ganado cien veces, quiero decir que cien veces la ha merecido.

Valencia, 7 de noviembre de 1937.

MISCELÁNEA APÓCRIFA. (APUNTES Y RECUERDOS DE JUAN DE MAIRENA)[23]

Sobre la guerra

Si vis pacem para bellum, dice un consejo latino algo superfluo, porque el hombre es por naturaleza peleón y para guerrear está siempre más o menos *paratus.* De todos modos, el latín proverbial sólo conduce, como tantos otros latines, a un callejón de difícil salida: en este caso, a la carrera de los armamentos, cuya meta es la guerra.

Más discreto sería inducir a los pueblos a preparar la paz, a apercibirse para ella y, antes que nada, a quererla, usando de sentencias menos paradójicas. Por ejemplo: *si quieres la paz, procura que tus enemigos no quieran la guerra*; dicho de otro modo: *procura no tener enemigos,* o lo que es igual: *procura tratar a tus vecinos con amor y justicia.* Bien comprendo que esto nos llevaría, en última instancia, a sacar el Cristo a relucir, lo cual, después de Nietzsche, es cosa de mal gusto, propia de sacristanes y filisteos, en opinión de muchos sabihondos que no han advertido todavía cómo los filisteos y los sacristanes no suelen sacar el Cristo en función amorosa, sino para bendecir los cañones, las bombas incendiarias, y hasta los gases homicidas. Comprendo también que las sentencias más discretas y mejor intencionadas pudieran no llevarnos inevita-

23. *Hora de España,* n.º 11, noviembre de 1937.

blemente a la paz. Pero, ¿qué sabemos de una sociedad cristiana, con menos latín —el latín es uno de los grandes enemigos de Cristo— y más sentido común que la nuestra?

*

Del Cristo

Acaso tenga alguna razón el Gran Inquisidor de Dostoievsky. Creo sin embargo que, contra el hábito de curar con lo semejante, propio de nuestra ética pagana, ha de darnos el Cristo todavía algunas útiles lecciones alopáticas. Y el Cristo volverá —creo yo— cuando le hayamos perdido totalmente el respeto; porque su humor y su estilo vital se avienen mal con la solemnidad del culto. Cierto que el Cristo se dejaba adorar, pero en el fondo le hacía poca gracia. Le estorbaba la divinidad —por eso quiso nacer y vivir entre los hombres— y si vuelve, no debemos recordársela. Tampoco hemos de recordarle la Cruz... Aquello debió ser algo horrible, en efecto. Pero, ¡tantos siglos de crucifixión!... Él quiso morir, sin duda, de una manera impresionante, pero, ¡no tanto! Volverá el Cristo a nacer entre nosotros, los escépticos, que guardamos todavía un rescoldo de buena fe. Todo lo demás, es ceniza: no sirve ya para la nueva hoguera.

*

Los dirigentes

Siempre será peligroso encaramar en los puestos directivos a hombres de talento mediano, por mucha que sea su buena voluntad, porque, a pesar de ella —digámoslo con perdón de Kant— la moral de estos hombres es también mediana.

A última hora, ellos traicionan siempre la causa que pretendían servir, se revuelven airadamente contra ella. Propio es de hombres de cabezas medianas el embestir contra todo aquello que no les *cabe en la cabeza.* A todos nos conviene, amigos queridos, que nuestros dirigentes sean siempre los más inteligentes y los más sabios.

*

Apuntes sobre Abel Martín

Siento —decía mi maestro— que mi vida es ya como una melodía que va tocando a su fin. Esto de comparar una vida con una melodía —comenta Mairena— no está mal. Porque la vida se nos da en el tiempo, como la música, y porque es condición de toda melodía el que ha de acabarse, aunque luego —la melodía, no la vida— pueda repetirse. No hay trozo melódico que no esté virtualmente acabado y complicado ya con el recuerdo. Y este constante acabar que no se acaba es —mientras dura— el mayor encanto de la música, aunque no esté exento de inquietud. Pero el encanto de la música es para quien la escucha —páguela quien la oyere, decía Quevedo, aludiendo a la de su entierro— con un deleite que no excluye el deseo de sentirla acabada, aunque sólo sea para aplaudir; mas el encanto de la vida, el de esta melodía que se oye a sí misma —si alguno tiene— ha de ser para quien la vive, y su encanto melódico, que es el de su acabamiento, se complica con el terror a la mudez.

*

La imagen emotiva

De todas las mujeres que conocemos hay una que pudiera pasar a nuestro lado en pleno día sin que la reconozcamos, y no por inadvertida, sino por enmascarada en su propia realidad. Y es posible que sea esa mujer aquella de que estábamos profundamente enamorados. También es posible que temblemos un día, pensando: es ella, al ver una mujer que se acerca a nosotros. Y que luego resulte que no es ella. Y es que la imagen que formamos de una mujer amada y, en general, de los seres queridos, la imagen esencialmente emotiva, sentimental, suele ser muy pobre en rasgos fisionómicos. Esta imagen, sin embargo, insuficiente para el reconocimiento, puede adueñarse de nuestra memoria y modificar nuestro mundo interior. Mi maestro, cuyas son las palabras que anteceden, añadía que los verdaderos amantes se huyen tanto como se buscan; porque la presencia pone entre ellos un algo irreductible a la imagen erótica, y la ausencia, en cambio, puede reforzar esta imagen con todo el bloque psíquico influenciado por ella.

*

Otra vez sobre el Cristo

Cierto, decía mi maestro, que si el Cristo no hubiera muerto entre nosotros, la divinidad no tendría la experiencia humana que se propuso realizar y sabría del hombre tan poco como los dioses paganos. La muerte del Cristo, seguida de su Resurrección, fue comentada por los dioses del Olimpo como por los sabios, más tarde, aquella ocurrencia entre genial y cazurra *del huevo de Colón.* Ellos, los dioses, tan diestros en toda suerte de transformaciones y disfraces, no habían caído en que también podía morir un inmortal... resucitando al tercer día...

*

Sobre la objetividad

Que ese cielo azul que todos vemos —decía mi maestro— y al que todos llamamos azul produzca en cada uno de nosotros la misma sensación de azul, es algo improbable, y, desde luego, difícil de probar: Que el número de vibraciones del éter, que en el mundo físico corresponde a nuestra sensación de azul, sea el mismo para todos, es algo que, después de aceptado, en nada ahonda ni aumenta, ni disminuye, ni funda, ni suprime nuestra sensación de azul. Porque si la verdad es una, es una para cada uno. Y no veáis en esto que os digo la más leve contradicción. Vedla, en cambio, y muy grave en pensar más allá de cada uno una verdad igual para todos; porque sería la más arbitraria de todas las hipótesis.

Dicho de otro modo: sólo la Nada, el gran regalo de la Divinidad, puede ser igual para todos. En su dominio empieza y en él se consuma, el acuerdo posible entre los hombres que llamamos objetividad. En él se inicia también la actividad específicamente humana del sujeto, que es, precisamente, nuestro pensar de la Nada. Digámoslo todavía de otro modo: Dios sacó la Nada del mundo para que nosotros pudiéramos sacar el mundo de la nada, como ya explicamos, o pretendimos explicar, en otra ocasión.

MISCELÁNEA APÓCRIFA. PALABRAS DE JUAN DE MAIRENA[24]

Nuestro escepticismo, amigos míos —habla Mairena a sus alumnos—, nos llevará siempre a dudar de todas las hipótesis metafísicas, y a dudar, no menos, de que estas hipótesis hayan sido definitivamente retiradas de la circulación. En verdad, ellas reposan sobre creencias últimas, que tienen raíces muy hondas. Si en el estadio de la lógica nos aparecen como contradictorias, envueltas en proposiciones que se excluyen, esto no quiere decir que en la esfera de nuestra creencia no puedan coexistir o alternar. Tampoco ha de entenderse que nuestras creencias sean, en general, más verdaderas que nuestras razones, sino que son más persistentes, más tenaces, más duraderas y que son ellas también —las creencias y por ende las hipótesis metafísicas— más fecundas en razones que las razones en creencias.

Algún día resurgirá —decía mi maestro— la fe idealista, la creencia, hoy algo apagada, aunque no muerta, en el verdadero ser de lo pensado. Y el argumento ontológico, que deduce

24. *Hora de España*, n.º 12, diciembre de 1937.

la existencia de Dios de su esencia o definición —el *esse in re* del *esse in intellectu*—, puede reaparecer *mutatis mutandis* y hacerse extensivo a otras muchas ideas. Para ello bastará con que se debilite la fe kantiana, ya muy limitada de suyo, en la no intuitividad del intelecto.

Entonces nosotros, escépticos incorregibles, tendremos que hacer algunas preguntas. Por ejemplo: ¿creéis en la muerte, en la verdad de la muerte, por el hecho de pensarla, con más seguridad que aquellos para quienes *universalia sunt nomina*?

*

Creencia es muy tenaz en nuestra conciencia, hasta el punto de convertirse en un principio director de nuestro pensamiento, la creencia en la mismidad de lo absoluto. Que todo, a fin de cuentas, sea uno y lo mismo es creencia racional de honda raíz. La razón misma, se piensa, no podría ponerse en marcha si, en su camino de lo uno a lo otro, no creyera que lo otro no podía ser, al fin, eliminado. Y esto parece tan cierto como... lo contrario, a saber: que sin lo *otro*, lo esencial y perdurablemente *otro,* toda la actividad racional carecería de sentido. De modo que todo el trabajo de nuestra inteligencia va acompañado de dos creencias contradictorias: en la existencia y en la no existencia de lo otro. Yo no sé si los filósofos han meditado bastante sobre este tema. Algunos hondos atisbos, en esta cuestión esencialísima, encontramos en la filosofía romántica, desde Fichte a Hegel, pero en estos pensadores triunfa la primera de las dos creencias, como claramente se ve en Schelling (sistema de la identidad) y en Hegel (concepto del espíritu absoluto). Les faltó escepticismo para acercarse ansiosamente a la verdad y plantearse agudamente el problema, sobrábales esa pereza mental propia de los filósofos dogmáticos que, después de fatigar el pensamiento por el abuso de la lógica, alcanzan lo que pudiéramos llamar la beatitud filosófica: el estado de espíritu en que se aceptan como verdades conquistadas aquellas mismas ideas de que se había partido, y que no tenían mayor fundamento que una ingenua creencia. Así se piensa haber refutado el escepticismo, superándole con Kant, por una filosofía crítica. Pero el escepticismo sigue en pie. La *Crítica de la razón pura,* con su belleza incomparable de poema lógico, es una ingente tautología, en cuya base se encuentra la fe en la ciencia físico-matemática, que Kant había heredado del pensamiento renacentista y del gran siglo barroco.

*

Porque Kant no escribió una cuarta Crítica —concedemos que hizo bastante con las tres que dejó terminadas—, una Crítica de la Pura Creencia, la distinción entre el saber y el creer, no ha trascendido más allá de la esfera teológica, y se encuentra aproximadamente como en los felices tiempos de Duns Scotus. Todavía no hemos reparado en que la creencia plantea problemas independientes de la religión. Porque se puede creer o no creer en Dios, pero no menos se puede creer o no creer en la realidad del éter, de los átomos, de la acción a distancia, en la idealidad del tiempo y del espacio y hasta, si me apuráis, en la existencia del queso manchego. Tampoco hemos de confundir la creencia con la mera opinión sobre las cosas del hombre ingenuamente realista. Lo que constituye una creencia verdadera —decía mi maestro— es la casi imposibilidad de creer otra cosa, su hondo arraigo en nuestra conciencia. El credo *quia absurdum est,* atribuido a Tertuliano, contiene una verdad psicológica: la de un estado de espíritu en que la creencia se atreve a desafiar a la razón. No hemos de aceptarlo, sin embargo, como verdadero en el sentido de que sea necesario a la creencia la hostilidad del saber, o de que sólo pueda creerse en lo revelado por Dios contra los dictados de la razón humana; porque lo más frecuente es creer en lo racional, aunque no siempre por razones.

*

En 1837 se extingue en Italia la amarga y breve vida de Giacomo Leopardi; en el mismo año, y a los veintiocho de su edad, se mata Fígaro en Madrid, y es muerto en Rusia Alejandro Puchkin, que había nacido en 1799. Por tres caminos distintos —la dolencia congénita, el duelo y el suicidio— vino en un mismo año la muerte a llamar a la puerta de tres egregias juventudes. ¿Fueron muertes prematuras las de Larra y Puchkin, por cuanto hubo en ellas de inesperado y accidental?

Prematuras, no, ni siquiera anticipadas y a destiempo, si es cierto que la juventud y la muerte suelen ir emparejadas como hermanas gemelas en los días románticos. Acaso esté bien llamar romántico —como decía mi maestro— a quien alcanza en *plena madurez temprana muerte*. Algo habría que oponer —claro está— a esta definición del romanticismo. Ella nos obligaría a incluir en él, no sólo a Leopardi, que fue, en parte, un clásico madurador de la muerte, sino al propio Tito Lucrecio Caro, tan apartado de la edad romántica. Contiene, sin embargo, alguna verdad; porque hay muchos románticos, los más, a quienes puede aplicarse el verso de mi maestro. Recordemos, con Puchkin y Larra, a Byron, a Shelley, a Espronceda, a Musset, a Bécquer, a tantos otros que dejaron en plena juventud obra madura si no siempre insuperable, tal, al menos, que ellos no la hubieran nunca superado. Y acaso no sería del todo aventurado decir que la longevidad ha malogrado a más románticos que la muerte misma.

Pero volvamos a Larra y a Puchkin. Larra deja una obra breve, pero acabada y perfecta, en su género. Un siglo llevamos imitando sus artículos de costumbres, sin llegar a igualarlos siquiera. No es extraño: para pensar como Larra, sólo Larra, y nadie más que Larra, había venido al mundo. Pero Larra triunfó en nuestras letras por temperamento, como si dijéramos por riñones, como, a veces, se triunfa en España. Su suicidio fue, en cambio, un acto maduro de voluntad y de conciencia. Anécdotas aparte, Larra se mató porque no pudo encontrar la España que buscaba, y cuando hubo perdido toda esperanza de encontrarla. ¿Fue un error? Acaso, aunque perfectamente sincero y humano. La muerte de Larra me recuerda el suicidio de un personaje de Dostoievski, que se mata cuando cree haber averiguado que Rusia no sería nunca un gran pueblo. El ruso se equivocaba, sin duda. ¿Se habría suicidado Larra si, en el Madrid de su tiempo, hubiera logrado ver algo del Madrid de nuestros días? Probablemente, no. Pero la obra de Larra estaba acabada allí donde él la dejó, y fue el suicidio su último y definitivo artículo de costumbres. Su misión romántica fue madurar brevemente una obra de muerte, y una gran verdad: «el hombre es la medida de todas las cosas, menos la de los hombres y la de los pueblos».

Es Alejandro Puchkin el más grande poeta de Rusia. Su obra es la piedra fundamental de la literatura eslava. La lírica, el teatro y la novela deben a Puchkin creaciones definitivas. Gogol, Turgenef, Dostoievski, Tolstoi lo admiraron sin reserva. Los rusos juran por su nombre. El mundo entero proclama a Puchkin inmarcesible gloria de la literatura moderna.

Es cierto que cuando un poeta romántico, como Puchkin, muere en plena juventud por violencia imprevista, pensamos más en lo trágico y fatal que en lo fortuito de su acabamiento, como si su destino no se hubiera logrado sin aquella temprana muerte. Murió Alejandro Puchkin en duelo, a manos de un señorito, hábil —si no recuerdo mal— en el manejo de la pistola. ¿Por culpa, acaso, de una mujer frívola —su propia esposa— no menos insignificante que la amada de Fígaro? Puchkin tuvo la elegancia de morir defendiendo piadosamente el honor de su esposa. ¿Por culpa, tal vez, de una corte abyecta e intrigante que Puchkin despreciaba? Cuando haya eruditos capaces de averiguar algo, lo sabremos.

Alguna vez he pensado que en la muerte de Puchkin hubo también algo de suicidio, aunque por motivos contrarios a los que tuvo Fígaro para matarse. Acaso el conde Alejandro Puchkin se dejó matar, que es manera indirecta de suicidio, dejó que matasen al cortesano que llevaba consigo desde su nacimiento, aceptó el lance en que éste podía morir, cuando el poeta, el hombre esencial que había sido siempre, encontró plenamente y logró hacer suya el alma maravillosa e inmortal de su pueblo. Como buen ruso era Puchkin hombre complejo, capaz de amarse y aborrecerse al mismo tiempo. Además, ¿qué importaba a Puchkin morir en una encrucijada de la corte, cuando pensaba tener asegurada la inmortalidad en el corazón de su pueblo?

La Rusia actual, que celebra el primer centenario de la muerte de Puchkin, es tan grande como el poeta la había soñado. Y toda ella dice hoy: ¡Nuestro Puchkin! Y con Rusia, lo decimos todos los amantes de la libertad y de la cultura: ¡Nuestro Puchkin!

*

Habla Mairena en 1909

Algún día se pondrá de moda el pensar en la muerte, tema que se viene soslayando en filosofía —la filosofía, en verdad, lo ha soslayado casi siempre— y, con una nueva metafísica de la humildad, comenzaréis a comprender por qué los grandes hombres solemos ser modestos.

*

En verdad que el *Memento mori* —añadía Mairena— no suena siempre a tiempo entre los filósofos, merced a lo cual la existencia humana, cuya totalidad no puede ser pensada sin pensar en la muerte, su indefectible acabamiento, se va distanciando con exceso de la filosofía, para convertirse en tema de reflexiones demasiado triviales. Al mismo tiempo, una filosofía que pretende saltarse el gran barranco, o construir a su borde, tiene algo de artificial y pedante, de insincero, de inhumano y, me atraveré a decirlo: de antifilosófico. Por miedo a la muerte, huye el pensamiento metafísico de su punto de mira: el existir humano, lejos del cual toda revelación del ser es imposible. Y surgen las baratas filosofías de la vida, del vivir acéfalo, que son todas ellas filosofías del crimen y de la muerte.

NOTAS DEL TIEMPO. VOCES DE CALIDAD[25]

Thomas Mann, alma nobilísima de la eterna Alemania, de esa Alemania que nosotros los españoles —digámoslo hoy bajo las bombas asesinas de la Alemania hitleriana—, amaremos siempre por su enorme tributo a la cultura universal, ha perdido el derecho a llamarse doctor honorario de la Universidad de Bonn, y ello como consecuencia inevitable de la anterior pérdida de su ciudadanía. De modo que, el egregio autor de la *Montaña encantada,* ya no es alemán, ni siquiera doctor, en el concepto de Hitler y de sus secuaces, en opinión de esa Alemania de última hora, donde, como vulgarmente se dice, los patos se tiran a las escopetas.

Thomas Mann respondió a la grotesca excomunión con una carta admirable de todos conocida, en que rebosan el «amor» y el «desprecio»: amor entrañable a la Alemania inmortal, que es la suya —¿quién podrá disputarle esta gloria?— y desprecio a los hombres que hoy la detentan, arruinan y deshonran. «¡Suponer que he deshonrado yo al Reich, a Alemania, por confesar que estoy contra ellos! cuando, después de todo, quizás no está lejano el momento en que sea de suprema importancia para el pueblo alemán no confundirse con ellos...» Hagamos votos para que se cumpla la profecía de Thomas Mann, y que llegue pronto el día en que esos homúnculos que hoy se dicen representar a Alemania sean arrojados al aire, desde un alto patíbulo, merced al patriótico puntapié en el bajo vientre que les aplique la bota ferrada del «alemán desconocido», con la aquiescencia y el aplauso de la docta Alemania que todos veneramos.

Habla Juan de Mairena

No debe el hombre —decía Juan de Mairena— disponer de la vida del hombre; quiero decir que no debe utilizar a su prójimo y degradarlo hasta quitarle su dignidad de fin, para

25. *Servicio Español de Información,* n.º 333, 31 de diciembre de 1937.

convertirlo en medio, supeditado a la vida ajena. Reconozco, sin embargo, que esto puede discutirse. Porque, si los hombres necesitan unos de otros para vivir y ello hasta el sacrificio, es claro que la suprema finalidad humana no está en el hombre —el hombre individual—, sino más bien en el complejo social o agregado de hombres. Pero lo verdaderamente inaceptable es que el hombre mate a su prójimo, es decir, que «disponga de su muerte». Esto es lo verdaderamente criminal y absurdo. Porque la muerte es un asunto tan privativo del individuo humano que no puede imponerse desde fuera, sin grave violación de un misterio sagrado. Matar es criminal y es, además, superfluo, porque ¿quién necesita de su prójimo para morirse? Muera cada cual de *sa belle mort,* que dicen los franceses, con tiempo para meditar sobre ella y para resignarse a lo irremediable; véala venir como cosa de Dios, o como engendrada en las mismas entrañas de la vida. Pero los hombres han inventado la guerra, el «crimen deshumanizado», la muerte entre ciegas máquinas, para permitirse el lujo de abreviar la muerte de los mejores. La guerra es el crimen estúpido por excelencia, el único que no puede alcanzar perdón de Dios ni de los hombres. Quiero decir, que de ningún modo puede perdonarse a quien la provoca ni a quien la prepara.

Sobre la filosofía guerrera de los alemanes

Si algún día —sigue hablando Mairena— la tontería humana, en su perfecta madurez, llega a proclamar la necesidad de la guerra, la dignidad de la guerra, y hasta la alegría de guerrear, puede asegurarse que el *Homo sapiens,* de Linneo, engendró un *Homo stupidus,* que va a adueñarse de los destinos del hombre. Y que no sabemos lo que puede pasar.

SALUDO A CUBA[26]

Cuando vuelva Ud. a Cuba, querido Marinello, lleve Ud. un saludo cordial y un fuerte abrazo de mi parte a esos buenos amigos que hoy acompañan con su amor a la vieja madre. Dígales que, en efecto, cuantos aquí luchamos por la existencia de España, vendida, traicionada, invadida, en el trance más peligroso de su vida y más trágico y decisivo de su historia, agradecemos con toda el alma las voces fraternas que llegan a nuestros oídos y que, entre estas voces, la de Cuba alcanza una resonancia inconfundible en nuestro corazón, que ella nos alienta y conforta, que ella es compensación de muchos silencios, consuelo de muchas amarguras.

Rocafort, Valencia, 1937.

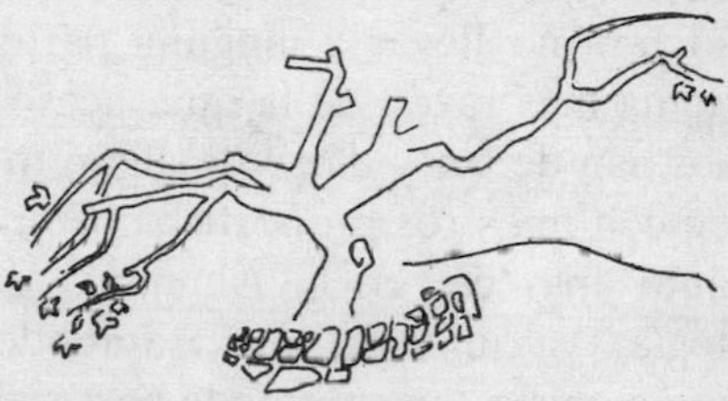

MISCELÁNEA APÓCRIFA. NOTAS SOBRE JUAN DE MAIRENA[27]

Juan de Mairena había leído, en los últimos años de su vida, la obra de Henri Bergson, cuyos libros fundamentales se habían publicado ya. Por aquella época —hacia 1909— imperaba todavía en Alemania el neo-kantismo, la escuela de Marburgo, que Mairena conocía muy imperfectamente, y en la

26. *Mediodía,* n.° 48.
27. *Hora de España,* n.° 13, enero de 1938.

cual sólo veía un trabajo de pacientes comentaristas, que desfiguraban, a su juicio, el pensamiento del maestro de Koenigsberg en un sentido hegeliano. Es frecuente esta manera hostil de acercarse a toda nueva filosofía. Y suele ser sincera esta hostilidad, aunque, en verdad, descaminante. Una previa simpatía, aun infundada puede ser más fecunda.

Cuenta Mairena que, hablando en París con un joven estudioso alemán, y con ánimo de tirarle de la lengua para aprender algo de él, más que deseoso de entablar polémica, vino a decirle estas palabras: Vosotros, los alemanes, estáis todavía volviendo a Kant, cuando los franceses tienen ya un nuevo filósofo en cuyos hombros irá muy lejos la filosofía. Mas si la guerra estalla, y la perdéis, el bergsonismo será entronizado en vuestras universidades. Dice Mairena que el alemán respondió: Nosotros somos lentos, porque tomamos muy en serio el pensamiento filosófico; y que añadió otras razones enderezadas a demostrar que pudiera ser más sabio en filosofía el volver a una ruta segura, que el emprender caminos desconocidos, que pudieran no llevar a ninguna parte. Lo cierto es que Mairena tenía más razón de la que, acaso, pretendía tener. Los hechos han de ser y darse de algún modo, y a veces hasta coinciden con nuestros pronósticos. Como escuela filosófica dominante aparece, en la Alemania de post-guerra, la fenomenología, ya iniciada por Edmundo Husserl, un movimiento intuicionista, que pretende partir, como Bergson, de los datos inmediatos, originales, irreductibles de nuestra conciencia, y que alcanza con Heidegger, en nuestros días, un extremo acercamiento al bergsonismo.*

*

* Advertimos, para que no se nos atribuya opiniones que no tenemos, que la fenomenología no está exenta de originalidad, y que dista tanto de ser una mera consecuencia del bergsonismo, como de carecer de precedentes en la tradición filosófica de los germanos.

Para penetrar y hacer cordialmente suya esta filosofía de Heidegger, Mairena, por lo que tenía de bergsoniano y, sobre todo, de *poeta del tiempo* —no precisamente del suyo— estaba muy preparado. Pláceme imaginar cómo hubiera expuesto Mairena en nuestros días el pensamiento del ilustre profesor de Friburgo.

«Un alemán llega hasta nosotros —no os asustéis, porque no todos los alemanes son pedantes y, en el fondo, nadie menos pedante que un buen alemán, de los que, seguramente, no juran por el führer— trayéndonos a la metafísica de la mano, para sentarla entre nosotros, hombres de la calle más que de las aulas, representantes ibéricos, en parte, de lo que él —el alemán a que aludo— llama *das Man,* el hombre anónimo y neutro, menos todavía el *se* indefinido, sujeto frecuente de oraciones impersonales que a todos acompaña. Sin abandonar su método escolástico, su técnica de escuela —alemán, al fin— viene Heidegger con su metafísica a buscar al hombre vulgar, antes que al estudiante de filosofía, al hombre cotidiano, y en la existencia de este *ser en el mundo (in-der-Welt-Sein)* pretende descubrir una nota *omnibus,* una vibración humana anterior a todo conocer: la inquietud existencial, el *a priori* emotivo por el cual muestra todo hombre su participación en el ser, adelantándose a toda presencia o aparición concreta que pueda pasivamente contemplar. Ahora bien, esta inquietud *(Sorge),* este cuidado *(cura)* —los franceses le llamarían *souci,* los ingleses, *care*— que surge del fondo de la humana existencia, humilde, finita, limitada —aunque, al fin, de suprema importancia, puesto que el hombre es el ser existente por excelencia, el ser en quien esencia y existencia se funden, el ser cuya esencia consiste en existir—, esta inquietud, digo, nos aparece, ya como un temor o sobresalto que el *se* anónimo *(das Man)* aquieta, trivializándole, convirtiéndole en tedio consuetudinario, ya transfigurado en angustia incurable, ante el infinito desamparo del hombre. Del fastidio a la angustia, pasando por la *imagen espantosa de la muerte:* tal es el *camino de perfección* que nos descubre Heidegger.

Mas este camino de perfección, que puede empezar en la

inquietud radical de nuestra existencia —le llamo *camino de perfección* para expresar de algún modo la tendencia moral, más que religiosa, que no abandona a Heidegger— no es menos substancial que el camino hacia abajo *(odós kato)* de la existencia a la deriva, o que huye de sí misma *(uneigentliche Existenz)*, el cual, bajo el influjo del *se* anónimo —*das Man*— tendemos a recorrer, huyendo de nosotros mismos, sin buscarnos por ello en los demás. Cada cual deviene *(wird) otro*, y nadie *él mismo*, dice —si no recuerdo mal— Heidegger, con frase de intención despectiva, que mi maestro no hubiera totalmente aprobado.*

*

La verdad es, amigos míos, que la doctrina de Heidegger aparece —hasta la fecha al menos— algo triste, lo que de ningún modo quiere decir que sea infundada o falsa. Entre nosotros los españoles y muy particularmente entre los andaluces, ella puede encontrar a través de muchas rebeldías de superficie una honda aquiescencia, un asentimiento de creencia o de fondo independiente de la virtud suasoria que tengan los razonamientos del nuevo filósofo. ¿Es que somos algo heideggerianos sin saberlo?

Estos versos, escritos hace muchos años y recogidos en tomo hacia 1907, pueden tener una inequívoca interpretación heideggeriana:

«Es una tarde cenicienta y mustia,
destartalada, como el alma mía;
y es esta vieja angustia
que habita mi usual hipocondría.
La causa de esta angustia no consigo
ni vagamente comprender siquiera;
pero recuerdo y, recordando, digo:
sí, yo era niño y tú mi compañera.»

———

* Heidegger no repara en que pretender llegar a ser —*werden*— otro, es el único hondo afán que pueda agitar las entrañas del ser, según explicaba o pretendía explicar, mi maestro Abel Martín.

La *angustia,* a la que tanto ha aludido nuestro Unamuno y, antes, Kierkegaard, aparece en estos versos —y acaso en otros muchos— como un hecho psíquico de raíz, que no se quiere, ni se puede, definir, mas sí afirmar como una nota humana persistente, como inquietud existencial *(Sorge),* antes que verdadera angustia *(Angs)* heideggeriana, pero que va a transformarse en ella. Y, en verdad, el mundo del poeta, su mundo, es casi siempre materia de inquietud *(Zuhandenes)*. A todo despertar —decía mi maestro— se adelanta una mosquita negra cuyo zumbido no todos son capaces de oír distintamente, pero que todos de algún modo perciben. De esa pinta diminuta y sombría, surge el globo total, la irisada pompa de jabón de nuestra conciencia.

La angustia *(Angs)* de Heidegger aparece en el extremo límite de la existencia vulgar, en el gran malecón, junto a la mar, cortado a pico, con una visión de la totalidad de nuestro existir y una reflexión sobre su término y acabamiento: la muerte. La angustia es, en verdad, un sentimiento complicado con la totalidad de la existencia humana y con su esencial desamparo, frente a lo infinito, impenetrable y opaco.

Que l'univers est un défaut
dans la pureté du non-être

dice, si la memoria no me engaña, Paul Valéry, en un suspiro hiperbólico, exhalado —como otros suyos— en la angustia heideggeriana, y que expresa, a su modo, el carácer *fautif* de lo existente. Mas la existencia que se encuentra a sí misma *(eigentliche Existenz)* que ya no huye ni se dispersa en el mundo, es lo que la angustia nos revela. Es la existencia humana, limitada, finita y humillada, pero total, lo que surge en nuestra conciencia con la angustia ante la muerte. No es, pues, según Heidegger, la muerte un accidente ocurrido en nuestra existencia mundana, es la existencia en sí misma en trance de alcanzar su propio acabamiento.

Por una vez intenta un filósofo —y había de ser un alemán quien lo intentase— darnos un cierto consuelo del morir con la muerte misma, como si dijéramos, con su esencia lógica, al margen de toda promesa de reposo o de vida mejor. Porque es la interpretación existencial de la muerte —la muerte como un límite, nada en sí mismo— de donde hemos de sacar ánimo para afrontarla: la decisión resignada *(Entscholossenheit)* de morir, y la no menos paradójica *libertad para la muerte (Freiheit zum Tode)*.

*

No descendamos al fondo gedeónico que esta filosofía, como tantas otras, muestra en su parte constructiva. Incurriríamos en pecado de superficialidad, por haber pretendido ser demasiado profundos. Alguien nos diría que *das Man* nos inspiraba, si pretendiésemos reparar en la *contraditio in adjecto* que encierra esta *decisión resignada,* etc. Dejemos esto. Reparemos en esto otro: don Miguel de Unamuno que, dicho sea de paso, se adelanta en algunos años a la filosofía existencialista de Heidegger, y que, como Heidegger, tiene a Kierkegaard entre sus ascendientes, saca de la angustia ante la muerte un *consuelo de rebeldía* cuyo valor ético es innegable. Donde Heidegger pone un sí rotundo de resignación, pone nuestro don Miguel un *no* casi blasfematorio ante la idea de una muerte que reconoce, no obstante, como inevitable. El *credo quia absurdum est* de Tertuliano, que envuelve un reto de la fe a la razón y, en cierto modo, una esperanza de revelación por caminos desviados de la racionalidad, queda superado por la *decisión de rebeldía* y la *libertad contra lo ineluctable* de nuestro pensador y poeta, el cual, no sólo piensa la muerte, sino que cree en ella y, no obstante, contra ella se rebela y nos aconseja la rebeldía. Por eso, no he vacilado en considerar a Unamuno como antípoda de los estoicos. Algún día probaré, o pretenderé probar, que el pensador vasco es un español antisenequista y, por de contado, tan español como lo fue el cordobés. Pero volvamos a Heidegger.

Es Martín Heidegger, como el malogrado Max Scheler, un alemán de primera clase, de los que, digámoslo de pasada, nada tienen que ver, cualquiera que sea su posición política, que yo me complazco en ignorar, con la Alemania de nuestros días, la aborrecible y aborrecida Alemania del *führer,* de ese pedantón endiosado por la turba de filisteos —sin duda numerosa— que todavía rumia las virutas —y sólo las virutas— filosóficas de Federico Nietzsche y, por descontado, el ya seco forraje de los Gobineau, Chamberlain, Spengler, etc., etc. Hay en Heidegger —entre otras muchas influencias— la influencia nietzschiana, pero del buen Nietzsche, sutil y profundamente psicológico, que tanto pugnó por acercar de nuevo el pensar filosófico a las *mesmas vivas aguas de la vida.** Mas Heidegger pertenece, como indicamos, a la escuela de los fenomenólogos de Friburgo que han superado, a mi juicio, el neokantismo o tornakantismo de Marburgo en dos sentidos. 1.° Agrandando positivamente el campo de la intuición a lo esencial *(Wessenschau)* y, por ende, el campo de la experiencia. 2.° Extendiendo también la esfera de lo apriorístico —tal fue la obra de Scheler— o de lo intencional, para hablar el lenguaje de la escuela, al campo de lo emotivo. Hay, según Scheler, un puro sentimiento —puro de lo sensible y de lo lógico— capaz de intuir o de enfocar sus propios objetos. Heidegger hace suyas, creo yo, estas conquistas de la escuela; pero la nota peculiarmente suya es lo que pudiéramos llamar su decidido *existencialismo.* Yo no sé bien qué trascendencia puede alcanzar en el futuro del mundo filosófico —si existe este futuro— la filosofía de Heidegger; pero no puedo menos de pensar en Sócrates, y en la sentencia délfica a que aludía el hijo inmortal de la comadrona, ante esta nueva —¿nueva?— filosofía, que a la pregunta esencial de la metafísica: ¿qué es el ser?, responde: investigadlo en la existencia humana; que ella sea vuestro punto de partida *(Das Dasein ist das Sein des Menschen).* Y para penetrar en el ser, no hay otro portillo que la existencia del hombre, el ser en el mundo y en el tiempo... Tal es la nota profundamente lírica, que llevará a los poetas a la filosofía de Heidegger, como las mariposas a la luz.

Yo os aconsejo, amigos queridos, que os detengáis a medi-

---

* Santa Teresa.

tar en los umbrales de esta filosofía, antes de penetrar en ella. Que vuestra posición sea más humana que escolar y pedante, quiero decir que no os abandone ese *mínimum* de precaución y de ironía, sin el cual todo filosofar es una actividad superflua. ¿Seriedad? Sin duda. Pero ello quiere decir que no habéis de tomar muy en serio las conclusiones de los filósofos, que suelen ser falsas y, por supuesto, nada concluyentes, sino sus comienzos y sus visiones, éstas sobre todo, que apenas hay filósofo que no las tenga. Recordad, siempre que podáis, a los antiguos griegos, nuestros maestros, sin los cuales este animal humano de Occidente, no sólo carecería del valor de pensar sino también del vigor y de la vigilancia que requiere la posición erecta.* Toda la filosofía de estos ágiles y magníficos griegos —yo no sé si hay realmente otra— se contiene en unas pocas visiones esenciales, y con unos cuantos poemas del pensamiento que sobre ellas se han construido para siempre. Y, más que visiones, nos han dejado miradores eternos. Llevarnos a ellos amablemente es la misión de nuestros maestros, para decirnos: «Asomaos aquí, por si veis algo. Desde aquí veía Parménides la maciza esfera del ser inmutable; Zenón la flecha inmóvil y veloz en su camino. Asomaos allá: veréis que el río de Heráclito fluye todavía, ¿quién ancla en él? Desde aquí veía Demócrito los átomos y el vacío; desde allí se admira el cielo de las ideas platónicas; más lejos se vislumbra el palacio marmóreo de la razón kantiana. De su cimiento no sabemos nada todavía, etc.».

*

Mas yo os aconsejo que os detengáis a meditar ante esta nueva filosofía, antes de asomaros plenamente al mirador de

---

* Reparemos en la importancia que tuvo para nosotros la gimnástica de los griegos, la atención que prestaron al manejo de las extremidades del cuerpo humano, entre las cuales incluían la cabeza. El hombre de Oriente se sienta o se tumba sin esfuerzo para pensar; pero nosotros, cuando no andamos ágilmente en dos pies, caemos indefectiblemente en cuatro.

Heidegger. Nos vamos a enfrentar con un nuevo humanismo, tan humilde y tristón como profundamente zambullido en el tiempo... Los que buscábamos en la metafísica una cura de eternidad, de actividad lógica al margen del tiempo, nos vamos a encontrar —bueno es tener prejuicios sin los cuales no es posible pensar— definitiva y metafísicamente cercados por el tiempo. ¿Por una viva eternidad como la *durée* bergsoniana? Algo peor. El tiempo de Heidegger, su tiempo primordial, como en Bergson, ajeno a toda cantidad, esencialmente cualitativo, es no obstante finito y limitado. No pierde el tiempo, en Heidegger, su carácter ontológico por su limitación y finitud; antes lo afirma. No olvidemos que este ser en el tiempo y en el mundo, que es la existencia humana, es también el ser que se encuentra, al encontrarse con la muerte.

¡Ah!... Pero dejemos esto para mejor ocasión, porque como dice *das Man*: aún hay más días que longanizas, etc., etc.

NUESTRO EJÉRCITO[28]

España, la España leal al Gobierno de su República, la verdadera España, tuvo siempre —¿cómo no?— milicianos voluntarios que la defendiesen; pero hoy cuenta con un ejército organizado, sometido a estrecha disciplina y ágil a la par para toda suerte de maniobras, integrado por todos los elementos que hacen un ejército invencible. Si hay algo que ha demostrado plenamente la historia, es la enorme, abrumadora superioridad militar de los pueblos esencialmente consagrados a la paz, sobre los pueblos fundamentalmente guerreros. Tal fue la gran lección de las guerras médicas. En esto, como en todo, fueron los griegos los maestros. Modernamente hemos visto que los ejércitos de las naciones preparadas para la guerra, esas perfectas máquinas de combate, fallaban siempre ante los ejércitos en cierto modo improvisados, aquellos que

28. *Ayuda*, n.º 83, 20 de febrero de 1938.

se hacían guerreando... contra la guerra misma. Tal fue la gran lección de Francia en la batalla del Marne, que puede resumirse en este aforismo de Juan de Mairena: *Mientras el pensar sea inexcusable, una cabeza rota será siempre preferible a las más impecables botas de montar.*

En grande o en pequeño, allí donde se enfrentan los elementos genuinamente belicistas, aquellos que rinden culto a la fuerza material y aspiran a invocar, a última hora, la razón de Breno, con aquellos núcleos humanos consagrados preferentemente a la cultura y que sólo gustan de empuñar las armas en defensa de la paz, se da el caso, aparentemente paradójico, de que son estos últimos los que crean el instrumento polémico más eficaz.

Hoy rendimos un homenaje de respeto, de admiración y de cariño al Ejército del pueblo, a nuestro Ejército. En él militamos todos los leales, quiero decir todos los españoles. Por eso hemos de ser parcos en el elogio. La guerra actual tuvo, en sus comienzos, una apariencia de guerra civil, de una guerra entre españoles divididos por ideologías encontradas. Esta apariencia no ha podido mantenerse, porque uno de los bandos, el llamado fascista, ha vendido a la patria común, con lo cual, *ipso facto,* perdió su nacionalidad. Frente a ellos, los traidores y los invasores unidos, frente a su máquina guerrera, a ese poder demoníaco y abominable consagrado a la ambición y al crimen, está España con su magnífico Ejército popular, afirmando su voluntad de perdurar en la historia, su derecho a conservar la integridad de su territorio y a disponer libremente de su futuro.

MISCELÁNEA APÓCRIFA. HABLA JUAN DE MAIRENA A SUS ALUMNOS[29]

Incierto es, en verdad, lo porvenir. ¿Quién sabe lo que va a pasar? Pero incierto es también lo pretérito, ¿quién sabe lo que ha pasado? No dudo que haya en nuestra conciencia una pretensión a fijar lo pasado, como si las cosas pudieran hacerse inmutables al pasar de nuestra percepción a nuestro recuerdo. Pero si lo miramos más de cerca, veremos que el *devenir* es *uno,* y que es su *totalidad* (porvenir-presente-pasado) lo sometido a constante cambio. También es cierto que, como el punto de mira y los puntos de referencia varían de continuo —cuantitativa y cualitativamente— ningún acontecimiento de nuestro pasado ha de aparecernos dos veces como exactamente el mismo. De suerte que ni el porvenir está escrito en ninguna parte, ni el pasado tampoco. Y no digo esto para que os burléis de los historiadores, que siempre merecerán nuestro respeto, sino para que seáis más indulgentes con sus errores. Tampoco habéis de pitorrearos de los profetas; porque la pretensión de ver lo futuro no es mucho más usuraria que la jactancia de conocer lo pasado, en la cual todos hemos alguna vez incurrido.

Me diréis que, de lo pasado, siempre podremos afirmar

29. *Hora de España,* n.º 14, febrero de 1938.

algo con relativa seguridad, y que el hecho de que Bruto matase a César parece cosa bastante más firme y averiguada, que lo sería el hecho contrario, a saber: el de que César hubiera podido matar a Bruto. En eso tenéis razón. Pero ¡qué poca cosa es saber que Bruto mató a César! Por qué, cuándo, cómo —exactamente— y aun las circunstancias más nimias que concurrieron en aquel magnicidio, son cosas que estaremos averiguando hasta la consumación de los siglos.

*

Esta cualidad indefinible, que hace de lo pasado algo que puede trabajarse y aun moldearse a voluntad, es causa de que algunos hombres de fantasía hayan preferido ser historiadores a ser novelistas o narradores de hechos insólitos.

*

Lo que hará algún día insoportable la lectura de muchos libros actuales de *amena literatura*, es el cúmulo de detalles insignificantes e impertinentes que en ellos advertimos. «Pepe Ricote —es un ejemplo—, había llegado a los Cuatro Caminos en el tranvía de Chamberí por Hortaleza, como pudo llegar en el no menos frecuente tranvía de Chamberí por Fuencarral, que había salido siete minutos antes de la Puerta del Sol.» Al hombre que llena de párrafos semejantes más de trescientas páginas solemos llamar: novelista.

*

Cuando el *supercinetismo* occidental se aminore un poco, merced al influjo de las culturas orientales, más contemplativas y sedentarias, que la europea, nosotros, los españoles y muy particularmente los andaluces, pudiéramos estar más a tono que en nuestros días con el mundo culto. Nosotros no hemos gastado, en verdad, sobradas energías para acelerar el ritmo de nuestros movimientos, la velocidad de nuestros vehículos, etc., etc., pero hemos trabajado bastante, al margen de las rudas faenas con que se gana el pan cotidiano, para agilitar y conservar nuestra espontaneidad pensante; hemos aguzado el ingenio, discurriendo sobre lo humano y lo divino; y, puestos a meditar seriamente sobre las cuestiones más importantes que asaltan la conciencia del hombre, sospecho que no hemos de chuparnos el dedo.

*

Es muy posible —decía Mairena a sus alumnos— que algún día nos pese el haber hecho una crítica sobradamente negativa de nuestros modos de vida, de nuestras costumbres y aun de nuestros ideales, sin haber previamente meditado sobre la calidad metafísica —quiero decir de última y absoluta realidad— de aquellos valores cuya ausencia entre nosotros lamentábamos, o cuya posesión deseábamos, por sólo verlos realizados en otros países, y sobre la calidad de aquellos valores que, por ser más nuestros, hubiéramos podido oponerles. Habituados a evaluar mediante una estimativa arbitraria o exótica, llegamos a pensar —con harta injusticia— que, en momentos trágicos y decisivos de nuestra vida, a España la salvaban sus vicios, cuando sólo merced a sus virtudes salía a flote. Hay mucho de *dandysmo* superficial y aun de *monería de la linterna mágica* en nuestra crítica.

*

«¿Qué te parece desto, Sancho?, dijo don Quijote: ¿hay encantos que valgan contra la verdadera valentía? Bien podrán los encantadores quitarme la ventura, pero el esfuerzo y el ánimo será imposible.» En el capítulo más original del Quijote, así habla el Caballero de la Triste Figura, terminada su genial aventura de los leones. Claro se ve que es Don Quijote, nuestro Don Quijote, el verdadero antipolo del pragmatista, del hombre que hace del éxito, de la ventura, la vara con que se mide la virtud y la verdad. Es muy posible que un pueblo que tenga algo de Don Quijote no sea siempre lo que se llama un pueblo próspero. Que sea un pueblo inferior: he aquí lo que yo no concederé nunca. Tampoco hemos de creer que sea un pueblo inútil, de existencia superflua para el conjunto de la cultura humana, ni que carezca de una misión concreta que cumplir, o de un instrumento importante en que soplar dentro de la total orquesta de la historia. Porque algún día habrá que retar a los leones, con armas totalmente inadecuadas para luchar con ellos. Y hará falta un loco que intente la aventura. Un loco ejemplar.

*

Después que Platón, en sus diálogos inmortales, descubre la razón, el pensamiento genérico, las ideas que todos hemos de pensar conducidos por la lógica, merced a la común estructura de nuestro entendimiento, el diálogo sigue su camino. En los diálogos del Cristo —con sus discípulos, con las turbas, con las mujeres—, no se buscan razones —éstas habían sido ya encontradas— sino formas y hechos de comunión cordial. Después de la Edad Media, poco fecunda para el diálogo, aparecen, con el Renacimiento y en plena edad moderna, dos gigantescos dialogadores: Shakespeare, en Inglaterra, y Cervantes en España.

El diálogo en Shakespeare, como esencialmente dramático, suele ir complicado con la acción; tampoco allí se buscan razones: la sinrazón aparece en él con sobrada frecuencia. La actividad lógica puede llevarnos a un acuerdo, pero, ¡qué poca cosa es ella en la totalidad de nuestra psique! El pensamiento marchita y deslustra la acción. Así piensa Shakespeare, porque Hamlet piensa así, y Macbeth, su antípoda, piensa lo mismo. El diálogo, como medio de inquirir lo verdadero, si os place mejor, como medio de alcanzar el reposo de lo objetivo, o, en otro aspecto, como forma de comunión amorosa, es algo que no podemos encontrar en Shakespeare. El diálogo en Shakespeare es un diálogo entre solitarios, hombres que, a fin de cuentas, cada uno ha de bastarse a sí mismo; de ningún modo se busca allí lo genérico, sino que la razón se pierde en los vericuetos de la psique individual. El fondo de cada conciencia se expresaría siempre mejor que en el diálogo en un monólogo. En verdad los personajes del gran Will dialogan consigo mismos, porque están divididos y en pugna consigo mismos.

Cuando llegamos a Cervantes, quiero decir al Quijote, el diálogo cambia totalmente de clima. Es casi seguro que Don Quijote y Sancho no hacen cosa más importante —aun para ellos mismos— a fin de cuentas que conversar el uno con el otro. Nada hay más seguro para Don Quijote que el alma ingenua, curiosa e insaciable de su escudero. Nada hay más seguro para Sancho que el alma de su señor. Pero aquí ya no se persiguen razones a través de la selva psíquica, ya no interesa tanto la homogeneidad de la lógica como la heterogeneidad de las conciencias. Entendámonos: la razón no huelga: es como cañamazo sobre el cual bordan con hilos desiguales el caballero y el criado. No olvidemos, sin embargo, que uno de los dos dialogantes está loco, sin renunciar en lo más mínimo a tener razón, a imponer y —digámoslo en loor de nuestro Cervantes— a persuadir de su total concepción del mundo y de la vida, y que el otro padece tanta cordura como desconfianza de sus razones. Y aquí nos aparece el diálogo entre dos mónadas autosuficientes y, no obstante, afanosas de complementariedad, en cierto sentido, creadoras y tan afirmadoras de su propio ser como inclinadas a una inasequible alteridad. Entre Don Quijote y Sancho —esa amante pareja de varones, sin sombra de uranismo— la razón del diálogo alcanza tan grande profundidad ontológica, que sólo a la luz de la metafísica de mi maestro Abel Martín puede estudiarse, como en otra ocasión demostraremos, o pretenderemos demostrar.

MISCELÁNEA APÓCRIFA. (NOTAS Y RECUERDOS DE JUAN DE MAIRENA)

Alemania o la exageración[30]

No es la guerra, como tantas veces os he dicho —habla Mairena a sus alumnos— el mejor modo de resolver cuestiones litigiosas entre los pueblos. Pero la guerra puede llevar a una solución aceptable, aunque incompleta, si por azar la victoria recae sobre quien la merece, y en todo caso es una solución —buena o mala— del pleito que por la guerra se ventila. Pero todo ello —reparadlo bien— a condición de que alguien la gane. ¿Mas qué pensáis vosotros de la guerra, cuando nadie puede ganarla? ¿No alcanzaría entonces la guerra y, en general, todo polemismo su completa reducción al absurdo? Pues tal es la guerra, amigos queridos, que prepara la moderna Alemania prusianizada. Ellos, los alemanes, están acumulando elementos bélicos, preparan una perfecta máquina de guerra, con la cual, no una sino muchas guerras podrían ganarse. Pero, al mismo tiempo convencidos de que lo esencialmente guerrero es el ímpetu peleón que anima a los hombres, se

30. *Hora de España*, n.º 15, marzo de 1938.

cuidan por todos los medios —científicos, literarios, metafísicos— de aumentar el número de sus enemigos —¿cómo guerreará quien no los tenga?— y de excitarlos a reforzar sus recursos marciales. El resultado es la carrera de los armamentos; y todo ello puede terminar en una guerra contra la paz absurda y monstruosa, que haga imposible por muchos años la amorosa convivencia entre los hombres. Para ello, no vacilará Alemania en declararse enemiga de la especie humana, ni en retarla a descomunal combate, no sin antes haber inventado, para andar por casa, otro animal —rubio, germánico, incastrable— a quien deba corresponder la victoria. El resultado será que Alemania no ganará la guerra; pero Europa perderá la paz y, con ella, su hegemonía en el mundo.

*

Estas palabras de Juan de Mairena, anteriores a la guerra europea —Mairena murió en 1909— y, a su modo, proféticas, nos han hecho pensar en otras más recientes de Max Scheler, un egregio pensador alemán, cuya muerte no habrá llorado el führer, pero que nosotros, los españoles, debemos lamentar; porque Scheler fue un gran filósofo y un buen amigo de España. Todo un largo estudio dedicó Max Scheler a responder a esta pregunta: ¿Por qué son los alemanes tan impopulares en el extranjero? ¿A qué se debe la antipatía invencible que despiertan los alemanes fuera de su patria? Al trazarnos Max Scheler la etopeya o figura moral de la nación alemana, subraya esta desmesura, a que aludía Mairena, como nota característica, referida al trabajo, al placer que encuentra el alemán en el trabajo ilimitado, sin fines positivos, sin objetivo y sin término. Hay exageración —nos dice Max Scheler— en la manera alemana de trabajar. Tal exageración se manifiesta en este hecho: los alemanes, que no conocen más placer que el del trabajo, trabajan más de la cuenta, para llenar el tiempo. Otras naciones saben aprovechar el ocio y experimentan el placer inmediato de vivir, que es ajeno a los alemanes. El resultado de todo ello —viene a decir Max Scheler en su *Die Ursachendes Deutschenhasses*— es la anormalidad del ritmo del trabajo germánico, el cual de ningún modo corresponde ni a la necesidad ni al valor del producto. El impulso laborioso de los alemanes se automatiza crecientemente: ya ni rezan, ni meditan, ni contemplan, y sólo parece que buscan en el trabajo el olvido de sí mismos. La organización del trabajo es entre ellos sobradamente mecánica y de aquí proviene la carencia de estilo, de forma, de gusto estético y la calidad inferior de sus productos. Max Scheler añade otras razones, enderezadas a probar cómo este trabajo desmesurado y ramplón inquieta y desasosiega a otras naciones, muy propicias a ver en los alemanes a los más inoportunos advenedizos de la historia *(welthistorische Emporkömmlinge)* venidos al mundo para expulsar del paraíso a la humanidad entera. Y termina deseando que los alemanes, mientras enseñan laboriosidad a otros pueblos menos activos, limiten el trabajo y aprendan de aquéllos la aptitud para el goce inmediato de la vida. Piensa Max Scheler —y en esto es un perfecto antípoda del führer— que es necesaria la colaboración de todas las naciones para su recíproca educación moral, y que los caracteres nacionales deben mutuamente completarse.

*

Mucho hubiera tenido que aprobar Juan de Mairena, y algo que oponer, en las razones de Max Scheler. Día llegará en que los alemanes se decidan a cultivar en sí mismos la aptitud para el goce inmediato de la vida; pero lo harán con tal desmesura, que las personas distinguidas —como el malogrado Max Scheler— sentirán un deseo invencible de llevar cilicios, usar la disciplina y desayunarse con cardos borriqueros untados en vinagre. Entonces se verá que no es, precisamente, una tendencia a exagerar el trabajo, sino otra más profunda y de raíz metafísica, que les lleva a exagerarlo todo, lo que puede considerarse como específicamente alemán.

*

Pero volvamos a Mairena, que sigue hablando a sus alumnos. «No hay defecto chico, amigos queridos. Una pequeña falta de Retórica, quiero decir de arte y de medida para expresar lo lógico, y un pequeño exceso de pedantería, quiero decir una cierta carencia de tacto vital y de precaución y de ironía, ha hecho de los alemanes, gran pueblo de metafísicos, algo políticamente lamentable. Con la tendencia innata de nuestros vecinos, los franceses, al culto del buen gusto y de la mesura, y su desconfianza de cuanto excede los límites de lo natural, los alemanes no hubieran desmesurado ni la razón, ni el trabajo, ni la guerra, no hubieran creado la tensión bélica que extenúa a Europa, no hubieran disputado torpemente a los ingleses la hegemonía política de Occidente, que casi por derecho, o al menos por sufragio entre naciones, corresponderá siempre a la vieja Albión, y, al fin, hubieran obtenido la primacía cultural, que nadie habría osado disputarles.»

Juan de Mairena, cuyas son las palabras que anteceden, no hablaba en los días del *Tercer Reich* y de la dictadura hitleriana. Acaso serían hoy otras sus razones. Acaso no. O, tal vez, convencido de la plasticidad de lo pasado hubiera hoy modificado sus profecías, para ponerlas más de acuerdo con los hechos actuales. Mairena sabía muy bien que no hay vaticinio completo, mientras no se contrasta y modifica con lo que hubiera podido vaticinarse, y que esto constituye una faena infinita. Recordemos, por lo demás, que Mairena sólo censuraba al profeta la usuraria pretensión de no equivocarse.

*

Alguien reprochó a Juan de Mairena su excesiva simpatía por los ingleses. ¿Cómo explicar que Mairena señalase defectos comunes a ingleses y alemanes, y que, al mismo tiempo les hallase disculpa en los primeros y rara vez en los segundos? Ya en más de una ocasión había afirmado Juan de Mairena cuánto había de anglo-sajón en el afán polémico de la vieja Europa. ¿Por qué lo censuraba tan agriamente sólo en los alemanes? Juan de Mairena solía dar respuestas un tanto evasivas, como quien no acierta a justificar cosa tan irracional como es la simpatía; y, en verdad, que siempre ha sido muy marcada la que frecuentemente sienten los andaluces por los ingleses. Los ingleses —respondía Mairena— conservan, acaso de sus antiguos invasores latinos, anteriores a la conquista de su territorio por anglos y sajones, un cierto sentido de la medida, y hasta una cierta afición a las suyas, cualitativamente teñidas por su propia experiencia, que les lleva a no descomedir sobradamente sus cosas. Además, los ingleses *tienen mundo,* lo cual desde muy antiguo les llevó a no querer penetrar demasiado y, por ello, a no envidiar demasiado las características de los otros pueblos. Su orgullo insular, que tanto se les reprocha, no está exento de respeto al orgullo ajeno. Además, los ingleses tienen la costumbre de leer la Biblia, un libro interesante que ellos no han escrito. Y tienen, sobre todo, el mar, una gran experiencia planetaria, que les ha enseñado 1.º) a ver de lejos, 2.º) a remar contra viento y marea, 3.º) a saber que el hombre puede ser poca cosa, pero que, al fin, no es su destino ahogarse en poca agua. Por estas virtudes y por otras, de que hablaré algún día, vienen ejerciendo una cierta hegemonía en el mundo occidental, que no pasará sin dejar rastro.

*

Sobre el *orgullo modesto*, de que tantas veces os he hablado, quiero añadir: Poca cosa es el hombre y, sin embargo, mirad vosotros si encontráis algo que sea más que el hombre, algo, sobre todo, que aspire como el hombre a ser más de lo que es. Del ser saben todos los seres, hombres y lagartijas; del *deber ser* lo que no se es, sólo tratan los hombres...

*

Es el descontento, amigos queridos, la única base de nuestra ética. Si me pedís una piedra fundamental para nuestro edificio, ahí la tenéis.

*

¿Puede haber un hombre, plenamente satisfecho de sí mismo, que sea plenamente tal hombre? A mi juicio —decía Mairena— todo hombre puede tener motivos de descontento, aunque sólo sea pensando en la fatalidad del morir. Pero la Muerte —la idea y el hecho— es algo que pocos miran de frente; el filósofo, sobre todo, suele mirarla de soslayo, cuando no esquivarla, seguro de que sus sistemas y doctrinas, al margen de la muerte, son como martingalas ingeniosas para ganar en el juego, las cuales sólo pueden engañarnos, mientras alejamos de nuestra mente el pensamiento de la llave indefectible que ha de anudarlas.

Valencia, febrero de 1938.

TORRIJOS Y SUS COMPAÑEROS[31]

Con el título de «Aviso al público» apareció un día en Málaga el parte que anunciaba al pueblo la detención de Torrijos. Había sido dado, en un lenguaje ya acostumbrado y que más tarde había de ver muy aumentada su impopularidad, por el gobernador de la provincia. Este «Aviso al público», acaso de inserción obligatoria, decía lo siguiente:

«Los últimos restos de los revolucionarios españoles que aún existían en Gibraltar, agavillados por el ex brigadier Torrijos, olvidando lo que son y lo que es un pueblo fiel, que descansa en la seguridad y en la confianza que le inspira el paternal gobierno del Rey, N.S., quisieron ponerse y ponerlo a la última prueba de la infamia y debilidad de unos y entusiasmo de otros. En la noche del día 2 de este mes desembarcaron en las costas del O. de esta provincia. Inmediatamente tuve aviso y, con la velocidad del rayo, me puse en marcha para perseguirlos. A las pocas horas ya supe el rumbo que habían seguido y punto en que se hallaban; me presenté en él y, al aspecto sólo de los valientes que me acompañaban, han rendido sus armas y entregándose a discreción.

---

31. *Nuestra Bandera*, n.º 3, marzo de 1938.

Tengo la mayos satisfacción al participarlo para la suya al leal vecindario de Málaga, desde este Campamento, en el Cortijo del Inglés, a las ocho de la mañana de hoy 5 de diciembre de 1831.

*Vicente González Moreno.»**

Olvida decir el sátrapa malagueño, el ya entonces célebre por sus crueldades González Moreno, y conocido del público con el alias de *Verdugo de Málaga,* que Torrijos y sus compañeros desembarcaron en las costas de Málaga porque él, fingiendo simpatizar con la causa revolucionaria, los había llamado. Que él, en connivencia con sus cofrades de *El Ángel Exterminador,* había tramado ladina e insistentemente la emboscada de que fueron víctimas Torrijos y sus cincuenta y dos amigos liberales, fusilados en Málaga el 11 de diciembre de 1831.

En este mes y día, un siglo más tarde y con este recuerdo, coincidiendo con la instauración de nuestra segunda República gloriosa, hubiera debido celebrarse el centenario de la eclosión del romanticismo en España. El más grande de nuestros poetas románticos, José de Espronceda, un joven a la sazón de veintiún años, escribió en aquellos días de plena reacción fernandina este soneto, que han reproducido más tarde muchas antologías de líricos españoles:

A LA MUERTE DE TORRIJOS Y SUS COMPAÑEROS

Helos allí, junto a la mar bravía
cadáveres están ¡ay! los que fueron
honra del libre, y con sus muerte dieron
almas al cielo, a España nombradía.
Ansia de patria y libertad henchía
sus nobles pechos que jamás temieron;
y las costas de Málaga los vieron
cual sol de gloria en desdichado día.

---

* *Historia de España,* por Antonio Ballesteros, tomo VII, p. 225.

Españoles, llorad; mas vuestro llanto
lágrimas de dolor y sangre sean;
sangre que ahogue a siervos y opresores.
Y los viles tiranos con espanto
siempre delante amenazando vean
alzarse sus espectros vengadores.

Es muy posible que este soneto no merezca figurar entre los paradigmas de lírica esproncediana. Confieso que lo leí siendo niño con una emoción que no pierdo ahora, al recordarlo y al transcribirlo de memoria. Nuestra vida emotiva se da siempre un poco al margen de nuestras preferencias estéticas. Tampoco he de olvidar el temblor que produjo en mí el célebre cuadro de Gisbert, que contemplé hace ya también muchos años, en la Institución Libre de Enseñanza, reproducido por el fotograbado que todos conocemos. Don Manuel Cossío nos habló entonces muy sobriamente del hecho histórico, al par que nos señalaba en la estampa la noble figura de su pariente Flores Calderón. Tampoco el cuadro original de Gisbert, que he visto más tarde en el Museo Moderno, es para contemplarlo con frialdad en nuestros días. Obra es de un exaltador de la historia y, como el soneto de Espronceda, ha de estar, creo yo, más cerca de la verdad esencial de los hechos que el fruto de mucha crítica erudita con que se pretenda juzgar de los grandes incendios por el análisis de sus cenizas.

José María Torrijos, nacido en Madrid el año 1791, fue un hombre de vida breve, gloriosa y trágica. Su florecer coincide con la aurora de nuestro romanticismo. De sus maestros, hombres del XVIII, conserva Torrijos en su estilo vital una cierta sobriedad neoclásica. Pero su alma es ardientemente romántica, complicada siempre con la juventud y con la muerte.

Por aquellos días de terrible reacción fernandina, uno de los modos más característicos de ser romántico era ser liberal y constitucionalista; la Dulcinea de los caballeros andantes de la época era la Constitución del año XII. Torrijos la amaba ardientemente y, como dice la canción popular, murió por defenderla.

Pronto alcanzó Torrijos el grado de general, combatiendo las partidas realistas, y en 1823 fue nombrado ministro de la Guerra de un gobierno que el mismo rey cedió a los exaltados, y del que formaron parte Flórez Estrada, Díaz del Moral, Calvo de Rozas, etc. Expulsado de su patria aquel mismo año, como tantos egregios liberales, pasó a Francia, y comió en París el pan amargo del traductor para América, que tantos españoles hemos gustado más tarde. En Londres preparó, unido a Palarea y a Flores Calderón, ex presidente de las Cortes de Sevilla, la expedición a España que había de costarle la vida.

Mientras Minas y Valdés esperaban en Navarra con varia fortuna, Gurrea y Plasencia cruzaban la frontera de Aragón, y San Miguel, Milán y Grases penetraban en Cataluña, Torrijos, con sus compañeros (Calderón, Fernández Golfin, López Pinto), protegidos por Inglaterra, se dispusieron a atacar por el sur y desembarcaron con doscientos hombres en la Aguada Inglesa. El número de sus enemigos, los realistas, les obligó a refugiarse en Gibraltar. Por aquellos días murió Manzanares, víctima de una traición, después de vencido en la Serranía de Ronda, y fue sacrificada Marianita de Pineda en la triste ciudad que, un siglo más tarde, había de presenciar el vil asesinato de García Lorca, poeta de ambas —de la ciudad y de la heroína—. Los tiempos eran para dar plenas albricias al sombrío Calomarde y al abyecto Fernando. Al fin, Torrijos con los suyos había desembarcado en Fuengirola, para dirigirse a la Alquería del Conde de Molina. Sorprendidos por los esbirros de González Moreno, fueron todos apresados y conducidos al Convento del Carmen. Después... Recordad el cuadro de Gisbert: la noble fraternidad ante la muerte de aquellos tres hombres cogidos de la mano. El suelo está ya sembrado de cadáveres... Un frailecito venda los ojos de un anciano. Torrijos, erguido y sereno, aguarda. ¿Era él mismo quien daba la orden de fuego, como correspondía a su alta categoría militar? Se sabe que reclamó, sin jactancia pero insistentemente, el ejercicio de este derecho.

Ignoro si le fue concedido. Recordad lo versos de Espronceda; pensad en lo que vieron las costas de Málaga aquel día, en lo que han visto más de un siglo después, en lo pueden ver todavía. La España joven, que mira hacia el futuro, vilmente asesinada; la infatigable primavera española, que tantas veces ha florecido con sangre, ahogada por el muérdago, consumida por la cizaña de la abyección y de la vejez. Porque González Moreno, el tigre de Málaga, traidor a su pueblo, traidor más tarde a la voluntad postrera de su amado monarca, traidor a la reina gobernadora, traidor, en fin, al mismo pretendiente don Carlos María Isidro, bajo cuyas banderas militó, forma parte de una abominable tradición de felones y de verdugos que todavía no se ha extinguido en España.

Todos sabemos cómo se llaman los González Moreno de nuestros tiempos.

Por fortuna, al árbol de nuestra raza, nutrido hoy por raíces universales, le aguardan muchas primaveras. Por fortuna, las almas fraternas de los Minas, los Empecinados y los Torrijos pululan en nuestros días. Y también sabemos cómo se llaman.

CARTAS
(Valencia-Rocafort, noviembre 1936 - abril 1938)

(Rocafort, Valencia, diciembre 1936)

A: D. Tomás Navarro Tomás.

Querido amigo: Enfermo, como usted sabe, e imposibilitado totalmente para abandonar durante algunos días mi domicilio de Rocafort, me es forzoso confiar a la pluma la expresión de mi gratitud a todos cuantos me honraron nombrándome Presidente del Patronato de la Casa de la Cultura.

El título excede en mucho mis merecimientos. Sería superfluo y hasta una prueba de inmodestia por parte mía, el pretender demostrarlo. Yo lo acepto, sin embargo, con toda el alma, por varios motivos que a mí me parecen otras tantas razones:

1. Porque el conferimiento del honor desmedido responde a un deseo benévolo y unánime de cuantos constituyen hoy la Casa de la Cultura, y en los días que corren la obediencia a toda voluntad colectiva bien intencionada es un deber inexcusable.

2. Porque vivimos en tiempos de guerra, y la guerra ha dado al traste con todas las «sinecuras». Los títulos puramente honoríficos, los cargos para desempeñarlos sin el menor esfuerzo o con voluntad perezosa eran un lujo de la paz. Hoy nos obligan, por muy altos que sean, al trabajo, a la disciplina, a la responsabilidad. Quien acepta un honor acepta un trabajo, se compromete a realizar un esfuerzo, tal vez a afrontar un peligro.

3. Porque el Ministerio de Instrucción Pública —digámoslo sin ánimo de adular a nadie, sino como tributo obligado a la verdad más obvia— aparece en España por vez primera a la altura de su misión, y en la estructura nueva que ha dado a la Casa de los Sabios ha prescindido de cuanto pudo haber en ella de solemne y decorativo, la ha convertido en un hogar para los espíritus, en un taller para las más nobles faenas de la inteligencia, y todo ello orientado, consagrado generosamente a satisfacer de un modo más o menos directo la sed de cultura que hoy siente nuestro pueblo.

Al aceptar un cargo, para mí abrumador, quiero significar, al par que mi gratitud más sincera a cuantos con él me honraron, mi adhesión entusiasta a la iniciativa del gobierno.

Disponga siempre de su buen amigo,

Antonio Machado.

21 Junio 1937.

Sr. D. Juan José Domenchina

Valencia.

Querido poeta:

Le envío el trabajo prometido. Son tres cuartillas y media de mi letra, que no llegan a cinco mecanografiadas. Como no tengo máquina, le mando una copia con la mejor letra de mi hermano Pepe, clara y espaciada, en la esperanza de que no salgan demasiadas erratas.

Le agradeceré, sin embargo, que me envíe pruebas —corregidas de primeras— que yo le devolveré inmediatamente. Los gastos del tomo yo los abonaré con mucho gusto al recibo de la imprenta o de la Redacción por Vd. designada.

Creo que desde el próximo mes podré enviarle dos trabajos a

Un cordial saludo de su viejo amigo

Antonio Machado

S/C. Villa-Amparo-Rocafort.

21 junio 1937.

Sr. D. Juan José Domenchina
Valencia.

Querido poeta:

Le envío el trabajo prometido. Son tres cuartillas y media de mi letra, que no llegan a cinco mecanografiadas. Como no tengo máquina, le mando una copia con la mejor letra de mi hermano Pepe, clara y espaciada, en la esperanza de que no salgan demasiadas erratas.

Le agradeceré, sin embargo, que me envíe pruebas —corregidas de primera— que yo le devolveré inmediatamente. Los gastos del tren yo los abonaré con mucho gusto al chico de la imprenta o de la redacción que las traiga.

Creo que desde el próximo mes podré enviarle dos trabajos.

El más cordial saludo de su viejo amigo.

Antonio Machado.

S/C. Villa Amparo - Rocafort.

12 Julio 1937.

Sr. Don Juan José Domenchina.

Valencia.

Querido poeta:

Le envío la cuartilla para el aniversario de la guerra, escrita en tinta china.

Pasado mañana puedo mandar para el catálogo sobre el cuaderno 2.º de la casa de Cultura. En él va una extensa nota sobre Don Juan aparte que no será lo último que escriba en el mismo tema.

Hace muchos días no recibo el periódico [illegible] ¿dónde me lo envía?

Siempre suyo

Antonio Machado

M/ Villa Amparo (Rocafort.) — —

12 julio 1937.

Sr. Don Juan José Domenchina.
Valencia.

Querido poeta:

Le envío la cuartilla para el aniversario de la guerra, escrita con tinta china.

Para mañana puede mandar por el trabajo sobre el Cuaderno 2.º de la Casa de Cultura. En él va una extensa nota sobre su Don Juan apócrifo, que no será lo último que escriba con el mismo tema.

Lleva muchos días sin recibir el periódico. Ruégole ordene me lo envíen.

Siempre suyo.

Antonio Machado.

S/C. Villa Amparo (Rocafort).

Sr. D. Juan José Domenchina.

Querido poeta:

He recibido la colección del Boletín y la copia de mi trabajo. Mil gracias. Para el jueves — acaso antes — le enviaré lo restante. El Cuaderno es inagotable y hercúlea, en verdad, la tarea de comentarlo todo. Siento haberme impuesto una faena tan pesada.

Sigo sin comprender todavía, mi querido amigo, cómo se ha demorado tanto la publicación de mi trabajo. ¿O es que hay algo, complicado con la disolución de la Casa de Cultura, que lo explique? Puede hablarme con entera franqueza. Yo vivo muy aislado y al margen de toda cuestión de carácter político y literario. No sé si leyó V. unas líneas que escribí hace poco, en contestación a alusiones algo estúpidas, no sé de quién ni en qué periódico, y para evitar todo equívoco. Mi posición es bien clara. Sólo tengo motivos de gratitud para el Gobierno; nunca fui objeto de premios políticos, ni he escrito una sola línea contra mis enemigos. Además, soy por temperamento enemigo de toda venganza por motivos mezquinos de interés personal.

El Boletín está muy bien y yo lo leo — cuando me llega, como ahora — con gran interés.

Estoy bastante enfermo, sometido a un estrecho régimen y casi imposibilitado de moverme. Como sospecho que me queda ya poco tiempo para mi obra, desearía poder consagrarme a ella. Yo le enviaré, sin embargo, todos los meses un artículo para el Boletín, sobre tema de mi elección, que yo procuraré adaptar a la índole de esa publicación. Pero antes le enviaré mis notas sobre el Cuaderno 2º, si el Cuaderno 2º no acaba antes conmigo.

[illegible] la copia de lo ya escrito.

Nada tiene Vd. que agradecer a mis palabras sobre su Don Juan. Yo hubiera escrito algo más extenso y mejor, si no me hubiera acompañado la preocupación abrumadora de encontrar la totalidad del Cuaderno. ¡Ahí y no más!

Le quiere siempre, gracias y desea leerle, su viejo amigo

Antonio Machado

P.D. Si escribe a Lavaille, transmítale mis más cordial saludo.

Sr. D. Juan José Domenchina.

Querido poeta:

He recibido la colección del Boletín y la copia de mi trabajo. Mil gracias. Para el jueves —acaso antes— le enviaré lo restante. El Cuaderno es inagotable y hercúlea, en verdad, la tarea de comentarlo todo. Siento haberme impuesto una faena tan pesada.

Sigo sin comprender todavía, mi querido amigo, cómo se ha demorado tanto la publicación de ese trabajo. ¿Es que hay algo, complicado con la disolución de la Casa de la Cultura, que lo explique? Puede hablarme con entera franqueza. Yo vivo muy aislado y al margen de toda cuestión de lavadero político y literario. No sé si leyó V. unas líneas mías que escribí hace poco, en contestación a alusiones algo estúpidas, no sé de quién ni en qué periódico, y para evitar todo equívoco. Mi posición es bien clara. Sólo tengo motivos de gratitud para el gobierno; nunca fui objeto de presiones políticas, ni he escrito una sola línea contra mi conciencia. Además, soy por temperamento enemigo de toda campaña por motivos mezquinos de interés personal.[1]

El Boletín está muy bien y yo lo leo —cuando me llega, como ahora— con gran interés.

Estoy bastante enfermo, sometido a un estricto régimen y casi imposibilitado de moverme. Como comprendo que me queda ya poco tiempo para mi obra, desearía poder consagrarme a ella. Yo le enviaré, sin embargo, todos los meses un

1. Estas alusiones son las de Lucía Sánchez Saornil, publicadas en un artículo titulado «¿Miserias políticas?» (*Fragua Social,* 15 de julio de 1937).

artículo para el Boletín, sobre tema de mi elección, que yo procuraré adaptar a la índole de esa publicación. Pero antes le enviaré mis notas sobre el Cuaderno 2.º, si el Cuaderno 2.º no acaba antes conmigo. Con ellas recibirá V. terminada, la copia de lo ya escrito.

Nada tiene V. que agradecer a mis palabras sobre su Don Juan. Yo hubiera escrito algo más extenso y mejor, si no me hubiera acompañado la preocupación abrumadora de comentar la totalidad del Cuaderno. ¡Una y no más!

Le [...] siempre y admira [...] leerle, su viejo amigo,

Antonio Machado.

P.D. Si escribe a Sarrailh, transmítale mi más cordial saludo.

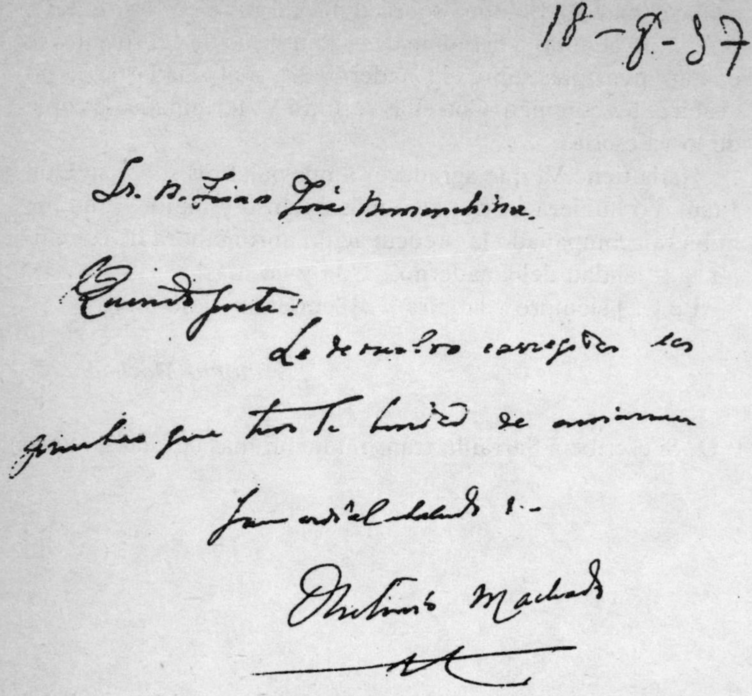

18-8-37.

Sr. Don Juan José Domenchina.

Querido poeta:

Le devuelvo corregidas las pruebas que tuvo la bondad de enviarme.

Un cordial saludo de

Antonio Machado.

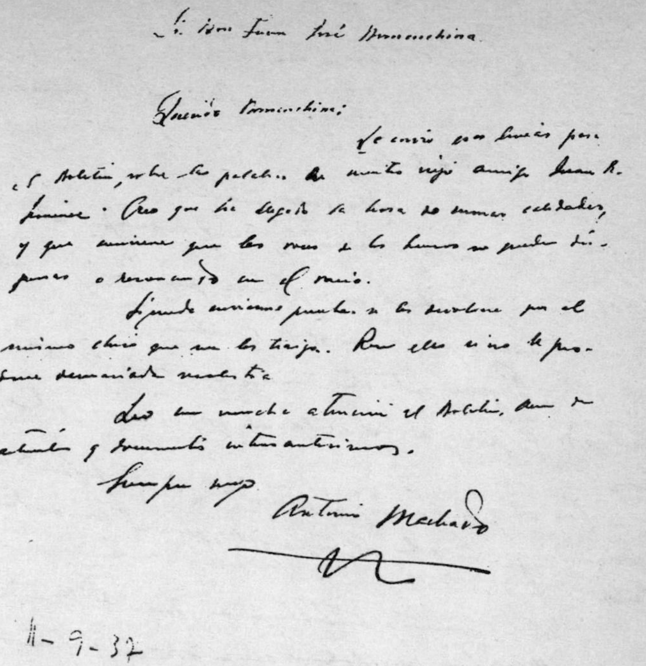

Sr. Don Juan José Domenchina.

Querido Domenchina:

Le envío esas líneas para el Boletín, sobre las palabras de nuestro viejo amigo Juan Ramón Jiménez. Creo que ha llegado la hora de sumar calidades y que conviene que las voces de los buenos no queden dispersas o [...] en el vacío.

Si puede enviarme pruebas se las devolveré por el mismo chico que me las traiga. Pero ello si no le produce demasiada molestia.

Leo con mucha atención el Boletín, lleno de artículos y documentos interesantísimos.

Siempre suyo,

Antonio Machado.

11-9-37.

Sr. Don [illegible]

Rocafort 11 Febrero 1938.

Querido poeta:

Sus versos preciosos.

Aquí trabajo bastante y, aunque siempre atengo a la disposición del Gobierno, me agradaría permanecer en este ambiente más reposado que el de Barcelona.

Preparo, entre otras muchas cosas, una Historia poética de la guerra, con la colaboración gráfica de mi hermano José.

Con esta fecha envío un trabajo para la Defensa [illegible], y otro sobre El Empecinado, para el Comandante Carlos.

Echo de menos su trabajo en Hora de España (Revista).

Muy bien su Boletín, ampliado en Valencia.

Reciba siempre un abrazo de su viejo admirador y amigo

Antonio Machado

Señor Don Juan José Domenchina.

Rocafort, 11 febrero 1938.

Querido poeta:

Los versos prometidos.

Aquí trabajo bastante y aunque siempre estoy a la disposición del gobierno, me agradaría permanecer en este ambiente más reposado que el de Barcelona.

Preparo, entre otras muchas cosas, una Historia poética de la guerra, con la colaboración gráfica de mi hermano José.

Con esta fecha envío un trabajo [...], y otro sobre El Empecinado, para el Comandante Carlos.

Echo de menos su trabajo en *Hora de España* (n.º XIII).

Muy bien su Boletín ampliado con [...].

Disponga siempre de su viejo admirador y amigo

Antonio Machado.

Recepit 28 mar 1938.

Señor Don Juan José Domenchina
Barcelona

Querido poeta:

Le envío esas composiciones para el Boletín. Ruégole vele V. porque no salgan demasiadas erratas. Ya sabe V. que los buenos cajistas, no sólo se equivocan alguna vez, sino que corrigen, de cuando en cuando, las palabras que no entienden. En mis últimos versos publicados hay un gobernable, por gobernalle o gobernallo, que quita la cabeza. Aunque las erratas sean la salsa de los libros —como decía un cajista a nuestro amigo Juanito Ramón— en los versos convendría servirlas aparte.

Veo con profunda satisfacción que no duerme su musa.

Salude en mi nombre, con todo respeto, a Ernestina de Champourcín.

Reciba un fuerte abrazo de su viejo admirador y amigo

Antonio Machado

Rocafort, 26 marzo 1938.

Sr. Don Juan José Domenchina.
Barcelona.

Querido poeta:

Le envío esas composiciones para el Boletín. Ruégole vele V. porque no salgan demasiadas erratas. Ya sabe V. que los buenos cajistas no sólo se equivocan alguna vez, sino que corrigen, de cuando en cuando, las palabras que no entienden. En mis últimos versos publicados hay un *gobernable,* por gobernalle o gobernallo, que quita la cabeza. Aunque las erratas sean la salsa de los libros —como decía un cajista a nuestro amigo Juanito Ramón— en los versos convendría servirlas aparte.

Veo con profunda satisfacción que no duerme su musa.

Salude en mi nombre, con todo respeto, a Ernestina de Champourcín.

Reciba un fuerte abrazo de su viejo admirador y amigo

Antonio Machado.

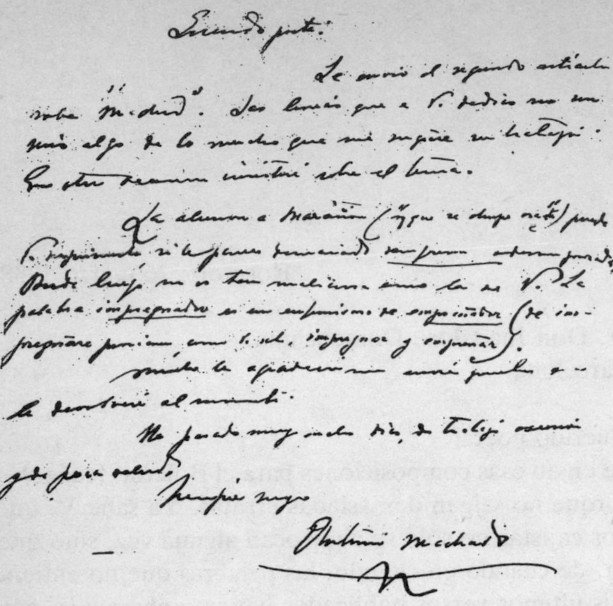

Querido poeta:[2]

Le envío el segundo artículo sobre «Madrid». Las líneas que a V. dedico no son sino algo de lo mucho que me inspira su trabajo. En otra ocasión insistiré sobre el tema.

La alusión a Marañón («y que se chupe esa», etc.) puede V. suprimirla, si le parece demasiado *[...]*. Desde luego no es tan maliciosa como la de V. La palabra *impregnado* es un eufemismo de *empreñado* (de impregnare, provienen, como V. sabe, impregnar y empreñar).

Mucho le agradeceré me envíe pruebas que le devolveré al momento.

He pasado muy malos días, de trabajo excesivo y de poca salud.

Siempre suyo

Antonio Machado.

---

2. Carta dirigida a Juan José Domenchina.

Sr. Don Juan José Domenchina.

Querido poeta:

Le envío las cuartillas sobre Madrid. He estado enfermo y —¡cosa terrible!— sin tabaco durante muchos días trabajando, pues en condiciones lamentables. He hecho un verdadero tour de force por no faltar a mi palabra. Ruégole que me envíe pruebas, pues no he tenido tiempo de dar el último vistazo al trabajo, después de su copia.

Le envío el más cordial saludo su viejo amigo y admirador

Antonio Machado

P.D. He recibido una carta de Guillermo de Torre, pidiéndome colaboración para la revista "Sur" de Buenos Aires. No puedo acceder a su petición, porque es mi propósito que no se publique nada mío en el extranjero que antes no se haya publicado en España, como no sea por encargo del Gobierno. No estoy, ni he estado nunca, ni estaré jamás, au dessus de la mêlée, sino dentro de ella, como el más humilde combatiente.

Sr. Don Juan José Domenchina

Querido poeta:

Le envío las cuartillas sobre Madrid. He estado enfermo y —¡cosa terrible!— sin tabaco durante muchos días, trabajando pues, en condiciones lamentables. He hecho un verdadero *tour de force* por no faltar a mi palabra. Ruégole que me envíe pruebas, pues no he tenido tiempo de dar el último vistazo al trabajo, después de su copia.

Le envía el más cordial saludo su viejo amigo y admirador

Antonio Machado.

P.D. He recibido una carta de Guillermo de Torre, pidiéndome original para la revista *Sur* de Buenos Aires. No puedo acceder a su pretensión, porque de ningún modo quiero que se publique nada mío en el extranjero, que antes no se haya publicado en España, como no sea por encargo del gobierno. No estoy, no he estado nunca, ni estaré jamás *au dessus de la mêlée,* sino dentro de ella, como el más humilde combatiente.

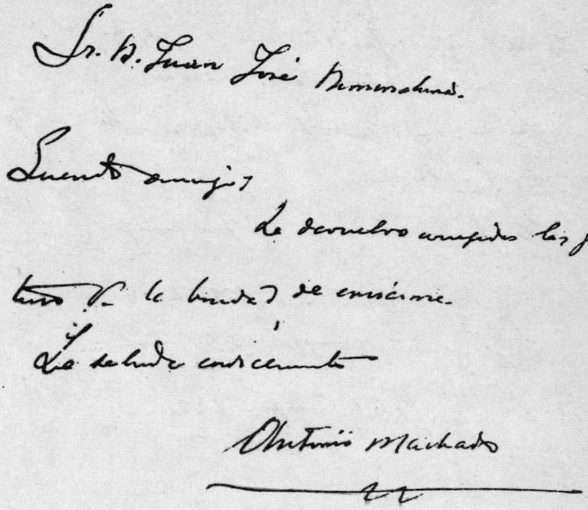

Sr. D. Juan José Domenchina.

Querido amigo:

Le devuelvo corregidas las pruebas
que tuvo V. la bondad de enviarme.

Le saluda cordialmente

Antonio Machado

Sr. D. Juan José Domenchina.

Querido amigo:

Le devuelvo corregidas las pruebas que tuvo V. la bondad de enviarme.

Le saluda cordialmente

Antonio Machado.

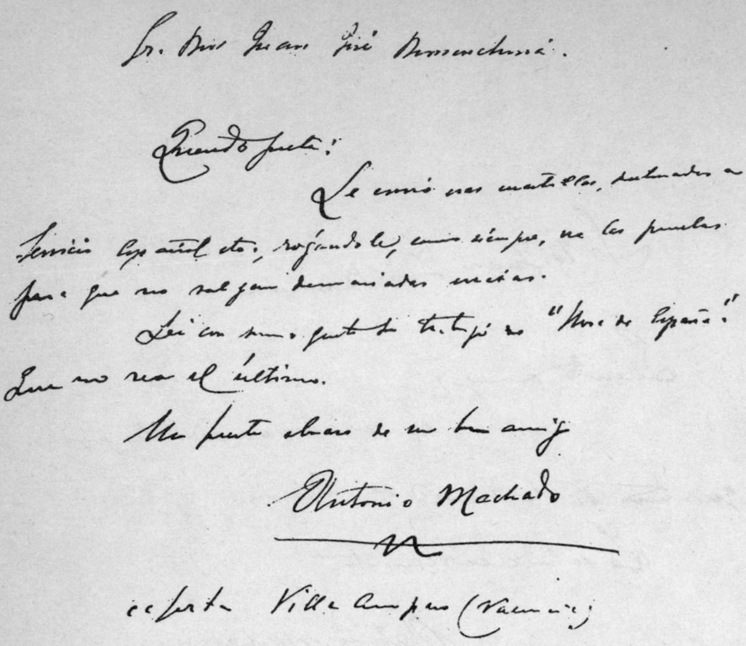

Sr. Don Juan José Domenchina.

Querido poeta:

Le envío esas cuartillas, destinadas a *Servicio Español* etc., rogándole como siempre, vea las pruebas para que no salgan demasiadas erratas.

Leí con sumo gusto su trabajo de *Hora de España.* Que no sea el último.

Un fuerte abrazo de su buen amigo

Antonio Machado.

Rocafort, Villa Amparo (Valencia)

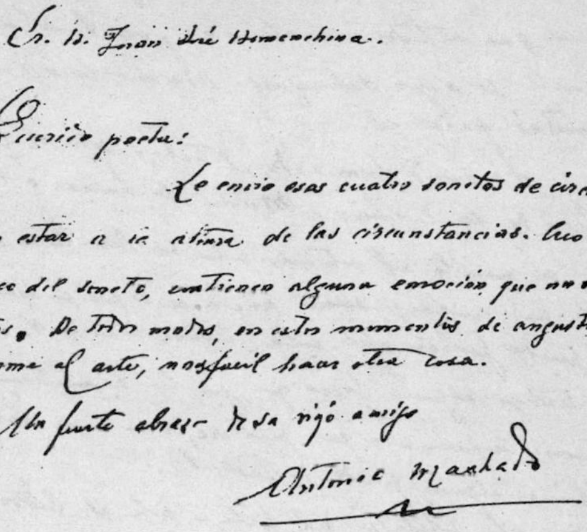

Sr. D. Juan José Domenchina.

Querido poeta:

Le envío esos cuatro sonetos de circunstancias que quisieran estar a la altura de las circunstancias. Creo que dentro del molde barroco del soneto contienen alguna emoción, que no suelen tener los sonetos. De todos modos, en estos momentos de angustia en que la verdad se come al arte, no es fácil hacer otra cosa.

Un fuerte abrazo de su viejo amigo

Antonio Machado.

Sr. Don Juan José Domenchina.

Querido amigo:

Acabo de recibir su amable carta. Parte es, en efecto, en mi dolencia la preocupación de la guerra que a todos nos abruma; pero también el recrudecimiento de viejos achaques. Mucho le agradezco sus cariñosas palabras.

Le envío terminado el trabajo sobre el Cuaderno de la Casa de la Cultura. Mucho le honran a V. sus cumplidos, en cuanto al artículo sobre su libro se refiere. V. sabe, sin embargo, cuan sincero es lo que yo escribo de V. Nadie puede pensar otra cosa. Ahora bien, si V. encuentra en ese trabajo alguna frase que, por las circunstancias actuales, le pareciera inoportuna, o que pudiera, de un modo indirecto, herir o molestar a alguien, puede V. tacharla.

La totalidad del trabajo sobre el Cuaderno es demasiado extensa; pero no he hallado modo de reducirla más. Yo le ruego que lo considere como un solo artículo aunque lo publique ~~en~~ en varios números.

Si V. puede enviarme una prueba de imprenta o unas galeradas de primeras — yo se la devolveré inmediatamente.

Siempre suyo

Antonio Machado

P. D. La carta que envío a Don José Giral tiene por objeto explicar a mi viejo amigo el porqué no puedo yo dirigirle mi renuncia profundizando sobre **las inclemencias**. He suprimido la dedicatoria al Dr. Lafora, por si en las circunstancias actuales pudiera ser inoportuna. Si V. no lo cree así, puede V. restablecerla.

— He leído con gran satisfacción las palabras de Juan Ramón Jiménez. Ha hecho V. muy bien en publicarlas, porque en ellas se rectifica el equívoco que se había formado en torno a Jiménez y su actitud actual.

Sr. Don Juan José Domenchina.

Querido amigo:

Acabo de recibir su amable carta. Parte es, en efecto, en mi dolencia la preocupación de la guerra que a todos nos abruma; pero también el recrudecimiento de viejos achaques. Mucho le agradezco sus cariñosas palabras.

Le envío terminado, el trabajo sobre el Cuaderno de la Casa de la Cultura. Mucho lo honran a Vd. sus [...], en cuanto al artículo sobre su don Juan se refiere. V. sabe, sin embargo, cuán sincero es lo que yo escribo de V. Nadie puede pensar otra cosa. Ahora bien, si V. encuentra en ese trabajo alguna frase que, por las circunstancias actuales, le pareciese inoportuna, o que pudiere, de un modo indirecto, herir o molestar a alguien, puede V. tacharla.

La totalidad del trabajo sobre el Cuaderno es demasiado extensa; pero no he hallado modo de reducirla más. Yo le ruego que lo considere como un solo artículo, aunque lo publique en varios números.

Si V. puede enviarme una prueba de imprenta —corregida de primera— yo se la devolvería inmediatamente.

Siempre suyo

Antonio Machado.

P.D. La nota que dedico a don José Giral tiene por objeto explicar a mi viejo amigo el porqué no puedo yo disertar con demasiada profundidad sobre *las melaninas*. He suprimido la dedicatoria al Dr. Lafora, pues en las circunstancias actuales pudiera ser inoportuna. Si V. no lo cree así, puede V. restablecerla.

He leído con gran satisfacción las palabras de Juan Ramón Jiménez. Ha hecho V. muy bien en publicarlas, porque en ellas se trasluce el [...] en la cultura actual.

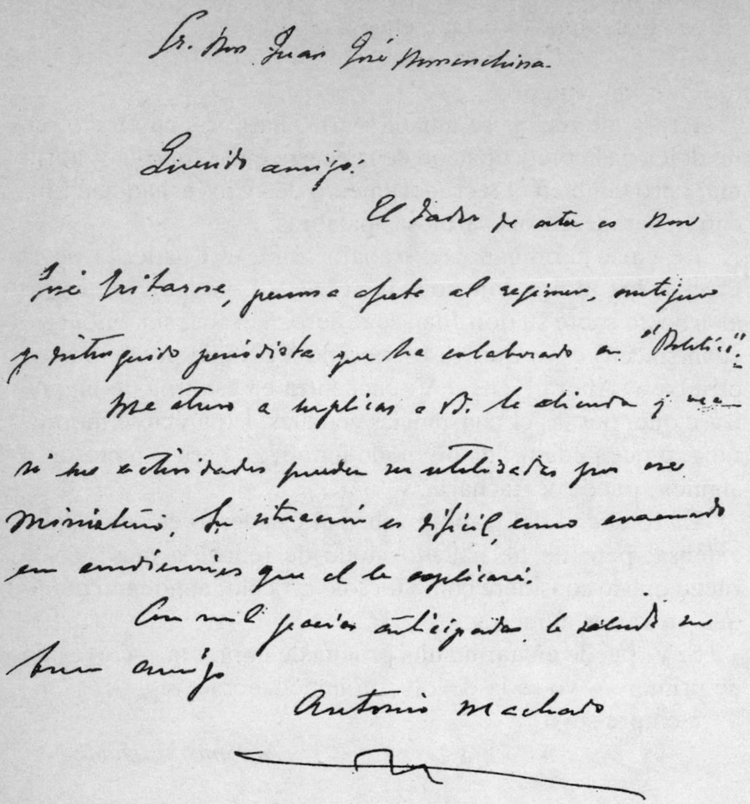

Sr. Don. Juan José Domenchina.

Querido amigo:

El dador de esta es Don José Iribarne, persona afecta al régimen, antiguo y distinguido periodista que ha colaborado en *Política*.

Me atrevo a suplicar a V. le atienda y vea si sus actividades pueden ser utilizadas por ese Ministerio. Su situación es difícil, como [...] que él le explicará.

Con mil gracias anticipadas le saluda su buen amigo

Antonio Machado.

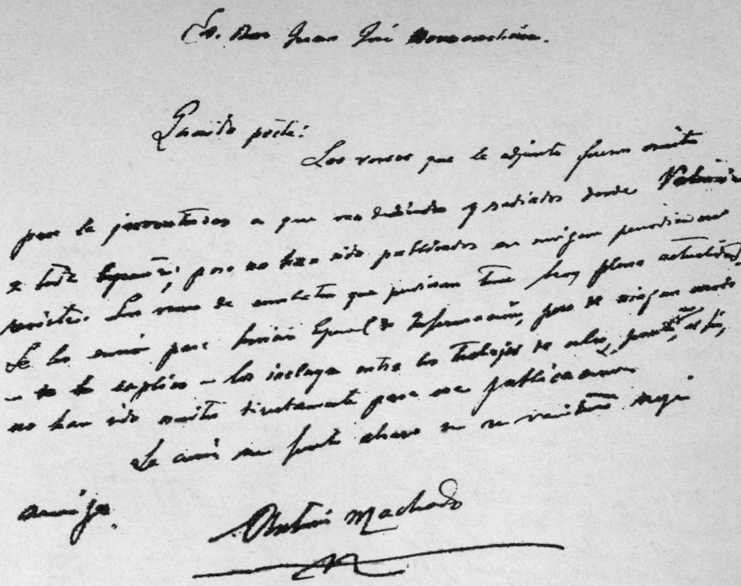

Sr. Don Juan José Domenchina.

Querido poeta:

Los versos que le adjunto fueron escritos para las Juventudes a que creo [...] y radiados desde Valencia a toda España; pero no han sido publicados en ningún periódico ni revista. Son versos de combate que pudieran tener hoy plena actualidad. Se los envío para *Servicio Español de Información,* pero de ningún modo —se lo suplico— los incluya entre trabajos de saldo, puesto que, al fin, no han sido escritos directamente para esa publicación.

Le envía un fuerte abrazo su [...] viejo amigo

Antonio Machado.

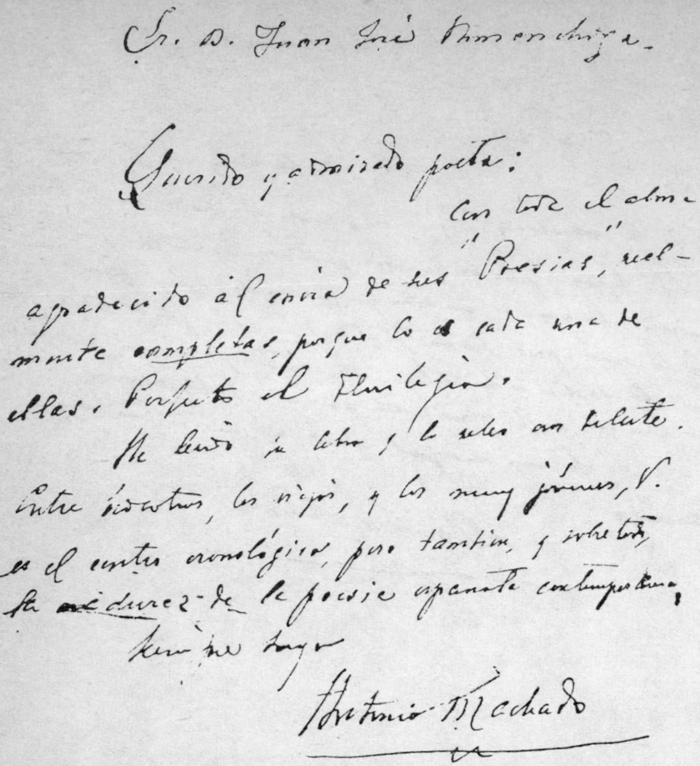

Sr. Don Juan José Domenchina.

Querido y admirado poeta:

Con toda el alma agradecido al envío de sus *Poesías* realmente *completas*, porque lo es cada una de ellas. Perfecto el Florilegio.

He leído su libro y lo releo con deleite.

Entre nosotros, los viejos, y los muy jóvenes, V. es el centro cronológico, pero también, y sobre todo, la madurez de la poesía española contemporánea.

Siempre suyo

Antonio Machado.

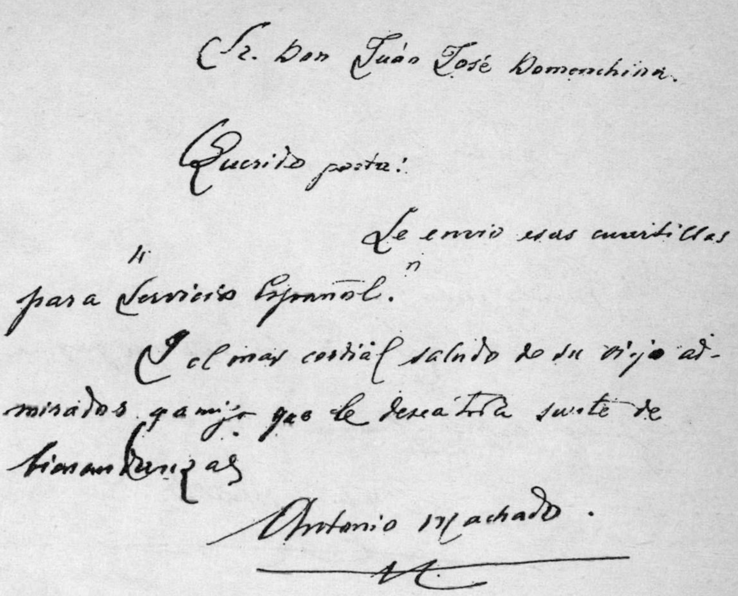
Sr. Don Juan José Domenchina.

Querido poeta:

Le envío esas cuartillas para Servicio Español.

Y el más cordial saludo de su viejo admirador y amigo que le desea toda suerte de bienandanzas

Antonio Machado.

Sr. Don Juan José Domenchina.

Querido poeta:
Le envío esas cuartillas para *Servicio Español.*
Y el más cordial saludo de su viejo admirador y amigo que le desea toda suerte de bienandanzas

Antonio Machado.

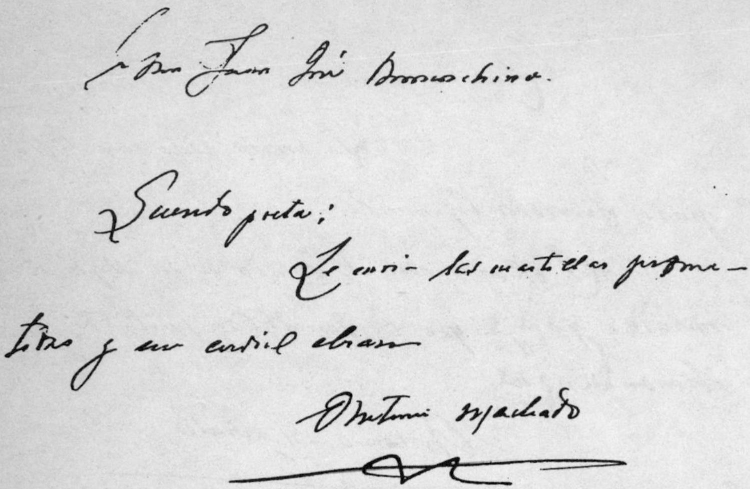

Sr. Don Juan José Domenchina.

Querido poeta:
Le envío las cuartillas prometidas y un cordial abrazo

Antonio Machado.

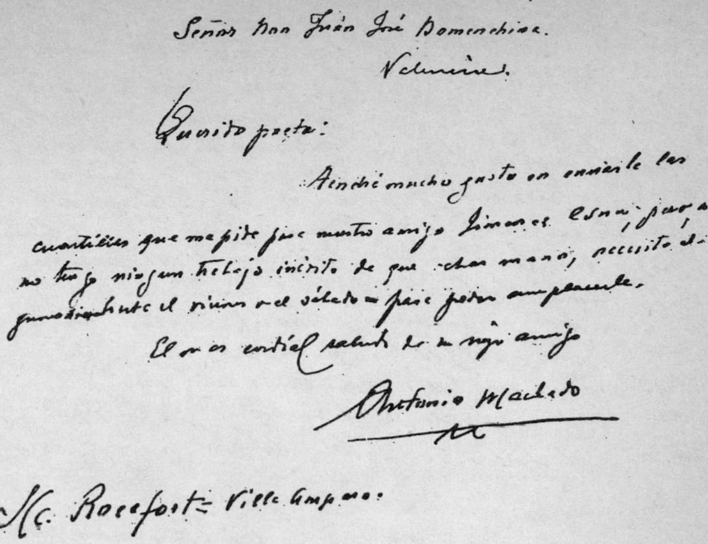

Señor Don Juan José Domenchina.
Valencia.

Querido poeta:

Tendré mucho gusto en enviarle las cuartillas que me pide para nuestro amigo Jiménez [...]; pero como no tengo ningún trabajo inédito de que echar mano, necesito algunos días, hasta el viernes o el sábado para poder complacerle.

El más cordial saludo de su viejo amigo

Antonio Machado.

S/C. Rocafort, Villa Amparo

Rocafort (Valencia)
6-2-38

Queridos amigos del Socorro Rojo Internacional: Tengo el gusto de remitirles el trabajo que les prometí sobre Juan Martín, el Empecinado, acompañado de un retrato del guerrillero, obra de mi hermano José para que tengan la bondad de remitirlo al Comandante Carlos.

Para un libro sobre la guerra que proyectamos me convendría tener un retrato y algunos datos biográficos del Comandante Carlos. ¿Cómo podríamos hacernos de ellos? Como no se trata de hacer biografías [illegible] [illegible] [illegible] [illegible] datos biográficos que se necesitan [illegible] de ser [illegible] y acaso [illegible] Comandante Carlos [illegible] [illegible] escribírnos. Mucho les agradeceré que se los pidan de mi parte, enviándole también mi más cordial saludo.

Dispongan siempre de su buen amigo

Antonio Machado

[illegible]

Rocafort, Valencia.
6-2-38.

Queridos amigos del Socorro Rojo Internacional: Tengo el gusto de remitirles el trabajo que les prometí sobre Juan Martín, el Empecinado, acompañado de un retrato del guerrillero, obra de mi hermano José, para que tengan la bondad de remitirlo al Comandante Carlos.

Para un libro sobre la guerra que proyectamos me convendría tener un retrato y algunos datos biográficos del Comandante Carlos. ¿Cómo podríamos hacernos de ellos? Como no se trata de hacer biografías muy detalladas, sino estampas literarias ligeras, los datos biográficos que se necesitan han de ser breves, y acaso el mismo Comandante Carlos pueda dedicar algunos minutos a escribirlos. Mucho les agradeceré que se los pidan de mi parte, enviándole también mi más cordial saludo.

Dispongan siempre de su buen amigo

Antonio Machado.

P.D. Mucho les agradecería el envío de la Revista en que se publique el trabajo.

Sr. D. Carlos G. Cortines.

[illegible], 8 febrero 1921

Querido y admirado amigo:

He recibido su amable carta y con [illegible] su retrato y su biografía. Mil gracias. En todo lo que yo escriba utilizaré los datos de su admirable vida que me remite, para [illegible] y [illegible] aunque ellos son de tal elocuencia que pudieran publicarse sin comentarios. Recibí también el periódico de [illegible] persona [illegible] poner muy de relieve la actuación del [illegible] en la época heroica de nuestra guerra. Todo ello [illegible] para ayudar a los historiadores del porvenir [illegible] el tiempo pasa y todo lo [illegible] pero los hechos grandes deben quedar en bronce o en [illegible].

Celebro que le agradaran mis [illegible] [illegible] por [illegible] a la mano y [illegible] [illegible] [illegible].

Ilustrado tenía [illegible] entre las víctimas de la [illegible] [illegible] compañeros, fusilados en Málaga. Con [illegible] las [illegible] que me podía suministrar. [illegible] sobre [illegible] y [illegible] y [illegible] [illegible].

[illegible] siempre, [illegible] [illegible], [illegible] [illegible] [illegible] [illegible] [illegible] y [illegible] satisfacer el [illegible] [illegible] [illegible] de mucho tiempo, y de [illegible] [illegible].

Con el afecto de mi [illegible] y de toda [illegible] [illegible] de su buen amigo

Antonio Machado

Sr. D. Carlos J. Contreras.

Rocafort, 18 febrero 1938.

Querido y admirado amigo:

He recibido su amable carta y con ella sus retratos y su biografía. Mil gracias. Es todo lo que yo necesitaba. Utilizaré los datos de su admirable vida que me remite, para el trabajo que voy a emprender, aunque ellos son de tal elocuencia que pudieran publicarse solos sin comentarios. Y citaré también el periódico de Milicias Populares porque deseo poner muy de relieve la actuación del glorioso 5.° Regimiento en la época heroica de nuestra guerra. Y todo ello con datos auténticos para ayudar a los historiadores del porvenir con mi aportación humilde pero ardiente y sincera. El tiempo pasa y todo lo enturbia pero los hechos grandes deben quedar en bronce si es posible.

Celebro que le agraden mis líneas sobre Juan Martín. Tengo muy pocos libros a la mano y cuanto escribo es fiado un poco a la memoria.

Anotados tenía —entre las víctimas de la reacción fernandina— a Torrijos y a sus compañeros fusilados en Málaga. Con muchísimo gusto pues, le enviaré las líneas que me pide sobre ese tema. También escribiré algo sobre los Mina —tío y sobrino— y sobre otros guerrilleros ilustres.

Mándeme siempre, nada tiene V. que agradecerme. Es para mí un gran consuelo y una plena satisfacción el acompañarles con la pluma ya que mi espada se melló hace tiempo y de nada serviría en la actual contienda.

Con mil afectos de mi hermano José y de toda esta casa, queda de V. su buen amigo

Antonio Machado.

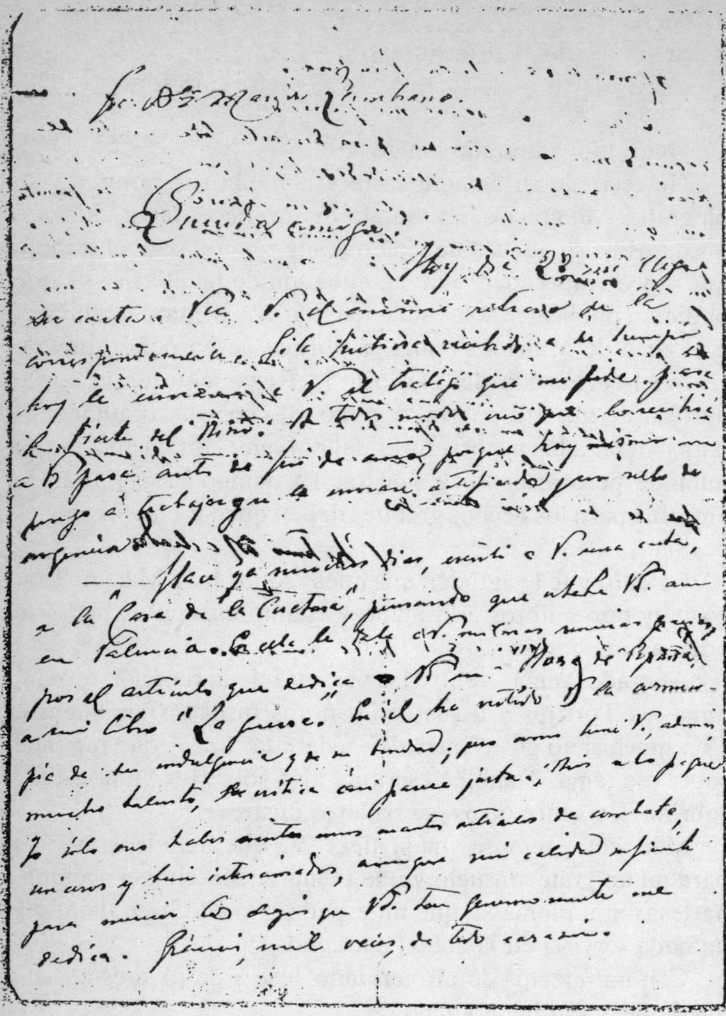
Sr. D.ª María Zambrano.

Querida amiga:

Hoy de Roma me llega su carta [illegible] relativa de la correspondencia [illegible] de tiempo [illegible] hoy le enviaré a V. el trabajo que me pide para [illegible] del Niño. De todos modos [illegible] antes de fin de año, porque hoy [illegible] pongo a trabajar [illegible] urgencia [illegible]

Hace ya muchos días, escribí a V. una carta, a la "Casa de la Cultura", pensando que estaba Vd. aun en Valencia [illegible] por el artículo que dedicó Vd. en "Hora de España" a mi libro "La guerra". En él he notado [illegible] de su indulgencia y de su bondad; pues como tiene V., además de mucho talento, su crítica me parece justa. Yo sólo he sabido escribir unos cuantos artículos de combate, sinceros y bien intencionados, aunque sin calidad suficiente para merecer los elogios que Vd. tan generosamente me dedica. Gracias, mil veces, de todo corazón.

¿Cómo le va a V. en Barcelona?

Diga V. a su padre, mi querido Don [illegible], que lo recuerdo mucho, y siempre para desearle toda suerte de bienandanzas y de felicidades. Dígale que, hace unas noches, soñé que nos encontrábamos otra vez en Segovia, [illegible] él y yo, y [illegible] conversábamos, como en los buenos tiempos, en que él y yo, con otros buenos amigos, trabajábamos por la futura República. Íbamos al pie del acueducto y su papá recitando a los arcos de piedra me dijo estas palabras: [illegible] Veo, sí, aunque mediados, [illegible] y bellas, porque [illegible] en Segovia [illegible] amistad [illegible] que tengo en Segovia [illegible] palabras [illegible]

Saluda a V. afectuosamente [illegible] y disponga [illegible] de su viejo amigo

Antonio Machado

Rocafort (Valencia) Villa Amparo.

Sra. Dña. María Zambrano.

Querida amiga:

Hoy día 22 llega su carta. Vea V. el enorme retraso de la correspondencia. Si la hubiera recibido a su tiempo hoy le enviaría a V. el trabajo que me pide para la fiesta del «Niño». De todos modos, creo que lo recibirá V. para antes de fin de año, porque hoy mismo me pongo a trabajar y lo enviaré certificado por sello de urgencia.

Hace ya muchos días, escribí a V. una carta a la «Casa de la Cultura», pensando que estaba V. aún en Valencia. En ella le daba a V. mis más sinceras gracias por el artículo que dedica V. en *Hora de España* a mi libro *La guerra.* En él ha vertido V. la cornucopia de su indulgencia y de su bondad; pero como tiene V., además, mucho talento, su crítica casi parece justa. Dios se lo pague. Yo sólo creo haber escrito unos cuantos artículos de combate, sinceros y bien intencionados, aunque sin calidad suficiente para merecer los elogios que V. tan generosamente me dedica. Gracias mil veces de todo corazón.

¿Cómo le va a V. en Barcelona?

Diga V. a su padre, mi querido amigo don Blas, que lo recuerdo mucho, y siempre para desearle toda suerte de bienandanzas y de felicidades. Dígale que, hace unas noches, soñé que nos encontrábamos otra vez en Segovia, libre de fascistas y de reaccionarios, como en los buenos tiempos en que él y yo, con otros viejos amigos, trabajábamos por la futura República. Estábamos al pie del acueducto y su papá, señalando a los arcos de piedra, me dijo estas palabras: «Vea V., amigo Machado, cómo conviene amar las cosas grandes y bellas, porque ese acueducto es el único amigo que hoy nos queda en Segovia». «En efecto —le contesté— palabras son dignas de su arquitecto».

Salude a su esposo en nombre mío y disponga siempre de su viejo amigo

Antonio Machado.

Rocafort (Valencia), Villa Amparo.

MANIFIESTOS Y DECLARACIONES

(Valencia-Rocafort, noviembre 1936 - abril 1938)

NUESTROS REPORTAJES. UNOS MINUTOS DE CHARLA CON EL EXIMIO POETA ANTONIO MACHADO[1]

En el paisaje luminoso y alegre de Rocafort, entre el maravilloso verdor de los pinos, naranjos y rosales que decoran aquellos lugares, Antonio Machado, el insigne poeta, que en unión de su hermano Manuel dio al teatro español tantas jornadas gloriosas, mira el discurir de estos días terribles, en los que entre el fragor de las armas que hablan con atronadora voz y el ¡ay! de los compañeros caídos para siempre, se está forjando una nueva España que lleva un lema de justicia. La fina sensibilidad del exquisito vate hace de aquel lugar, acogedor y sugestivo en extremo, un templo donde su poesía puede encontrar todo el *ritornello* de sus voces maravillosas.

La salud, bastante delicada, del poeta, no ha constituido obstáculo para que nos reciba cariñosamente. Rodeado del cuidado de los suyos, Antonio Machado comparte con ellos las molestias de un desplazamiento forzoso, que el Gobierno,

---

1. *Fragua Social,* 19 de diciembre de 1936.

para bien de nuestro teatro, ha querido imponerle. Cuando habla de ello, tienen sus labios un temblor de gratitud.

—No creía merecer tanto —me ha dicho—. A no haber sido por ese gesto del Gobierno, yo hubiese continuado allí... Consciente de que por mi edad y por mi salud quebrantada no podía colaborar directamente en lo que significa defensa de la ciudad, creía como un deber ineludible permanecer al lado de los que luchan, para compartir con ellos las penalidades de aquel asedio.

—¿Ha tocado directamente las consecuencias de algún bombardeo?

—No... en lo que a mí respecta. No puedo decir otro tanto de mis familiares, puesto que uno de mis hermanos ha visto destrozada su casa por una bomba criminal...

—¿Qué impresión le produjo la sublevación de la militarada?

—En un principio, de estupor; después, cuando pude ver la salida de aquellos primeros luchadores para el frente de la Sierra, sin más armamento que alguna escopeta de caza, tuve fe en la resurrección de España... Aquello fue la heroica barrera que segó en flor la marcha triunfal de la bárbara bestia...

—¿Preparaba algo para el teatro en aquel tiempo?

—Si... Se trataba, precisamente, de una obra que tiene alguna relación con la lucha que se desarrolla en nuestro país... *El hombre que volvía de la guerra.*

—Una pregunta, don Antonio: ¿y su hermano Manuel?

El semblante plácido del exquisito poeta pierde su animación.

—En Burgos...

Ante el gesto de sorpresa que no sé reprimir, aclara:

—Marchó allí unos días antes del levantamiento, para solventar unos asuntos familiares, y allí le sorprendió la Revolución.

—¿Tienen noticias de él?

—No.

Un caza leal ejecuta durante un buen rato evoluciones arriesgadísimas a muy poca altura, describiendo círculos en torno del chalet. Esto aleja nuestra conversación de aquel tema desagradable. Ahora, sobre el yunque de nuestro diálogo, salta la figura de García Lorca.

—No puedo creer que haya sido asesinado —me dice—. Sin saber por qué, tengo la firme esperanza de que esa gran desgracia no se habrá consumado... El teatro de Federico no era revolucionario. Todo lo más que podían achacarle era que se nutría de la más pura cantera popular.

—¿Veía usted en él al renovador de nuestro teatro?

—Todavía no... La obra de García Lorca empezaba ahora a tomar bríos...

—¿Qué influencia ejercerá la Revolución en el teatro?

—Es de presumir que trastocará por completo los métodos al uso... Nuestro teatro se caía de viejo.

—¿Piensa usted cantar esta maravillosa gesta que estamos viviendo?

—Por ahora, no... Estamos demasiado cerca de ella... Lo grandioso necesita de la pátina del tiempo para poder juzgarlo en todo su valor...

—¿Qué impresión le ha producido los debates sobre la guerra española en la Sociedad de Naciones?

—Bastante buena... A mi juicio, Álvarez del Vayo ha estado acertadísimo al plantear la cuestión como lo ha hecho. En realidad, en nuestro país se está jugando una carta decisiva para la paz del mundo. Las últimas declaraciones de Eden, en lo que respecta a la necesidad de que la integridad territorial de España sea respetada, aclara un tanto las nubes amenazadoras que se cernían sobre el horizonte internacional.

—Y respecto a nosotros, respecto a nuestra Revolución, ¿qué criterio cree que habrá de imponerse?

—Ninguno concreto... Estamos en un momento en que es absolutamente precisa la más estrecha compenetración de todas las organizaciones y partidos, puesto que todas nuestras energías deben de concentrarse en un fin único: aplastar al fascismo. Después, cuando este caro ideal se haya logrado, todos y cada cual deberán ceder un tanto de sus postulados y doctrinas, para llegar a la perfecta armonía que se requiere para estructurar sin grandes vicios de origen la nueva sociedad.

Antonio Machado es un bebedor de café impenitente. Con encantadora amabilidad, me invita. Y allí, en [el] alegre comedor del chalet, que tiene vistas a la ubérrima vega y a la verde tonalidad del mar que el poeta cantara tantas veces, el insigne autor de *La Lola se va a los puertos* sueña en voz alta con una España nueva, forjada a costa de la sangre que nuestros hermanos derraman en el frente de combate.

ANTONIO MACHADO EN VALENCIA. EL INSIGNE POETA ESPAÑOL DICE:[2]

La guerra está en contra de la Cultura, pues destruye todos los valores espirituales.

En esta trágica guerra civil, provocada por las fuerzas que representan los intereses imposibles, antiespañoles, antipopulares y de casta, se ventila el destino del espíritu, su persistencia como valor superior de la vida. Y es el pueblo quien defiende el espíritu y la Cultura. El amor que yo he visto en los milicianos comunistas guardando el palacio del Duque de Alba, sólo tiene comparación con el furor de los fascistas destruyéndolo.

El fascismo es la fuerza de la incultura, de la negación del espíritu. El pueblo guarda las obras de arte con calor, y el fascismo las destruye con saña, intencionadamente, por ser obra del espíritu y de la Cultura. Yo lo afirmo rotundamente. El Museo del Prado, la Biblioteca Nacional han sido bombardeados, sin otra motivación bélica que la fatal necesidad de destruir que siente el fascismo. He visto las huellas de las bombas dirigidas a esos templos de la Cultura.

---

2. Entrevista concedida por Antonio Machado a su llegada a la Casa de la Cultura de Valencia. Según informa *La Vanguardia* del domingo 29 de noviembre de 1937, Antonio Machado se despidió «con un recuerdo al Quinto Regimiento de las Milicias Populares, y con el deseo emocionado del triunfo de las fuerzas de la cultura sobre las de la incultura».

Los intereses culturales —añade— están en peligro. Los vandálicos bombardeos lo demuestran. La cultura es un objetivo militar para los fascistas, y para destruirla envían sus aviones internacionales como embajadores de las fuerzas negativas de la historia. Ante esta contienda, el intelectual no puede inhibirse. Su mundo está en peligro. Ha de combatir, ser un miliciano. Una muestra espléndida y valiosa de la militarización de los trabajadores del espíritu es ese *Romancero de la guerra,* nutrido por la emoción poética de una juventud que necesita vivir plenamente y que ha levantado con coraje la bandera de la Libertad, vinculada al pueblo. Junto al pueblo ha de estar el intelectual. Y en contra de los enemigos del pueblo, que es el más interesado defensor de la Cultura.

El porvenir lo defiende el pueblo —prosigue el insigne poeta—. Y el pasado. Los museos son el recinto de la historia del espíritu, del pasado espiritual. Los fascistas los bombardean e incendian. El pueblo monta guardias en el Museo del Prado, en la Biblioteca Nacional, en el palacio del Duque de Alba... Todo el mundo debe desear el triunfo del pueblo, porque representa el porvenir como continuidad histórica del pasado.

La humanidad entera está interesada en esta guerra porque las obras de cultura que destruye el fascismo no son patrimonio sólo del pueblo español: son de la humanidad. Los milicianos, custodiando estas obras, indican un fondo de cultura superior y se erigen en Milicianos de la humanidad al defender sus intereses espirituales.

Los intelectuales extranjeros están con el pueblo español. Ya hay valiosas pruebas de ello. Y esta adhesión ha de acentuarse más porque el intelectual es el representante inmediato de la cultura. Ante la destrucción de las valiosas obras de arte por los fascistas, el intelectual de todas las latitudes ha de reaccionar en contra. No puede permanecer impasible ante la destrucción de *Las Meninas,* como no quedaría impasible ante la destrucción de la Capilla Sixtina, del Museo Británico o del Louvre.

La cultura española pertenece al mundo.

Con Lorca —dice con honda emoción Machado— se ha perpetrado el crimen más estúpido y condenable. García Lorca vivía al margen de la política, pero dentro de la auténtica alma popular. Esta es su falta, que ha pagado con la muerte. La evidente enemistad del fascismo con el espíritu ha determinado el fusilamiento de Lorca, no una enemistad política, que podría justificarlo más o menos.

También Emiliano Barral ha muerto. Su cadáver representa el sacrificio heroico de la cultura en lucha contra el fascismo. Parece que al fascismo le enojó la entusiasta actividad de Barral en el salvamento de gran parte de las obras de arte de Toledo.

Una obligación inmediata e imperativa tiene todo intelectual: la de ser un miliciano más con un destino cultural. Los milicianos custodian los museos y bibliotecas, protegen las vidas de los intelectuales representativos: nosotros continuaremos la obra de la cultura popular y empujaremos hacia el término este renacimiento del espíritu español que el fascismo ha querido cortar. Hoy estamos a disposición del ministro de Instrucción Pública, como milicianos del Estado español, popular, democrático y republicano.

LOS SABIOS Y ARTISTAS, TRASLADADOS A VALENCIA POR EL 5.º REGIMIENTO, EXPRESAN SU GRATITUD AL COMANDANTE CARLOS

Comandante Carlos: A usted, como jefe de los camaradas milicianos del 5.º Regimiento venidos con nosotros en la expedición del día 23, tenemos el gusto y el deber de decir que la conducta y atenciones de ellos para con nosotros ha sido ejemplar durante el trayecto.

Felicitamos cordialmente a ustedes, los jefes de tales milicianos, y le rogamos a usted que les transmita la excelente impresión y el buen recuerdo que dejan en todos los expedicionarios.

Isidro S. Covisa; E. Moles; P. del Río Hortega; A. Duperier; A. Madinaveitia; M. Prados y Such; J.M. Sacristán; J. Moreno Villa; *Antonio Machado;* F. Pascual.

TELEGRAMA CON MOTIVO DE LA MUERTE DE RALPH FOX[3]

Profundamente conmovidos por heroica muerte camarada Ralph Fox, la Alianza de Intelectuales Antifascistas Españoles expresa su dolor a todos los escritores antifascistas ingleses.

Antonio Machado; José Bergamín; Wenceslao Roces; Luis Cernuda; Emilio Prados; María Teresa León; Rafael Alberti.

MANIFIESTO DE LOS INTELECTUALES MADRILEÑOS, CONDENANDO UNAS DECLARACIONES DEL DR. MARAÑÓN[4]

No nos importa nada su defección —dicen— si no hubiera injuriado a la República. Los intelectuales que vivimos en España podemos decir que no nos hallamos prisioneros ni perseguidos. Tenemos las puertas abiertas y hemos recibido atenciones de las autoridades, sin coacción alguna.

Marañón alude a su novelesca fuga. Hay que hacer constar que Marañón salió de España provisto de un pasaporte de la Dirección General de Seguridad y un salvoconducto del Ministerio de Instrucción Pública, y que le acompañaron hasta Alicante milicias del 5º Regimiento.

Salió de Madrid diciendo que lo hacía contra su voluntad, como médico de Menéndez Pidal, a quien acompañaba. Ma-

---

3. Publicado en *El Mono Azul,* 11 de febrero de 1937.

4. *La Vanguardia,* 7 de marzo de 1937. Entre los firmantes destacamos a Jacinto Benavente, Antonio Machado, Victorio Macho, León Felipe, etc.

rañón salió de España con su hijo, perteneciente entonces al Ejército regular español. Esta es la «tiranía» de la República, que no sólo otorga el pasaporte a intelectuales ilustres, sino a sus hijos, obligados a servirla con las armas, en momentos de movilización general.

Si la tragedia de su patria le lleva hacia la España de Franco, allí podrá encontrar un caso ejemplar al que atemperar su conducta: el de Unamuno, muerto de dolor, de vergüenza y de asco, en la atmósfera irrespirable y asfixiante de la Salamanca fascista.

LLAMAMIENTO A LA CONCIENCIA UNIVERSAL ANTE LAS DESCARADAS AGRESIONES DE ALEMANES E ITALIANOS CONTRA CIUDADES ABIERTAS Y BARCOS ESPAÑOLES[5]

Ante las últimas y descaradas agresiones alemanas e italianas contra ciudades abiertas y barcos de transporte españoles, cometidas so color de represalias por actos que no fueron sino afirmación de voluntad independiente y para repeler ataques solapados y continuos, llevados a cabo por los mismos que blasonaban de vigilar en previsión de extralimitaciones ajenas, los que suscriben este documento, hombres de ciencia, artistas y escritores de España, no agrupados en un partido político, pero sí unánimes en la defensa de un régimen libremente elegido por el pueblo español y acatando al único Gobierno legítimo, nacido del voto popular, se dirigen a los hombres de todos los países, no para lanzar una protesta inútil, sino para hacer un llamamiento a la conciencia universal, que no puede permanecer indiferente ante hechos tales, como no permanecerían ajenos los que hoy aquí firman, ante hechos análogos, si en cualquier lugar y con cualquier pretexto pudieran susci-

5. *La Vanguardia,* 6 de junio de 1937. La lista de suscriptores va encabezada como sigue: Jacinto Benavente, Antonio Machado, Pablo Picasso, Pío del Río Hortega, Serafín Álvarez Quintero, Mariano Benlliure, Pedro Bosch Gimpera, etc., etc.

tarse el día de mañana —por indiferencia ante las tropelías de hoy—, en menosprecio y amenaza de los otros pueblos civilizados.

INTELECTUALES, ARTISTAS Y HOMBRES DE CIENCIA EXPRESAN SU AMOR A LA INDEPENDENCIA DE ESPAÑA[6]

Telegrama al doctor Negrín

«Seguros de interpretar el pensamiento de todos los españoles que se dedican con su esfuerzo a mantener vivas nuestras mejores tradiciones, le felicitamos calurosamente por sus magníficos discursos que representan el sentir de todos los sectores de nuestra patria, incluso la inmensa mayoría de los que viviendo en zona facciosa ponen por encima de todas las ideologías el amor a la independencia de España. Todo nuestro pueblo unido vibra con entusiasmo ante la serena y decidida palabra de su representante en la Sociedad de Naciones.»

Antonio Machado; Jacinto Benavente; Manuel Márquez, decano de la Facultad de Medicina de Madrid; Tomás Navarro Tomás, director de la Biblioteca Nacional; Victorio Macho; Pedro Carrasco, director del Observatorio Astronómico de Madrid; José María Ots, decano de la Facultad de Derecho de Valencia; José Puche, rector de la Universidad de Valencia; José Bergamín; doctor J.M. Sacristán; doctor Miguel Prados; doctor González Aguilar, profesor de la Facultad de Medicina de Valencia; Salvador Bacarisse, vicepresidente del Conservatorio Nacional de Música; y Corpus Barga.

---

6. Telegrama enviado a Ginebra el 20 de septiembre de 1937, y publicado en *La Vanguardia* el 21 de septiembre.

LOS PROFESORES Y LOS ARTISTAS ESPAÑOLES APELAN A LA CONCIENCIA DEL MUNDO[7]

Somos un grupo de intelectuales españoles, lo que vale tanto como decir españoles consagrados por hábito y profesión a las tareas de la inteligencia, que son faenas de la paz; y sabemos muy bien que nuestra voz carece de timbre marcial, para ser escuchada con voz de combate. Si la guerra en que España vive empeñada hace más de siete meses fuera simplemente una guerra, con todos los horrores que la guerra comporta, pero atenida a ese mínimum de normas humanitarias, que se llama derecho de gentes, hubiéramos guardado silencio fuera de España. Pero no hemos podido, ni podemos, callarnos; nos obliga a gritar un deber imperioso. Porque la guerra que hacen los rebeldes ha roto todos los diques de la moral, ha abierto todas sus esclusas, y es un torrente de iniquidad que amenaza anegar a España entera.

Recordamos a la conciencia del mundo la sañuda persecución aérea y artillera de que se ha hecho víctima a los no combatientes —ancianos, mujeres y niños— de toda la España leal, a los fugitivos no beligerantes de Málaga, y, en estos últimos días, a todos aquellos que se refugiaron en ciudades abiertas, alejadas de la guerra y consagradas al trabajo, como Valencia y Barcelona.

Por si esta contienda que ensangrienta a España fuera, como alguien sospecha, un anticipo, un «ensayo» de la futura —acaso inevitable— guerra mundial, al mundo entero le conviene saber esto: la guerra tiende a perder toda sombra de dignidad humana, porque empieza a hacerse de una manera fría y sistemática contra los indefensos y los inofensivos. Si este ejemplo cunde, porque no despierta la indignada repulsa del mundo entero, en lo futuro, no sólo combatirán los ejércitos entre sí, sino también, y sobre todo, el elemento armado

---

7. Publicado en *La voz de la inteligencia y la lucha del pueblo español,* pp. 63-65, editado por el Comisariado de Propaganda de la Generalitat de Catalunya, en París, 1937, con prólogo de Carles Pi i Sunyer.

de cada nación contra la población inerme de la nación adversaria; lo que quiere decir que no son ya los individuos, ni los pueblos, sino la especie humana en su totalidad lo que peligra.

Esperamos que la plena conciencia de cuanto decimos, y aun la experiencia demasiado cercana de los hechos que denunciamos, den a nuestra voz la autoridad suficiente para ser oída, más allá de nuestras fronteras, por todos los hombres capaces de reflexión a quienes interese el porvenir del mundo. La guerra de España —esta guerra en España— puede ser, en efecto, el prólogo sangriento de una guerra mundial de proporciones incalculables. Puede ser, también, si la conciencia universal no se duerme, el momento propicio para atajar con normas de derecho y de justicia la gran catástrofe moral que haría esa guerra inevitable.

Manuel Altolaguirre; Aurelio Arteta; Francisco Ayala; Ricardo Baeza; Jacinto Benavente; José Capuz, profesor; Pedro Carrasco; Roberto Castrovido; Rafael Dieste; Juan José Domenchina; profesor Arturo Duperier; «Fabián Vidal»; José Gutiérrez Solana; maestro Rodolfo Halffter; «Juan de la Encina»; León Felipe; José M.ª López Mezquita; *Antonio Machado;* Victorio Macho; doctor Antonio Madinaveitia; doctor M. Márquez; maestro Eduardo M. Torner; profesor Enrique Moles; Tomás Navarro Tomás; Ricardo Orueta; José M.ª Ots y Capdequí; doctor Federico Pascual; maestro Bartolomé Pérez Casas; Timoteo Pérez Rubio; profesor Juan Peset; maestro Gustavo Pitaluga; Emilio Prados; doctor José Puche Álvarez; doctor Gonzalo R. Lafora; Antonio Robles; Cristóbal Ruiz; doctor José Miguel Sacristán; E. Salazar y Chapela; Arturo Souto; Félix Urabayen y Antonio Zozaya.

MENSAJE DE ESCRITORES Y ARTISTAS ESPAÑOLES[8]

Ante el homenaje que a la memoria del gran Federico García Lorca hace el pueblo argentino, testimoniando así no sólo su admiración por el poeta víctima de la barbarie fascista, sino también su adhesión emocionada a nuestra causa, a la causa del pueblo español; nosotros, poetas, escritores y artistas que estamos al lado del Gobierno legítimo de la República, agradecemos cordialmente vuestro apoyo y simpatía, y os trasmitimos nuestra certidumbre de que el pueblo español vencerá en breve de un modo decisivo al fascismo internacional agrupado frente a nosotros. Venceremos para bien de nuestra patria y de toda la humanidad progresiva.

Quisiéramos expresaros cuán reconfortado se siente el pueblo español al verse apoyado desde lejos por todos los hombres libres y generosos del mundo. La atención con que claváis los ojos en nuestro drama es un íntimo acicate para la pelea.

Nuestro reconocimiento más expresivo a Mony Hermelo que hace revivir las gracias cantadas por el poeta, por nuestro genial Federico, y nuestro reconocimiento a todos los que asisten al acto, a todos los que le recuerdan maldiciendo a sus asesinos.

Camaradas todos de América: ¡Salud!

Enrique Díez Canedo, Manuel Altolaguirre, José Bergamín, *Antonio Machado,* Rafael Alberti, León Felipe, Emilio Prados, Luis Cernuda, Arturo Serrano Plaja, Raúl González Tuñón, María Zambrano, Antonio Sánchez Barbudo, María Teresa León, A. Rodríguez Aldave, José E. Montesinos, Ramón Gaya, Miguel Prieto, Arturo Souto, Juan Gil-Albert, Gabriel García Maroto, T. Pérez Rubio.

Valencia, 1937.

---

8. Publicado en Mony Hermelo, *Homenaje a García Lorca.*

LOS INTELECTUALES DE ESPAÑA, POR LA VICTORIA TOTAL DEL PUEBLO[9]

Hemos oído la voz de advertencia y confianza dirigida a España por el presidente del Consejo, en nombre del Gobierno legítimo que con tanta dignidad ostenta la representación de nuestro país. Hondamente compenetrados con todas sus palabras, tan claras, tan valientes, tan españolas, sin eufemismos ni veladuras —y que, como él ha dicho con entera verdad, pueden ser así por la confianza inquebrantable con que el pueblo español sostiene hoy a sus gobernantes—, nosotros, hombres de ciencia, escritores y artistas, queremos reiterar pública y solemnemente nuestra adhesión al Gobierno de la República española, nuestro decidido propósito de ayudarle a defender, hasta la victoria total, la independencia y la libertad de España.

Nos dirigimos a los intelectuales de la España aherrojada por el fascismo, para que, conscientes de su deber y de los destinos de nuestro pueblo, señalados por la Historia, ayuden desde su campo a la victoria de la República, que será la liberación y el resurgimiento de nuestro país.

Nos dirigimos asimismo a los intelectuales de todos los países para que laboren tenazmente en favor del pueblo español, que combate no sólo en su propia defensa, sino también por la libertad y la cultura universales.

La guerra nos ha endurecido y ha hecho aún más vivo nuestro sentimiento patriótico. Nos sentimos, hoy más que nunca, parte de nuestro pueblo. Y sabemos que no hay sacrificio capaz de detener al pueblo español en su decisión inquebrantable de ganar la guerra, sirviendo de base, sustento y ayuda al glorioso Ejército popular.

En las escuelas, en los laboratorios, en los estudios o en el lugar que se nos asigne, nos dedicaremos desde hoy con más

---

9. *La Vanguardia,* 1 de marzo de 1938. Encabezan la lista de firmantes los profesores, seguidos por los escritores: Jacinto Benavente, Antonio Machado, Rafael Alberti, Ramón J. Sender, Enrique Díaz Canedo, etc.

ahínco al trabajo, seguros de que los demás trabajadores harán lo mismo en las fábricas y en los campos. No puede ser otra la respuesta de nuestro pueblo al llamamiento que acaba de dirigir a todos los españoles el Gobierno legítimo por boca de su presidente.

Nosotros prometemos responder a ese llamamiento con toda nuestra energía. ¡Todos unidos para salvar a España, traicionada e invadida, pero imperecedera y segura de victoria!

BARCELONA
(abril 1938 - enero 1939)

Tengo la certeza de que el extranjero significaría para mí la muerte.

Antonio Machado

Machado fue recibido en el Ministerio de Instrucción Pública por Wenceslao Roces. Se instaló al poeta en el Hotel Majestic, sito en el Paseo de Gracia, y donde se alojaban también León Felipe, Waldo Frank y José Bergamín. Esta no era la primera vez que Machado venía a Barcelona, ya que en 1928 fue a la Ciudad Condal con motivo del estreno de *Las Adelfas*. Quiso volver cuando la Semana Trágica, pero el tren se detuvo en Zaragoza.

A pesar de tener todos los gastos de estancia en el Majestic pagados por el Gobierno de la República, el vaivén constante que allí había no agradó al autor de *Soledades*, y un mes más tarde unos amigos le buscaron una casa en que pudiera estar más tranquilo. Esta casa era la Torre Castanyer, vieja casona abandonada de principios del siglo XIX, que era propiedad de la duquesa de Moragas y que había sido incautada por la Generalitat de Catalunya. Este palacio al pie del Tibidabo —paseo San Gervasio n.º 21— tendría que ser la última residencia en España de Antonio Machado. José Bergamín nos la describe así: «Jardín abandonado... Penumbra adormecida bajo un cielo radiante. Señorial abandono. Goteo en la piedra. Sombras. Morada misteriosa. Galerías tiene el sueño como ésta

Hotel Majestic (Barcelona).

que ahora amortigua sus pisadas, como éstas que aquí nos encienden su presencia, aparecidas desde el umbral de un sueño como su voz amiga, como su palabra española».

En esta torre —a pesar del gran frío del invierno que pronto llegó y de su estado de salud cada día más achacoso— el poeta llevó una vida muy activa escribiendo y recibiendo amigos. Hay que destacar de la época de Barcelona, la serie de artículos para *La Vanguardia,* donde escribe con regularidad en la sección «Desde el Mirador de la Guerra», que en una ocasión —el 9 de agosto de 1938— se conviritió en «Desde el Mirador de la Contienda». Colabora en *Nuestro Ejército,* en *Servicio Español de Información,* y hasta el último momento en *Hora de España.*

Durante su estancia en Barcelona escribe el prólogo para una reedición de *La Corte de los milagros* de Valle-Inclán.[1] Otro prólogo menos conocido es el que escribe para un libro de Manuel Azaña: *Los españoles en guerra.*[2] Este libro recoge cuatro discursos de Azaña pronunciados respectivamente en el Ayuntamiento de Valencia el 21 de enero de 1937, en la Universidad de Valencia el 18 de julio de 1937, en el Ayuntamiento de Madrid el 13 de noviembre de 1937 y en el Ayuntamiento de Barcelona el 18 de julio de 1938. *Los españoles en guerra* se editó por primera vez en 1939 en la editorial Ramón Sopena de Barcelona, pero no llegó a distribuirse ya que la edición fue destruida por la administración franquista.[3] Allí escribía Machado: «*El caso de España en nuestros días como fenómeno histórico dará mucho que meditar a los reflexivos del porvenir*».

Durante la estancia del poeta en Barcelona, en 1938, la editorial Nuestro Pueblo publicó una curiosa edición de *La tierra de Alvargonzález y Canciones del alto Duero,* que fue distribuida entre los combatientes. Iba ilustrada con cinco di-

1. Véase este prólogo en p. 443.
2. Íd. p. 439.
3. Véase la edición de 1977, publicada por la editorial Crítica, de Barcelona.

bujos y un retrato del poeta hechos por su hermano José.

En Torre Castañer, don Antonio recibe también a sus amigos. Hay numerosos testimonios de sus visitas. Aquí pasó todavía don Antonio algún buen rato cuando le visitaba algún amigo y abrían de nuevo el viejo piano de Torre Castañer. José nos dice: «Tuvo sin embargo, a modo de un alto en el camino de su amarga existencia, algunos ratos agradables en los últimos días de su estancia en Barcelona. Aquellos en que el más eminente investigador de la fonética, don Tomás Navarro Tomás, y el de la música popular, el maestro Torner, venían a verle los domingos y revivían el viejo piano del salón de la duquesa, haciéndole instrumento de enseñanzas interesantísimas.

»Escuchaba con deleite la voz de una bella joven que hacía el exponente de varios temas populares. También asistía a estas reuniones un filósofo catalán que tocaba con gran personalidad algunas famosas sardanas.

»Al poeta que tanto amaba la música, le veíamos entonces escuchar entusiasmado los temas populares que el joven maestro que lo visitaba había recogido de todas las regiones de España.»[4]

Por las noches, hasta altas horas de la madrugada, leía y escribía. Releía el *Quijote,* los autores catalanes, Shakespeare, Tolstoi, Dostoievski, Dickens, Rubén Darío y Bécquer.

En Barcelona fue donde casi se logró conseguir algo que nunca había querido el poeta. Antonio Machado siempre había sido muy reacio a los gramófonos y en Madrid fueron inútiles todas las gestiones que se hicieron para incorporar una grabación suya a la documentación del Archivo de la Palabra del Centro de Estudios Históricos. Incluso don Antonio había llegado a contestar a quien se lo pedía, que grabasen a otra persona y que dijeran que era él y que nadie se daría cuenta. Por fin, en Barcelona, después de haber oído algunos discos del Archivo, en particular el de Valle-Inclán, accedió a hacer

---

4. José Machado, *Últimas soledades del poeta Antonio Machado,* p. 148.

Paseo de San Gervasio y jardines de Torre Castañer.

su inscripción y hasta se designaron las poesías que había de leer... pero no dio tiempo para más.

Y también sucedió en Barcelona algo que no era normal en don Antonio. Él, que tantos manifiestos había firmado en estos años de guerra, se negó en Barcelona a firmar uno. José María Fontana nos dice: «Quiero hacer constar que un poeta de tan fina delicadeza espiritual como Antonio Machado, le contestó al editor Janés cuando éste fue a pedirle su firma para un escrito en favor del poeta Félix Ros, a quien habían martirizado horriblemente en la cheka de Vallmayor: "Pues ¿qué? ¿quiere usted que nos arranquen también las uñas a los antifascistas?"».[5]

¿Veía claramente don Antonio que todo había terminado? Pues sí. José nos dice: «Sin embargo no decía a nadie —salvo a sus más íntimos— que la guerra se perdería irremisiblemente. Esta tristísima convicción le causó gran angustia, porque no creía en modo alguno en la inutilidad de los esfuerzos hechos por tan heroicas milicias, y esperaba que serían fecundísimas en un porvenir más o menos lejano, el presente lo veía completamente perdido».[6]

El estado de salud de don Antonio había decaído mucho. Luis Capdevila nos dejó este testimonio de su visita al poeta en noviembre de 1938: «Don Antonio está flaco, macilento. Tiene el rostro descarnado, amarillento, anguloso. Está casi calvo, una pobre calva de maestro de escuela. Usa unas gafas que le comen la faz chupada, marchita. La boca, su boca de sensitivo, de hombre bueno, se quiebra en una pálida, en una tierna sonrisa. Ha enflaquecido mucho. ¡Qué cambiado está Antonio Machado! ¡Cómo ha envejecido!... Don Antonio Machado con su voz mate, grave, nos preguntaba tristemente:

»—¿No cree Ud. que todo está perdido?

»Contestábamos tristemente:

»—Sí, don Antonio: todo está perdido.

---

5. José María FONTANA, *Los catalanes en la guerra de España*, p. 175. Citamos este testimonio por habernos sido confirmado —como todo lo que transcribimos en este libro— por varios testigos con fuentes distintas.

6. José MACHADO, *op. cit.*, p. 145.

Antonio Machado en Barcelona.

Última fotografía de Antonio Machado, en Barcelona.

»El poeta nos miraba, el ocaso nos ponía una chispa de luz en el cristal de sus gafas y decía:

»—¡Hay que saber perder!»[7]

El doctor José Puche Álvarez, designado en diciembre de 1938 por el Gobierno de la República para ocupar la Dirección General de Sanidad de Guerra, fue el médico que visitó a Machado y nos dejó este testimonio: «Sentía yo por él la gran admiración que se debe quizá a que me lo imaginara como un hombre poderoso, fuerte. Mas pronto me di cuenta de que tenía ante mí una máquina gastada... Fui prestando a don Antonio una asistencia más de amigo que de médico, teniendo él la comprensión de un paciente inteligente y yo ciertas tolerancias para el enfermo, llegando incluso a un acuerdo para que pudiese transgredir a veces mis disposiciones».

La primera noticia de la entrada inminente de las tropas enemigas en Barcelona se la dio a Machado el conservador de Torre Castañer, un chico joven que se ocupaba de la ayuda a los frentes y que en pocas ocasiones visitó a don Antonio.

El día 15 de enero, el decano de la Universidad había avisado a don Antonio de que se preparase para salir con un grupo de intelectuales, y el domingo día 22 de enero llegó a Torre Castañer un coche enviado por el doctor Puche. El último día que estuvo el poeta en Barcelona, el 22 de enero de 1939 —justo un mes antes de morir— escribió un artículo que le habían pedido sobre el general Rojo, que llevó un ciclista del Ministerio de Propaganda a su destino. Este artículo sería lo último que escribió Antonio Machado en su patria, dedicando —como dice tan justamente su hermano José— hasta el último momento sus energías en la defensa de su patria.

Para despedirse de Barcelona y ya casi de España, el poeta de «torpe aliño indumentario» —«el hombre más descuidado de cuerpo y más limpio de alma» según Unamuno— se puso su mejor traje: uno azul marino, limpio y bien planchado.

---

7. Luis Capdevila en el número extraordinario de *Unión*, del 25 de febrero de 1945.

La mayor desgracia de la familia Machado durante los años 1936-39 fue la de muchos españoles: tener que ir avanzando hacia la frontera con las esperanzas de ganar la contienda cada día más mermadas. Por lo demás, aún tenían algo de dinero y hubiesen podido ir viviendo, si la guerra no hubiera conllevado una serie de privaciones.

En aquel 22 de enero de 1939, Barcelona vivió su último domingo republicano y en el aire frío flotaba una tristeza absoluta. Esa tristeza es aún más absoluta en el corazón del poeta, que va a emprender su último viaje, un viaje que será sin retorno. En efecto, el exilio definitivo ha comenzado ya. Miles y miles de hombres, mujeres y niños se encaminan hacia el norte. Para ellos, Francia simboliza la libertad tan anhelada. Todos avanzan juntos, desde el campesino hasta el intelectual, pasando por los milicianos y funcionarios sin distinción alguna, con un solo objetivo: hallar la libertad y seguir luchando desde fuera.

Pero con esta esperanza va también la amargura. Amargura por tener que abandonar sus bienes, cierto; pero sobre todo amargura por ver un ideal frustrado, un ideal por el que han combatido durante tres años. Tres años de lucha encarnizada, miles y miles de muertos, miles de heridos y una oleada de sobrevivientes yendo a parar al exilio.

Todo esto lo vio, lo vivió Antonio Machado y suponemos que en un corazón tan sensible, esta amargura tenía que ser aún más viva. Él fue uno —uno entre tantos— de esos miles de hombres que se dirigieron hacia el norte.

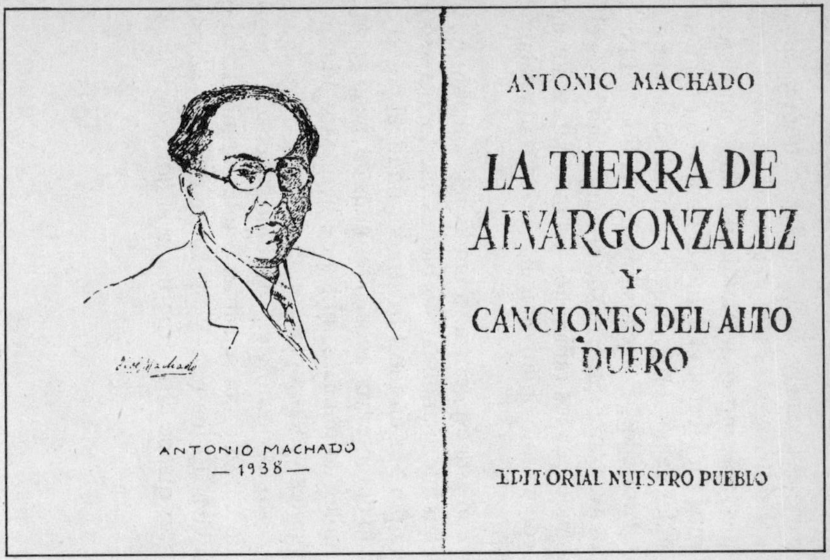

José Machado
ANTONIO MACHADO
— 1938 —
ANTONIO MACHADO
LA TIERRA DE
ALVARGONZALEZ
Y
CANCIONES DEL ALTO
DUERO
EDITORIAL NUESTRO PUEBLO

Edición de 1938 destinada a ser repartida en el frente y retrato de A. Machado por José Machado, que ilustra esta obra.

TESTIMONIOS SOBRE ANTONIO MACHADO

UNA VISITA A TORRE CASTAÑER DE ENRIQUE CASTRO DELGADO[1]

Frente a frente, Castro y su antiguo comisario Carlos Contreras. Los dos en un pequeño hotelito que tenía confiscado el Socorro Rojo Internacional y en el que Carlos vivía con su mujer, más delgada y triste que nunca, con un mirar perdido en horizontes que los demás ignoraban.

—¿Tienes tabaco picado, Castro?

—¿Para qué?

—Quería que fuéramos a ver a Antonio Machado... Al viejo le gusta el tabaco negro y picado... Y hacer sus propios cigarros con mucha calma... No te olvides, Castro, que Machado es la gran figura que nos queda, ni te olvides tampoco que quiere ser el historiador del Quinto Regimiento.

—Entonces, tengo.

—Vamos... Te gustará... Verás a un viejo consumido. Y viejas sombras femeninas, caminando de un lado para otro por una casa casi muerta. Y entre humo y tabaco y olor a

---

1. Enrique Castro Delgado, *Hombres made in Moscú*, pp. 617-618.

manzanilla el viejo Machado te hablará de España, de sus poemas, de sus penas y de sus ilusiones que ya comienzan a ser pocas... Con nosotros irá Garfias.

Y fueron.

Una casa blanca en el centro de un jardín enfermo de abandono. Y treinta pasos de caminar desde la calle a la casa. Y la puerta que se abre. Y un viejo que sonríe. Y unas sillas que esperan. Y todos juntos. Y Castro que le entrega como una limosna disimulada el paquete de tabaco. Y el viejo que con mucho de niño va rompiendo la envoltura, que sonríe dulcemente cuando ve lo que es. Y lo huele con gesto de buen fumador. Y luego a hacer rápidamente un cigarro. Y la ceniza que comienza a caer sobre las solapas de su raída chaqueta. Y alguien que pone sobre la pequeña mesa unas copas y una botella de manzanilla. Y se bebe y se fuma mientras Garfias, borracho como siempre, recita maravillosamente viejos poemas de Machado por Machado olvidados.

Castro mira fijamente al viejo.

Machado no es un hombre.

Machado es una escultura.

Y algo más que él no sabe. Machado es el prisionero de una gran mentira. De otra manera no hubiera escrito aquello de:

Cambiaría mi pluma, capitán,
por tu pistola...

Como si la pistola de Líster fuera la moderna espada del Cid. A Castro no le causaba pena el hombre. Para él, Machado, como tantas otras cosas, era un instrumento, en este caso un maravilloso instrumento que les ayudaba como pocos a que la mentira, la gran mentira apareciera ante los ojos de muchas gentes de cuello duro y bien escribir como la más grande y maravillosa de todas las verdades... «Cuán grande es el Partido —pensaba Castro—: a unos los conquista con su verdad, a otros con su mentira»... Y miraba fumar al hombre cuya pluma había sido el cincel de una España nueva que aún estaba por venir: la España del cincel y de la maza... Allí estaba el viejo escuchando a Garfias con los ojos entornados, con la misma quietud de las montañas, hablando también de la guerra casi en comunista aunque con mejor gramática y mejor castellano... Allí estaba recordando 1808 como si lo que estaba ocurriendo tuviera algo que ver con aquello, que nunca podría ser una guerra de independencia por la sencilla razón de que ganara quien ganara España quedaría hipotecada por muchos años, si no es que para siempre, a menos que ocurriera un milagro... Porque Berlín esperaba el fruto... Y Moscú lo estuvo esperando hasta la mitad de la guerra en que aún era posible la victoria republicana... Y el viejo sin darse cuenta... «¿Qué poder tiene el Partido que hizo divorciarse a este hombre del alma de España?»... A Castro le importaba poco el viejo Machado; Machado le servía en aquellos momentos como forma de comprobación de la capacidad del Partido para hacer ver lo blanco negro o al revés, según le conviniera.

Y Garfias, borracho y bizco como siempre, recitando versos machadistas.

Y el viejo Machado preguntando:

—¿De quién son?

—De usted, don Antonio —respondía el otro con olor a manzanilla y acento andaluz.

Y don Antonio sonrió...

TESTIMONIO DE JOSÉ BERGAMÍN

Era en Barcelona al comenzar el otoño sangriento de 1938. Visitaba yo al poeta en aquella amplia casa, mejor, palacio abandonado, en que vivía rodeado por un viejo jardín romántico. Jardín en flor y en sombra y en silencio. Por sus vericuetos frondosos discurríamos su hermano José y yo hablando íntimamente de don Antonio. Evocábamos sus mejores versos. Los decíamos sin decirlos, sin decírnoslos, repitiéndolos en nuestro corazón silenciosamente:

Un pájaro escondido entre las ramas
del parque solitario
silba burlón...
Nosotros exprimimos
la penumbra de un sueño en nuestro vaso.
Y algo que es tierra en nuestra carne siente
la humedad del jardín como un halago.

Comentábamos, aquella tarde, el triste destino del poeta que le impedía gozar de todo aquello que le rodeaba, jardín frondoso, largas, perdidas galerías; lo que tanto había deseado siempre. Vivía en el poeta la nostalgia de esos jardines, de esas galerías como las del alma, por un claro recuerdo de niñez: el de Sevilla. Vivió en él constantemente este recuerdo, esta nostalgia, mientras encerraba su vida en cuartuchos pequeños, reducidos, en Madrid, en Soria, en Segovia... En aquellos rincones castellanos ardorosos, secos, luminosos, sombríos. Vivía en ellos la nostalgia de jardines soñados, de estancias apartadas, de inacabables galerías como las que vinieron a buscarle en aquel ahora en que el poeta apenas si podía recorrerlos. Parecía que un irónico destino le cercase con ellos por la muerte. No me atreví a escribir esto tal como ahora lo digo; como entonces lo presentía sin querer sentirlo. Por eso detuve mi pluma al escribir. Y al suceder después, meses después tan sólo, la muerte del poeta, recordé este presagio. La muerte fue cercando su vida, poco a poco, dándole, al mismo tiempo que se la quitaba, lo que tanto había deseado. Fue trayéndole como recuerdo infantil, como juguete de niño, aquellos jardines solitarios, aquellas inmensas estancias y largas galerías, para llevarle y llevárnosle dulcemente por ellas, apartándole del vivir en que apuraba su nostalgia.

En nosotros, el eco melancólico de aquella última tarde, calladamente repite todavía:

En el ambiente de la tarde flota
un aroma de ausencia,
que dice al alma luminosa: nunca,
y al corazón espera.

TESTIMONIO DE ILYA EHRENBURG[2]

Es triste pensar que fueron necesarios los bombardeos y los campos de concentración para que los poetas tuvieran derecho a vivir.

He perdido muchas cosas en el curso de mi vida; pero he conservado los libros que Machado me dedicó. Me los llevé de España y luego del París ocupado. A veces miro las dedicatorias y la fotografía que tomé del poeta en Barcelona, y el hombre parece confundirse con sus versos.

¿Eres la sed o el agua en mi camino?
Dime, virgen esquiva y compañera.

Luchó con los suyos. Recuerdo la voz traspasada de emoción del comandante Tagüeña leyendo a sus hombres, en el frente del Ebro, el saludo de Machado: «La España del Cid y la España de 1808 os reconocen como a sus hijos». Al despedirme me dijo: «Acaso, después de todo, nunca aprendimos a luchar. Además carecíamos de suficiente armamento. Sin embargo no debe juzgarse a los españoles demasiado duramente. Esto es el final, y ahora cualquier día caerá Barcelona. Para los estrategas, los políticos y los historiadores todo estará claro: hemos perdido la guerra. Humanamente hablando, yo no estoy seguro. Quizá la hemos ganado». Me acompañó hasta la entrada del jardín. Me volví y lo miré: triste, encorvado, tan viejo como la misma España, un sabio, un delicado poeta, y vi sus ojos, tan hondos, siempre inquisitivos, preguntando algo sabe Dios a quién. Lo vi por última vez. Comenzaron a sonar las sirenas. El próximo bombardeo había empezado.

---

2. Ilya EHRENBURG, *Ere of war, 1933-1941*, Londres, McGibbon Kee, 1963; citado por Carlos ROJAS, *Por qué perdimos la guerra*, Barcelona, Nauta, 1971, pp. 303-304.

ANTONIO MACHADO: ENTREVISTA CONCEDIDA A *VOZ DE MADRID*[3]

El gran poeta recuerda su obra y su vida, tan llena de silencioso trabajo. Comparte la pasión que anima al pueblo en la defensa de la Independencia.

Ser poeta, es quizá fácil. Pero ser poeta y seguir siendo hombre —en la más elevada alcurnia del concepto— es, a lo que vemos, coyuntura difícil de lograr. Tal, sin embargo, el caso de «nuestro» Antonio Machado. Mientras algunos versificadores convierten a las musas que les son propicias en coquetas meretrices, que han de aportarles diariamente los honores y las influencias logrados con la venta de sus gracias, Antonio Machado —honra de España, a la que sirve con devoción exquisita de hijo amantísimo—, guarda para su inspiración sus más fervorosos respetos. Cuando nos acercamos a él y estrechamos su mano —una mano llena de nobleza, de sencillez y de cordialidad—, lo hacemos un tanto cohibidos y respetuosos, sabedores de que esta figura que tenemos ante nosotros es uno de los más altos símbolos de esta España transida de dolor. Y es su palabra —acento andaluz, limpia sintaxis castellana— la que con su calor de humanidad va fundiendo el hielo de nuestra timidez.

—Mi vida —dice— es sencilla y modesta. Aunque sevillano de origen (nací en el Palacio de las Dueñas, el año 1875), me eduqué en Madrid, adonde fui cuando apenas tenía siete años de edad. Estudié en la Institución Libre de Enseñanza y tuve por maestros a Giner de los Ríos, Cossío y Salmerón, teniendo como condiscípulo a Besteiro. No es difícil, por tanto, deducir que mi formación había de ser liberal y republicana, que por otra parte había de coincidir con la historia política de mis antepasados, ya que mi padre y mi abuelo eran republicanos fervorosos.

—Entonces, ¿su relación con la generación del 98...?

—Soy posterior a ella. Mi relación con aquellos hom-

---

3. *Voz de Madrid,* n.º 13, 8 de octubre de 1938.

bres —Unamuno, Baroja, Ortega, Valle-Inclán— es la de un discípulo con sus maestros. Cuando yo nací a la vida literaria y filosófica, todos aquellos hombres eran valores ya cuajados y en sazón.

—¿Sus primeras colaboraciones...?

—Yo, de siempre, he escrito relativamente poco en periódicos, habiéndome dedicado con preferencia al libro y a la revista. Recuerdo, no obstante, que allá por el año 96 colaboré en un periódico de Madrid, que se llamaba *La Caricatura.* Luego escribí en *El País* y más adelante en aquellos inolvidables *Lunes del Imparcial.*

—¿Y su labor teatral?

—Ésta ha sido muy posterior. Mi labor teatral se ha desarrollado a partir del año 24. Comenzó por unos arreglos del teatro antiguo y por una traducción del *Hernani* de Víctor Hugo. Después, en producción ya original, hice el *Julianillo Valcárcel,* que, por cierto, estrenó María Guerrero en su último beneficio; *Juan de Mañara, Las Adelfas, La Lola se va a los puertos,* que es la que mayor éxito de público ha tenido, y, por último, ya proclamada la República, *La prima Fernanda y La Duquesa de Benamejí,* estrenada por Margarita Xirgú.

Recordamos a Machado cómo toda su obra poética está influenciada por dos temas preferentes: el tema castellano —sobrio y austero— y el tema andaluz, más lírico e impregnado de sabor popular.

—No es extraño —responde—. Soy hombre extraordinariamente sensible al lugar en que vivo. La geografía, las tradiciones, las costumbres de las poblaciones por donde paso, me impresionan profundamente y dejan huella en mi espíritu. Allá en el año 1907, fui destinado como catedrático a Soria. Soria es lugar rico en tradiciones poéticas. Allí nace el Duero, que tanto papel juega en nuestra historia. Allí, entre San Esteban de Gormaz y Medinaceli, se produjo el monumento literario del poema del Cid. Por si ello fuera poco, guardo de allí el recuerdo de mi breve matrimonio con una mujer a la que adoré con pasión y que la muerte me arrebató al poco tiempo. Y «viví y sentí» aquel ambiente con toda intensidad.

Subí a Urbión, al nacimiento del Duero. Hice excursiones a Salas, escenario de la trágica leyenda de los Infantes. Y de allí nació mi poema de Alvargonzález.

—¿Inspirado, acaso, en alguna tradición popular?

—No. El poema es, ante todo, creación mía. En mis correrías por pueblos y sierras de España no he descubierto el rostro de ningún viejo romance desconocido. En España, toda la tradición poética está descubierta ya y vertida en el Romancero, y sólo pueden hallarse, a lo sumo, algunas variantes de los romances ya conocidos...

—¿Y el tema andaluz?

—Éste tiene en mí dos orígenes. De un lado, una tradición familiar que vive entre Sevilla y los Puertos. De otro, mi traslado desde Soria a Baeza, donde permanecí siete años. Y aquí, lo mismo que en Castilla antes, mi contacto íntimo con la masa popular —seguía gustándome mi manía andariega y perderme entre las serranías—, produjo esas composiciones a que se refiere. En Castilla empleé el romance, que buscaba el entronque con nuestros viejos poemas de gestas; en Andalucía fue el cantar, la composición breve, concisa, sentenciosa, de sabor popular, que refleja el modo de ser de aquellas gentes...

Hace una pausa en la charla, y continúa:

—Por cierto que allí conocí, hace ahora veintiún años, a García Lorca. Era entonces un chiquillo e iba de excursión artística, no en busca de temas poéticos, sino de motivos musicales populares, pues ya sabe usted que Lorca era excelente músico. ¡Pobre Lorca! Muchos años después, implantada la República, supe que había hecho un ligero arreglo de mi *Alvargonzález* para que lo representara el cuadro de «La Barraca».

Deliberadamente, iniciamos un tema que sabemos grato al maestro:

—¿Podría decirnos algo de Juan de Mairena?

—¿Juan de Mairena? Sí... Es mi «yo» filosófico, que nació en épocas de mi juventud. A Juan de Mairena, modesto y sencillo, le placía dialogar conmigo a solas, en la recogida intimidad de mi gabinete de trabajo y comunicarme sus impresiones sobre todos los hechos. Aquellas impresiones, que yo iba resumiendo día a día, constituían un breviario íntimo, no destinado en modo alguno a la publicidad, hasta que un día... un día saltaron desde mi despacho a las columnas de un periódico. Y desde entonces, Juan de Mairena —que algunas veces guarda sus fervorosos recuerdos para su viejo profesor Abel Martín—, se ha ido acostumbrando a comunicar al público sus impresiones sobre todos los temas...

Sigue sonriendo Machado, feliz, cuando se le habla de este hijo de su ingenio, y a preguntas nuestras responde:

—Juan de Mairena es un filósofo amable, un poco poeta y un poco escéptico, que tiene para todas las debilidades humanas una benévola sonrisa de comprensión y de indulgencia. Le gusta combatir el *snob* de las modas en todas las materias. Mira las cosas con su criterio librepensador, un poco influenciado por su época de fines del siglo pasado, lo cual no obsta para que ese juicio de hace veinte o treinta años pueda seguir siendo completamente actual dentro de otros tantos años.

Rozamos, por último, el tema político actual.

—Jamás —nos dice— he trabajado tanto como ahora. De ser un espectador de la política, he pasado bruscamente a ser un actor apasionado. Y el motivo que me ha hecho, a mis años, saltar a este plano, ha sido el de la invasión de mi patria. ¡España, mi España, a punto de ser convertida en una colonia italiana o alemana...! La sola posibilidad de hecho semejante hace vibrar todos mis nervios y conduce mi pluma sobre las cuartillas, despertando energías insospechadas y rebeldías que creía apagadas para siempre. No. No puede ser y no será. A España no se la domina. Mucho menos, por complacer a un puñado de traidores...

A la estancia llega la madre del poeta. Una anciana y venerable dama que se desliza quedamente, en silencio, con la ingravidez de un pájaro. Entran unas chicuelas, alegres y revoltosas, que recuerdan al maestro que es la hora del yantar. Y la mano de Antonio Machado vuelve a tenderse hacia nosotros con nobleza, sencillez y cordialidad...

ENTREVISTA CON EDUARDO DE ONTAÑÓN[4]

Ahora que está uno viejo, tiene más ganas de trabajar que nunca. Yo no paro. Hago mensualmente mis cuartillas para *Hora de España,* esa revista de jóvenes, y casi a diario escribo para la Subsecretaría de Propaganda. ¡Hay que trabajar, qué demonio! Y ahora me voy a poner con esa biografía del héroe anónimo. Sí, sí. Una pequeña novelita de quince a veinte páginas. Ya estoy pensando hasta cómo va a ser el personaje.

4. Citado por Julio César Chaves, *Itinerario de don Antonio Machado,* p. 367.

POESÍAS
(Barcelona, abril 1938 - enero 1939)

A LÍSTER[1]
Jefe en los ejércitos del Ebro

Tu carta —oh noble corazón en vela,
español indomable, puño fuerte—,
tu carta, heroico Líster, me consuela
de esta, que pesa en mí, carne de muerte.

Fragores en tu carta me han llegado
de lucha santa sobre el campo ibero;
también mi corazón ha despertado
entre olores de pólvora y romero.

Donde anuncia marina caracola
que llega el Ebro, y en la peña fría
donde brota esa rúbrica española,

de monte a mar, esta palabra mía:
«Si mi pluma valiera tu pistola
de capitán, contento moriría».

Barcelona, 1938.

---

1. *Hora de España,* n.º 18, junio de 1938. Enrique Líster fue comandante del Quinto Regimiento; se ocupó de la evacuación de los intelectuales madrileños a Valencia.

A FEDERICO DE ONÍS[2]

Para ti la roja flor
que antaño fue blanca lis,
con el aroma mejor
del huerto de Fray Luis.

Barcelona, junio 1938.

Carta del profesor Federico de Onís[3]

Columbia University —New York— 15 de abril de 1938.

Señores don Antonio Machado y don Tomás Navarro Tomás.

Muy queridos amigos: He seguido desde lejos, donde el destino me puso hace más de veinte años, vuestra labor y la de los demás intelectuales españoles que en esta hora grande y trágica de España han cumplido sencillamente con su deber. La he seguido con admiración y viva simpatía. Así os lo digo para que sepáis que hay uno más que está a vuestro lado.

El deber me ha mantenido a mí en mi puesto de esta universidad norteamericana consagrado a mis clases y a la obra de relaciones culturales con los Estados Unidos, la América española y el pueblo sefardí, que aquí llevamos a cabo a través del Instituto de las Españas de la Universidad de Columbia. La esencia misma de este trabajo —obra de comprensión y unidad dentro de la más liberal amplitud— me ha mantenido alejado de toda actividad relacionada con esta guerra de hoy, que es a mis ojos, acostumbrados por el oficio a la perspectiva histórica, la misma guerra que desde cuatrocientos años pade-

---

2. *Hora de España.* n.° 18, junio de 1938. Es probable que estos versos fuesen inspirados por una carta que envió Federico de Onís a Antonio Machado y a Tomás Navarro Tomás, y que reproducimos a continuación. Federico de Onís fue profesor en la Universidad de Salamanca y salió de España antes de estallar la guerra civil.

3. *La Vanguardia,* 26 de mayo de 1938.

ce España. Al conmemorar el centenario de la muerte de Erasmo di una conferencia sobre España en 1535, en la que todo lo que dije era aplicable a la España de 1936. La ola de reacción que se desató entonces ahogó los gérmenes de una amplia y liberal España moderna. Al hablar en otra ocasión a los sefardíes de Nueva York pude explicar cómo su expulsión nació de un estrechamiento de la concepción de España conforme a ideas europeas y germánicas contrarias al carácter amplio y tolerante de España en la Edad Media. Al hablar cada día en mis clases de Cervantes, de nuestro teatro, de nuestros místicos, de la novela picaresca, de Quevedo, de Jovellanos, de Larra, de Galdós, de América me encuentro siempre con la tragedia latente de nuestro pueblo que desde el siglo XVII se ha manifestado en una serie de guerras civiles, en las que se repiten bajo distintos nombres y apariencias, las mismas cosas y los mismos hechos, con tal parecido que llega uno a creer que los vivos son movidos, no por su voluntad sino por la de sus antepasados muertos.

He vivido la guerra en mi sitio y a mi manera, siempre acompañado de su dolor en espera de una paz imposible. Yo no soy un político ni lo seré nunca. El motivo principal que me movió a salir definitivamente de España fue mi repugnancia por la España oficial, para poder, libre de ella, sentirme solidario solamente con los valores positivos y verdaderos de nuestro pueblo. Esto he hecho y seguiré haciendo; pero como mi alejamiento de las contiendas españolas pueda ser mal interpretado, deseo hacer pública, a través de vosotros, de una vez para siempre, mi posición personal, que es la siguiente:

Aunque no soy político, soy, he sido y seré siempre un hombre que pone la libertad, la democracia y la justicia social por encima de todo. Nunca he hecho una declaración de adhesión a ningún régimen o partido político durante la Monarquía ni la República; pero en el momento crítico actual en que se encuentra en peligro un Gobierno que, en circunstancias dificilísimas ha logrado organizar a un pueblo heroico que está muriendo por las ideas en que yo creo, yo declaro mi solidaridad completa con ese pueblo y su Gobierno.

Después, amigos míos, si el Gobierno triunfa, yo volveré a mi independencia y alejamiento de toda actitud política; pero si el Gobierno fuera derrotado, seguiré vuestra suerte lo que me toque por pensar lo mismo que vosotros. Nadie sabe cuál será el porvenir del mundo y de nuestras ideas; pero pase lo que pase, yo seguiré creyendo en la libertad, la justicia y la democracia, y me sentiré incompatible con todos los sistemas llamados hoy «totalitarios» que pretenden destruirlas.

Os abraza,

Federico de Onís.

ESCRITOS

(Barcelona, abril 1938 - enero 1939)

NOTAS INACTUALES A LA MANERA DE JUAN DE MAIRENA[1]

I

Si tenemos en cuenta la reversibilidad ideal de lo pasado y la plasticidad de lo futuro, no hay inconveniente en convertir la historia en novela, sin que, por ello, pierda la historia nada esencial, como espejo más o menos limpio de la vida humana. Sólo así podremos sacudir la tiranía de lo anecdótico y de lo circunstancial.

Creemos que no hay suficientes razones para aceptar la fatalidad de lo pasado.

Reconocemos, sin embargo, que los deterministas nunca han de concedernos que lo pasado debió ser de otro modo, ni siquiera que pudo ser de muchos. Porque ellos no admiten libertad para lo futuro, y con doble razón han de negárselo a lo pretérito. Y para no entrar en discusiones que nos llevarían

---

1. *La Vanguardia,* 27 de marzo de 1938.

más allá de nuestro propósito, nos declaramos al margen de la historia y de la novela, meros hombres de fantasía, como Juan de Mairena, cuando decía a sus alumnos: «Tenéis unos padres excelentes, a quienes debéis cariño y respeto; pero ¿por qué no inventáis otros más excelentes todavía?».

II

Nada os importe —decía Juan de Mairena— ser inactuales, ni decir lo que vosotros pensáis que debió decirse hace veinte años, porque eso será, acaso, lo que pueda decirse dentro de otros veinte. Y si aspiráis a la originalidad, huid de los novedosos, de los noveleros y de los arbitristas de toda laya. De cada diez novedades que pretenden descubrirnos, nueve son tonterías. La décima y última, que no es una necedad, resulta a última hora que tampoco es nueva.

III

Quien avanza hacia atrás huye hacia adelante. Que las espantadas de los reaccionarios no nos cojan desprevenidos, dijo Juan de Mairena hace ya mucho tiempo.

IV

Una mala lectura de Nietzsche fue causa del imperialismo d'annunziano; una mala lectura de D'Annunzio ha hecho posible la Italia de Mussolini, de ese faquín endiosado.

V

Hemos de reconocer que los libros más influyentes en los Estados totalitarios no suelen ser los últimos, ni, casi nunca, los mejores. Tal vez por eso, Cervantes embistió contra los libros de caballerías, cuando éstos ya no se escribían en el mundo, porque, acaso era entonces cuando producían mayores estragos. El filósofo de la abominable Alemania hitleriana es el Nietzsche malo, borracho de darwinismo, un Nietzsche que ni siquiera es alemán. El último gran filósofo de Alemania, el más escuchado por los doctos es el casi antípoda de Nietzsche, Martín Heidegger, un metafísico de la humildad. Quienes, como Heidegger, creen en la profunda dignidad del hombre, no piensan mejorarlo exaltando su animalidad. El hombre heideggeriano es el antipolo del germano de Hitler.

VI

Alemania, la Alemania prusianizada de nuestros días —habla Mairena en 1909— tiene el don de crearse muchos más enemigos de los que necesita para guerrear. Mientras aumenta su fuerza en proporción aritmética, crece en proporción geométrica el número y la fuerza de sus adversarios. En este sentido, es Alemania la gran maestra de la guerra, la creadora de la tensión polémica que hará imposible la paz en el mundo entero. Y el mundo entero decidirá, ingratamente, exterminar a su maestra, cuando ésta ya sólo aspire a una decorosa jubilación.

VII

Mientras los hombres —decía Juan de Mairena— no sean capaces de querer la paz, es decir, el imperio de la justicia (la que supone una orientación metafísica y un clima moral que todavía no existen y que, acaso, no existan nunca en Occidente), una liga entre naciones para defender la paz a todo trance, es una entidad perfectamente hueca y que carece de todo sentido. Es algo peor. Es el equívoco criminal que mantienen los poderosos, armados hasta los dientes, para conservar la injusticia y acelerar la ruina de los inermes o insuficientemente armados. Cuando alguno de ellos grite: ¡justicia! se le contestará con un encogimiento de hombros; y si añade: «pedimos armas para defendernos de la iniquidad», se le dirá cariñosamente: paz, hermano. Nuestra misión es asegurar la paz que tú perturbas, reducir la guerra a un mínimum en el mundo. Nosotros no daremos nunca armas a los débiles: procuraremos que los exterminen cuanto antes.

VIII

Aludiendo a la cuestión española, ha dicho Chamberlain: «no seré yo quien se queme los dedos en esa hoguera». Es una frase perfectamente cínica y perversa. Por fortuna Inglaterra, un gran pueblo de varones, no puede hacer suya una frase que está pidiendo a gritos el fuego que abrasó a Sodoma. Porque con ella se quiere dar a entender que Inglaterra no guerreará nunca por la Justicia. Son muchos los ingleses que saben muy bien que eso no es verdad, y que si lo fuera —como indudablemente no lo es— convendría a los ingleses que no lo supiera nadie. La frase es inmoral y torpe, verdaderamente indigna de un inglés.

APUNTES DEL DÍA[2]

I

Los políticos conservadores de Inglaterra no están a mi juicio, a la altura de su misión. Cuando los ingleses, tardos pero seguros, se enteren, pedirán estrecha cuenta a sus gobernantes. ¿Llegarán a tiempo de evitar la gran catástrofe del Imperio británico? He aquí el problema que nos planteamos los viejos amigos de Inglaterra, nosotros, por quienes Chamberlain no ha de quemarse nunca los dedos. Porque nosotros pensábamos que el control inglés en el Mediterráneo apuntalaba nuestra independencia, nos prestábamos a ser el contorno benévolo y los guardianes *inermes* de la más importante llave de su Imperio: Gibraltar. Por una ceguera incomprensible y miedo a una revolución fantástica que, aun siendo real, nunca amenazaría los altos intereses de Inglaterra, los viejos conservadores ingleses han hecho, hacen, y aun parece que pretenden seguir haciendo todo lo posible para perder esa llave, para hacerla pasar al bolsillo de sus enemigos más en-

2. *La Vanguardia,* 6 de abril de 1938. Este mismo artículo fue publicado en *Servicio Español de Información,* 7 de abril de 1938.

carnizados. Ellos pretenden ser políticos *realistas*. Pero alguien sostiene que Gibraltar está rodeada de cañones, que nosotros no hubiéramos emplazado nunca; de bases aéreas, terrestres y marítimas, más o menos disfrazadas, y que Inglaterra no es ya la dueña del Estrecho. Para recordarlo, si esto es posible, tendrá que afrontar la guerra grande; y todo por no haber querido intervenir honradamente y a tiempo en la pequeña, del lado de la justicia.

Los gobiernos inglés y francés han preferido ayudar a nuestros enemigos, que son también los suyos, con la llamada *no intervención*, y parecen desear nuestro pronto exterminio, para entenderse con los triunfadores. Pero los triunfadores no triunfarían de nosotros únicamente, sino, sobre todo, de Inglaterra y de su aliada Francia, con un ejército en la línea de los Pirineos, dueños del golfo de Vizcaya, del estrecho de Gibraltar, de Mallorca, etc.

Hay que reconocer que Hitler y Mussolini son algo más inteligentes o, si queréis, menos estúpidos... Ellos han hinchado el perro de la revolución en España para asustar, cegar y enloquecer a los plutócratas que aún rigen las llamadas democracias. ¿Lo han conseguido? Yo creo que sí, aunque cueste algún trabajo pensarlo. Porque ser engañado por un italiano supone una excesiva carencia de precaución, y serlo por un alemán arguye de estolidez insuperable, Lo cierto es que al Sansón de los mares —¿y al de la tierra?— no le han faltado Dalilas de opereta que lo tonsuren. Y mientras le crecen los cabellos... No agotemos el símil. Porque no ha de tratarse, a última hora, de derribar ningún templo, sino de conservarlo. Y es esto lo que va a ser un poco difícil.

II

Mister Chamberlain quiere hacernos creer que ha hecho una hombrada, declarando que estaría al lado de Francia, si ésta se viese arrastrada a la guerra por causa de sus compromisos con Checoeslovaquia. Chamberlain sabe muy bien que lo inmediato, para Alemania, no es Checoeslovaquia, sino España, y que si Francia no se muestra enérgica en la cuestión española, es decir, en la defensa de su frontera y de sus rutas marítimas, no hay el más leve temor de que vaya a la guerra por defender a Checoeslovaquia. No es el honrado e ingenuo Mr. Pickwick, sino Penknife, la hipocresía más desmesurada que, a última hora, no engaña a nadie, quien ejerce el Poder en Inglaterra.

III

Entre tanto España, la España auténtica, lucha y trabaja, pensando en la victoria, quiero decir, en ganarla por su propio esfuerzo. Su Gobierno, identificado con el pueblo, no pide auxilio; reclama justicia. España sabe que tiene toda la razón de su parte, y que sus pilotos y sus capitanes están en sus puestos. Sabe muy bien que no son españoles sus enemigos (menos que nadie quienes se decidieron a venderla) y que la victoria o no es nada, o es algo que se da, por añadidura, a quien la merece.

MAIRENA PÓSTUMO. (ALGUNAS CONSIDERACIONES SOBRE LA POLÍTICA CONSERVADORA DE LAS GRANDES POTENCIAS)[3]

¿Qué diríais vosotros —amigos queridos— de unos gobernantes que, invocando la necesidad de asegurar a todo trance la paz de sus pueblos respectivos, se apercibiesen a una guerra que ellos mismos consideraban inevitable, fatal? Diríais de ellos que carecían de la lógica más elemental, o que pretendían hacernos comulgar con ruedas de molino; que eran hipócritas, dotados de una inocente hipocresía de gato escondido con el rabo fuera. Porque ellos proclamaban la necesidad de la paz, convencidos de que lo verdaderamente necesario era la guerra, para la cual abiertamente se preparaban.

---

3. *La Vanguardia,* 13 de abril de 1938. Reproducido en *Servicio Español de Información,* 14 de abril de 1938.

Observad, sin embargo —añadía Juan de Mairena— que estos gobernantes suelen ser considerados como políticos hábiles y razonables. Y, en verdad, no les faltan razones aparentes. Ellos no quieren la guerra, y de ningún modo la provocarían. Convencidos, empero, de que la guerra es lo ineluctable, lo indefectible, a ella se aperciben. Cuando la guerra llegue, lucharán con entera tranquilidad de conciencia: tendrán todas las simpatías de su parte, por no haber sido ellos los provocadores de la contienda, por ser, en cierto modo, los menos responsables de sus estragos. No olvidéis que a la hora de la paz, si se gana la guerra, se cotiza muy alto el no haber sido provocador. Los políticos hábiles piensan que esta razón reforzará, a su tiempo, el peso de la espada de Breno, en cuya forja y en cuyo temple se ejercitan.

Pero vosotros podéis hacerme una pregunta que, en vuestro caso, hubiera formulado don Quijote: «Y esos hombres tan razonables como pacíficos, tan aferrados a la paz como convencidos —y aun convictos— de la fatalidad de la guerra, ¿cuándo creerán que ha llegado, para ellos, el momento de guerrear?». Yo os contestaré sin titubear: «Cuando sean agredidos, o para repeler una agresión inminente». Porque, de ese modo, serán los últimos en abrir el templo de Jano, los más tenaces en ofrendar toda suerte de sacrificios a la paz. La humanidad tendrá que agradecerles, si no la paz, el haber, al menos, retrasado la guerra. A todo lo cual vosotros podréis replicarme: «Pero esos hombres irán a la guerra tristes y solos (con la soledad de los gallegos del cuento), después de haberlo sacrificado inútilmente todo a la paz, y nada a la justicia, horros de los motivos bélicos que pueden ennoblecer e idealizar una guerra, los cuales son —no hay que dudarlo— de índole altruista». Ellos exclamarán en mil tonos —porque no hay guerra posible sin retórica—: «Luchamos por la libertad del mundo». Habrá que responderles: «Antes de que os pisaran un pie, la libertad del mundo os importaba muy poco. Hollada y escarnecida la visteis en los pueblos vecinos, y os cruzasteis de brazos». Ellos añadirán: «Luchamos por acorrer a los débiles, por defenderlos de la inicua opresión del poder arbitrario y de la fuerza bruta». Habrá que responderles: «No es cierto eso que decís. Cuando los fuertes —tan fuertes como abyectos— asesinaban vilmente a los inermes —los enfermos, las mujeres, los niños— vosotros apartabais la vista, no por piedad de las víctimas, sino para dejar hacer a los verdugos». ¿No era ese el camino más corto para la paz? «Luchamos por la cultura» —seguirán gritando—; y habrá que responderles: «En mal hora pronunciáis esa palabra. Tan cultos sois vosotros como vuestros adversarios. Tan cultos y tan fieros. ¿Quién sabe si esa cultura, que recabáis como un privilegio, es, en gran parte, lo primero que debierais arrojar al cesto de la basura?».

No sigamos, amigos míos. Porque no conviene abusar de la retórica. El abuso de la retórica consiste en predicar superfluamente al convencido. Dejémoslo aquí. Algún día os demostraré —o pretenderé demostraros— que la paz a ultranza es una falacia burguesa, hija del miedo, del egoísmo y de la estupidez. Ella no evitará la guerra grande: hará que ésta sea más grave, cuando llegue; porque habrá despojado a los contendientes de todos los motivos generosos para guerrear, y la guerra entre hombres se convertirá en lucha de fieras. Acaso también veamos claramente que no es la paz un ideal inasequible; pero que nunca lo alcanzaremos si no aprendemos antes a guerrear por el amor y por la justicia. Y que todo lo demás es... política conservadora.

EL 14 DE ABRIL DE 1938[4]

Nuestra posición el 14 de abril de 1938 es la que teníamos en el sexto aniversario de la proclamación de la República, celebrado en Valencia en 1937. Desde un punto de vista ético, y en lo esencial, nada se ha movido. como no sea para afirmarse, para reforzarse con todas las reservas espirituales que conservábamos, acercando a su máxima tensión nuestros resortes

4. *Servicio Español de Información*, n.º 438, 15 de abril de 1938.

polémicos, para luchar contra la injusticia y la iniquidad. España, la España auténtica (de ningún modo podemos considerar como españoles a quienes decidieron vender a España, no sabemos por cuántos denarios), afirma hoy en Barcelona, la egregia Barcelona, en torno al glorioso Gobierno de la República, con serenidad espartana, su voluntad de resistir y de triunfar.

En el campo enemigo nada sustancial ha cambiado; porque hay maldades absolutas que no pueden empeorar. Son los mismos traidores con las mismas libreas, las mismas dos grandes potencias (no tan poderosas como abyectas), con las mismas repugnantes caretas de no intervencionistas en los rostros, que siguen perpetrando, fría y sistemáticamente, sus crímenes alevosos a mansalva, el cobarde exterminio de los inermes y los inofensivos. Su capacidad militar, desde el punto de vista estratégico, es la misma: perfectamente nula; su cobardía y su perversidad las mismas también, porque no pueden aumentarse. (No dudéis un momento de que toda la inteligencia y todas las virtudes bélicas están de nuestra parte.) Sólo, acaso, las dos grandes democracias de Occidente acusan un cambio más de fondo que de superficie. Inglaterra y Francia —me refiero a los pueblos, no a sus gobiernos— han empezado a ver claramente tres cosas: primera, que el pacto de no intervención en España es, sin duda, la iniquidad más grande que registra la historia. Segunda, que la guerra de España va también contra ellos, y que la España republicana vencida, supone una Francia cercada por sus enemigos más enconados, y una Inglaterra que habría perdido, acaso para siempre, el control del Mediterráneo, la llave más importante de su imperio. Tercera, que la guerra grande, la guerra contra las democracias de Occidente, por razones más de estrategia que de política, ha comenzado con la guerra de España, y que las plutocracias todavía imperantes en esas dos grandes naciones han cedido múltiples ventajas a sus adversarios, y que tienden a pactar con ellos, no en favor de los pueblos que dicen regir, sino en defensa de intereses de clase, no todos confesables. La palabra traición ha sonado ya más allá de nuestras fronteras.

Pronto será un clamor que anuncie el despertar de muchas conciencias dormidas todavía.

En el 14 de abril de 1938 celebra España el séptimo aniversario de su gloriosa República, en guerra con enemigos poderosos —no tan poderosos, como viles— y en la paz consigo misma. Sin pedir auxilio, reclamando justicia, lucha, resiste y espera.

NOTAS Y RECUERDOS DE JUAN DE MAIRENA[5]

I

Todo hombre necesita ser lo que es para hacer lo que hace. Y viceversa. Es una sentencia de mi maestro —habla Juan de Mairena a sus alumnos— la cual, aceptada, podría llevarnos a un exceso de tolerancia. Yo no os aconsejo que la adoptéis como norma ética. Pero conviene que no la olvidéis nunca, si no queréis cometer graves injusticias.

II

La unión constituye la fuerza. Es una noción elementalísima de dinámica contra la cual nada tendríamos que oponer, si no hubiera tontos y pillos (los tontos y los pillos distan mucho

5. *Hora de España,* n.º 16, abril de 1938.

menos entre sí de lo que vulgarmente se piensa) que pretenden acomodarla a sus propósitos, y que propugnan el acercamiento y la unión de elementos heterogéneos, dispares y contrapuestos, que sólo pueden unirse para extrangularse.

III

Si la vida es la guerra ¿por qué tanto mimo en la paz?

IV

No parece que a la vida de esos miles de hombres que llenan los cuarteles —decía Juan de Mairena— y que mañana serán lanzados a la muerte, se les conceda mucha importancia. Sin embargo, cada uno de ellos tiene un padre y una madre para él solo.

V

Cuando pretendemos que las cosas se vuelvan de nuestro lado, violentándolas un poco, es muy frecuente que se revuelvan, para volverse del otro.

VI

Es más difícil estar a la altura de las circunstancias que *au dessus de la mêlée.*

VII

Cuando encontramos un tornillo insuficientemente atornillado, convendría darle unas cuantas vueltecitas más hasta ajustarlo en su sitio. Hay quien prefiere, sin embargo, fabricar un segundo tornillo para atornillar el primero, y como éste, al fin, tampoco se le ajusta lo bastante, se fabrica un tercer tornillo destinado a atornillar el tornillo que atornille al primitivo tornillo desatornillado. Y así hasta lo infinito. A esto se llamó en otros tiempos *trabajar para ser pobre.*

VIII

Es un intelectual, es decir un profesional y hasta un virtuoso de la inteligencia. Excelente persona, por lo demás, pero... ¡tan poco inteligente!

IX

En las épocas de guerra hay poco tiempo para pensar. Pero las pocas cosas que pensamos se tiñen de un matiz muy parecido al de la verdad. Por ejemplo: lo más terrible de la guerra es que, desde ella, se ve la paz, la paz que se ha perdido, como algo más terrible todavía. Cuando el guerrero lleva este pensamiento entre ceja y ceja, su semblante adquiere una cierta expresión de santidad.

X

Algunos semblantes de expresión más humilde parecen decirnos: dejadme gozar de este mal menor, de esta guerra menor, de esta tregua de la paz que llamamos *la guerra*.

XI

Cuando contemplamos alguno de esos gigantes rascacielos de la metafísica, por ejemplo, el de Hegel, dudamos, algo frívolamente, de que su arquitecto, un hombre de tan mal gusto, pueda haber coincidido alguna vez con la verdad.

XII

Roma es un poder del Occidente pragmático, un poder contra el Cristo, que tiene del Cristo lo bastante para defenderse de él. *Similia similibus curantur.* Entre Moscú, profundamente cristiano, y Roma, profundamente pagana, es Roma la que defiende al Cristo, como quien defiende la ternera para su vacuna. Moscú, en cambio, se inyecta a Carlos Marx. Pero cuando triunfe Moscú, no lo dudéis, habrá triunfado el Cristo.

XIII

Si algún día España tuviera que jugarse la última carta —habla Juan de Mairena— no la pondría en manos de los llamados optimistas, sino en manos de los desesperados por el mero hecho de haber nacido. Porque éstos la jugarían valientemente, quiero decir desesperadamente, y podrían ganarla. Cuando menos, salvarían el honor, lo que equivaldría a salvar una España futura. Los otros la perderían sin jugarla, indefectiblemente, para salvar sus míseros pellejos. Habrían perdido la última carta de su baraja y no tendrían carta alguna que jugar en la nueva baraja que apareciese, más tarde, en manos del destino.

XIV

Si os encontráis algún día sitiados, como los numantinos, pensad que la única noble actitud es la numantina, la que la historia, corregida por la leyenda, atribuye a Numancia.

XV

Y cuando os queden pocas horas de vida, recordad el dicho español: *de cobardes no se ha escrito nada.* Y vivid esas horas pensando en que es preciso que se escriba algo de vosotros.

XVI

Aunque os he hablado y os hablaré mucho contra la guerra —sigue conversando Mairena con sus alumnos— no quiero dejar de advertiros que la *paz a ultranza,* que es, al fin, el mantenimiento de una paz asentada en parte sobre las iniquidades de la guerra, es una fórmula hueca, que acaso coincida con las guerras más catastróficas de la historia. Porque una *paz a todo trance* tendría su más inequívoca reducción al absurdo ante este inevitable dilema: o cruzarmos de brazos ante la iniquidad, o guerrear por la justicia, si eligiésemos el primero de los dos términos. ¿Quién duda que, en ese caso, todos los hombres bien nacidos serían guerreros, y pacifistas todos los sinvergüenzas que pueblan el planeta? La paz como finalidad suprema no es menos absurda que la guerra por la fuerza misma. Ambas posiciones tienden a despojarse de todo su contenido espiritual, y ambas conducen a la muerte, sin eliminar la lucha entre fieras.

JUAN MARTÍN «EL EMPECINADO»[6]

Al pincel de don Francisco de Goya debemos un retrato insuperable de Juan Martín Díez, a quien llamaron en su tiempo el «Empecinado», con mote alusivo acaso a la *pecina* de su pueblo —según algunos autores, el mote de «Empecinado», alude al oficio de zapatero que profesaron muchos de sus familiares— y a quien hoy, más de un siglo después de su muerte, recuerdan con el mismo apodo muchos que ignoran la existencia de Castrillo de Duero y del arroyo de aguas cenagosas y negruzcas que cruza la triste villa, cuna del guerrillero inmortal. Tuvo Juan Martín un alias bien *pizmiento* —hubiera dicho Cervantes—, que el tiempo se ha encargado de convertir en nombre claro y significativo.

La figura goyesca del «Empecinado», que muchos admiramos en una ya remota Exposición madrileña, coincide en muchos de sus rasgos, pero no en todos, con la epopeya galdosiana. Acaso don Benito no consultó, para sus *Episodios nacionales,* con el retrato de Juan Martín, que había pintado el maestro de Fuendetodos. Aquel *moreno amarillento* del semblante, a que alude Galdós, dista mucho —si la memoria no me traiciona— de la color un tanto aborrachada, hacia el rojo sanguíneo, que domina en la pintura. En lo demás parecen de acuerdo pintor y novelista. Para ambos era Juan Martín *un cuerpo de bronce que encerraba la energía, la actividad, la resistencia, la terquedad, el arrojo frenético del meridional junto con la paciencia de la gente del Norte;* para ambos eran *vivos* los ojos de Juan Martín, su pelo aplastado sobre la frente

---

6. *Nuestro Ejército,* n.º 1, abril de 1938.

junto a las cejas bien pobladas, y su *afeite a la rusa,* que unía el *bigote* a las patillas, *dejando la barba limpia de todo pelo.* Sobre este último detalle —tan sugestivo en nuestros días— insiste Galdós, recordándonos que era propio de los guerrilleros, antes que Zumalacárregui y otros jefes carlistas lo pusieran de moda entre sus gentes.

El afeite a la rusa —añadimos nosotros— era una caracterización popular, algo anterior a nuestros guerrilleros, a nuestras guerras civiles y a nuestros bandidos generosos.

¡El «Empecinado»!... Con este nombre evocamos hoy las páginas heroicas de nuestra primera guerra de la Independencia, la guerra de España, la España de entonces contra los ejércitos de Bonaparte y contra el fascio de los comienzos de aquella centuria, contra los invasores de fuera y los traidores de nuestra propia casa. Sí, *mutatis mutandis,* el trance de la España de entonces era el de la España actual; entonces como hoy se luchaba por la integridad de nuestra patria y por el derecho de los españoles a perdurar en la historia. Sí, no lo dudéis, el guerrillero de ayer, el más ilustre sin duda de todos los guerrilleros de su tiempo, abrazaría hoy fraternalmente, con viril efusión a muchos capitanes no menos egregios de nuestros días. El que salió de Aranda con un *ejército de dos hombres en 1808,* a las primeras noticias de la invasión francesa y llevaba tres mil soldados en 1811, el que mereció de las Cortes de Cádiz el mando en jefe de la Quinta División del segundo Ejército, era *pueblo,* profundamente pueblo, y había nacido capitán en el más alto y noble sentido de la palabra. Yo no sé si la ciencia bélica, en su capítulo de guerra de guerrilleros, habrá estudiado tanto en las acciones que ordenó Juan Martín como en las batallas, asaltos y emboscadas que dirigieron otros adalides de su tiempo.

Muchos fueron entonces los buenos guerrilleros, y sin duda los hubo más sabios, más hábiles y de mayor capacidad militar. Hablen los técnicos. Desde un punto de vista ético, que es a fin de cuentas el de la historia y el de la leyenda, ninguno de ellos pudo superar al «Empecinado». El sentido frívolamente objetivo de nuestra crítica y torpemente realista de nuestra novela, es hábil para calumniar con la verdad anecdótica, para enturbiar con los detalles aprendidos o averiguados la claridad de una visión de lo esencial. El mismo Galdós —tan poeta a su modo y profundo vidente de lo español— insiste demasiado sobre la mala prosodia y pésima ortografía del héroe. ¡Oh, aquellos despachos y oficios que tan mal redactaba y tanto peor hubiera manuscrito Juan Martín!... Sin duda. Pero aquellos mismos partes de guerra eran frecuentemente —¿por qué no decirlo?— verdaderos modelos de modestia, de veracidad y de disciplina. Porque Juan Martín fue mucho más que un simple guerrillero, más que un ilustre salteador de la guerra. La hombría integral de aquel analfabeto se elevó muchas veces a la clara visión de un conjunto en el cual la misión concreta de un luchador podía estar supeditada a misiones más amplias y a poderes más altos. Con hombres del temple moral de Juan Martín —lo estamos viendo en nuestros días— se hubiera podido hacer un ejército, un magnífico instrumento de combate al servicio de una causa ideal.

Algo de esto debieron sospechar los enemigos de Juan Martín, los viles aduladores del rey canalla, que tan mala suerte le dieron, después de haberlo escarnecido tanto. ¿Qué otra cosa puede significar la pasión y muerte del «Empecinado»? Fue víctima Juan Martín, como todos sabemos, de la abominable reacción fernandina. Era Juan Martín lo más peligroso, y lo que más podían temer y abominar los reaccionarios y absolutistas de aquellos días. Porque Juan Martín era el pueblo contaminado de liberalismo, el *ethos* popular que mira hacia el futuro y que pretende vivir en el sentido esencial de la historia. No era Juan Martín un simple aventurero, maestro en el arte de la sorpresa y la encrucijada, que hubiera servido a todas las causas, por amor a la guerra y a la aventura. Juan Martín no podía obedecer a un rey felón que adulaba a la fuerza, felicitando a Bonaparte por sus victorias en España, ni a aquellos que, para ahogar el ímpetu progresivo de su raza, abrieron las fronteras a los ejércitos de Angulema, a los cien mil hijos de San Luis. Los que ayer, el 19 de agosto de 1825, acribillaron con sus bayonetas serviles el noble pecho de Juan

Martín (murió Juan Martín forcejeando con el verdugo y la escolta que le conducía al suplicio), eran muy semejantes a los que gritan hoy «¡arriba España!» después de haber abierto todas sus puertas a los mal contados *cien mil hijos de Hitler* y de *Mussolini,* los mismos que no se atreven a gritar «¡abajo el pueblo!»... cuando éste quiere ser próspero y libre, cuando aspira a la dignidad y a la cultura.

Envío

No lo dudéis, egregios capitanes, amigos queridos del Ejército Popular, la sombre de Juan Martín os acompaña; con vosotros estuvo, combatiendo al fascio a las puertas de Madrid; estará con vosotros allí donde os encontréis. Con vosotros, y al lado de nuestra gloriosa República, incorporado al gran ejército de la victoria.

MAIRENA PÓSTUMO. DESDE EL MIRADOR DE LA GUERRA[7]

I

Algunas veces os he dicho —así hablaría hoy Juan de Mairena a sus alumnos— que, en tiempos de guerra, es difícil pensar; porque el pensamiento es esencialmente amoroso y no polémico. Mas tampoco dejé de advertiros que la guerra es, a veces, un gran avivador de conciencias adormiladas, y que aun los despiertos pueden encontrar en ella algunos nuevos motivos de reflexión. Cierto que la guerra reduce el campo de nuestras razones, nos amputa violentamente todas aquellas en que se afincan nuestros adversarios; pero nos obliga a ahondar en las nuestras, no sólo a pulirlas y aguzarlas para convertirlas en proyectiles eficaces. De otro modo, ¿qué razón habría para que los llamados intelectuales tuvieran una labor específicamente suya que realizar en tiempos de guerra?

---

7. *La Vanguardia,* 3 de mayo de 1938.

La gran ventaja que proporciona la guerra al hombre reflexivo es esta: como toda visión requiere distancia, la hoguera de la guerra nos ilumina y nos ayuda a ver la paz, la paz que hemos perdido, o que nos han arrebatado, y que es la misma, aproximadamente, que conservan las naciones vecinas. Y vemos que la paz es algo terrible, monstruoso y tan hueco de virtudes humanas como repleto de los más feroces motivos polémicos. Y ello hasta tal punto que no habría excesiva paradoja en afirmar: lo que llamamos guerra es, para muchos hombres, un mal menor, una guerra menor, una tregua de esa monstruosa contienda que llamamos *la paz*. Os pondré un ejemplo impresionante para ilustrar mi tesis y elevarla al alcance de vuestras cortas luces. En los países más prósperos —no hablo de España— grandes potencias financieras, comerciales, fabriles, etc., hay millones de obreros sin trabajo, que se mueren literalmente de hambre, o arrastran una existencia tan mísera como las pensiones que les asignan sus gobiernos. En el seno de una paz ubérrima, de una paz que se dice consagrada a sostener y aumentar el bienestar del pueblo, que permite a esas naciones llamarse a sí mismas potencias de primer orden, hay muchos hombres que carecen de pan. Mas si la guerra estalla, esos mismos hombres tendrán muy pronto pan, carne, vino, y hasta café y tabaco. No ahondemos por de pronto en el hecho; formulémonos esta pregunta: ¿no es extraño que sea precisamente la guerra, la guerra infecunda y destructora, la que eche de comer al hambriento, vista, calce al desnudo, y hasta enseñe al que no sabe, porque la guerra no se hace sin un mínimum de técnica, que es fuerza aprender al son de los tambores? Colocados en este mirador, el que nos proporciona la guerra, claramente vemos que lo terriblemente monstruoso es lo que llamábamos paz. El mero hecho de que haya trabajadores parados en la paz, que encuentran, a cambio de sus vidas —claro está— trabajo y sustento en la guerra, en el fondo de las trincheras, en el manejo de los cañones, y en la producción a destajo de máquinas destructoras y gases homicidas, es un lindo tema de reflexión para los pacifistas. Porque esto quiere decir que toda la actividad creadora de la paz tenía —vista a grandes rasgos— una finalidad guerrera, y acumulaba recursos cuantiosísimos e insospechados para poderse permitir el lujo terrible de la guerra, infecunda, destructora, etc., etc. Ni una palabra más sobre este tema; porque ello sería abusar de la retórica, es decir, de la predicación al convencido. Veamos otro aspecto de la cuestión.

Seguimos en el mirador de la guerra. Veamos el caso de una nación, como la nuestra, *pobre y honrada* (unamos estas dos palabras por diezmillonésima vez, con perdón de la memoria de Valle-Inclán y olvidando la amarga ironía cervantina), una nación donde las cosas suelen estar algo mejor por dentro que por fuera. En ella, unos cuantos hombres de buena fe, nada extremistas, nada revolucionarios, tuvieron la insólita ocurrencia, en las esferas del gobierno, de gobernar con un sentido de porvenir, aceptando, sinceramente, como bases de sus programas políticos, un mínimum de las más justas aspiraciones populares, entre otras la usuraria pretensión de que el pan y la cultura estuvieran un poco al alcance del pueblo. Se pretendía gobernar, no sólo en el sentido de la justicia, sino en provecho de la mayoría de nuestros indígenas. Inmediatamente vimos que la paz era el feudo de los injustos, de los crueles, y de los menos. Y sucedió lo que todos sabemos: primero, la calumnia insidiosa y el odio implacable a aquellos honrados políticos, después la rebelión hipócrita de los militares, luego la rebelión descarnada, la traición y la venta de la patria de todos para salvar los intereses de unos cuantos. Y vosotros me diréis: ¿cómo es esto posible? Yo os contestaré: el porqué de esta monstruosidad se ve muy claro desde el mirador de la guerra. La paz circundante es un equilibrio entre fieras y un compromiso entre gitanos (perdón, ¡pobres gitanos!, es un decir), llamémosle mejor un *gentleman agreement*. La corriente belicista es la más profunda en todo el Occidente —aceptemos la palabra en el sentido germánico— porque su cultura es preponderantemente polémica. Esta corriente arrastra a todas las grandes naciones que se definen como grandes potencias. Todas están convencidas —con razón o sin ella— de la fatalidad de la guerra y a ella se aperciben. Pero los unos afectan creer en la posibilidad de la paz, los otros en la alegría de guerrear. La guerra —en el sentido militar de la palabra— se cotiza como amenaza y como medio de chantaje, antes de ser un hecho irremediable. España es una pieza en el tablero para la bélica partida, sin gran importancia por sí misma, importantísima, no obstante, por el lugar que ocupa. ¡Que nadie toque a ese peón! Dicho de otro modo: la independencia de España es sagrada. Tal era la voz de nuestros amigos, convencidos de que ese peón guarda la llave de un imperio, la frontera terrestre y las rutas marítimas de otro. Era un poco inocente pensar que ese peón iba a ser intangible. Ningún español había tan imbécil que lo pensara. Y ocurrió lo inevitable. Dos grandes potencias lo amenazaron, primero; se propusieron eliminarlo después. Con la noble España quedan condenados a muerte dos grandes imperios. Los españoles pensamos ingenuamente que la España propiamente dicha, no la que se vendía y se entregaba a la codicia extranjera, tendría de su parte a esos dos grandes imperios, puesto que los altos intereses de éstos coincidían con los hispánicos. No fue así. La lógica de los hechos era otra. Ambos concertaron la fórmula de no intervención, con permiso y participación de sus adversarios: «Que la guerra se detenga en las fronteras de España, que no surja de ella, antes de tiempo, la gran conflagración universal; que nuestros enemigos esperen hasta que nosotros podamos aniquilarlos». Algo tan lógico como ingenuo. ¿Ingenuo? No demasiado. Porque ellos supieron muy pronto que sus enemigos no esperaban. La guerra iba decididamente contra ellos. Y entonces los pobres españoles pensamos que el patrimonio nacionalista estaría de nuestra parte. Pero el patriotismo no era ya nacionalista; en esos dos grandes imperios, vulgo grandes democracias, es hoy lo que, muy en el fondo, había sido siempre: un sentimiento popular, y una palabra en labios de los acaparadores de la riqueza y del poder. El patriotismo verdadero de esas dos grandes democracias, que es el del pueblo, está decididamente con nosotros; pero quienes disponen aún de los destinos nacionales están en contra nuestra. Ellos conservan todavía sus antifaces, superfluos de puro transparentes y pretenden engañar a sus pueblos y engañarnos a nosotros. En verdad no engañan a nadie. Ellos, los acaparadores del poder y la riqueza, los dueños de una paz que quisieran conservar *à outrance,* han concedido demasiado a sus adversarios para que sus pueblos no lo adviertan, y hoy están a dos pasos de ser dentro de casa motejados de traidores. El juego, por lo demás, era harto burdo para engañar un solo momento a quienes lo veían desde fuera. Ya es voz unánime de la conciencia universal que el pacto de no intervención en España constituye una de las iniquidades más grandes que registra la historia.

Desde el mirador de la guerra se ven otras muchas iniquidades de la paz. De la mayor de todas hablaremos otro día.

EL 2 DE MAYO DE 1808[8]

Los que presenciamos la toma del Cuartel de la Montaña en julio de 1936, guardamos el recuerdo de una intuición directa, inconfundible y concreta del ímpetu arrollador del pueblo madrileño cuando, guiado por un ideal de justicia, o enardecido por el sentimiento de su hombría ultrajada, se decide a afrontar todos los peligros, a cobrar hazañas que hubieran arredrado al mismo Hércules. Alguien ha señalado con certero tino su semejanza, o mejor dicho su equivalencia con la gloriosa jornada del 2 de Mayo de 1808. En ambos días se inicia, en verdad, un levantamiento popular, que había muy pronto de convertirse en defensa de la patria invadida, y en tenaz campaña por la independencia española. Desde el punto de vista anecdótico de la historia, las diferencias son grandes: el 2 de mayo culminó en trágica catástrofe para los buenos; el día que nosotros vivimos, como espectadores apasionados, fue una humillante derrota para los perversos, si queréis una victoria de los buenos casi milagrosa, como la de Don Quijote, enhiesto y retador, ante la abierta jaula del león. Pero, en uno

---

8. *Nuestro Ejército,* n.º 2-3, mayo-junio de 1938.

y otro día, el triunfo moral es el mismo, y el impulso heroico idéntico en lo esencial. Por eso, quien estableció el paralelo entre ambas efemérides —siento ignorar su nombre— supo muy bien lo que decía.

España estaba virtualmente en manos de Napoleón, a quien Fernando VII, el rey charrán, llamó tantas veces *«su íntimo y leal aliado, el Emperador de los franceses»* y Madrid, el heroico Madrid, sufría de hecho el yugo a que, hipócritamente y con tácita anuencia de gran parte de la aristocracia, le sometían las tropas francesas de Murat, dicho con toda pompa: del Excelentísimo Gran Duque de Berg y Cleves. El abyecto monarca, el deseado Fernando, efímeramente coronado por la abdicación del no menos abyecto autor de sus días, estaba en Bayona, adonde había llegado por etapas y simulando adelantarse para recibir a Napoleón, y, desde luego, siempre con el propósito de pasar la frontera para servir los planes imperiales. Casi toda la familia real y gran parte de la aristocracia servil habían ya pasado el Bidasoa. ¿Qué otra cosa podía esperarse de aquella familiota de cerdos, brujas y truhanes, que tan portentosamente retrató el satírico pincel de Goya? Aún quedaba un Borbón en Madrid, el infante don Antonio, a quien se obligó, según se dijo, a abandonar la Corte el día 2 de mayo de 1808. Y fue este el motivo, el pretexto, o, por mejor decir, la gota que hizo rebosar el vaso del disgusto popular, la chispa que hizo explotar su noble indignación.

El pueblo madrileño trató de oponerse a la marcha del último Borbón, pero los guardias que lo custodiaban hicieron fuego para abrirse paso. *«Todos corrieron a las armas* —cito de intento palabras de un escritor fernandino, don Fermín Caballero— *y conducidos por Daoíz y Velarde y otros militares, empiezan a luchar con sus opresores y verdugos.»* Que la jornada fue plenamente popular lo reconoce el mismo cronista reaccionario, al confesar que *«el corto número de tropas españolas que formaban la guarnición no tomaron parte; porque se había tenido la precaución por las autoridades que las mandaban de mantenerlas encerradas en sus cuarteles».* Reparad bien en este hecho. El heroísmo de Daoíz y de Velarde, los inmortales defensores del Parque de Monteleón, el denuedo de otros ilustres militares, consistió, entonces como en nuestros días, en ponerse al lado del pueblo que era, entonces como ahora, la España verdadera para combatir a los invasores extranjeros y a los traidores de casa.

Después del triunfo de los opresores, las *represalias* de Murat fueron terribles. En una orden que se dio el mismo 2 de mayo para el ejército francés y que firma Belliard, por mandato de Su Alteza Imperial y Real, se dice, entre otras cosas, lo siguiente:

> Soldados: Mal aconsejado el populacho de Madrid se ha levantado y cometido asesinatos; bien sé que los españoles que merecen nombre de tales han lamentado tamaños desórdenes. Pero la sangre francesa vertida clama venganza. Por tanto mando lo siguiente:
>
> *Artículo 1.º* Esta noche convocará el general Crouchi la comisión militar.
>
> *Artículo 2.º* Serán arcabuceados todos cuantos durante la revolución han sido presos con armas.
>
> *Artículo 3.º* La Junta de Gobierno va a mandar el desarme de los vecinos de Madrid. Todos los moradores de la Corte que pasado el plazo de la ejecución de esa orden, anden con armas o las conserven en su casa, sin licencia especial, serán arcabuceados.
>
> *Artículo 4.º* Todo corrillo que pase de ocho personas se reputará reunión de sediciosos y se dispersará a fusilazos.

Hay varios artículos más de la misma laya. ¿A qué seguir? Recordad el lienzo de don Francisco de Goya *Los fusilamientos de la Moncloa,* ese cuadro sin par, que los facciosos de nuestros días hubieran destruido con sus bombas incendiarias, si los buenos madrileños y las autoridades de nuestra República no hubieran sabido ponerlo a buen recaudo; se ve el vil asesinato de un pueblo inmortal por un sombrío pelotón de verdugos. Un pueblo inmortal asesinado. Perdonadme la expresión paradójica. La inmortalidad de un pueblo consiste precisamente en eso: en que no muera cuando se le asesina. No murió entonces, porque de la sangre humeante de aquellos mártires, surgió la primera guerra de la Independencia, las hazañas de Mina y Juan Martín y la derrota del primer capitán del siglo. No murió, egregios capitanes de nuestros días, porque el pueblo aquel es el mismo que lucha hoy contra el fascio de Europa entera, por defender la integridad del suelo español y la libertad del mundo.

Barcelona, 9 de mayo de 1938.

DESDE EL MIRADOR DE LA GUERRA[9]

II

Cuando vemos desde el mirador de la guerra la llamada política conservadora que domina hoy los Estados, no las naciones, de las llamadas democracias, advertimos claramente toda su ceguera, toda su insuperable estolidez. Los hombres que representan esta política (poned aquí los nombres que queráis, sin reparar en su filiación de partido), no vacilan en divorciarse de sus pueblos, en permitir que sean éstos amenazados, lesionados y hasta invadidos, con tal de poner a salvo los intereses de una clase privilegiada. La posición es un poco absurda; porque una clase privilegiada no puede llegar hasta el sacrificio... de todas las demás; pero, al fin, no es tan nueva en el mundo, que sea para nosotros motivo de escándalo. Lo verdaderamente monstruoso es que esos hombres sigan simulando echar sus viejas cuentas, como si entre el año 14 y el año 38 de nuestro siglo no hubiera pasado nada sobre el mísero planeta que habitamos. Su actitud ante una posible (para ellos inevitable) guerra grande es, agravada por el tiempo, aproximadamente la misma que tuvieron en vísperas de la guerra europea. Ellos nos hablan, como entonces hablaban, en nom-

---

9. *La Vanguardia*, 14 de mayo de 1938.

El 2 de Mayo de 1808.

Los que presenciamos la toma del Cuartel de la Montaña, en Julio de 1936, guardamos el recuerdo de una intuición directa inconfundible y concreta del ímpetu arrollador del pueblo madrileño cuando, guiado por un ideal de justicia, o enardecido por el sentimiento de su hombría ultrajada, se decide a afrontar todos los peligros, a obrar hazañas que hubieran arredrado al mismo Hércules. Alguien ha señalado con certero tino semejanza, o mejor dicho equivalencia con la gloriosa jornada del 2 de Mayo de 1808. En ambos días se inicia, en verdad, un levantamiento popular, que había muy pronto de convertirse en defensa de la patria invadida, y en campaña por la independencia española. Desde el punto de vista anecdótico de la historia, las diferencias son grandes: el 2 de Mayo culminó en trágica catástrofe para los buenos; el día que nosotros vivimos, como espectadores apasionados, fue una humillante derrota para los perversos, si queréis una victoria casi milagrosa, como la de Don Quijote, enhiesto y retador, ante la ~~jaula~~ abierta jaula del león. Pero, en uno y otro día, el triunfo moral es el mismo, y el impulso heroico idéntico en lo esencial. Por eso, quien estableció el paralelo entre ambas efemérides —siento ignorar su nombre— supo muy bien lo que decía.

España estaba virtualmente en manos de Napoleón, a quien

Fernando VII, el rey charrán, llamó tantas veces "su íntimo y leal aliado, el Emperador de los franceses", y Madrid, el heroico Madrid, sufría le hecho el yugo a que, hipócritamente con tácita anuencia de gran parte de la aristocracia, le sometían las tropas francesas de Murat, dicho con toda pompa del Excelentísimo Gran Duque de Berg y Cleves. El abyecto monarca, el deseado Fernando, efímeramente coronado por la abdicación del no menos abyecto autor de sus días, estaba en Bayona, a donde había llegado por etapas y simulando adelantarse para recibir a Napoleón, desde luego, siempre con el propósito de pasar la frontera para servir los planes imperiales. Casi toda la familia real y gran parte de la aristocracia servil habían ya pasado el Bidasoa. ¿Qué otra podía esperarse de aquella ~~familia~~ familiota de

de cerdos, brujas y truhanes, que tan portentosamente retrató el satírico pincel de Goya? Aun quedaba un Borbón en Madrid, el infante Don Antonio, a quien se obligó, según se dijo, a abandonar la Corte el día 2 de Mayo de 1808. Y fué éste el motivo, el pretexto, o, por mejor decir, la gota que hizo rebasar el vaso del disgusto popular, la chispa que hizo explotar su noble indignación.

El pueblo madrileño trató de oponerse a la marcha del último Borbón, pero las guardias que lo custodiaban hicieron fuego para abrirse paso. "Todos corrieron a las armas —cito de intento palabras de un escritor fernandino, Don Fermín Caballero— y conducidos por Daoiz y Velarde y otros militares, empiezan a luchar con sus opresores y verdugos". Que la jornada fué plenamente popular lo reconoce el mismo cronista reaccionario, al confesar que "el corto

número de tropas españolas que formaban la guarnición no tomaron parte; porque se había tenido la precaución por las autoridades que las
mandaban de mantenerlas encerradas en sus cuarteles." Reparad
bien en este hecho. El heroísmo
de Daoiz y de Velarde, los inmortales
defensores del Parque de Monteleón,
el denuedo de otros ilustres militares,
consistió, entonces como en nuestros
días, en ponerse al lado del pueblo
que era, entonces como ahora, la
España verdadera para combatir a los
invasores extranjeros y a los traidores
de casa.

Después del triunfo de los opresores,
las represalias de Murat fueron
terribles. En una orden que se dió
el mismo 2 de Mayo para el ejército francés y que firma Berthiard
por mandato de Su Alteza Imperial
y Real, se dice, en otras cosas, lo

siguiente:

Soldados: Mal aconsejado
el populacho de Madrid se
ha levantado y cometido
asesinatos; bien sé que
los españoles que merecen
nombre de tales han la-
mentado tamaños
desórdenes. Pero la san-
gre francesa vertida
clama venganza. Por
tanto mando lo siguiente:

Artículo 1º Esta noche con-
vocará el general Grouchi
la comisión militar.

Artículo 2º Serán arcabuceados
todos cuantos durante la
revolución han sido presos
con armas.

Artículo 3º La Junta de Gobierno va a mandar el desarme de los vecinos de Madrid. Todos los moradores de la Corte que, pasado el plazo de la ejecución de esta orden, anden con armas o las conserven en su casa, sin licencia especial, serán arcabuceados.

Artículo 4º Todo corrillo que pase de ocho personas se reputará reunión de sediciosos y se dispersará a fusilazos.

Hay varios artículos mas de la misma laya. ¿A qué

seguir? Recordad el lienzo de Don Francisco de Goya "Los fusilamientos de la Moncloa", ese cuadro sin par, que los facciosos de nuestros dias hubieran destruido con sus bombas incendiarias, si los buenos madrileños y las autoridades de nuestra República no hubiera sabido ponerlo a buen recaudo, se ve el vil asesinato de un pueblo inmortal por un sombrío pelotón de verdugos. Un pueblo inmortal asesinado. Perdonadme la expresión

9

paradójica. La inmortalidad
de un pueblo consiste precisamente en eso: en que no
muera cuando se le asesina.
No murió entonces, porque de la
sangre humeante de aquellos mártires, surgió la primera guerra
de la Independencia, las hazañas de Mina y Juan Martín
y la derrota del primer capitán del siglo. No morirá,
egregios capitanes de nuestros días, porque el pueblo
aquel es el mismo que
lucha hoy contra el
fascio de Europa en-
tera, por defender la

10

integridad del suelo español y la libertad del
mundo.

Antonio Machado

Barcelona, 9 de mayo de 1938.

bre de sus respectivos países, como si ellos fueran los representantes legítimos de entidades compactas, suficientemente unificadas para ser arrastradas a una guerra mortífera, bajo el mismo uniforme y la misma denominación (franceses, ingleses, etc.), sin cambio alguno de la estructura social, en el momento de ser atacadas por otras naciones no menos compactas, no menos unificadas, donde las discordias interiores se apagan al sonar los primeros tambores. En el año 14 la guerra, con todos sus horrores, fue una admirable simplificación de las contiendas íntimas, una tregua sangrienta de la paz. El mismo crimen que eliminó a Jaurès se silbó por superfluo. Jaurès era —¡cuántas veces se dijo!— francés antes que socialista, y nada había que temer de su influencia sobre las masas proletarias. Pero los políticos conservadores de nuestros días saben muy bien que esto ya no es posible. Lo saben y ni siquiera tienen el pudor de ocultarlo. Siguen, no obstante, y seguirán ahuecando la voz para hablar como antaño: «En los momentos decisivos para los cuales activamente nos apercibimos, contamos con enorme provisión de materias primas destinadas a industrias de guerra, con fábricas cuyo trabajo para la guerra será incesante, el enorme poder de nuestras escuadras, la fecundidad de nuestras mujeres, y el material humano, difícil de mantener en la paz, pero de oportuno empleo y fácil consumo en las horas marciales. Y todo ello arderá en la gran hoguera cuando llegue su día. Que nadie atente a la integridad de nuestro territorio, a la independencia de nuestra nación, a la intangibilidad de nuestro imperio colonial, o sea obstáculo a su futuro engrandecimiento». Todas estas palabras suenan hoy a retórica hueca, puesto que no contienen ya un átomo de verdad en labios de quienes las pronuncian. Porque sus pueblos saben, y ellos mismos no ignoran, lo siguiente:

Primero.— Que estos políticos conservadores sólo representan a una clase que lleva el escudo al brazo, una plutocracia en posición defensiva, cuyo cimiento no tiene la firmeza que tuvo en otros días.

Segundo.— Que sus adversarios, los políticos que definen, alientan o impulsan una política amenazadora (un Mussolini, un Hitler) son algo más cínicos que ellos, pero acaso menos estúpidos, y que les asiste, en sus pueblos, una corriente de opinión más considerable. Son hombres, también con el escudo al brazo, pero representan el momento de suprema tensión defensiva de la burguesía (fascio), que se permite el lujo de la agresión. *Espíritu de miedo envuelto en ira,* que dijo nuestro Herrera.

Tercero.— Que ellos, los políticos conservadores de las grandes democracias, tienden a simpatizar, necesariamente, con los jefes francamente imperialistas de los países adversarios, porque son lobos de la misma camada, dicho de otro modo: defensores de una misma causa: el apuntalamiento del edificio burgués, minado en sus cimientos.

Cuarto.— Que el pacto a que ellos tienden es un pacto entre entidades polémicas, un pacto entre fieras, y las fieras sólo pueden ponerse de acuerdo en dos cosas: o para devorar al débil o para devorarse entre sí.

Quinto.— Que ellos, dadas su ideología y su estructura moral, y dado el ambiente en que operan, no pueden escaparse de esta terrible alternativa.

Sexto.— Que su posición es hoy más falsa que nunca, más falsa y más débil que la de sus antagonistas, los jefes de las naciones desvergonzadamente imperiales. Porque carecen de milicias voluntarias que los amparen. Representan plutocracias engastadas en pueblos de tendencia realmente liberal y democrática, y no pueden aspirar a cambiar el sentido de la corriente más impetuosa y profunda de sus pueblos.

Séptimo.— Que su actuación política es, no ya superflua, sino perjudicial a sus naciones, porque ella oscila necesariamente entre la amenaza y la claudicación, la amenaza, que irrita al enemigo y refuerza sus resortes polémicos, y la claudicación, que deshonra a los pueblos y los entrega moralmente vencidos al adversario.

Octavo.— Que ellos no pueden responder a estas preguntas: ¿A dónde vamos? ¿Qué camino es el nuestro en el futuro histórico? Que ellos contribuyen a poner un tupido velo de mentiras ante los ojos de sus pueblos. Porque ellos ignoran

—o aparentan ignorar— el hecho ingente de la Revolución rusa, y pretenden que se vea en ella un poder demoníaco y un foco de infección que puede contaminar a sus pueblos, en lo cual están de perfecto acuerdo con los llamados fascistas. Y pretenden, sobre todo, que nadie vea en Moscú, el aborrecido Moscú, el faro único de la Historia que hoy puede iluminar el camino futuro. Les aterra sobre todo —reparadlo bien— que la gran Revolución rusa haya pasado de su período demoledor al creador y constructivo y que lo que allí se hace sea la experiencia maravillosa de una nueva forma de convivencia humana.

Noveno.— Que, honradamente, sólo pueden hacer una cosa: retirarse a su vida privada de cazadores aristocráticos o de no menos distinguidos pescadores de caña, y dejar los puestos de pilotos que hoy ocupan a los hombres que tengan la conciencia integral de sus pueblos, de su ruta y de su porvenir, porque sólo a éstos incumben la heroica faena y la terrible responsabilidad del timón.

Y no sigo, por ahora, enumerando, porque no aspiro a los trece puntos, número sagrado para nosotros, después del insuperable manifiesto del doctor Negrín.

Dejemos para otro día el tratar de la *diplomacia conservadora,* que tanto hubiera hecho reír a un Maquiavelo, y que tanto nos recuerda los versos del coplero español:

Cuando los gitanos tratan,
es la mentira inocente:
se mienten y no se engañan.

DESDE EL MIRADOR DE LA GUERRA[10]

III

Uno de los errores más graves de la política conservadora de las llamadas grandes democracias (entran en ella todos cuantos la hacen, cualquiera que sea su denominación de partido) consiste en creer que ella puede permitirse el ser infiel a su máscara, y el lujo de una iniquidad desvergonzada, sin que la Historia, en plazo más o menos breve, le pida estrecha cuenta de su conducta. Confía demasiado en sus recursos materiales —los que posee y los que procura agenciarse— y se entrega a la gran corriente de cinismo que invade el mundo, alardeando, como sus adversarios, de una actuación realista y reconociendo, implícitamente, que una política cimentada en principios éticos sería una política de ilusiones.

Las grandes democracias, para quienes la guerra es lo indefectible, se preparan mal para la guerra. Los hombres que la representan descuidan, malgastan o anulan anticipadamente su retórica (entiendo por retórica el empleo de la palabra para convencer al prójimo y persuadirle de las propias razones), descuidan, digo, su retórica y la despojan de toda virtud suasoria, al ajustar su conducta burdamente a normas dictadas por la retórica del adversario.

Cuando Álvarez del Vayo, nuestro representante en Ginebra, pronuncia ante la Sociedad de Naciones un alegato repleto de dignidad y de lógica, todo él conducido a probar de un modo perfecto la actuación hipócrita y perversa de quienes, habiendo propuesto la *no intervención en España,* ayudan a los agresores intervencionistas y privan al agredido de su derecho más incontestable: el de procurarse los medios para su defensa, los representantes de Inglaterra y de Francia, lord Halifax y su compadre M. Bonnet, responden con sendos discursos, escritos de antemano, en que ni se intenta una refutación, con dos piezas de vulgarísima oratoria diplomática que

10. *La Vanguardia,* 22 de mayo de 1938.

ni siquiera pretende convencer a nadie. ¿Qué importan las razones ante los hechos que consuma la fuerza? No perdamos el tiempo. Porque no es este el único hecho monstruoso a que hemos de dar nuestra aquiescencia. Mas ahí queda, hincado en el blanco, sin agotar su impulso, el discurso de nuestro compatriota, como flecha trémula y vibrante para inquietud y escándalo de conciencias adormiladas; ahí quedan también las dos ineptas oraciones de sus colegas, para vergüenza de sus pueblos respectivos y prueba de la nociva inutilidad —casi todo lo inútil es nocivo— de una institución que, fundada para sustituir la fuerza material por la justicia y amparar el derecho de los débiles, mira con indiferencia la ruina de éstos, cuando no contribuye a acelerarla. La voz de España ha sonado serena, cortés y varonil, en boca de Álvarez del Vayo. Por fortuna, la voz de Francia y de Inglaterra, dos grandes pueblos orgullo de la Historia, no es la que ha sonado en labios de los homúnculos que pretenden representarlos.

Pero nosotros nos preguntamos si el desprecio de las razones y de los principios morales puede, de algún modo, contribuir a fortalecer a los pueblos, si aun desde un punto de vista pragmático —que nunca será el nuestro— quienes amenguan el valor ético de sus pueblos no amenguan también la fuerza de sus resortes polémicos, si en una gran contienda puede, a la larga, recaer el triunfo sobre quienes ahincadamente se obstinaron en no merecerlo, en pueblos previamente deshonrados por la abyección de sus hábitos políticos.

Vista panorámicamente, la guerra europea, que estalló en 1914, nos parecía a muchos que los recursos marciales, técnicamente organizados, asistían a los imperios teutónicos; pero que algo más fuerte, una superioridad ética basada, cuando menos, en su mayor fidelidad a los tratados convenidos durante la paz y a las normas del derecho de gentes, militaba en favor de los aliados. Era una cierta confianza en el triunfo de la justicia lo que mantuvo enhiesto el ánimo de los franco-ingleses en las horas más amargas, una cierta fe en el triunfo del más noble, lo que parecía concitar contra la invasora Germania, deshonrada por su propia conducta, los enemigos más terribles. ¿La simplificación era un poco burda? Acaso. Ya hubo entonces alguien que se preguntó si era la máscara o el rostro de los que se jactaban de combatir por la libertad y por el derecho lo que tan fuerte sugestión ejercía sobre nosotros. Pero no sutilicemos demasiado. Entre la máscara y el rostro hay menos diferencia, y, por de contado, menos distancia de lo que pensamos. Mucho se ha hablado de la hipocresía de los ingleses. No los midamos con ese metro: busquemos en ellos los valores reales a que esa hipocresía consagra un culto más o menos directo, las firmes, *inevitables* virtudes a que esa hipocresía rinde tributo más o menos forzado. Mucho se ha dicho de la pedantería de los alemanes. Cuando Alemania deje de ser pedante —y parece que lleve camino de ello— la turba filistea lapidará sus verdaderos sabios, y caerá en cuatro pies, y encontrará demasiado cómoda la postura.

Y volviendo al grano de nuestro cuento, añadiremos, para que todos nos oigan: mal paso ha sido el de la política conservadora de las grandes democracias en Ginebra, como nos muestran el copioso abucheo de la opinión y la agria crítica con que la prensa de todos los matices (sin excluir a la retardataria) la señala y comenta. El sarcástico refrendo de la *no intervención en España,* precisamente allí donde se aportan pruebas abrumadoras de su falsía, ante conciencias saturadas de este amargo convencimiento, en un acto de cínica inverecundia que, a nuestro juicio, no puede realizarse impunemente. Contribuyen esos hombres a degradar a sus pueblos, presentándolos ante el mundo entero, desde la alta tribuna de Ginebra, como cómplices de una probada injusticia, como torpes disimuladores de una iniquidad sin ejemplo en la Historia. (De algo había de servir —digámoslo de pasada— la Sociedad de Naciones, y no sólo como púlpito donde alguna vez se encarame la hombría de bien para hablar al mundo, sino como lugar donde se pongan de resalto por su propia inepcia cuantas ruines maquinaciones ocultaba el secreto de las cancillerías.) Contribuyen estos hombres, tan incapaces de prever y cautelar lo futuro como ingenuos creyentes en la fatalidad de la guerra, a que ésta sea realmente ineluctable; porque allí donde a la razón y a la moral se jubila, sólo la bestialidad conserva su empleo. Y por el hecho de haber demorado la inevitable guerra serán ellos los culpables de su terrible agravamiento.

Por fortuna, aún será tiempo de evitar los daños más irreparables, porque contra la política conservadora de las grandes democracias milita el instinto de conservación de los pueblos.

UNAMUNO[11]

De don Miguel de Unamuno, del gran don Miguel de Unamuno, el maestro querido, publica *Hora de España,* en su número XV, algunas composiciones inéditas, acompañadas de notas tan amorosas como inteligentes de José María Quiroga Pla, su yerno.

Para los amantes de lo anecdótico, la muerte de don Miguel de Unamuno ha quedado envuelta en el misterio. A quienes lo conocíamos y lo amábamos no nos inquietan las circunstancias más o menos tenebrosas de su acabamiento; sabemos de él lo que nos importaba saber: que murió, sin duda alguna, tan noblemente como había vivido. La vida de don Miguel de Unamuno fue toda ella una meditación sobre la muerte, y una egregia y luminosa agonía. ¿De qué otro modo podía morir, sino luchando consigo mismo, con su hombre esencial y con su propio Dios?

---

11. *Revista de las Españas,* n.º 101, mayo de 1938. Cuando Unamuno vio a Machado por última vez, en el café Varela en Madrid, poco antes de estallar la guerra civil, le dijo refiriéndose al ambiente político: «Hay una niebla tan espesa, que no se distingue nada».

Cuando murió Unamuno, Machado le dijo a su hermano José: «Ha muerto Unamuno»; y José nos dice: «creo que hay pocas cosas que le hayan afectado tanto en su vida».

Abogada de imposibles,
santa Rita la bendita,
la vida es un don del cielo;
lo que se da no se quita.

Con estos versos en que se glosa un dicho infantil, con estos versos que tienen algo de plegaria y algo de blasfemia como toda expresión sinceramente religiosa, con estos versos en los labios, pudo morir don Miguel de Unamuno, allá, en su dorada Salamanca, que ya no le dejaban contemplar los esbirros de Mola.

De los cuatro Migueles que asumen y resumen las esencias de España (Miguel Servet, Miguel de Cervantes, Miguel de Molinos y Miguel de Unamuno) es Unamuno el último en el tiempo, de ningún modo el menor de los cuatro gigantes.

De quienes ignoran que el haberse apagado la voz de Unamuno es algo con proporciones de catástrofe nacional, habría que decir: ¡Perdónalos, Señor, porque no saben lo que han perdido!

Aunque la vida de don Miguel de Unamuno fue en su totalidad una meditación sobre la muerte, no fue una meditación estoica para resignarse a morir, sino todo lo contrario. Unamuno es el perfecto antipolo de Séneca. Es Unamuno uno de los grandes pensadores «existencialistas» que se adelanta a la novísima filosofía (la de Friburgo), que culmina en Heidegger; pero Unamuno llegó a conclusiones radicalmente opuestas. «La vida, desde su principio hasta su término, es lucha contra la fatalidad de morir, lucha a muerte, agonía. Las virtudes humanas son tanto más altas cuanto más hondamente arrancan de esa suprema desesperación de la conciencia trágica y agónica del hombre. Su héroe fue Don Quijote, el antipragmatista por excelencia, el héroe éticamente invicto e invencible que sabe, o cree saber, que toda victoria inmerecida es una derrota moral, y que, en último caso, más que la victoria importa merecerla.» La idea esencial quijotesca se hermana con el más hondo sentir de Unamuno: «Vivid de tal suerte que el morir sea para vosotros una suprema injusticia».

SOBRE ALGUNAS IDEAS DE JUAN DE MAIRENA[12]

I

Las ideas, en el sentido que daba a esta palabra Juan de Mairena, son objetos de intuición intelectual y se dan en el reino de lo discursivamente impensable. Por ejemplo, la idea de una creación *ex nihilo,* de una creación propiamente dicha, es algo que no puede alcanzarse por razonamiento, antes por el contrario, el razonamiento nos muestra su imposibilidad real. La idea de creación *ex nihilo* subsiste, sin embargo, como objeto de visión mental. De igual modo su contraria, la idea de un total aniquilamiento, subsiste más allá de todo razonar. La idea platónica de un *deber ser,* elevada sobre la totalidad del ser, la idea de *un deber ser* lo que no se es, aparece no menos subsistente y no menos discursivamente impensable.

No es el carácter antinómico de las ideas supremas, ni su utilidad instrumental aplicada a la totalidad de la experiencia lo que el maestro afirmaba de ellas, alguna vez, sino su valor de objeto que se ve con el intelecto, antes y después de la bancarrota de todo razonar.

*

Más de una vez se reprochó a Juan de Mairena el atribuir a estas ideas supra-racionales la cualidad de verdaderas, de constituir últimas y absolutas realidades, con lo cual no sólo

---

12. *Hora de España,* n.º 17, mayo de 1938.

sostenía una doctrina arbitraria, sino que aparecía en abierta y flagrante oposición con su extremado escepticismo.

*

El reproche pudiera ser injusto; porque, nada en cuanto conocemos de sus escritos, nos autoriza a formularlo y sostenerlo. Mairena no se jactó nunca de haber coincidido con la verdad (en esto se distinguió mucho de los pensadores de su tiempo y, acaso, de todos los tiempos) —aunque tampoco afirmaba la imposibilidad de esta coincidencia.

Lo que dijo Mairena muchas veces es que estas ideas supra-racionales eran las específicamente humanas, y que por una conducta que se ajusta a ellas se distingue el hombre de otros animales, dentro del grupo de los primates, afirmación que pudiera ser tan arbitraria como la que se le imputa, pero que es, desde luego, muy otra.

*

Confiamos
en que no será verdad
nada de lo que pensamos.

Con esta solearilla anti-eleática encabeza Mairena muchas de las notas filosóficas que escribía para sí mismo. La palabra *almohada* de la copla: «confiamos», parece referirse más a la creencia que al conocimiento. De este modo procuraba Mairena matar dos pájaros —acaso tres— de un tiro. Porque, en primer término, eludía —o creía eludir— el argumento contra escépticos. Si, en efecto, hubiera dicho: *pensamos* o *sabemos* que nuestro pensamiento es falso, el contenido negativo de la frase anulaba el valor afirmativo de la misma. Sabido es que Mairena sostuvo, alguna vez, que el dicho socrático «sólo sé que no sé nada» contenía la jactancia de un excesivo saber, puesto que olvidó añadir: *y aun de esto mismo no estoy completamente seguro*. En segundo lugar, la adopción de la copla proyectaba una cierta luz sobre este dicho suyo, que a muchos aparecía envuelto en misterio: «El fondo de mi pensamiento es triste; sin embargo, yo no soy un hombre triste, ni creo que contribuya a entristecer a nadie. Dicho de otro modo: la falta de adhesión a mi propio pensar me libra de su maleficio, o bien: más profundo que mi propio pensar está mi confianza en su inania, la fuente de Juventa en que se baña constantemente mi corazón».

*

Más ¡cuán hondas están las aguas rejuvenecedoras de esta fuente, que es a su vez fuente Castalia, porque en ella reside, más o menos encantada por Júpiter, nuestra musa!

*

Para alcanzarlas se siguen muchos senderos descaminantes y desorientadores, por desdeño de la amplia vía de la razón, que es camino de todos, aunque no todos, sino muy pocos, sepan adonde conduce. El gran pecado de nuestro tiempo —decía Mairena a sus alumnos— en que muchos se buscan y casi nadie se encuentra a sí mismo, es el apartamiento de las calzadas imperiales, y la constante búsqueda de los falsos atajos y de las sendas caprichosas, que no llevan a ninguna parte. Con fútiles pretextos, hemos abandonado la metafísica, el pensar metafísico que es el específicamente humano, abierto a la espontaneidad intelectiva y a los cuestionarios infantiles, para seguir las líneas tortuosas de dandysmo delicuescente, o de una madurez embrutecida por la fatiga y el alcohol.

¡Bah! ¿Renunciaríamos a navegar, que es caminar entre las estrellas, porque las estrellas no puedan cogerse con la mano?

*

¡Oh fe del meditabundo!
¡Oh fe, después del pensar!
Sólo si viene un corazón al mundo
rebosa el vaso humano, se hincha el mar.

*

Aconsejaba Juan de Mairena a sus alumnos la máxima tensión del pensamiento, el uso pleno y aun el abuso de la lógica. Antes de recusar por inservible o insuficiente un instrumento, hay que someterlo a todas las pruebas, agotar todos sus posibles oficios.

Esto, como tantas cosas, lo vieron los griegos mejor que nadie. De aquí su abundante sofística, su desenfrenado empleo de la lógica, sobre los dos temas esenciales de su pensamiento (el heraclitano y el eleático), antes que intentara Platón la gran síntesis del alma helénica en su mítica teoría de las ideas.

DESDE EL MIRADOR DE LA GUERRA[13]

IV

Parece evidente que la política conservadora de Inglaterra y, en cierto modo, la francesa que le es tributaria y por ella conducida a remolque, es una política de clase, en pugna con la totalidad de los intereses nacionales, los de ambos imperios (el inglés y el francés), pero que, no obstante, se presenta ante el mundo y ante sus pueblos respectivos como política nacional. Es esto lo que vengo diciendo hace ya varios meses. Soy yo el primer convencido de mi insignificancia como escritor político, y no ignoro que mi opinión carece de toda importancia. Ni siquiera contaría con mi adhesión decidida, si algo muy parecido no lo hubiera sostenido, hace muy pocos días, nada menos que sir Norman Angell, un «premio Nobel de la paz», y una autoridad suprema como tratadista de política internacional. Mas no me complace tanto el éxito de una coincidencia a que nunca aspiré como el haber, merced a ella, encontrado quien cargue, por su mayor solvencia, con la responsabilidad de una opinión tan rotunda. Pero dejemos a un lado todo criterio basado en la autoridad, no sin antes recordar la frase

13. *La Vanguardia,* 2 de junio de 1938.

de Mairena: «la verdad es la verdad dígala Agamenón a su porquero». Parece cierto que la política conservadora de las grandes democracias perjudica a sus pueblos. Por su torpeza, cuando no por su perversidad, esta política ha consentido y aun ha coadyuvado a que dos naciones, dos grandes imperios, hayan perdido ante sus adversarios ventajas que su posición geográfica y su historia les habían deparado. Es evidente que una España sometida a la influencia, cuando no al completo dominio, de Alemania y de Italia, supone, para Francia, una frontera más que defender y una esencialísima vía marítima perdida o interceptada a sus tropas coloniales, imprescindible en el caso de una guerra que obligue a la defensa de la metrópoli; supone, para Inglaterra, por lo menos la puesta en litigio de su hegemonía en el Mediterráneo, la pérdida probable de la más importante llave de su imperio. El Gobierno inglés, no obstante, y su obligado acólito, el de la República francesa, no sólo no han hecho nada para evitar estos peligros, sino que han contribuido con la llamada no intervención en la guerra de España (que es una decidida y obstinada intervención en favor de los invasores de nuestra península) a su más terrible agravamiento. Tal es la abominable guerra que brindan a sus pueblos respectivos, mientras, por otro lado, fuerzan el ritmo de los preparativos bélicos en proporciones vertiginosas. Norman Angell ha señalado agudamente esta contradicción. «Inglaterra, viene a decir, se arma hasta los dientes contra Alemania, convencida de que no otro puede ser su enemigo; Inglaterra aplaude, alienta y ayuda a Alemania, en su tarea de adquirir ventajas para una próxima, acaso inminente contienda contra Gran Bretaña.» Para una mentalidad alemana —habla Juan de Mairena—, la contradicción sería más aparente que real: todo se explicaría fácilmente, con sólo reparar en que la «voluntad de poderío» ni puede ejercitarse contra pigmeos, ni contra enemigos descuidados, insuficientemente apercibidos, o desventajosamente colocados para una gran refriega. En pueblos como Inglaterra y Francia, abrumados de sentido común, esta explicación no puede ser válida. Queda la que Norman Angell y otros con él, también muy autorizados, se inclinan a aceptar. Indecisos los gobiernos conservadores entre dos pavuras y dos imanes, germanismo y comunismo, su línea de conducta política es una resultante, no menos indecisa y temblorosa, de su posición de clase, ya que no personal. En ella decide, a última hora, la simpatía por la posición socialmente defensiva, su honda fascistofilia, el poderoso atractivo que ejercen los «totalitarios» sobre las conciencias burguesas. Y esta explicación puede ser, en efecto, la buena, pero hemos de reconocer que ella sólo explica los hechos más o menos lamentables de la turbia actuación conservadora; los explica sin cohonestarlos, porque de ningún modo pueden ellos inspirar normas para una conducta política de porvenir, ni conservadora ni progresiva. Inglaterra y Francia podrán ser o no ser comunistas en un futuro remoto o inmediato; el comunismo podrá ser para ellas un peligro grave, como piensan algunos, o una solución conservadora del problema social, como piensan en la misma Inglaterra otros, que ni siquiera son comunistas; pero hay algo que Inglaterra y Francia no podrán ser nunca: amigos de la Alemania hitleriana y de la Italia de Mussolini, sin antes vomitar hasta la última miga del festín de Versalles y, lo que es más grave, sin renunciar a gran parte de sus vastos dominios coloniales. De modo que la contradictoria conducta conservadora que Angell señala y pretende explicar, arguye en sus mantenedores una torpe visión del porvenir y una absoluta incapacidad política. Porque ellos, los políticos conservadores, deben saber que la Alemania del Führer y la Italia del Duce son la hostilidad misma contra Inglaterra y Francia, y que sin duda el eje Roma-Berlín y el mismo Berlín y la misma Roma, en cuanto focos de ambición imperial, no tienen otra razón de existencia que su aspiración al aniquilamiento de sus rivales. Si se nos rearguye que esos políticos conservadores de Inglaterra y Francia sólo aspiran a hacerse respetar y temer, como lo muestra la cuantía de sus aprestos marciales, para mantener la paz como equilibrio de tensiones polémicas —una práctica política del siglo XIX hoy en descrédito—, contestaremos que este mismo equilibrio de fuerzas y esta misma paz de fieras prevenidas y en acecho constante, tampoco puede conseguirse, sin el concurso de las energías que dominan en sus pueblos, los cuales no han de inclinarse, por instinto de conservación, a conceder ventajas a sus enemigos, ni a cambiar la dirección de sus corrientes políticas más impetuosas: las democráticas.

En suma, esa política contradictoria a que alude Norman Angell, atenta a los intereses de clase, que cede, contemporiza, pacta con el enemigo o ante él claudica, acaso merece menos que nada, desde el punto de vista nacional, el nombre de política conservadora; porque nada puede conservar, como no sea el nombre que mereció antaño, cuando en verdad conservaba las conquistas del espíritu liberal y progresivo de sus pueblos. Hoy representa una rémora en su camino, la reacción desmedida, que sólo puede conducir, dentro de casa, a la guerra civil, fuera de ella, a la pérdida o al apartamiento de sus aliados naturales, las grandes democracias ricas de porvenir, en el Viejo y en el Nuevo Continente, las democracias más propiamente dichas cuyos nombres todos conocemos.

DESDE EL MIRADOR DE LA GUERRA[14]

V

Entre el hacer las cosas bien y el hacerlas mal —solía decir Juan de Mairena, cuando oficiaba de inmoralista— hay un *término medio,* a veces aceptable, que consiste en no hacerlas; porque, en verdad, mientras las cosas no se hacen, cabe esperar que han de hacerse bien algún día, pero hechas mal, fuerza será, primero, deshacerlas. Por eso, añadía, los malhechores deben ir a presidio.

Reconozcamos que estos conceptos, poco simpáticos en un clima activista como el nuestro, contienen alguna verdad. Hay labores negativas que nos alejan del bien tanto o más que la inactividad y la holganza. Pongamos un ejemplo. Todos pensamos que la Sociedad de las Naciones había de trabajar para

14. *La Vanguardia,* 12 de junio de 1938.

que los hechos, que constituyen la conducta de unas naciones con otras, se ajustasen a normas de Derecho, y nadie pensaba que tan alto fin, como es la paz basada en la justicia pudiera alcanzarse en breve tiempo. No obstante, mientras la Sociedad de Naciones trabajase para acercarse a él, sería una institución útil y acreedora a nuestro respeto. Mas la Sociedad de Naciones aparece como un instrumento en manos de los poderosos, que pretenden cohonestar, merced a ella, las mayores injusticias. Y porque la influencia de la Sociedad de Naciones ha de ser necesariamente más de índole ética que de coacción material, no por ello han de ser menores los daños que su inepcia ocasione. A la brutalidad de los hechos la Historia nos tenía habituados. Nos consolaba la esperanza en la realización futura, más o menos remota, del Derecho. La Sociedad de Naciones nos aleja esta esperanza. Siglos antes que la Sociedad de Naciones viniese al mundo, se aceptaba como principio incuestionable de Derecho público que la conquista de un pueblo, el hecho bruto de la conquista, no abolía el derecho a la soberanía del soberano despojado, si éste no lo cedía y se obstinaba en mantenerlo. Los pueblos se ajustaron a este principio más de una vez; otras, procuraron soslayarlo; cínicamente nunca fue contradicho. Si la conducta de Ginebra con el pobre Negus de Abisinia se convierte en precedente jurídico, el Derecho público habrá retrocedido varios siglos, por obra y gracia de la Sociedad de Naciones. Esto quiere decir que la Sociedad de Naciones es una buena iniciativa fracasada por inepcia de sus ejecutores y que, antes de que esta institución responda a su fin pacifista, será preciso deshacer lo hecho, acaso violentamente, con lo cual la Sociedad pro paz universal tendría en Ginebra una reducción al absurdo en verdad grotesca y desorientadora. Sólo lo bien hecho —en este caso la primitiva concepción de Wilson— puede perdurar: la obra de los malhechores es siempre negativa y abominable.

* * *

Los errores suelen ir forrados de iniquidad. Y viceversa. Las iniquidades suelen ir envainadas en las más torpes expresiones lógicas, de palabra o conducta. Por esto —decía Mairena— es disculpable la crítica acerba que combate los errores como iniquidades, y la otra, de apariencia benévola, que pretende refutar las iniquidades como errores. Porque es difícil distinguir al hombre que mantiene el error del pillo redomado, y al pillo redomado del hombre que se equivocó de medio a medio. Estas reflexiones de Juan de Mairena pudieran escribirse al margen del libro sobre «La naturaleza práctica del error», obra antifascista por excelencia, como todas cuantas ha escrito ese viejo amigo de España que es Benedetto Croce.

* * *

Reparad en que la actual Sociedad de Naciones sólo propugna un error monstruoso, que es a su vez la traducción villana de una idea noble, una verdadera traición. La idea traicionada, vieja como el mundo civilizado, es esta: «Deseamos la paz supeditada al imperio del amor y la justicia, de ningún modo basada en la iniquidad». Si el *Homo sapiens* de Linneo fuera un animal tan esencialmente batallón como incapaz de convivencia amorosa, ¿por qué no dejar que se devore a sí mismo? La guerra sería la forma más gallarda del homicidio y la más eficaz para el pronto y deseable exterminio de la especie. Porque sospechamos que esto no es así, y que la guerra, en el estado actual del hombre, carece de todo valor ético y es una rémora en el camino de la justicia, debemos erigirnos en defensores de la paz. La traducción ginebrina reza así: «Defendemos la paz como finalidad suprema, la paz a todo trance, y ello por el camino más corto, que es, naturalmente, el del exterminio de los débiles, es decir, defendemos la paz para mantener el imperio de la iniquidad».

Llamar hombres honrados, *honourable men,* a quienes mantienen este error monstruoso, implica una ironía, que excede en mucho a la del Marco Antonio shakespeariano con los asesinos de César.

La verdad es que ni Bruto era una buena persona, ni pueden ser ejemplos de alta moral los hombres que con una mano, envuelta en el guante de la *no intervención,* ayudan a los estranguladores de la República legítima de España y con la otra, no menos enguantada, nos indican la puerta de la Sociedad de las Naciones, en previsión del día en que, con los más inicuos hechos consumados, se consideren abolidos nuestros más legítimos derechos.

Por fortuna, ni la República española puede ser yugulada, ni mucho menos puede ser ya la actual y caduca y desorientada institución de Ginebra quien dicte la última palabra en ninguna cuestión de Derecho internacional.

DESDE EL MIRADOR DE LA GUERRA[15]

Hay demasiado polemismo en la paz —decía Juan de Mairena a sus alumnos—, para que, de cuando en cuando, no estalle la guerra entre los pueblos, parte como suma y homogenización total de copiosas rencillas, parte también, como acuerdo pacífico o tregua dentro de casa, para que todos los moradores de ella puedan consagrarse, con cierta alegría, a la demolición de la casa vecina. (Donde decimos «casa» léase «nación».) El hombre, en su aspecto de *Homo faber,* es constructor de máquinas, y las fabrica de guerra, con lo cual atiende a dos fines, que él estima humanos: primero, consagrar los trabajos de la paz a la preparación de la gran contienda; segundo, aquietar su conciencia, objetivando sus malas pasiones, desubjetivizándolas hasta hacerlas individualmente inocuas. Cierto que esas máquinas serán mucho más destructoras que la quijada asnal que esgrimió Caín; pero no ha de haber más odio en el técnico que las ponga en movimiento que hubo en su constructor. El hombre sobradamente batallón de la civilización occidental va para buena persona, excelente padre de familia, que gana el pan cotidiano contribuyendo, en la modesta medida de sus fuerzas, al futuro aniquilamiento de la especie humana.

* * *

---

15. *La Vanguardia,* 25 de junio de 1938.

La hipocresía inglesa —decía Juan de Mairena, buen amigo de los ingleses— es la vara con que suelen medir a Inglaterra sus enemigos. Ello implica una grave injusticia. Porque la hipocresía es la sombra de la virtud: y tanto más la sombra de cuerpos acentúa, cuanto más intensa es la luz que los ilumina. La hipocresía inglesa es la sombra del puritanismo inglés. Inglaterra es todavía, y acaso ha sido siempre, puritana. Aunque Shakespeare es su mayor poeta, y el más grande acaso de todos los pueblos, su poeta específico es John Milton, que a sí mismo parece retratarse por boca de su Jesús: *«born to promote all truth all righteous things»*. El puritanismo es un áspero culto a la virtud, hondamente religioso, de estirpe cristiana. Si Inglaterra dejase algún día de ser puritana, alguien diría: ya se quitó la careta. Yo diría más bien, que se ha quitado el rostro, para mostrarnos la abominable jeta de pueblo de presa de lo que algún día llamaremos, con expresión un tanto equívoca, pero irremediable: una gran potencia totalitaria. Y en el peor caso, siempre será un consuelo para la humanidad el saber que este día coincide con la total decadencia del imperio británico.

* * *

En agudo contraste con Shakespeare, ese gigante creador de conciencias, y con Milton el puritano, dos grandes poetas que son, sin duda, dos grandes hombres, aparece en Inglaterra más tarde, en la cumbre del dieciocho, Alejandro Pope, un excelente poeta, a través de cuyos escritos, algunos impecables, se trasluce una mala persona, mejor diré un hombre pequeño, esquinado, resentido, el espolón de cuyo ingenio se afila en la carne del prójimo. Una degeneración suya es el literato de tipo «acreedor», quiero decir de hombre a quien, no sabemos por qué, parece que siempre se debe algo. Se diría que este hombre —que rara vez logra objetivar sus motivos— no coge la pluma sino para vengar algún pequeño agravio personal o reclamar una pequeña deuda. Su agresividad es siempre *ad hominem,* pero nunca de radio metafísico, como en nuestro Miguel de Unamuno. Este hombre segrega una cierta baba difusa que todo lo mancha, y en la cual es él mismo quien se anega. Visto a la luz de la guerra, ha de aparecer como un ave de otro clima. En verdad, pertenece al pequeño mundo polémico de la paz.

* * *

«Las más de las veces al vencedor lo hace el vencido», ha dicho el doctor Negrín en su magnífico discurso a la nación española, pronunciado en Madrid hace unos días. La frase, realmente lapidaria, del doctor Negrín tiene hoy un valor de circunstancias que iguala a su valor de verdad universal. Al vencedor lo hace, en efecto el éticamente vencido, el que se adelanta a su derrota con el convencimiento de merecerla. Por fortuna, en la España auténtica, en este rabo por desollar del Viejo Continente, no domina el hombre de esta laya. Tampoco abunda el puro pragmatista, que rinde culto al éxito que hace del éxito la vara con que se miden verdad y virtud, y a quien Cervantes definió con estas palabras de Don Quijote: «Bien se ve Sancho, que eres villano, de los que dicen: viva quien vence».

El doctor Negrín no mienta en su discurso a nuestro Don Quijote; pero bien claro se ve que como buen español lo lleva en el alma. ¿Quién habla de rendirse —viene a decirnos— cuando estamos luchando contra los traidores de casa y la codicia de fuera? Y estos otros conceptos de estirpe platónica: cuando se lucha por la justicia, ¿quién puede estar *au dessus de la mêlée?*

DESDE EL MIRADOR DE LA GUERRA. SAAVEDRA FAJARDO Y LA GUERRA TOTAL[16]

De la guerra decía Saavedra Fajardo: «Cuando está rendida, parece bien esta fiera enemiga de la vida. En ella se declara aquel enigma de Sansón del león vencido, en cuya boca,

16. *La Vanguardia,* 7 de julio de 1938.

después de muerto, hacían panales las abejas; porque, acabada la guerra, abre la paz el paso al comercio, toma en la mano el arado, ejercita las artes, etc.». Bien se ve (hubiera comentado en nuestros días Juan de Mairena) que Saavedra Fajardo no pudo aludir a la guerra que preparan las grandes potencias, más o menos totalitarias, de nuestro siglo, y que estallará, si Dios no lo remedia, dentro de pocas semanas, o de pocos meses, o de pocos años —Mairena era siempre cauto en sus profecías— muy antes siempre de lo que todos deseáramos. Mas Saavedra Fajardo no era hombre tan ingenuo que, en sus reflexiones sobre la paz y la guerra, nos ofrezca el tema enteramente desproblematizado. En verdad, el pensamiento de Saavedra Fajardo oscila entre latines —él sabía muchos—, entre aforismos clásicos, los cuales, como nuestros refranes, suelen tener sus contrarios. Y este pensar entre sentencias, que es manera de dar gusto a muchos y razón a ninguno, no carece de inconvenientes.

* * *

Lo cierto es que Saavedra Fajardo, en su *Idea de un príncipe político-cristiano* (menos cristiano que político, con no mucho del Cristo y no poco del príncipe, de Maquiavelo), no parece dudar de que la paz sea siempre deseable, y la guerra siempre de temer. Con ello se nos muestra Saavedra Fajardo como hombre de robusto ingenio y de excelente consejo, pero muy alejado de nuestro clima mental.

Leyendo atentamente sus *Empresas políticas,* se advierte, sin embargo, que nuestro buen don Diego acepta el más consagrado de los latines sobre la guerra —o sobre la paz— el *si vis pacem para bellum,* sin dejar de advertir, alguna vez, lo equívoco de sus consecuencias. Él traducía con sana lógica el concepto latino. Citaré sus palabras: «Porque ha de prevenir la guerra quien desea la paz». Y acaso no se hubiera escandalizado de quien añadiese: para prevenir la guerra y apercibirse a ella no basta con temerla. Pero de aquí no hubiera pasado. El consejero de un príncipe no puede ser un lógico a ultranza, un *enfant terrible* de la lógica, ni menos un paradojista o destripaterrones de la lógica mostrenca.

* * *

Desde los tiempos de Saavedra Fajardo (la primera mitad del siglo XVII y mediados del reinado vacilante de nuestro cuarto Felipe) hasta nuestros días, ha llovido mucho, y no siempre agua. El acreditado latín tiene hoy esta versión francamente paradójica: «si quieres la paz, has de querer la guerra». Y hay otras versiones más desvergonzadas todavía, en que interviene el pensamiento alemán con sus botas de siete leguas (nunca olvidéis, decía Mairena, ni las leguas ni las botas del pensamiento alemán), para llegar a las fórmulas más impresionantes, por ejemplo: «Amad la guerra, la guerra alegre y fresca, donde ejerce el hombre su voluntad de poder. Sed crueles y vivid en peligro. Concitad la discordia, y creaos cuantos más enemigos podáis». Un paso más, siempre con las citadas botas, y se llega a esto: «Aborreced la paz, toda ella asentada sobre las virtudes de los esclavos. Y en la guerra total contra la paz del mundo, empezad por la eliminación de los más débiles, que son los más pacíficos. Machacad a los niños, etc., etc.»... No sigamos a lomos de tan violento hipogrifo. Acaso nuestro viaje es más aparente que real. El venerable latinajo, con la vieja fórmula pagana sigue en pie, y contra ella se escribirá seriamente algún día.

* * *

Entretanto hagamos vaticinios a la manera de Juan de Mairena, quiero decir, de un profeta que no tuvo nunca la usuraria pretensión de acertar. Por ejemplo: «El Oriente se occidentaliza —no olvidemos nunca el empleo de las frases ingeniosas e impresionantes— al par que el Occidente parece cada vez más desorientado». Cada día, en verdad, sabemos menos por dónde va a salir el sol. La técnica del Occidente y, con ella, su cultura harto dinámica, yo diría —mejor— cinética, está obrando horrores fuera y dentro de su casa. Porque, no sólo «se asesinan los hombres en el Extremo Este» como cantaba el gran Rubén Darío (mucho más grande que todo cuanto se ha dicho de él), sino que, también, en el «Extremo Oeste» se está ensayando, con el más vil asesinato de un pueblo que registran los siglos, la reducción al absurdo y al suicidio, más o menos totalitario, de la cultura occidental. Y cuando ésta fallezca, como dicen que muere el alacrán cercado por el fuego, ¿qué va a pasar? De bueno o de mal grado, habrá que orientalizarse un poco. Esperemos que, antes, lleguen los sabios a un mediano acuerdo sobre la rosa de los vientos, y posición aproximada de los cuatro puntos cardinales.

EL QUINTO REGIMIENTO DEL 19 DE JULIO[17]

Es frecuente pensar que los hechos ingentes de la Historia, para aparecérsenos como tales, han necesitado el transcurso de muchos años y que, sin la perspectiva del tiempo, nos sería difícil verlos. Esto es cierto —en parte— porque toda visión requiere distancia. Pero no podemos aceptarlo como verdad absoluta, sin exponernos al peligro de dejar pasar estos hechos sin reparar en ellos, incapacitándonos para verlos más tarde con lejanía. Muchos pretenden cegar para no ver el incendio, y piensan que podrán más tarde describirnos sus vivas llamas, merced al análisis de las cenizas. No. Nuestro deber de hoy es ver lo actual como podamos, y pintarlo como lo vemos, sin que nos apesadumbre el pensar que otros pudieran verlo mañana mejor que nosotros. No olvidemos tampoco que los ojos futuros cegarían para estos hechos, si nuestros ojos se hubieran empeñado hoy en no verlos. Otrosí: En la boca del león muerto hacen panales las abejas; mas de la fuerza del león no hemos de juzgar por esos panales.

* * *

«El Quinto Regimiento.» Mucho mejor todavía que me sonaban, siendo niño y estudiante, las palabras «tercio viejo

---

17. *Nuestro Ejército,* n.º 4, 18 de julio de 1938.

de Flandes», o las evocadoras de hechos de la antigüedad clásica, como «falange macedónica», suenan hoy a mis oídos de viejo estas dos voces: «quinto regimiento», de suyo tan inocuas, pero, por obra de la historia que estamos viviendo, tan cargadas de significación que, *sin ellas,* no podríamos señalar nada profundo y verdadero en la guerra de España, la guerra actual que a todos apasiona.

Huelga decir que el Quinto Regimiento, en su acepción estrictamente militar, no existe ya: él mismo fue, voluntaria y abnegadamente, a fundirse y a disolverse dentro del gran Ejército Popular de la República. Pero, con mucha más razón que los viejos monárquicos gritaban, al fallecimiento de sus soberanos: *el rey ha muerto, ¡viva el rey!* muchos de nosotros, al saber que ese grupo de héroes, dando una prueba sublime de disciplina y de modestia, se integraban a una más vasta organización militar, que él mismo había contribuido a formar, gritamos conmovidos: *¡viva el Quinto Regimiento!*

* * *

El Quinto Regimiento es el nombre con que el Partido Comunista español popularizó el instrumento de lucha, consagrado a combatir al fascio, desde el mismo día (19 de julio) en que fue fundado, en una reunión inolvidable, a que asistieron los comandantes Carlos, Castro, Barbado, Heredia; algunos miembros del Partido Comunista, «Pasionaria», José Díaz y Francisco Antón. Tal es la célula fecunda, destinada a convertirse muy pronto en perfecto organismo.

El Quinto Regimiento fue, en verdad, popular desde sus comienzos. El pueblo con certero instinto lo hizo suyo, lo acogió con amor y entusiasmo. ¿Por qué? La respuesta es fácil: el pueblo —en el pueblo entramos todos, sin distinción de clases, cuantos sentimos el destino común a los hombres de nuestra raza— sabe muy bien lo que nace para la vida, y lo que nace destinado a la muerte. En esto no suele engañarse. Ello explica muchos aparentes milagros de la Historia. El 2 de Mayo un motín callejero llevaba dentro toda nuestra guerra de la Independencia: el movimiento arrollador que hizo palidecer, primero, y que abatió más tarde el poder del primer capitán de su siglo. La salida de Juan Martín de su oscuro pueblo, seguido de dos hombres, es un comienzo tan humilde como fecundo de la gesta inmortal de nuestros guerrilleros. El Quinto Regimiento —no lo olvidemos— que nace con 500 hombres en los primeros días de la guerra, se disuelve en enero de 1937 con 139.000 hombres, repartidos y encuadrados en los frentes de Madrid, Extremadura, Andalucía y Aragón... ¡Todo un ejército fiel al modesto nombre de su origen! ¡Todo un ejército que nace en el pueblo, el pueblo lo nutre y acrecienta, y al pueblo se reintegra, una vez creado como perfecto organismo de combate, sin que ni en un solo momento de su historia gloriosa se prestase a ser un instrumento en manos de la ambición!

El primer comandante en el Quinto Regimiento fue Enrique Castro; siguióle —en el orden del tiempo— Enrique Líster; el comandante Carlos J. Contreras fue desde su fundación comisario político. Entre sus jefes figuran también Modesto Guilloto, «El Campesino» (Valentín González), los hermanos Galán, los coroneles Moriones, Heredia y Burillo; los tenientes coroneles Nino Nanetti y López Tienda, muertos heroicamente; Gustavo Durán, Toral... Cito no más estos nombres gloriosos, porque así cumple a esta breve noticia, prefacio de un trabajo más extenso que me propongo hacer; pero deploro al citarlos no haber aprendido a escribir en bronce.

* * *

En la barriada norte de Madrid y en la calle de Francos Rodríguez, amplia vía moderna de la ciudad, en cuyas últimas casas se otea el austero paisaje del Guadarrama, tenía el Quinto Regimiento su casona de rojo ladrillo. Allí residía su Comandancia. Algún día, cuando Madrid se reconstruya, no sabemos qué nombre tomará esta calle; pero seguramente allí comenzará un nuevo Madrid, con parques de pinos y encinares, que no termine hasta llegar a un gran balcón frente a la sierra, la sierra donde el viejo Madrid escribió con sangre dos palabras imperiosas: *¡No pasarán!*

Dice José Herrera Petere, en su reciente y admirable epopeya de la guerra *Acero de Madrid* (muy otro acero, en verdad, que el medicinal que se administraban las damas opiladas en tiempos de nuestro Lope de Vega) que hubo de ensancharse la puerta del cuartel rojo de la calle Francos Rodríguez. Salían de allí, dice, expediciones para todas partes, mas no por eso quedaba silencioso el cuartel. Había colas en él para alistarse, para recoger armas, para hacer la instrucción. *Colas para dar, para darlo todo, y para no pedir nada: las colas más generosas del mundo.*

Sí, tiene razón Petere. Y con él hemos de estar acordes muchos de cuantos escribimos hoy sobre la guerra. Por fortuna, pasaron los tiempos en que los hombres de pluma preferían cohonestar con el ingenio lo estrambótico —disfrazar la tontería humana para que los tontos no la reconozcan por suya— a aceptar con sincero aplauso una verdad bien señalada, que habla a la conciencia de todos. Fue aquello, en efecto, un río generoso, una humana corriente altruista. Y fue corriente y cauce (el Quinto Regimiento), ímpetu popular, frenado por un concepto de la disciplina y de la eficacia no menos popular.

Convendría no olvidar nunca, cuando se habla de la obra del pueblo, toda la parte que en ella pone la inteligencia y la cautela. Cuando se evoca al río popular, apenas si se piensa más que en sus posibles desbordamientos. Se olvida el amplio y flexible lecho por donde corre, sus esclusas y compuertas y las acequias, regatos y atanores que conducen y distribuyen sus aguas. Se piensa que lo popular en España es la anarquía, en el sentido peyorativo de esta palabra. Yo he pensado siempre precisamente todo lo contrario. Siempre creí que, sin la más directa intervención del pueblo, nada completo, nada fuerte, nada orgánico y vital podríamos realizar. Lo anárquico en España es siempre *señoritismo,* en el mal sentido —si alguno hay bueno— del vocablo. En el *Poema de Myo Cid,* esa gesta que escribió un hombre de la altiplanicie de Castilla fronteriza con los reinos moros de Aragón, no hay más señoritos propiamente dicho que los infantes de Carrión, yernos de

Rodrigo, los «héroes» del Robledo de Corpes. Contra ellos luchamos, como creo haber demostrado en otra ocasión. Todo lo demás, empezando por *el Campeador,* es pueblo, hondamente pueblo y, por ende, el elemento constructor y fecundo de la raza.

* * *

El Quinto Regimiento surge de una iniciativa del Partido Comunista español, pero el Partido Comunista español (os habla un hombre que no está afiliado a él y que dista mucho en teoría del puro marxismo) es una creación españolísima, un crisol de las virtudes populares, entre las cuales figura nuestro don de universalidad y nuestra capacidad de amor más allá de nuestras fronteras. Nada tan español, nada tan popular —reparadlo bien—, nada tan sinceramente nuestro como esa honda simpatía, como ese amor fraterno que siente hoy España, la España auténtica, por el pueblo ruso y por los hombres de otros pueblos, que han venido a verter su sangre por una causa humana, generosa y desinteresadamente, al lado nuestro. Los que se dicen defensores de la cultura, y bombardean el Museo del Prado, la pila bautismal de Cervantes y el sepulcro de Cisneros, los hoy llamados fascistas —yo creo que el mote les viene todavía ancho—, los que han abierto las puertas de su patria a las codicias totalitarias, son, en cambio, los mismos que trabajaron siempre por aislarnos del mundo. Ellos son los descendientes de aquellos mayorazgos en corte, que gastaban sus fortunas en adular a la realeza, mientras los pobres segundones descubrían y conquistaban América; ellos —todo hay que decirlo— son los que más de una vez hicieron fecunda la pobreza española. Merced a ellos, hombres como Cervantes tuvieron que buscar el pan fuera de su patria. Y conste que por ellos ni se hablaría el español más allá del Atlántico, ni se habría escrito el *Quijote*.

* * *

El Quinto Regimiento tuvo desde un principio un concepto integral de la guerra: *Hay que luchar y hay que saber por qué se lucha.* De aquí la enorme importancia que dio siempre a cuanto se relaciona con la cultura, en su aspecto moral, técnico y artístico. Un episodio no más de la actuación *pro cultura* del Quinto Regimiento es el traslado, de Madrid a Valencia, de los intelectuales, y la instauración en la ciudad del Turia, de la llamada, con ingeniosidad popular, *Casa de los Sabios.* Se pretende poner a salvo a los más altos productores de la cultura actual, al par que se libertaban del fuego las joyas de nuestros museos, de nuestros archivos, de nuestras bibliotecas. El Quinto Regimiento, que trabajaba por la creación de un ejército regular al servicio de la República, tenía sus raíces, no sólo en el Ministerio de Defensa Nacional, sino también en el de Instrucción Pública. La labor de Wenceslao Roces y Jesús Hernández, dos egregios comunistas a quienes debe en dos años —digámoslo de pasada— la instrucción en España más que a un siglo entero de sus predecesores, es actuación del Quinto Regimiento. Digámoslo para gloria suya y satisfacción de cuantos creemos debernos a la verdad, antes que a la delicadeza que omite el elogio a boca de jarro.

El Quinto Regimiento fue, en su actuación concreta y limitada, algo admirable y, en cuanto es asequible a la obra humana, perfecto. En su actuación difusa y mediata fue algo más admirable y perfecto todavía. Supo crear, animar, impulsar, supo organizar, asimilar, atraer, hacer cordialmente suyas las esencias de una guerra que es el principio —no lo olvidemos— de una nueva Cruzada. Cuando llegue el día de las grandes simplificaciones, cuando los tópicos actuales hayan adquirido su más profunda significación, se dirá: Fue el Quinto Regimiento el alma de la guerra de España, el firme sostén de la más gloriosa República española, fue España misma, frente a los traidores de casa, desnaturalizados por su propia traición, y las negras y abominables codicias de fuera. Honda y sustancialmente, cuanto en España no fue Quinto Regimiento, cuanto no estuvo de corazón con el Quinto Regimiento, fue —admitamos otra expresión de valor simbólico— quinta columna.

EN EL 19 DE JULIO DE 1938[18]

Por estos días se cumplen los dos años de la *guerra de España.* El 19 de julio de 1936, numerosas pandillas de militares se levantaron contra el Gobierno de la República española, con las mismas armas que el Estado había depositado en sus manos para la defensa de la nación. Una iniquidad nada insólita, porque la Historia nos había dado ya muchos ejemplos de ella. Pero el hecho era harto más grave. No contentos los facciosos con volver hacia el pueblo las armas que al pueblo mismo habían arrebatado, recabaron el auxilio militar de dos grandes Potencias codiciosas, Alemania e Italia, y de dos pequeños pueblos mediatizados y serviles. España fue vendida al extranjero, y hoy tiene invadidas las dos terceras partes de su territorio. De suerte que la España leal, la España auténtica, lucha contra los traidores de casa y los ladrones de fuera. El hecho es gravísimo, pero tampoco puede asombrarnos. No es la primera vez que un pueblo lucha por su independencia amenazada, y en toda pugna contra invasores extranjeros se lucha, al par, contra la traición de dentro. Pero España pelea también contra la hipocresía diplomática —(esa sí, verdaderamente insuperable e inaudita)— reinante en las esferas del Gobierno de cuatro grandes Potencias, dos de las cuales han merecido muchas veces el título de *democráticas* que todavía ostentan, y otras dos se dicen totalitarias, descaradamente enemigas del género humano, más allá de los límites de sus respectivas fronteras. Y todas cuatro se han proclamado *no intervencionistas* en la guerra de España. Pero dos de ellas (Italia y Alemania) invaden el territorio español con gran copia de elementos militares —(invasión cobarde y subrepticia, mas no por ello menos evidente)— mientras los gobiernos y la diplomacia de las otras dos ayudan indirecta y eficazmente a los invasores, aceptándolos como *no intervencionistas,* concediéndoles *patente de corso* para sus abominables piraterías, y privando a España de los medios más legítimos para su defen-

---

18. *La Vanguardia,* 19 de julio de 1938.

sa. Porque lo cómico es un avivador de lo trágico, yo no vacilo en señalar cuánto ha habido, cuánto hay todavía de ópera bufa en ese flamante Comité de *no intervención,* donde —(con excepción de Rusia cuya actuación, no exenta de amarga ironía, es siempre noble y desinteresada)— intervienen todos para el asesinato de un pueblo.

Contra todos lucha hoy España, la España auténtica, segura de merecer la victoria, y sin que en lo más mínimo se haya entibiado su confianza en obtenerla.

Señores franceses, amigos muy queridos de Francia, personas bien nacidas más allá y más acá de nuestras fronteras. ¿Será más fuerte que todos nosotros la ola de cinismo que invade el mundo? ¿No pensáis que, mientras se siga hablando de *no intervención en España* y de *voluntarios italianos,* se está pidiendo a gritos el fuego que abrasó a Sodoma?

Llegó la hora de intervenir en España. Os lo dice un hombre que no aspira a la más leve significación individual, pero que, en estos momentos, lleva en el corazón a España entera, sin excluir a la que directamente sufre el yugo oprobioso de Hitler y Mussolini. Llegó la hora de intervenir en España, no en favor de España con vuestros ejércitos y vuestras escuadras, sino en defensa de la libertad y de la justicia (cobarde y brutalmente atropelladas en España), con una política francamente enemiga de antifaces y de cobardías, de equívocos y complacencias con el enemigo. Y tanto más ha llegado la hora de vuestra intervención, cuanto que, con ella, acudiréis en defensa de vuestra frontera y de vuestras rutas marítimas abandonadas si es que no también enajenadas, como lo fueron las nuestras, por los fascistas de vuestra casa.

DESDE EL MIRADOR DE LA GUERRA. PARA EL CONGRESO DE LA PAZ[19]

Con sumo gusto hubiera acudido a París para dar testimonio de presencia en el grupo de escritores españoles antifascistas, si mi salud, harto quebrantada, lo hubiera consentido. Mis compatriotas saben muy bien que apenas puedo moverme de casa, y ellos lo harán constar entre vosotros. También llevan encargo mío de representaros con la palabra viva, que pierde mucho confiada al papel, cuánto es sincera mi gratitud a vuestras bondades y en cuánto estimo el honor que me habéis conferido al invitarme a vuestras reuniones.

Y ahora unas palabras sobre el tema concreto que a todos nos ocupa:

En verdad, un español que habita hoy en Barcelona no hace mucho con su airada protesta contra los bombardeos aéreos de las ciudades abiertas. Puede pensarse de él (¿y cómo no?) que clama en defensa de su propio techo amenazado, de la seguridad de los suyos y aun de su propia persona. ¿Quién, en su caso, no lo haría? Hay más. Los mismos hombres que perpetran estos crímenes abominables tienen también sus casas (en Roma o en Berlín o en Salamanca) como nosotros hoy en Barcelona, en Madrid o en Valencia; tienen, acaso, sus padres (un padre y una madre para cada uno de ellos), sus mujeres, sus hijos, sus hermanos; y sería un hiperbólico abuso de la retórica si afirmásemos que habían de permanecer insensibles si (a salvo sus personas) presenciaran el exterminio de los suyos con las mismas bombas que ellos están arrojando sobre los nuestros. Es casi seguro que, en este caso, su repulsa no sería mucho menos airada que la nuestra. Esto quiere decir (conviene mirar a la verdad cara a cara) algo que, no por seguirse de premisas perfectamente lógicas, es menos monstruoso: se puede ser *lo que se llama* un buen padre, un buen hijo, un buen esposo, y hasta un excelente vecino, y realizar las faenas más abominables, esos viles asesinatos de niños,

19. *La Vanguardia,* 23 de julio de 1938.

enfermos, mujeres y ancianos, los crímenes de lesa humanidad que la guerra palia y la llamada guerra *totalitaria* pretende cohonestar.

* * *

Si la vida es la guerra, decía Juan de Mairena, ¿por qué tanto mimo en la paz? Pero nada hemos de concluir contra el sentido cordial de la vida. Existen afectos humanos muy profundos, cariños paternales, filiales y fraternos, que, aun confinados en los estrechos límites de la familia, son depósitos sagrados, cuando no fecundos manantiales de amor. De ningún modo hemos de envenenarlos o contribuir a que se aminoren y extingan. Debemos confesar, sin embargo, que son insuficientes, no ya para asegurar la paz, la cual —digámoslo de pasada— es poca cosa por sí misma, y, asentada sobre la iniquidad, muy inferior al estado de guerra, sino para asegurar la amorosa convivencia humana. Y no sólo son insuficientes, sino tales como aparecen, negativos. La familia, esa célula social a que aludía Augusto Compte, cuando carece de un sentido religioso, quiero decir de un sentido cordial de radio infinito, aunque trascienda por mera analogía de los vínculos más estrechos de la sangre, tiende a encerrarse en un contorno arisco, y a constituirse en entidad polémica, en la cual el egoísmo aparece más acusado que el mero individuo. Y, siguiendo esta ley, son más peleonas las tribus que las familias, las ciudades que las tribus, las naciones que las ciudades, las federaciones de potencias que las naciones mismas, y cuando todos los hombres de un continente o de una raza se unan bajo una misma bandera o un mismo color, constituirán los más abominables equipos de pelea, dispuestos a *tomarse* —como decía Don Quijote— con los hombres de otros continentes o de piel diversamente colorida. Tienden los hombres al homicidio en masas cada vez mayores, y, para ello perfeccionan hasta lo infinito la asnal quijada abelicida: que en esto consiste el tercio, por lo menos, de lo que suele llamarse *fecundas actividades* de la paz. Y ello es tan perfectamente lógico como profundamente monstruoso. Lo que se extiende y se generaliza, lo que se objetiva y, en cierto modo, se racionaliza, lo que tiende a *totalizarse,* no es el sentido fraterno de la vida, el amor de hombre a hombre y, en cierto sentido, el culto al hombre esencial, al hombre como capaz de libertad y de superación de sus fatalidades zoológicas, sino estas fatalidades mismas, a saber el egoísmo genésico y la voluntad de perdurar en el tiempo, con desdeño de toda espiritualidad, su apego al interés material de la especie, y, sobre todo, su capacidad para la pugna biológica y para el trabajo puramente cinético.

Sé muy bien lo que digo, aunque acaso no acierte a expresarlo con entera justeza. Una enorme oleada de cinismo, o si os place mejor, de *realismo,* nos arrastra a todos. La labor dominante de la cultura occidental —sin excluir ni a su ciencia ni a su arte ni a su metafísica— tiende a despojar al hombre de todos sus atributos divinos. ¡Perdón! Cuando digo divinos quiero decir *humanos,* aquellos por los cuales el hombre excede o se diferencia de otros grupos zoológicos enteramente sometidos a sus fatalidades orgánicas. Y en esta corriente tan esencialmente batallona, que es la guerra misma, ¿cómo pensar que la guerra, ni aun la totalitaria, puede ser enfrenada? Sin la tendencia de sentido contrario, a saber: la amorosa, la ascética, la contemplativa, la espiritual, de la cual sacamos toda nuestra retórica y muy poco de nuestras realidades efectivas, es muy difícil que lleguemos a intentarlo siquiera.

Perdonad que me haya apartado tanto del tema concreto que me propuse tratar: las bombas criminales sobre las ciudades abiertas. Porque escribo a la luz de una vela, en plena alarma, y son estas mismas aborrecibles bombas, que están cayendo sobre nuestros techos, las que me inspiran estas reflexiones.

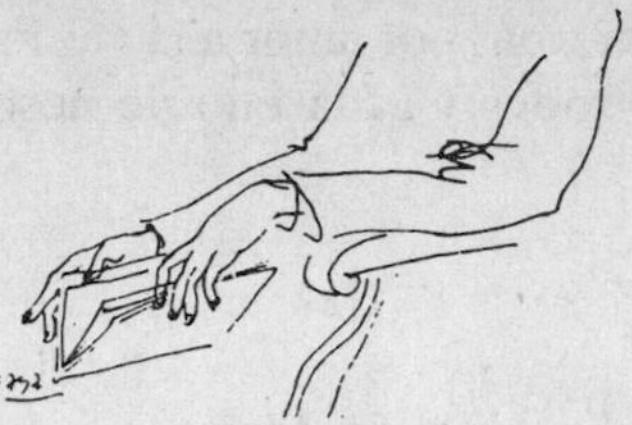

SIGUE HABLANDO MAIRENA A SUS ALUMNOS[20]

I

No hay verdades estériles —habla Juan de Mairena— ni aun siquiera aquellas que se dicen mucho después que pudieron decirse; porque nunca para la verdad es tarde. Lo censurable es que se pretenda confundir y abrumar con la verdad rezagada a quienes acertaron a decirla más oportunamente. Esto encierra una cierta injusticia y, en el fondo, falta de respeto a la verdad. Pero dejemos a un lado nuestro amor propio herido de hombres no escuchados a tiempo, y alegrémonos siempre de que la verdad se diga, aunque tardíamente, y aunque parezca dicha en contra nuestra.

II

Suele vivir el hombre crucificado sobre su propia vanidad, literalmente asado sobre las ascuas de su negra honrilla. Es condición humana este cruel suplicio —añadía Juan de Mairena— y no es justo que pierda totalmente nuestra simpatía quien lo padece. Pero también es condición del hombre el afán de mejorar esta condición, y aun la posibilidad de mejorarla, quiero decir, en este caso, de libertarse un poco de la

20. *Hora de España,* n.º 19, julio de 1938.

cruz y de las ascuas supradichas. Y nuestra mayor estimación irá hacia aquellos hombres que lo intentan, aunque no siempre lo consigan, a saber, hacia los hombres de espíritu filosófico que suelen pensar, más por amor a la verdad, que por amor al hombrecillo que todos y cada uno de nosotros llevamos a cuestas.

III

Reparad —añadía Juan de Mairena— que las filosofías más profundas apenas si persiguen otra finalidad que la total extirpación del amor propio; lo que quiere decir que es meta tan alejada que nadie puede temer alcanzarla. Porque también es el filósofo —digámoslo de pasada— el hombre que no quisiera dar nunca en el blanco hacia el cual dispara, y para ello lo pone más allá del alcance de toda escopeta o por el contrario (que viene a ser lo mismo) el hombre que se coloca en el blanco a que todos apuntan, convencido de que es allí donde no pueden caer las balas.

IV

Reparemos —decía Juan de Mairena— en que la humanidad produce muy de tarde en tarde hombres profundos, quiero decir hombres que ven un poco más allá de sus narices (Buda, Sócrates, Cristo) los cuales no abusan nunca de la retórica, no predican nunca al convencido, y son, por ello mismo, los únicos hombres que han tenido alguna virtud suasoria. Y esto es tan cierto que hasta pudiera probarse con números. Son hombres de buen gusto, dotados siempre de ironía, nunca pedantes —ni siquiera escriben— rara vez a la moda y a los cuales, porque nunca pasaron, hay siempre que volver. De cuando en cuando no falta un jabato que se revuelva contra ellos, un bravo novillo que frente a ellos se acampane.

*

Ladrón de energías, llamaba Nietzsche al Cristo. Y es lástima —añadía Mairena— que no nos haya robado bastante.

*

Siempre estimé como de gusto deplorable y muestra de pensamiento superficial el escribir contra la divinidad de Jesucristo. Es el afán demoledor de los pigmeos que no admiten más talla que la suya.

No, amigos míos —sigue hablando Mairena a sus alumnos— no puede el Cristo escapar a la divinidad de su origen o de su destino. Lo he dicho muchas veces y lo repito, aun a riesgo de parecer cargoso. O fue, como muchos piensan, el hijo de Dios, venido al mundo para expiar en la Cruz los pecados del hombre, o, como pensamos los herejes, coleccionistas de excomuniones, el hijo del hombre que se hizo Dios para expiar en la Cruz los pecados de la divinidad. En este sentido prometeico y de viva blasfemia parece anunciarse el cristianismo futuro.

V

Y si el Cristo vuelve, de un modo o de otro, ¿renegaremos de Él porque también lo esperen los sacristanes?

VI

Mairena expone y comenta sus sueños

La otra noche soñé, decía Juan de Mairena a sus alumnos —hacia 1909— que esta clase sin cátedra, reunión de amigos más que otra cosa, iba a ser suprimida de Real Orden. Toda una Real Orden para suprimir una clase voluntaria y gratuita. Se me acusaba de hombre que descuida la clase obligatoria y retribuida de que es titular —vosotros sabéis que no soy oficialmente profesor de Retórica, sino de Gimnasia— en momentos más adecuados para ejercicios físicos que para ejercicios *espirituales*. Siempre he sido un hombre muy atento a los propios sueños, porque ellos nos revelan nuestras más hondas inquietudes, aquellas que no siempre afloran a nuestra conciencia vigilante. Digamos de pasada que esto es una verdad sabida hoy de muchas gentes, y que yo no ignoro desde hace ya muchos años, acaso por haberla leído en algún Almanaque. Lo cierto es que se me acusaba como al gran Sócrates —reparad un poco en la vanidad del durmiente— de corruptor de la juventud. La acusación era mantenida por un extraño hombrecillo, con sotana eclesiástica y tricornio de Guardia Civil. «En los momentos solemnes —la voz del acusador era tonante y campanuda, no obstante lo diminuto de su poseedor— en los momentos solemnísimos en que media Europa se apercibe a trabarse —y no de palabra— con la otra media, abandona usted su clase de Gimnástica o, como decimos ahora, de Ejercicios físicos; el cuidado de fortalecer y agilitar los músculos, de henchir los pulmones a tiempo y compás, de marchar y contramarchar, de erguirse y *encuclillarse,* etc., etc. —reparad en el barroco lenguaje de los sueños— para iniciar a la juventud en toda suerte de ejercicios sofísticos —que esta es la palabra: ¡sofísticos!— para inficionarla del negro virus del escepticismo, aficionándola a lo que usted llama, hipócritamente, el *cultivo de las cabezas.* ¡El cultivo de las cabezas! ¡¡¡Ja, ja, ja!!!» En la carcajada del hombrecillo —añadía Mairena— culminaba la estentoreidad de su voz, y lo desagradable de mi sueño. «Como si el cultivo de las cabezas —proseguía el acusador, con voz más concentrada y declinante— no fuese harto superfluo en las circunstancias actuales, y el más superfluo de todos los cultivos en las que se avecinan.» El acusador hizo un punto grave y con él terminó su discurso y dio fin mi pesadilla.

Mairena y sus alumnos dedicaron la hora de clase a la interpretación y al comentario del sueño. Pensaba Mairena —digámoslo de pasada— que toda fecunda onirocrisia, o arte de interpretar los ensueños, había de basarse en la observación y estudio de los ensueños propios, y que sólo un *soñador* en el sentido más directo de la palabra, un hombre que sueña frecuentemente —(no despierto, que esto es muy otra cosa, sino mientras duerme)— dotado no sólo de este hábito más o menos morboso, sino además de atención para estos fenómenos internos y de reflexión para meditar sobre ellos, podrá decirnos algo interesante cuando pretenda juzgar los ajenos soñares sobre testimonios aportados por su vecino. No se ocultaba a Mairena que estos testimonios, por lo demás, eran en gran parte relatos de mujeres histéricas y chismosas, que mienten más que hablan, o confesiones insinceras de hombres curiosos y temerosos de su propia intimidad, de la cual saben ellos, no obstante, por autobservación, más de lo que pueda revelarles su confesor. Era Mairena un tanto rezagado en psicología, escéptico en psicología experimental; de los psiquiatras no habló casi nunca, y de los psicólogos *behavioristas* dijo alguna vez: son los hombres, por excelencia, que debieran dedicarse a otra cosa. Era Mairena un fanático de la psicología autoinspectiva, y de aquella otra complicada con la fantasía creadora, de algunos poetas y novelistas, como Shakespeare o Dostoievski.

El sueño de Juan de Mairena, muy retocado por la literatura, contenía un vaticinio a corto plazo, en realidad frustrado, porque la guerra europea tardó todavía cinco años en estallar. Hay que reconocer, sin embargo, que ella se estaba hinchando, como la rana de La Fontaine, y que el estallido era ya inevitable. Pero los discípulos de Mairena no repararon demasiado en la profecía. No faltó, en cambio, quien señalase que la inquietud creadora del ensueño, aparecía en él totalmente invertida con aquella Real Orden, que suprimía una cátedra voluntaria y gratuita, y no, precisamente, la otra, que surtía efectos en el estómago de su titular. La observación era menos sutil que maliciosa. Mairena, sin embargo, la escuchó sonriente, pensando que no siempre la malicia se chupa el dedo. «Reconozco, en efecto, que los ensueños pueden estar algo complicados con las funciones digestivas. Habéis de concederme, sin embargo, que un hombre dormido, cuando sueña, es algo más que un estómago desvelado.» La clase asintió en masa a la afirmación del maestro. No faltó tampoco quien hiciese observaciones algo más profundas. «Lo verdaderamente original del ensueño —dijo un joven alumno muy avanzado en la sofística— no puede consistir en la supresión de una cátedra gratuita, para lo cual basta con retribuirla, sino en la supresión de una cátedra voluntaria, que no puede convertirse en obligatoria. Porque ¿quién pone puertas al campo, querido maestro? ¿quién podrá impedir que nos reunamos en su casa de usted, o en alguna de las nuestras, para charlar en ellas como hacemos aquí, sobre lo humano y lo divino? Sólo a un soñador, en efecto, puede ocurrírsele cosa tan peregrina como es la supresión por Real Orden de una clase como la nuestra.»

Mairena quedó bastante complacido de la breve disertación de su discípulo. «Muy bien, amigo Martínez; ya estudiaremos, en nuestra clase de Retórica, el modo de decir eso en forma más concisa e impresionante. Y ahora —añadió Mairena, después de consultar su reloj— ¿querrá decirnos algo el señor oyente?»

«Que habría mucho que hablar —respondió el interrogado— sobre lo voluntario de lo obligatorio y lo obligatorio de lo voluntario. Es problema arduo, litigioso, que pudiéramos dejar para otro día.»

En cuanto a la figura del acusador, todos estuvieron de acuerdo en que no había por qué ataviar a la española —con sotana y tricornio— cosa tan universal como es la estupidez humana.

EL INFLUJO DE LA GUERRA SOBRE LA POESÍA JOVEN ESPAÑOLA. EL INFLUJO DE LA POESÍA JOVEN EN LOS CAMPOS DE BATALLA[21]

Vivimos en plena guerra, sometidos todos a una disciplina férrea, no de cuartel, sino de campamento. No obstante, tal como nosotros la llevamos y sentimos, puede ser fecunda y bienhechora para el porvenir de España. Yo me he pregunta-

21. *Tegucigalpa,* n.º 604, 7 de agosto de 1938.

do más de una vez cuál puede ser el influjo de la guerra sobre el libro, y del libro sobre la guerra.

La poesía joven española antes del 19 de julio de 1936 puede verse panorámicamente en dos antologías: las publicadas por Gerardo Diego y por Federico de Onís, pocos años antes de esta fecha. Allí nos encontramos, después de los poetas de mi generación, los del 1900, sobradamente conocidos, un grupo de líricos cuya fama empieza a madurar hacia el año 1930. Al hablar de la fama no aludo a la popular, sino a la estimación del mundo literario y de la crítica atenta a los valores nuevos.

En esta copiosa pléyade de poetas, los astros más brillantes y de mayor tamaño son, acaso, Federico García Lorca, el asesinado por el fascio, y don Rafael Alberti, un granadino y un gaditano; un lírico de la Andalucía oriental y otro de la Andalucía atlántica. Hay otros nombres ilustres que sólo me es dado enumerar en el espacio de esta breve noticia: Guillén, Salinas, Aleixandre, Alonso, Diego, Prados, Cernuda, Altolaguirre, Plaja, etc. En ellos se observa una influencia vernácula: la de sus predecesores, y no precisamente los inmediatos, sino la del grupo del 98, en especial de Juan Ramón Jiménez, en su última modalidad, y otra extranjera: la de Paul Valéry. Lo que hay entre ellos de común —no aquello que los distingue a unos de otros— es el culto a las imágenes líricas, la tendencia a considerar las imágenes como valores supremos, en agudo contraste con la lírica romántica, para la cual las imágenes son simples exponentes de la emoción cordial, del sentimiento, en el cual radica la poesía misma. En algunos de estos jóvenes poetas, sobre todo en Lorca y en Alberti, se acusa, acompañando a la característica ya señalada en el grupo, la influencia folklórica, la tendencia a injertarse en la tradición española, acercándose más a la vena popular que a la erudita. Es esto, a mi juicio, lo más sano y fecundo de la nueva lírica.

Si nos preguntamos cuál ha sido la influencia de la guerra sobre este grupo de poetas, nos sería difícil responder; porque las influencias inmediatas no siempre son de fondo, y las profundas se miden con el compás de los siglos. Yo, sin embargo, me atrevo a señalar una influencia de la guerra, aparente al menos, en los poetas jóvenes, sobre todo en aquellos que todavía estaban en el período de formación cuando empezó la tragedia española.

Los jóvenes poetas tendían a exaltar el culto a las imágenes líricas, olvidando un poco que éstas no son sino el material más o menos precioso, con el cual se construye un poema cuya estructura interna y cuya arquitectura total importan sobre todo. Era a veces difícil encontrar el poema, verlo o imaginarlo en el montón confuso de joyas que nos ofrecían sus estrofas. Faltábales, acaso, un tema esencial. La guerra les ha dado uno racional y humano, que les obligue a preocuparse, más que de las mismas imágenes, de las relaciones que entre ellas se establecen, para construir ese objeto mental que es el poema mismo. Reparemos en que la influencia de la guerra en la poesía ha sido muchas veces fecunda; no olvidamos que un ejército en orden de combate se parece a un poema. Además, los jóvenes poetas que huían a mi juicio, con sobrada razón, del *sentimentalismo,* es decir, de la expresión de sentimientos, blandos o afectados e insinceros, llegaron sistematizando la tendencia, al apartamiento o el desdeño de los afectos humanos, de cuanto tiene de universal el sentimiento. Algunos aceptaron, más o menos, conscientemente, la fórmula un tanto hueca de *poesía pura,* y la mucho más vacía de *deshumanización del arte.* Vacía, digo, cuando el hecho indudable, que acusa una decadente, lo superfluo, lo que puede muy bien no haberse producido; nunca en los momentos vigorosos que se acercan a la plenitud, el clima estético de un Shakespeare, un Cervantes, un Goethe, un Tolstoi. Esta tendencia, un tanto epidérmica en la llamada literatura de postguerra fue, por fortuna, superficial en nuestros poetas. Alguna vez, sin embargo, se les tachó, no sin razón, de fríos y de artificiales; sus imágenes aparecían a veces, más como cápsulas de conceptos triviales (gongorismo) que como hallazgo de la intuición. La guerra, esta terrible guerra de España, tan hondamente humana, ha sacudido a nuestros jóvenes poetas y les ha puesto en rudo contacto con el hombre, el que cada uno lleva consigo, y con el de su pueblo, que antes no se les había revelado, y con los temas más universales, que todos ellos rebasan las fronteras de su nación. En algunos poemas recientes —en estos momentos acuden a mi memoria versos de Emilio Prados— se acusa en los más jóvenes este progreso indudable, y en los ya formados una tendencia a eliminar cuanto de superfluo contenían sus obras.

Y si ahora nos preguntamos cuál ha sido la influencia de este generoso grupo de poetas sobre las masas y los combatientes republicanos, responderé brevemente: indudable y magnífica. No olvidemos que nuestros jóvenes poetas están militarizados, y muchos de ellos son combatientes en el sentido más literal de la palabra. Ninguno de ellos está —me refiero siempre a los jóvenes y a los buenos— ni pretenden estar *au dessus de la mêlée,* todos están dentro de ella, y este es, a mi juicio, su mejor timbre de gloria. Y si la guerra ejerce sobre ellos un influjo estético beneficioso, porque ella les dicta orden, coherencia y disciplina para sus poemas, ellos a su vez, contribuyen a espiritualizar la guerra, a revelar a las masas combatientes los hondos motivos de la contienda y sus finalidades más altas. La poesía humaniza la guerra en el mejor sentido del vocablo *humanizar,* quiero decir: que da motivos humanos a la lucha entre hombres, descubre las causas ajenas a la pura contienda biológica, que es común a todas las especies. Los hombres que combaten saben muy bien que el bando en que militan los poetas es el que está más cerca... de merecer la victoria.

Para terminar, añadiré que los jóvenes poetas, los de hoy que son también los de mañana, miran más a Moscú que hacia París y que por fortuna ninguno de ellos mira a la Roma fascista ni al Berlín hitleriano.

Barcelona, junio de 1938.

ATALAYA. DESDE EL MIRADOR DE LA CONTIENDA[22]

I

Casi todo cambia —habla Juan de Mairena a sus alumnos—, sin que eso quiera decir que, como suelen pensar los viejos progresistas, casi todo haya de mejorar con el tiempo, sin que tampoco ello nos obligue a afirmar lo contrario, a saber, que el cambio en el tiempo sólo supone desgaste y deterioro; porque también en el tiempo florecen los rosales y maduran las brevas. Casi todo cambia, amigos míos, y no digo *todo,* a secas, por quitar rotundidad y *absolutez* a mis afirmaciones, y, además, porque hay gran copia de hechos insignificantes, como el de haber nacido en viernes, por ejemplo, que los mismos dioses no podrían mudar. Son estos los hechos por cuya averiguación se pirran los eruditos, ansiosos de verdades inconmovibles y que nosotros desdeñamos con demasiada frecuencia.

Casi todo cambia; digamos mejor que cambia todo lo importante y profundo; y lo que parece quedar como inmutable es puro símbolo. Así pensamos al menos los hombres de fe heraclitana, contra el célebre aforismo goethiano que parece afirmar todo lo contrario. Y lo que está más sometido a cambio, amigos míos, es lo que solemos llamar el *pasado histórico,* el cual, en cuanto vive en nuestras almas, es decir, en cuanto es algo, claro está que cambia, además y necesariamente, en función de lo que esperamos o tememos del porvenir. De suerte que lo más modificable, lo más revisable y, en cierto sentido, lo más reversible es todo aquello que creíamos cumplido y consumado definitivamente en el tiempo. Quedan, en cambio, y se sobreviven, las palabras, los signos con que ayer señalábamos algo muy importante, que es hoy muy otra cosa. Bien hacía el príncipe Hamlet en desdeñar las palabras. Él sabía, sin embargo, que nada hay en la vida del hombre que dure tanto como ellas.

---

22. *La Vanguardia,* 9 de agosto de 1938.

II

La cuestión shakespeariana —sigue hablando Mairena a sus alumnos—, la de si hubo o no hubo en tiempos de la reina Isabel un llamado Shakespeare que escribió tantas maravillas, parece responder a que no faltó en Inglaterra un hombre a quien estorbaba la gloria de Shakespeare, y que, no pudiendo destruir la obra inmortal, la tomó con su autor, para demostrarnos que aquel hombre tan grande ni siquiera había existido. Si esta versión, un tanto gedeónica, no os satisface, buscaremos otra más seria y verosímil. Por ejemplo: hubo un inglés que quiso dar a roer cebolla, como vulgarmente se dice, a un compatriota suyo que se jactaba de tener en su familia un tal Shakespeare que había escrito *Hamlet*. Y engendró la cuestión shakespeariana, para demostrarle que ese Shakespeare no fue un gran poeta, sino un burgués insignificante, que no escribía mejor que su portera. Afortunadamente (para que no siempre las malas personas se salgan con la suya), sabemos de Shakespeare, del hombre Shakespeare, tanto como muchos clásicos ingleses de cuya existencia nadie ha dudado todavía.

Así hablaba Juan de Mairena a sus alumnos. En nuestros días, hubiera añadido: «Claro está que el pobre inglés que se gloriaba de tener a Shakespeare en su familia no sería, a su vez, de ninguna de las ilustres familias que mantienen hoy la política de *no intervención* en España».

III

De la política inglesa —sin excluir a la conservadora— se ha dicho frecuentemente que es una política democrática. Se ha dicho, siempre con alguna reserva, mas nunca sin alguna razón, porque, al fin, todo es relativo. Es extraño, sin embargo, que se siga diciendo todavía; cuando de esa política aparece totalmente eliminado el *demos,* es decir, las diecinueve vigésimas partes de la total Albión. Si encontráis alguna exageración en mis palabras, pensad que yo incluyo en ese *demos* eliminado a una gran parte de la burguesía, puesto que también se dice, sin bordear demasiado la *contradictio in adjeto,* que hay democracias burguesas o burguesías democráticas. En suma, como decía Mairena, que las cosas pasan y se mudan mucho antes que las palabras con que las designábamos. Un ejemplo de la dureza, impermeabilidad y resistencia de las palabras a los embates del tiempo, nos lo da esa política francesa de *no intervención* en España, tan semejante a la de Mr. Chamberlain, y que ha sido, al fin, la política del ¡Frente Popular!, con M. Blum, ¡un socialista!, a la cabeza. (Claro que M. Blum ha cohonestado su conducta haciéndonos comprender que él propuso y defendió una verdadera —y no ficticia— *no intervención en España,* porque él ignoraba —aunque no lo dijo, es fuerza suponerlo— lo que sabía todo el mundo: que dos de las grandes potencias *no intervencionistas* eran, precisamente, los invasores de la Península ibérica).

IV

Asusta pensar hasta qué punto pueden los hombres propugnar la paz y trabajar para la guerra futura, defender el orden social establecido y contribuir a su más implacable subversión; aterra pensar cuánta es la fe de la política europea en la retórica mala, en la virtud de las palabras horras de todo contenido, como parapetos defensivos contra las realidades futuras, como banderas para alistar incautos, o como armas arrojadizas con que achocar al adversario.

DESDE EL MIRADOR DE LA GUERRA. LO QUE RECUERDO YO DE PABLO IGLESIAS[23]

Los que somos ya viejos y empezamos a vivir muy pronto evocamos hoy, como uno de los más decisivos recuerdos de nuestra infancia, la figura del compañero Iglesias —así se le

23. *La Vanguardia,* 16 de agosto de 1.938

llamaba entonces—, de aquel joven obrero de palabra ardiente, de elocuencia cordial. Era yo un niño de 13 años; Pablo Iglesias, un hombre en la plenitud de la vida. Recuerdo haberle oído hablar entonces —hacia 1889— en Madrid, probablemente un domingo (¿un Primero de Mayo?), acaso en los jardines del Buen Retiro. No respondo de la exactitud de estos datos, tal vez mal retenidos en la memoria. La memoria es infiel: no sólo borra y confunde, sino que, a veces, inventa, para desorientarnos. De lo único que puedo responder es de la emoción que en mi alma iban despertando las palabras encendidas de Pablo Iglesias. Al escucharle, hacía yo la única honda reflexión que sobre la oratoria puede hacer un niño: «Parece que es verdad lo que ese hombre dice». La voz de Pablo Iglesias tenía para mí el timbre inconfundible —e indefinible— de la verdad humana. Porque antes de Pablo Iglesias habían hablado otros oradores, tal vez más cultos, tal vez más *enterados* o de elocuencia más hábil, de los cuales sólo recuerdo que no hicieron en mí la menor impresión. Debo advertir que, aunque nacido y educado entre universitarios, nada había en mi educación —digámoslo en loor de ella— que me inclinara a pensar que la palabra de un cajista había de ser necesariamente menos interesante que la autorizada por la sabiduría oficial. Quiero decir que no había en mí el menor asombro ante el hecho de que un tipógrafo hablase bien. La palabra es un don —pensaba yo entonces— que reparte Dios algo a capricho, y que no siempre coincide con el reparto de diplomas académicos que hacen los hombres. Para un niño, esto es una verdad muy clara. El tiempo se encarga de enturbiárnosla con múltiples reservas.

Lo cierto es que las palabras de Iglesias tenían para mí una autoridad, que el orador había conquistado con el fuego que en ellas ponía, y que implicaban una revelación muy profunda para el alma de un niño. De todo el discurso, en que sonaba muchas veces el nombre de Marx y de algunos otros pensadores no menos ilustres, que no podía yo entonces valorar —hoy acaso tampoco—, sacaba yo esta ingenua conclusión infantil: «El mundo en que vivo está mucho peor de lo que yo creía. Mi propia existencia de señorito pobre reposa, al fin, sobre una injusticia. ¡Cuántas existencias más pobres que la mía hay en el mundo, que ni siquiera pueden aspirar, como yo aspiro, a entreabrir algún día, por la propia mano, las puertas de la cultura, de la gloria, de la riqueza misma! Todo mi caudal, ciertamente, está en mi fantasía, mas no por ello deja de ser un privilegio que se debe a la suerte más que al mérito propio».

Mucho he pensado, durante mi vida, sobre esta primera meditación infantil, que debí a las palabras del compañero Iglesias.

Hace muy poco tiempo, un año antes de estallar la rebelión militar, Ilya Ehrenburg, nuestro fraterno amigo, me recitaba en Madrid las coplas de don Jorge Manrique, que él había traducido al ruso y que yo sabía de memoria en castellano. Muy bien sonaba en la lengua de Tolstoi, y en labios de Ehrenburg, aquello de

nuestras vidas son los ríos
que van a dar en la mar
que es el morir;

y aquello otro de

allí los ríos caudales,
allí los otros medianos
y más chicos,
allegados, son iguales:
los que viven por sus manos
y los ricos.

Y una reflexión escéptica de muy honda raíz en mi alma, porque arrancaba de otra reflexión infantil, acudía a mi mente. Si los ricos y los que vivimos por nuestras manos —o por nuestras cabezas— somos iguales, allegados a la mar del morir, y el viaje es tan corto, acaso no vale la pena de pelear en el camino. Pero la voz de Ehrenburg me evocaba, también por su vehemencia, las palabras que Pablo Iglesias fulminaba contra las desigualdades del camino, sin mencionar siquiera su brevedad. Y aquella reflexión mía no llegó a formularse en la lengua francesa, que Ehrenburg y yo utilizábamos para entendernos. Porque, decididamente, el compañero Iglesias tenía razón, y el propio Manrique se la hubiera dado. La brevedad del camino en nada amengua el radio infinito de una injusticia. Allí donde ésta aparece, nuestro deber es combatirla.

Hace ya algunos años que la voz de Pablo Iglesias ha enmudecido para siempre. Yo la oí por segunda y última vez la tarde en que pedíamos *amnistía* para los ilustres encarcelados de Cartagena. Llegados al monumento a Castelar, donde la manifestación debía disolverse, encaramado en el alto pedestal vimos a aparecer a Pablo Iglesias, que nos dirigía la palabra. Las multitudes aplaudíamos. La voz del orador, algo parda y enronquecida, con aliento difícil de fuelle viejo, era todavía —para mí, al menos— la voz del compañero Iglesias, porque en ella aún vibraba aquel su acento inconfundible de humanidad auténtica.

Yo no sé si la voz de Pablo Iglesias se conserva fonográficamente. De todos modos, no seré quien lamente la ausencia de ese disco. Al fonógrafo, tan exacto para registrar lo cuantitativo, las relaciones de más y de menos en la voz humana, escapa siempre lo cualitativo, *ce rien qui est tout,* el timbre que distingue a unas voces de otras. Es la tragedia de la máquina, tan útil, tan necesaria: a ella se escapa lo vivo casi siempre; lo espiritual, nunca lo reproduce.

En cuanto a la voz de Pablo Iglesias, del compañero Iglesias, o, si queréis, del abuelo, yo prefiero escucharla en mi recuerdo o, mejor todavía, en labios de otros hombres no menos auténticos, no menos verdaderos, que aún nos hablan al corazón y a la inteligencia.

DESDE EL MIRADOR DE LA GUERRA. VIEJAS PROFECÍAS DE JUAN DE MAIRENA[24]

Lo más terrible de la guerra que se avecina —habla Mairena un año antes de morir, hacia 1909— ha de ser la gran vacuidad de su retórica, y, sobre todo, las consecuencias literarias y artísticas que ella ha de tener una vez terminada. Los hombres saldrán algo idiotizados de las trincheras, preguntándose por qué han guerreado y para qué se guerrea. De un modo más o menos consciente, esta pregunta la hará el arte, el arte literario antes que ninguno —(¿para qué se escribe?, ¿para qué se pinta? y usted ¿para qué esculpe?)— y como no ha de saber responderse, el hombre de la postguerra será un hombre estéticamente desorientado, y dará en el culto del infantilismo, del *non sens,* del primitivismo rezagado y, por ende, en la copia del arte de razas inferiores, donde acaso encuentre algún elemento fecundo, mas nunca lo que él busca. Lo más característico de ese arte, será una total recusación de toda labor de continuidad. «Quien no sea capaz de poner una primera piedra, nada tiene que hacer en el arte.» Y como las primeras piedras han sido puestas ya, se hará de las piedras un uso homicida, para tirárselas a la cabeza al primero que pase. Coincidirá todo ello con el auge del cinematógrafo, que es, estéticamente la inanidad misma, el cual, combinado con el fonógrafo, dará un producto estéticamente abominable. No basta moverse; hay que meter ruido.

Yo os aconsejo, amigos míos —sigue hablando Mairena a sus alumnos— que no perdáis la cabeza en esa baraúnda. Porque todo ello será el resultado de una guerra vacía de sentido, o cuyo sentido no habrán alcanzado a comprender la inmensa mayoría de los combatientes, de una guerra preludio de otra mucho más honda, complicada y significativa que vendrá más tarde. Y aunque todo ello sea estéticamente de escaso valor (nunca de valor nulo), no por eso carecerá de importancia, como tema de reflexión desde otros puntos de mira.

---

24. *La Vanguardia,* 24 de agosto de 1938.

Habrá que reparar en cuán grande ha de ser el resentimiento, y cuán hondo el odio contra la tradición y contra la continuidad histórica de tantos miles de hombres que habrán visto inmoladas, segadas materialmente generaciones enteras en el gran choque de las plutocracias occidentales, cuántos los llevados en alas de una retórica rezagada a una guerra implacable, para defender el predominio del capital que los esclaviza y la forma de convivencia humana que sacrifica al individuo a la estadística. Como una reacción contra la retórica prebélica, aparecerá el absurdismo postbélico, con sus piruetas más o menos macabras, sus futuristas iconoclastas, sus incendiarios de museos...

Los millones de hombres sacrificados al terrible Moloch de la guerra, despertarán en el alma resentida de los supervivientes una profunda corriente maltusiana, que bien pudiera acusarse en la literatura por una defensa más o menos embozada del uranismo y que difícilmente podrá ser compensada por el culto, en verdad gedeónico, al heroísmo anónimo del soldado desconocido. El «¿para qué engendra usted, señor mío?» y el «usted señora ¿para qué da a luz?», serán preguntas postbélicas mucho menos carentes de sentido que las supradichas (¿para qué escribe?, etc.) y aunque no se formulen de un modo explícito, determinarán la conducta de los hombres y de las mujeres, que en las grandes ciudades se entreguen al abuso de las voluptuosidades infecundas, y a la exaltación del dandysmo prebélico, agravado por la desconcertada ñoñez postguerrera.

Yo os aconsejo que os dediquéis a meditar sobre las múltiples manifestaciones de ese arte como fenómenos postbélicos. Ello no es más que un punto de vista para atisbar un aspecto del problema estético. Enfundad vuestras liras y consagraos a la filosofía, quiero decir a la reflexión, porque la tradición filosófica, menos de superficie que la literaria, no se habrá interrumpido. La continuidad histórica, en el fondo, tampoco.

Las grandes potencias habrán chocado como carneros —Mairena habla siempre en 1909— o como ciervos enfierecidos hasta partirse el frontal. Pero un pueblo, entretanto, habrá tenido una ocurrencia genial, de esas que, una vez realizadas, recuerdan la experiencia entre ingenua y cazurra del huevo de Colón.

Para combatir el imperialismo, es decir, las ambiciones desmedidas y forzosamente homicidas de las plutocracias, empecemos por arrojar nuestro Imperio a la espuerta de la basura. Después, con las armas en la mano, las armas que ese imperio nos obligó a empuñar para que le sirviéramos, vamos a servirnos a nosotros mismos y, de paso, a la humanidad entera, proclamando nuestra voluntad de estructurar y de construir un orden social más en armonía con nuestras fatalidades y con nuestra libertad, con nuestras necesidades y con nuestras aspiraciones. Desde entonces se habrá iniciado el ocaso, no precisamente de las revoluciones, sino por el contrario, de las guerras imperiales y nacionalistas, porque toda guerra estará ya más o menos complicada con la Revolución.

En el camino de esas nuevas guerras, más o menos catastróficas, pero desde luego menos vacías —lanzas contra escudos— en que todo el mundo va a saber por qué y para qué se lucha y hasta para qué se engendra, el arte tomará una actitud profundamente humana. ¿Surgirá un arte nuevo? Esa pregunta, sobradamente inepta, carecerá de sentido. Porque lo primero que ha de borrarse con una esponja empapada en la vieja sangre de los hombres, es el prurito de discontinuidad y de creación ex nihilo que se engendró en una postguerra embrutecida y desorientada.

MISCELÁNEA APÓCRIFA. SIGUE MAIRENA...[25]

I

En «Madrid» (tercer cuaderno de la Casa de la Cultura) aparece, con el título de *Charitas,* un trabajo de Joaquín Xirau, que, a mi juicio, contiene muy importantes temas de reflexión. Es Joaquín Xirau, profesor de la Universidad de Barcelona, un discípulo de Ortega y Gasset, en el mejor sentido de la palabra, que ha encontrado en la cátedra de su maestro ayuda y estímulos para pensar. Quiero decir, que Ortega y Gasset no le ha apartado de su natural inclinación, sino que, por el contrario, le ha confirmado y alentado en ella. Es sólo esta relación entre maestro y discípulo lo que pretendo hacer constar, con todo el respeto que ambos me inspiran.

*

Una filosofía cristiana (hubiera comentado Juan de Mairena) que no pretenda enterrar, nuevamente al Cristo en Aristóteles, parece posible en España, sobre todo después de Unamuno, que tanto ha hecho patente su propósito de libertar al Cristo de la garra del Estagirita, que tanto hizo por desenclavarlo de esa cruz en que todavía le tiene Roma y donde seguramente no hubiera Él gustado de mostrarnos su agonía. Cier-

25. *Hora de España,* n.º 20, agosto de 1938.

to que Unamuno le restituye a su verdadera Cruz, aquella en que fue realmente enclavado y a aquella otra más duradera en que San Pablo lo enclavó para siglos. Porque después de San Pablo ha sido difícil que el Cristo vuelva a asentar sus plantas sobre la tierra, como quisiéramos los herejes, los reacios al culto del Cristo Crucificado.

Yo no sé si Joaquín Xirau milita entre los nuestros, los decididamente antieclesiásticos por razones metafísicas. Su trabajo *Charitas,* donde pone muy de resalto la heterogeneidad, la irreductible oposición entre el eros platónico-aristotélico y el amor cristiano, no me autoriza a tanto. Lo que sí me atrevo, sin embargo, a sospechar es, en primer término, que Xirau parece no intentar una nueva escolástica sin Aristóteles, quiero decir, una justificación del dogma cristiano, aunque al margen del intelectualismo helénico; y, en segundo lugar, que en sus meditaciones sobre el *Cristianismo* no ha de hacer tanto hincapié en la Crucifixión como el maestro Unamuno —el gigantesco y españolísimo Unamuno— que no ha de tomarla como esencial punto de mira; porque no es el Cristo agonizante lo que más le interesa.

Paréceme, por lo demás, que Joaquín Xirau, un catalán de pro que honrará a toda España, ha entrado con pie derecho en la filosofía, con labor propia que realizar, que no es Joaquín Xirau —y mucho sentiría equivocarme— oveja más o menos descarriada del redil romano, con excesiva convicción de que por todas partes se va a Roma, de los que guiñan el ojo a los pastores irritados, como diciéndoles: paciencia, amigos, porque allá nos encontraremos todos. No. Es muy posible, casi seguro, que Joaquín Xirau sea fiel hasta el fin a su vocación de filósofo, y que su filosofía cristiana sea una honda meditación, más o menos sistemática, sobre la ingente experiencia del Cristo todavía en curso, que sea precisamente en Roma donde *no* se le vea nunca. Yo ruego a mis dioses —como dijo Darío— que así sea.

II

Tiempo es ya, tiempo es acaso todavía, de que los españoles intentemos los más hondos análisis de conciencia.

¿A dónde vamos? ¿A dónde íbamos? Preguntas son estas que llevan aparejadas otras, por ejemplo, ¿con quiénes vamos? ¿Quiénes van a ser en lo futuro nuestros compañeros en el viaje de la historia? ¡Si la guerra nos dejara pensar!...

Pero la guerra es un tema de meditación. Los filósofos no pueden eludirlo en nuestros días. Cierto que para ellos la guerra plantea un problema difícil. Dentro de la guerra hay un deber imperioso, que el filósofo menos que nadie puede eludir: el de luchar y si es preciso el de morir al lado de los mejores. Para luchar, empero, hay que tomar partido, y ello implica una visión muy honda de los propios motivos —ciertamente tan honda que se les vea coincidir con las razones— y otra, digámoslo sin rebozo, demasiado turbia y harto superficial de los motivos del adversario. Esto pudiera cohonestar la conducta del filósofo que, para meditar sobre la guerra, pide apartamiento, del hombre que se abstiene *filosóficamente* de opinar, lo que, en cierto modo, supone abstención de la lucha. Mas en oposición a esta exigencia de distancia para la visión, hay otra de vivencia (admitamos la palabreja) que toda honda visión implica. Y acaso sea algo frívola la posición del filósofo cuando piensa que la guerra es una impertinencia que viene por sorpresa para perturbar el ritmo de sus meditaciones. Porque la guerra la hemos hecho todos y es justo que la padezcamos; es un momento de la gran polémica que constituye nuestra vida social; nadie con mediana conciencia puede creerse totalmente irresponsable. Y si la guerra nos aparece como una sorpresa en el ámbito de nuestras meditaciones, si ella nos coge totalmente desprevenidos de categorías para pensarla, esto quiere decir mucho en contra de nuestras meditaciones, y en pro de nuestro deber de revisarlas y de arrojar no pocas al cesto de los papeles inservibles.

III

Siempre he creído —decía Mairena a sus alumnos— que la confesión de nuestros pecados y, lo que es más difícil, de nuestros errores, la confidencia que, en cierto modo, nos humilla ante nuestro prójimo —(sacerdote, médico, maestro, amigo, público, etc.)— formará siempre parte de una técnica psicológica para el lavado de nuestro mundo interior, y para el descubrimiento de los mejores paisajes de nuestro espíritu. *Item mas,* el hombre se hace tanto más fuerte, tanto más se ennudece y tonifica, cuanto más es capaz de esgrimir el látigo contra sí mismo. Todo, amigos, antes que engolados abogadetes de vuestras personillas —dejad que se las coman las ratas— porque daréis en literatos de la peor laya, ateneístas en el impeorable sentido de la palabra.

*

Reparad en cómo yo, que tengo mucho —bien lo reconozco— de maestro Ciruela, no esgrimo, sin embargo, nunca la palmeta contra vosotros. Mas no por falta de palmeta. La palmeta está aquí, como veis, a vuestra disposición, y yo os invito a que la uséis, aplicándoosla, cada cual a sí mismo, o sacudiendo con ella la mano de vuestro prójimo, mas siempre esto último a petición suya. Porque de ningún modo conviene que enturbiemos con amenazas el ambiente benévolo, fuera del cual no hay manera de aprender nada que valga la pena de ser sabido. Cierto que hay faltas que merecen corrección, mas son de superficie y podemos no reparar en ellas, y otras, más graves, previstas por las leyes del reino. No nos interesan, desde un punto de vista pedagógico. Nuestros yerros esenciales son hondos, y es en nosotros mismos donde los descubrimos. Si acusamos de ellos a nuestro prójimo, quizás no demos en calumniadores, pero estableceremos con él una falsísima relación, terriblemente desorientadora y descaminante, de la cual todo maestro ha de huir como de la peste. Porque indirectamente nos proponemos como modelo, no siéndolo, con lo cual le mentimos y le cerramos al mismo tiempo la única vía, o la vía mejor para que descubra en sí mismo lo que ya nosotros hemos descubierto. Cometemos dos faltas imperdonables: la una antisocrática, no acompañando a nuestro prójimo para ayudarle a bien parir sus propias nociones, la otra, mucho más grave, anticristiana, por no haber leído atentamente aquello de la primera piedra, la profunda ironía del Cristo ante los judíos lapidadores. ¿Y qué pedagogía será la nuestra, si nos saltamos a la torera a ese par de maestros?

IV

La editorial Europa-América —hubiera dicho Juan de Mairena en nuestros días— viene dando a la estampa una serie de diminutos cuadernos muy bien elegidos, para demostrarnos que no siempre es en vano el gemido de las prensas. Todos son de leer y de meditar. Su extremada brevedad no empece a su excelencia. Mas uno hay entre ellos que a mí me parece una verdadera joya: el titulado *Nuestra experiencia revolucionaria* y que contiene el diálogo entre Wells y Stalin, en 23 de julio de 1934.

El inglés ha estado en Norteamérica, para visitar a Roosevelt, y ahora viene a Moscú, para conversar con Stalin. No es, pues, Wells hombre que se chupe el dedo, y como buen inglés, aunque algo americanizado, no es hombre que guste de perder su tiempo. Lo recibe Stalin con franca cordialidad, sin arrumacos, sin prejuicios tampoco ni reservas mentales, mas como un hombre que está necesariamente algo de vuelta. Porque Wells a fuer de anglosajón es esencialmente antirrevolucionario; le asusta todo trastorno político y social. Stalin no es un fanático de la Revolución, pero carece del prejuicio antirrevolucionario. Hay en Stalin una claridad de ideas y una virtud suasoria que no alcanza nunca su interlocutor. Al inglés no le abandona todavía el miedo a la aventura; el eslavo tiene la tranquila seguridad de quien posee una experiencia. Ambos dicen estar de acuerdo en que el mundo capitalista se desmorona. —Allá ellos —añadiría Juan de Mairena. Pero, aceptada la tesis ¿cómo no admitir la implacable lógica revolucionaria de Stalin? De aquello que se desmorona hay que esperarlo todo menos una transformación; porque si fuera capaz de transformarse, claro está que de ningún modo se desmoronaría. Substituir, construir y ayudar a caer: tal es lo esencialmente revolucionario para Stalin. La historia de todas las revoluciones le da la razón ampliamente. Quiero decir que Stalin ha visto la historia con sus propios ojos y no es fácil que se le engañe. A Wells se la han contado, y no precisamente los que la han hecho.

En cuanto a la dictadura del proletariado, ¿por qué nos asustan tanto las palabras? Si el barco necesita nueva tripulación y nuevos capitanes, ¿por qué no reclutarlos en el mundo del trabajo, cuando el del capital es —por definición aceptada— el de las viejas ratas que corroen la nave? La lógica sigue siempre del lado de Stalin. ¿La lógica nada más? ¡Ah! Yo no soy más que un aprendiz de sofística, en el mejor sentido de la palabra.

En verdad —hubiera concluido Juan de Mairena, al margen ya de sus lecturas— que no son las palabras lo que más asusta, sino ciertas imágenes groseras que en muchas cabezas suelen sustituir a las ideas, por ejemplo: alguien empeñado en bordar las lises borbónicas en unas alpargatas de albañil, unas botas de charol en la espuerta de la basura, etc., etc. Y con estas figuraciones claro está que no se puede ir a ninguna parte.

DESDE EL MIRADOR DE LA GUERRA[26]

Siempre es grato encontrar en las ciudades donde no vivimos habitualmente huellas de personas conocidas. Mucho más si estas huellas son, en cierto modo, inconfundibles. Durante los primeros días de mi estancia en Barcelona, y en la barbería del hotel donde me alojaba, hallé por azar rastro inequívoco de un antiguo y admirado amigo mío, que hoy milita en el

---

26. *La Vanguardia,* 1 de septiembre de 1938.

campo faccioso, y a quien, no por ello, pretendo disminuir, ni mucho menos, con la anécdota que voy a referir.

—Apareció aquí un señor —habla el barbero mientras me afeita—, de buen porte, elegantemente vestido, más bien alto que bajo, no viejo todavía, pero con la cabeza bastante encanecida. Cuando lo hube afeitado con todo el esmero de que soy capaz, me preguntó si podía yo teñirle el pelo. En verdad, aquel señor parecía tener demasiadas canas para su edad. No me extrañó, pues, su pretensión. Con mucho gusto, le respondí, y aquí tengo los ingredientes para ello. Mi extrañeza empezó cuando me dijo que él deseaba teñirse el cabello de blanco, para *igualar* su cabeza, y, de paso, llevarle la contra a quienes en circunstancias parecidas se tiñen las canas. ¿Qué le parece a usted?

—Que ese caballero —respondí— no era seguramente don Santos de Carrión, un viejo poeta que se teñía las canas, no para simular una juventud que ya había perdido, sino para disimular lo precario de su vejez, y hallar disculpa a la escasa madurez de su juicio.

—Le contesté que, en efecto, yo disponía de una tintura con que podía blanquear sus cabellos, pero por corto tiempo; porque ella estaba hecha con una substancia que tenía la propiedad de tornarse de blanca en violeta muy acentuado. Mi obligación es hacerle a usted esta advertencia.

—¿Y qué le respondió a usted?

—Eso es precisamente lo que yo necesito —me respondió.

* * *

La verdad es —hubiera comentado Mairena— que la Química debe al arte cosmética y al deseo de engañar al prójimo tanto como a la guerra, o deseo, no menos vehemente de aniquilarlo. También es cierto que nadie sabe a punto fijo de qué se tiñe, y que, en cuestión de afeites, el hombre propone y la tintura dispone.

—Hay en el mundo —decía Juan de Mairena— muchos pillos que se hacen los tontos, y un número abrumador de tontos que presumen de pillos. Pero los pillos propiamente dichos, que no siempre son tontos, suprimirían de buen grado la mentira superflua, es decir, la mentira que no engaña a nadie, porque, como dijo un coplero,

Se miente más que se engaña
y se gasta más saliva
de la necesaria.

Pero los tontos propiamente dichos, que son un número incalculable de aspirantes a pillos, se encargan de mantener en el mundo el culto de todas las mentiras; porque piensan que, fuera de ellas, no podrían vivir. En lo cual es posible que tengan razón.

* * *

El hecho de que vivamos en plena tragedia no quiere decir, ni mucho menos, que hayan totalmente prescrito los derechos a la risa.

* * *

Si le mientan a su señora madre, le aconsejaremos resignación cristiana; pero si le faltan a su portera, que cuente con nosotros. ¡Ejem, ejem!

* * *

Empezó por los peces —decía Juan de Mairena— el pánico al diluvio universal.

* * *

La persecución a los judíos —decía Juan de Mairena a sus alumnos— es una verdadera judiada. En primer lugar, porque, como pensaba Monsieur de la Palisse, mal podríamos perseguir a los judíos, si los judíos no existieran. En segundo lugar, porque es algo terriblemente anticristiano, y, en el fondo, la eterna cruzada de los judíos inferiores contra los judíos de primera clase o, si queréis, la venganza que toma el rebaño de todo cordero distinguido —*agnus dei*—. ¿Qué otra cosa fue la tragedia del Gólgota? En tercer lugar, porque sólo los pueblos saturados de Viejo Testamento y de sangre judaica pueden pasarse la vida berreando: ¡somos pueblo elegido; aquí no hay más pueblo elegido que el nuestro!

Si conociera Hitler estas sentencias de Juan de Mairena, revisaría su modesto arbusto genealógico para encontrar la verdadera razón de su fervorosa e intransigente *ariofilia*. Porque de los arios debe saber Hitler aproximadamente tanto como su compadre Mussolini.

DESDE EL MIRADOR DE LA GUERRA. MISCELÁNEA APÓCRIFA[27]

Nunca para el bien es tarde. Quiero decir que todavía la Sociedad de Naciones pudiera redimirse de sus muchos pecados, siendo, por una vez, lo que tantas veces no ha sido: un coadyuvante sincero en la ingente labor para el triunfo de la justicia entre los pueblos. Si, fiel a su corta y lamentable tradición, sigue siendo un instrumento en manos de los poderosos para asegurarse la paz armada, que es acrecentar la guerra futura, por el camino más corto, es decir, mediante el exterminio de los débiles, bien pueden los buenos checoeslovacos pedir a Dios que la Sociedad de Naciones no se ocupe de ellos.

* * *

El timbre avisará a los viajeros la salida de todos los trenes con cinco minutos de anticipación. Así rezaba un grueso letrero escrito en la pared de un restaurante contiguo al andén de una estación importante. Mairena apuraba tranquilamente su café, cuando oyó silbar una locomotora.

—Mozo —exclamó aterrado— ¿es verdad lo que dice ese letrero?

---

27. *La Vanguardia*, 25 de septiembre de 1938.

—Sin duda, señor. El timbre avisará... cuando lo pongamos.

—Pero...

—Todavía no nos hemos decidido a ponerlo.

* * *

—Imperdonable —decía don Miguel de los Santos Álvarez—, imperdonable que haya escrito usted un drama trágico, en cinco actos, tan malo como ese. ¡Con lo fácil que es no escribir un drama trágico en cinco actos!

* * *

Shakespeare, el más grande dramaturgo de todas las edades, cuidó siempre mucho de los bufones y de las bufonadas de sus tragedias. Bernard Shaw, en nuestros días sigue convencido de que lo cómico es un buen avivador de lo trágico. O viceversa. Por eso escribe hoy una farsa titulada «¡Ginebra!», cuyo éxito es tan seguro que ni siquiera necesitamos conocerla para aplaudirla.

* * *

La guerra, como *chantage* —hubiera dicho Juan de Mairena en nuestros días—, es algo verdaderamente abominable. No hay que negar por ello que alguna vez alcanza su propósito; por ejemplo: cuando el adversario comprende que, a última hora, la amenaza de guerra puede cumplirse. Lo verdaderamente incomprensible es que se amenace a nadie con la paz, revelándole cómo, a última hora, se está perfectamente decidido... a no ir a la guerra.

* * *

Claro que, en el fondo, los chantajistas de la paz son mucho más pillos que los de la guerra y, acaso, menos tontos de lo que parecen. Ellos se erigen en fieles guardadores de la paz. ¡Ay de quienes guerreen sin nuestro permiso, aunque guerreen en defensa de sus más legítimos derechos! Porque ahí están los bárbaros propugnadores de la guerra para echársela encima a esos pobres diablos, sin que nosotros podamos ni queramos evitarlo.

* * *

En una clase de lógica como la nuestra —hubiera dicho Juan de Mairena a sus alumnos— es difícil tratar de política internacional, sin cometer graves yerros. ¿Comprendéis vosotros que un pueblo, mejor diré un gobierno, que abandona las fronteras de su propio territorio o las rutas que a él conducen, vaya a la guerra por defender las fronteras de otro país, cualesquiera que sean los compromisos que con él tenga contraídos? Pues las cancillerías de Europa han estado a punto de convencernos de que eso no es ningún absurdo. Claro que... a punto nada más.

* * *

La *Morgue* han llamado los italianos a la Sociedad de Naciones. La denominación es inexacta; porque, como ha demostrado Álvarez del Vayo en su magnífico, insuperable discurso de Ginebra, la Sociedad de Naciones es todo, antes que un depósito donde se exhiban los cadáveres de los pueblos náufragos o asesinados. Yo le llamaría mejor —a esa flamante Sociedad— el *Puerto de Arrebatacapas del honor internacional.*

MAIRENA PÓSTUMO[28]

I

Con las postrimerías de una España —hubiera dicho Juan de Mairena— y el posible resurgir de otra, aparece en Francia una obra titulada *Erasme et l'Espagne,* cuyo autor es Marcel Bataillon. Tiene el libro una importancia capitalísima para el estudio de la cultura española del siglo XVI. El hecho de que

---

28. *Hora de España,* n.º 21, septiembre de 1938.

la crítica española no haya todavía reparado en él se explica por la casi inexistencia de una crítica española, y se disculparía, si esta crítica existiera, por las circunstancias de nuestra vida actual, sobradamente angustiosas, y por lo reciente de la publicación (1937). De todos modos, yo quiero hacer constar que, cualquiera que sea la filiación política —si alguna tiene— de Marcel Bataillon, y que yo me complazco en ignorar, Marcel Bataillon es un egregio amigo de España, y de la España nuestra, que no es precisamente la que se ha vendido al extranjero al par que gritaba en Salamanca: ¡muera la inteligencia!

Digamos de pasada, que una España que se vende no es una España demasiadamente española, y que el grito de Salamanca, que tuvo el inmediato correctivo de Unamuno, no es tan esencialmente español como pretenderán algún día hacernos creer los enemigos de España. Porque ese grito que no carece —confesémoslo— de precedentes españoles (recordemos la Universidad de Cervera), cuando fue proferido en la Salamanca franquista era en gran parte de importación extranjera, y más lanzado para halagar los oídos teutónicos que para el regalo de los nuestros.

Consoladora es para nosotros la lectura del libro *Erasme et l'Espagne* de Marcel Bataillon, donde se dicen tantas cosas exactas y profundas sobre la prerreforma, reforma y contrarreforma religiosa en España y se pone de relieve la enorme huella de Erasmo de Rotterdam a través de nuestro gran siglo. En la honda crisis que agita las entrañas del cristianismo en aquella centuria no fue decisiva la influencia de Erasmo sino la de Lutero, en Europa y la de Loyola, en España, mas fue en España donde tuvo de su parte a los mejores, sin excluir a Cisneros ni a Cervantes.

En el libro de Marcel Bataillon se excluye de intento un estudio profundo de nuestros místicos, y ni siquiera se cita a Miguel de Molinos. Se explica esta laguna por la misma probidad del autor, que no gusta de extenderse demasiado más allá del tema esencial de su obra. Por fortuna, no nos faltan lecturas que nos ayuden a llenarla (Unamuno, Baruzi —su gran obra sobre Juan de la Cruz—, Américo de Castro, etc.). Encontramos, en cambio, páginas definitivas sobre Arias Montano y los dos Fray-luises, y es todo el libro una ingente contribución al estudio de nuestra cultura o, como dice su autor, a la historia espiritual de España.

II

Es la tercera Fiesta de la Raza que celebramos en plena guerra, la tercera vez que el destino nos pone en el trance oficial de hablar de nuestra raza en plena guerra. En verdad que no puede haber tema que sea más nuestro y, por ende, más de todos los días. Pero en el de hoy ha de tener una significación obligadamente más aguda. Sin embargo...

¡Fiesta de la Raza! Nuestros enemigos la celebrarán también el mismo día. La Retórica, o arte de conmover, deleitar y aun de persuadir con palabras, ha de emplearse, de un lado y otro del Atlántico, con idéntico fin —la exaltación de lo hispánico— por hombres que se sienten entre sí radicalmente distintos. Esto quiere decir que las palabras deben en este día cruzarse cargadas de significaciones diferentes, de razones opuestas. Mas, por desdicha, todos los hombres —como decía Molière— son semejantes por las palabras y, además, en tiempos de guerra las palabras se endurecen para convertirse en armas arrojadizas, en proyectiles del mismo metal.

¡Retórica guerrera! No la empleemos demasiado. Porque lo grande de la guerra no es la Retórica guerrera, sino lo que nuestro Ejército, los héroes fieles a nuestra República y a nuestra patria están haciendo allí donde se encuentran: combatir sin tregua contra la injusticia, contra la iniquidad, sin reparar ni en el número ni en la fuerza de sus enemigos. Limitémonos a recoger algún proyectil, de los que seguramente caerán en este día a nuestros pies, arrojado por la retórica de nuestros adversarios, y sometámoslo a un examen ligero. Por ejemplo: *ellos representan a la España del Cid.* ¿Cómo puede faltar este nombre en un día de loor a la Hispanidad? Yo me atrevo a ponerlo en duda, por razones expuestas hace más de dos años y sobre las cuales no quisiera insistir. Sólo he de recordar éstas: El Cid, quiere decir el Señor —Rodrigo lo fue de sí mismo en alto grado— y ellos tienen más de señoritos que de señores, justifican con su conducta un diminutivo que, en labios castellanos, tuvo casi siempre una significación despectiva. De suerte que el mote de su abuelo les viene un poco ancho. Y, dejando a un lado etimologías que pueden discutirse, recordemos que esos nietos del Campeador, se parecen demasiado a los yernos del mismo, los infantes de Carrión, nos evocan demasiado la fechoría del Robledo de Corpes, para que nos obliguen a pensar en las virtudes y en el valor de su ilustre abuelo. Recordemos que si la jura en Santa Gadea fue cosa del Cid —y en esto parece que la historia confirma plenamente la leyenda— el hecho nos presenta a Rodrigo, en primer lugar, como un campeón de la ética universal, y, en segundo, como un modelo de lealtad a su patria, al pueblo burgalés, cuyo mandato supo cumplir a costa del destierro. Ellos en cambio, aparecen como los perjuros por excelencia y los desleales por antonomasia. No se *destierran,* como el buen Rodrigo, a fuer de leales a la hombría de bien, pretenden desterrar a la lealtad misma.

Mas ¿por qué invocar una aristocracia tan modesta, que no puede pasar del siglo onceno? ¿Por qué, mucho menos, recordar la más reciente todavía del *castellano leal,* el conde de Benavente que incendió su palacio por haber albergado al condestable de Borbón? El conde de Benavente dio, en efecto una lección de españolismo a Carlos de Gante y a los flamencos que lo acompañaban, poniendo la lealtad a la patria por encima del interés y del éxito. Porque el condestable de Borbón no había traicionado a España, sino a su propio rey y en favor de España. Acaso el buen conde se adelantaba a Calderón, pensando que

el traidor no es menester
siendo la traición pasada.

Aunque me inclino a creer que su gesto estaba muy por encima de la ética de esos versos calderonianos. Despreciaba al condestable por traidor, sencillamente. Ellos, en cambio, no han quemado todavía muchos palacios por motivos tan fútiles: los han dejado arder, los han expuesto al fuego de las bombas teutonas e italianas, para no ser infieles a los invasores de su patria. La única fidelidad de que pueden jactarse es la que tuvo el conde don Julián a sus propios rencores. Y es esta aristocracia, tan antigua, lo que pueden evocar en justicia, y lo que suelen ellos callar, sin duda, por modestia. También nos dirán que la conquista de América fue cosa de ellos y que, sin sus abuelos —Cortés, Pizarro, Almagro, etc.— no se hablaría en América la lengua de Cervantes. Reconozcamos que, si esto es cierto, las virtudes de la familia han decaído tanto que son precisamente los nietos de aquellos ilustres capitanes quienes mejor trabajan porque la lengua de Cervantes desaparezca de todo el Nuevo Mundo. Por fortuna, la lengua de Cervantes (y la de Oviedo y Gomara y Bernal Díaz) la está defendiendo con su propia sangre un hombrecito que apenas se llama Pedro, y que no invoca ninguna de las virtudes tradicionales de su raza; se limita —sencillamente— a tenerlas.

Así hablaría Juan de Mairena en nuestros días, sin más objeto que el de iniciar a sus alumnos en lo que él llamaba *retórica peleona* o arte de descalabrar al prójimo con palabras.

III

Alguien había censurado a Juan de Mairena su enemiga contra los entusiastas del cinematógrafo, de ese magnífico *instrumento de difusión cultural.* Mairena respondía, dejando a un lado sus razones quietistas, de índole metafísica, que no eran del caso: «Precisamente porque nunca ignoré ese carácter esencialísimo del cinematógrafo, he combatido siempre, por desorientados y desorientadores, a quienes pretenden asignarle un valor estético, de arte grande que no puede tener, con detrimento de su insuperable valor pedagógico. No dude usted, amigo Tortolez, que en los tiempos de Gutemberg, yo hubiera protestado contra los entusiastas de la imprenta, si éstos hubieran sostenido que la misión de la letra de molde no era precisamente la de llevar el libro a todas partes, sino la de mejorar la calidad de los poemas, de las tragedias y de las novelas al imprimirlas, o que la imprenta había de crear una epopeya tipográfica para hacernos olvidar la *Iliada* de Homero o la *Comedia* del Dante. En verdad, no tenemos noticias de que los incunables que hoy veneramos tuvieran entusiastas de esta laya, cuando eran novedades flamantes. Tuvieron, en cambio, algunos enemigos entre quienes pensaban que la difusión de la cultura podría ser en perjucio de la cultura misma. Hombres equivocados, sin duda, pero no totalmente exentos de sentido común.

IV

No falta quien piense que el miedo a las terribles consecuencias de la guerra puede evitar la guerra. Esto es pedir al miedo lo que el miedo no puede dar, como el olmo no puede dar peras. Es, por el contrario, el miedo el más importante resorte polémico. Por eso se le aguzan los dientes o se le arma hasta los dientes.

*

Reparad en que las fieras sólo pelean o por hambre, que es miedo a fallecer por falta de alimento, o para destruir a un competidor amenazante, que es miedo a la ferocidad misma, miedo al mismo miedo. Porque se confunde el valor con la ferocidad, con profundo desconocimiento de la psicología de las fieras, se ignora que el valor es virtud de los inermes, de los pacíficos —nunca de los matones— y que, a última hora, las guerras las ganan siempre los hombres de paz, nunca los jaleadores de la guerra. Sólo es valiente quien puede permitirse el lujo de la animalidad que se llama amor al prójimo, y es lo específicamente humano.

DESDE EL MIRADOR DE LA GUERRA[29]

En esta egregia Barcelona —hubiera dicho Mairena en nuestros días—, perla del mar latino, y en los campos que la rodean, y que yo me atrevo a llamar virgilianos, porque en ellos se da un perfecto equilibrio entre la obra de la Naturaleza y la del hombre, gusto a releer a Juan Maragall, a mosén Cinto, a Ausias March, grandes poetas de ayer, y otros, grandes también, de nuestros días. Como a través de un cristal, coloreado y no del todo transparente para mí, la lengua catalana, donde yo creo sentir la montaña, la campiña y el mar, me deja ver algo de estas mentes iluminadas, de estos corazones ardientes de nuestra Iberia. Y recuerdo al gigantesco Lulio, el gran mallorquín. ¡Si la guerra nos dejara pensar! ¡Si la guerra nos dejara sentir! ¡Bah! Lamentaciones son éstas de pobre diablo. Porque la guerra es un tema de meditación como otro cualquiera, y un tema cordial esencialísimo. Y hay cosas que sólo la guerra nos hace ver claras. Por ejemplo: Qué bien nos entendemos en lenguas maternas diferentes, cuantos decimos, de este lado del Ebro, bajo un diluvio de iniquidades: «¡Nosotros no hemos vendido nuestra España!» y el que esto se diga en catalán o en castellano en nada amengua ni acrecienta su verdad.

* * *

Si se fuera (dentro de unos días, o de unas semanas, o de unos meses) a la guerra grande, podría decirse que nunca los hombres se decidieron a ella más convencidos de su inutilidad... Y con más horror a sus consecuencias. ¿Cómo —se preguntarían— si todos la aborrecemos, todos la hemos aceptado? Porque parece ser que ni el propio Hitler la quiere de verdad, y que su posición es, en efecto, la del chantajista, el cual sabe muy bien todo el provecho que puede rendirle la amenaza mientras no se cumple, y el poco que habría de rendirle su cumplimiento.

---

29. *La Vanguardia*, 6 de octubre de 1938.

Yo no creo, sin embargo, que esto sea tan verdad como parece. Porque hay muchos belicistas en el mundo, demasiados creyentes en la profunda fatalidad de la guerra; muchas almas armígeras y batallonas; sobradas gentes convencidas de que la verdad es guerrera y la paz una vana aspiración de los débiles; toda una ciencia pura cuyas hipótesis últimas no repugnan la guerra, y otra, aplicada al dominio de la Naturaleza, propicia a desviarse hacia el dominio de los hombres. Y demasiados intereses comprometidos en la fabricación de máquinas homicidas, gases deletéreos, etc. Porque el clima moral del Occidente es guerrero por excelencia, y el *Homo sapiens,* de Linneo, y el *faber* de los pragmatistas, se han trocado en un *Homo bellicosus,* dispuesto a *tomarse con Satanás en persona,* como Don Quijote, y sin ninguno de los motivos que tenía el buen hidalgo para pelear. Porque hay toda una filosofía y hasta una religión, bajo el signo de Marte, y sobrados motivos sociales, biológicos, metafísicos, que llevan al hombre a guerrear. Todo esto hay, como si dijéramos, en un platillo de la gran balanza y, en el otro, el Miedo, que es la ferocidad misma, el alma de la *jungle...* De modo que la guerra, en ninguno de sus aspectos, sin excluir el de la paz armada hasta los dientes, puede asombrarnos.

* * *

La Sociedad de las Naciones, ese organismo de trágica opereta, o, si lo preferís, ese *esperpento,* en el sentido que dio nuestro Valle-Inclán a la palabra, es una institución tan al servicio de la guerra, quiero decir tan al servicio del fascio, como los cañones de Hitler y los manejos pacifistas de Chamberlain. Al gesto de España, a las palabras del doctor Negrín, de insuperable valor moral, responde con su aquiescencia a controlar la retirada de nuestros voluntarios, cuidándose *muy mucho* —como decíamos los académicos— de no entorpecer en lo más mínimo la actuación salvadora del *Comité de No Intervención,* donde figuran los invasores de España.

* * *

Grande fue el éxito de Chamberlain en el Parlamento inglés, antes de su último viaje a Alemania. (Hasta la reina María —*look to the lady*— se desmayó al oírle.) Su ingenio inagotable había tenido una *ideíca* más: ¡Hay que salvar al fascio por encima de todo! ¡Que se hunda Inglaterra, pero que se salve la City!

* * *

Los profetas a la manera de Juan de Mairena (que nunca tuvo la usuraria pretensión de acertar en sus vaticinios) somos los primeros sorprendidos cuando los hechos vienen a darnos la razón. ¿Con que era cierto que Francia no iría a la guerra *por mor* de Checoslovaquia? ¿Que *mister* Chamberlain no pensó jamás que había de *achicharrarse todo él* por tan poca cosa, cuando no consentía en *quemarse los dedos* por la cuestión de España? ¿Cómo es posible que cosas tan lógicas hayan podido coincidir con los hechos?

* * *

Y ahora nos preguntamos unos cuantos románticos rezagados, almas perdidas en un melonar: ¿Seguirá interviniendo el Comité de No Intervención? La cuestión de España —¡*tan secundaria*¡— y el problema *baladí* del Mediterráneo habrá que tratarlos —no obstante su levedad— en alguna parte. Que no sea, pedimos a Dios, en ese Huerto del Francés del honor internacional.

Cuando llamamos Huerto del Francés al Comité de No Intervención, no pretendemos ensombrecer demasiado la memoria de Aldije; porque no es en él, precisamente, en quien pensamos.

DESDE EL MIRADOR DE LA GUERRA. ESPAÑA RENACIENTE. Serrano Plaja[30]

En plena guerra, y totalmente empapado en la guerra, aparece un libro de Arturo Serrano Plaja: *El hombre y el trabajo*. El libro está dedicado a Virginia, una mujer de España, invocada al comienzo de la obra entre *campanadas de pólvora* y retratada, al fin de ella,

> *(vuelve hacia mí la maravilla triste,*
> *la delicada pena de tu rostro)*

con los mejores versos de su poeta. Saludemos a esta Virginia con todo respeto y toda simpatía; con algo también de gratitud, por la parte que haya podido tener en este bello libro. Porque hoy la poesía vuelve a humanizarse, y hemos de reconocer, otra vez, que apenas hay poema que no deba algo a la musa de carne y hueso, señalada con singular encomio por el maestro Darío.

Es Arturo Serrano Plaja, dilecto amigo nuestro, un poeta-soldado o soldado-poeta, hombre tan a la altura de las circunstancias, que no ha pensado nunca en colocarse *au dessus de la mêlée,* sino más bien *au dedans,* en el corazón mismo de la refriega. Es posición la suya de poeta verdadero, y no precisamente porque escriba versos (nadie menos que el poeta está *obligado* a escribirlos), sino porque no ha de negarse a vivir la guerra quien pretenda cantarla. Y si se nos arguye con el ejemplo abrumador del ciego inmortal, responderé que Homero la vivió como pudo al imaginarla; y tanto pretendió hacerla suya, y tanto la acercó a su oído, que en sus hexámetros resuena, no sólo el mar multisonoro que bañaba las naves de los aquivos, sino el estruendo que hacían las armas de sus héroes al desplomarse sobre la tierra. Por lo demás, ¡qué podrá decirnos, que merezca oírse sobre Ayax de Talemón o Aquiles de Peleo, mucho menos sobre Viriato o Juan Martín, quien se niegue a sentir el santo orgullo de oír la voz, o de

30. *La Vanguardia,* 21 de octubre de 1938.

estrechar la mano de un Carlos, de un Modesto, de un «Campesino», de un Líster, de un Galán? ¿O esperaremos a que pasen los siglos para decir algo bueno de esos gigantescos capitanes de nuestros días? Mañana se irá, ciertamente, a rezar un poco a la tumba del soldado desconocido: y yo no sé si esto es, en verdad, una rasgo piadoso o, como sospechaba Mairena, un pequeño absurdo, cuando no una macabra cursilería. De todos modos, es algo que carece de sentido, si antes no enronquecemos por haber gritado a los cuatro vientos los nombres de los heroicos soldados que conocemos.

El hombre y el trabajo es un libro de guerra; porque el hombre al que alude Serrano Plaja es el que está defendiendo con las armas nuestro suelo y el porvenir de nuestra España; es el hombre también del trabajo fatal con que se gana el pan, que emplea toda la libertad de que dispone en combatir al esclavo del ocio. Y ello por conquistar, para todos los hombres, el ocio santo *sine qua non* de la cultura.

> *Quiero,* dice Serrano Plaja, *palabras desgastadas*
> *por el uso y el tiempo, como los azadones,*
> *olor resuelto a encinas*
> *y dulce pesadumbre de músculos con sueño...*

Digamos de paso que, cuando el poeta renuncia —¡ya era tiempo!— a todo dandismo literario, surge la expresión original, que no necesita ser nuevo el tópico poético sometido a reacuñación cordial.

Los *músculos con sueño* a que alude Serrano Plaja son los músculos de la fatiga humana, los músculos que se duermen de puro cansancio y que sueñan despertar en el ocio fecundo, dicho de otro modo, en el trabajo libre.

Para terminar esta nota, que no pretende ser la crítica de un libro, digamos que Serrano Plaja nos trae del corazón de la refriega visiones más hondas de las que hubiera podido tener al margen o por encima de ella. Digamos también que los trabajos y los días de nuestro siglo, como los *Ergakai hemerai* del viejo Hesíodo, no se encaminan a redimir al trabajador por el deporte, porque antes habrá que redimir al deportista por el trabajo.

* * *

Frente a frente nos encontramos hoy deportistas y trabajadores, trabados en una sola guerra que han inventado ellos, que nosotros sufrimos y que, por ser más suya que nuestra, tiene mucho más de trágico deporte que de trabajo cruento. Ellos han desvitalizado, deshumanizado, mecanizado el juego, quitándole toda su alegre espontaneidad, toda la gracia que en él ponen los niños, para quienes el juego es la vida misma, y han dado, al fin, en la concepción de ese deporte monstruoso, francamente homicida, que sería la guerra total contra el hombre que trabaja y contra el niño que juega, esa guerra mucho más estúpida que una partida de polo —juego imperial por excelencia— que nadie podría ganarla, porque nadie puede sobrevivir al total exterminio de su especie.

* * *

Cerrado el libro de Serrano Plaja, para su *relectura,* que es el mayor encanto de los libros bellos, pienso en una pléyade de poetas de España que, como Lorca y Alberti, son mucho más que aprendices de folklore. La voz de Lorca se ha extinguido para siempre, pero ha sido escuchado y vive en sus libros; la de Alberti alcanza hoy su plenitud, por fortuna nuestra, en sus labios y en sus libros. Y pienso en una voz que ha enmudecido, cuando apenas pudo ser escuchada y, sin embargo, merecía escucharse. Me refiero a otra voz, como la de Lorca, asesinada, la de mi amigo Morón, el poeta onubense. Morón escribió un libro (y acaso llegó a publicarlo) titulado *Minero de estrellas,* dedicado a los mineros de Riotinto. Como Alberti, como Emilio Prados, como Serrano Plaja, Morón se acercó al alma del pueblo, no solamente para oírle cantar; supo también, piadosamente, escuchar su fatiga. Y descendió con él a las entrañas de la tierra, a las tinieblas de la mina... Creo que el libro de Morón debe publicarse y, si se publicó, reimprimirse.

DESDE EL MIRADOR DE LA GUERRA[31]

Conviene no escuchar demasiado los cantos de las sirenas, o mejor dicho, conviene no confundirlas con las voces leales. Porque los días se acercan de mayor peligro para este vasto promontorio de Occidente, ancha cola o rabo, ya no del todo por desollar, de la vieja Europa.

Por las puertas de la traición han entrado nuestros enemigos, salvo aquellos que ya estaban dentro, dedicados a franquearlas. En verdad, no faltaron Laocoontes que denunciasen a tiempo lo que llevaba en el vientre el caballo de nuestra Troya republicana. Acaso no gritaron bastante; la verdad es que no fueron oídos. A costa de mucha sangre, saben hoy casi todos en qué consistía la faena de aquel infatigable ensanchador de la base de nuestra República. Pero aquello es ya lo irremediable, y aunque no conviene olvidarlo, fuerza es pensar en otras traiciones más graves, que todavía puede reservarnos un mañana más o menos, nunca demasiado, remoto. Por fortuna, los vigías están hoy en sus puestos; y los oídos son hoy más finos que lo fueron entonces. Conviene no olvidar, sin embargo, que toda vigilancia es poca, y que los gritos de alerta no son todavía superfluos.

* * *

Conviene desconfiar, con máxima desconfianza, de todos aquellos que, más allá del Pirineo, nos hablan todavía de la *No Intervención en España,* sobre todo cuando simulan ignorar que la No Intervención fue, desde un principio, una groserísima cobertura del convenio entre cuatro gobiernos intervencionistas, dos de los cuales eran auténticos invasores de España; los otros dos, sus indirectos coadyuvantes, pues negaban a España sus más legítimos medios de defensa.

Entre esos simuladores hay algunos un tanto arrepentidos de su conducta, no por el daño que hicieron a España, sino por miedo a ser señalados entre los suyos como desleales a su

31. *La Vanguardia,* 23 de octubre de 1938.

patria, porque vendían como política nacional una política de clase. Entre ellos hay alguno que, no contento con contribuir al asesinato de España, vendía a su nación y, además, a su clase. De ese, menos que de nadie, hemos de contribuir nosotros a cohonestar la conducta. Toda nuestra gratitud, en cambio, será poca para nuestros verdaderos amigos de Francia y de Inglaterra, y para quienes, como el representante de la URSS, lucharon sin tregua por entorpecer los manejos hipócritas, y revelar al mundo el cinismo y mala fe de los cuatro gobiernos aludidos, a saber: Inglaterra, Francia, Alemania e Italia.

El tiempo continúa su marcha inexorable —*fugit irreparabile tempus*—, y del porvenir, la inagotable caja de sorpresas, hemos de confesar que sabemos muy poco. No tan poco, sin embargo, que todo nos sea absolutamente imprevisible: también lo esperado puede saltar como la liebre, cuando menos se espere; la caja de sorpresas nos reserva esa sorpresa más. España ha sido, en verdad, consecuente consigo misma cuando, bajo un diluvio de iniquidades, ha adelantado el pecho, para pasar el Ebro, y escribir a su margen la más gloriosa gesta de su historia.

Entre las viejas cuentas del astuto abogado de la City, ha surgido esa cifra inesperada y desconcertante. Nosotros la esperábamos, aunque, al producirse, nos asombre.

España ha sido consecuente consigo misma, cuando el doctor Negrín la ha proclamado como sustentadora de los valores éticos universales, cuando el doctor Negrín y Álvarez del Vayo han exaltado en Ginebra —la hoy lamentable Ginebra, tantas veces antaño patria y asilo de la libertad— el gesto españolísimo, y han sabido oponer la suprema hombría de bien al despotismo del fascio inverecundo y a la suprema avilantez del fascio encubierto. España ha sido consecuente consigo misma cuando, abrumados nosotros por la adversidad y en los momentos de mayor angustia, nos ha hecho sentir el supremo orgullo de ser españoles. De suerte que ya sabemos que no todo fue sorpresa en lo pasado, y sospechamos que no todo ha de serlo en el futuro.

* * *

No hemos tampoco de apartar nuestros ojos de las iniquidades previstas, porque la mayor parte de todas tal vez se guisa ya en las cocinas de nuestros adversarios. Fuera de España, en la brumosa Albión, hay alguien que no duerme, porque, como Macbeth, ha asesinado el sueño, y no precisamente en su castillo de Escocia, sino en el corazón de la City. Es de esperar que en la pendiente del crimen y del miedo, también como Macbeth, no pueda detenerse. Por lo demás, sus brujas lo engañarán con la verdad, hasta el fin. Tampoco él ha de creer en el milagro del bosque semoviente, ni en el invulnerable ardimiento del hijo de la loba... romana. No agotemos el símil. Él irá hasta el fin, el suyo, que no lleva trazas de ser demasiado gallardo. Procuremos nosotros apartarnos de su camino, mas sin quitarle ojo. Y cuando gritemos, que se nos oiga más allá del Atlántico.

A LOS VOLUNTARIOS EXTRANJEROS[32]

Cuanto hay de trágico en la gesta española de nuestros días culmina en el hecho de que hayan de abandonarnos nuestros mejores amigos, los hombres abnegados y generosos, como Jorge Hans —cito un nombre egregio en representación de toda una legión de héroes—, que han combatido por un ideal de justicia y por la España auténtica, frente a los traidores de nuestra casa y a los mercenarios y serviles, obedientes a la perfidia reaccionaria de dentro y a las iniquidades codiciosas de fuera.

Ellos, los voluntarios por excelencia, se marchan porque así lo exigen altísimas razones del Estado.

Con su ausencia, en efecto, queda patente algo que nadie puede poner en duda. España lucha sola, completamente sola, contra la invasión extranjera: contra los sediciosos, desnaturalizados por su propia conducta, y las tropas que, cobarde y

32. *La Vanguardia,* 29 de octubre de 1938.

subrepticiamente, han introducido en España dos grandes naciones tan poderosas como envilecidas por sus dictadores.

Nuestros peores enemigos han entrado todos por las puertas de la traición. Frente a ellos se yergue solitaria la hombría española, envuelta en los férreos harapos de nuestro Don Quijote, pero bañada en luz, toda vibrante de energía moral.

No es sólo la disciplina —que ya sería bastante en estos días de guerra—, es también y, sobre todo, una profunda convicción la que me lleva a aceptar como español y aplaudir sin reservas el gesto y las palabras del doctor Negrín. Pero un deber de gratitud no menos imperioso, y un impulso cordial no menos sincero, dictan también estas palabras: «Amigos muy queridos, compañeros, hermanos: la España verdadera que es la España fiel al Gobierno de su República, nunca podrá olvidaros; en su alma lleva escritos vuestros nombres: ella sabe bien que el haber merecido vuestro auxilio, vuestra ayuda generosa y desinteresada, es uno de los más altos timbres de gloria que puede ostentar».

A LAS BRIGADAS INTERNACIONALES[33]

Amigos muy queridos, compañeros, hermanos: la España verdadera, que es la España fiel al Gobierno de su República, nunca podrá olvidaros. En su alma lleva escritos vuestros nombres: ella sabe muy bien que el haber merecido vuestro auxilio, vuestra ayuda generosa y desinteresada, es uno de los más altos timbres de gloria que puede ostentar.

---

33. Prólogo a *Homenaje de despedida a las Brigadas Internacionales*, Madrid, Ediciones Españolas, 1938.

MAIRENA PÓSTUMO[34]

Si la paz es, como dice San Agustín y traduce el maestro León, *una orden sosegada y un tener sosiego y firmeza en lo que pide el buen orden,* y de ningún modo un equilibrio entre iniquidades, esa institución, que tan al revés lo ha entendido, más parece calumniar a la paz que servirla. Si, contra lo que nosotros pensamos, acordes con San Agustín y el maestro León, la paz es el equilibrio supradicho, claro es que ninguna persona bien nacida puede ser pacifista. De donde hubiera deducido Juan de Mairena —aquel *enfant terrible* de la lógica— que la S.D.N. debe disolverse, y que hasta el empleo de la violencia es, para ello, recomendable.

*

Reparad, amigos, en cuán terrible cosa es la lógica, y en cuánto pueden ser desconcertantes sus consecuencias. Un organismo consagrado al mantenimiento de la paz en el mundo, disuelto a linternazos por los verdaderos amantes de la paz. *¿Risum teneatis?*

*

Pero hablemos de cosas serias. Nada hay tan desgraciado como aquello que nos obliga a ser graciosos. Por lo demás, yo

---

34. *Hora de España,* n.º 22, octubre de 1938.

os aconsejo —hubiera dicho Mairena— que no aspiréis nunca a profesionales de la gracia, porque no hay cosa que tanto amanere y resfríe el ingenio como el creerse obligado a ser gracioso. La gracia es, generalmente, cosa de tejas arriba, de donde —todo hay que decirlo— también nos pueden llover cosas que *no tienen maldita la gracia;* y cuando lo sea de tejas abajo, está sometida a la sentencia popular, que encierra la solearilla andaluza.

(Pa tener gracia
se ha menester reunir
muchas circunstancias.)

Y nadie hay que pueda jactarse de todas ellas.

Reparad en cuánta gracia pierde el niño el día en que averigua que su propia infantilidad es graciosa. Es el día crítico, mejor diré catastrófico de la infancia, en que empieza el derrumbe de su infantilidad y, por descontado, de su gracia infantil.

*

Tampoco habéis de casaros —habla el maestro de Retórica— con la seriedad, jaleándoos a vosotros mismos, con el nombre de sacerdotes de las letras o de las artes. Porque daréis en sacristanes para toda la vida. ¡Ojo a esto, que es muy grave!

*

Yo gusto de advertiros los peligros en que podéis incurrir, sin que ello implique grave censura para vuestros ejercicios de clase. En general son buenos, y en ellos tengo yo mucho que aprender. Mas, reparad en que un maestro de Retórica puede optar entre la fácil tarea de enseñar a sus alumnos una manera literaria, y la tarea, algo más delicada y difícil, de ponerles en guardia contra todo amaneramiento literario. Para esto último, hay que atender a corregir al autor, antes que su ejercicio.

*

El maestro José Bergamín —ignoro cuál sea su filiación política, si alguna tiene— ha escrito recientemente tres insuperables sonetos «A Cristo crucificado ante el mar». Tres sonetos en que parecen latir todavía las más vivas arterias de nuestro mejor barroco literario, y que figurarán algún día en los mejores florilegios de nuestra lírica. Dejemos, para tratado aparte, la significación de este resurgir del soneto en España. Anotemos que José Bergamín está muy de vuelta, acaso lo estuvo siempre, del culto algo estéril y, a mi entender, rezagado de nuestro barroco de superficie, con signo culterano o conceptista. Anotemos también que, a fuer de buscador de raíces, no reniega de la tradición hispánica, ni de los precedentes más inmediatos de su propia obra, como lo prueba el verso de Unamuno, que reproduce a la cabeza de sus tres sonetos. Por esta razón Mairena lo hubiera incluido siempre entre los *originales,* nunca entre los *novedosos.*

Me agradaría decir que el mejor de los tres sonetos es el primero, aunque la verdad sea que los tres son *mejores,* y ello por no aquiescer el aserto, tan frívolo como autorizado, de que sólo es poeta el que afirma o el que niega. A mi juicio, es poeta también y sobre todo el que pregunta. Y el primero de los tres sonetos de Bergamín es todo él una interrogación, que envuelve un mar de interrogantes. Un mar de confusiones, en el mejor sentido de la palabra. En la estrofa dantesca —fue Dante, según pienso, padre mayor y definitivo del soneto, esa tardía flor de la escolástica— nos presenta Bergamín al Cristo crucificado, *anclado* en *Cruz,* junto a la mar multisonora. Un Cristo agonizante, la eternidad que expira junto a una muerte cantora. ¿Por qué canta la mar en el silencio de Dios? ¿Por qué muere la vida? ¿Por qué y para quién canta la muerte?

¿Me engañas tú o el mar, al contemplarte
ancla celeste en tierra marinera,
mortal memoria ante inmortal olvido?

En el segundo soneto, líricamente el mejor, la poesía de Bergamín se encrespa y aborrasca —las cuadernas del soneto crujen, pero no ceden— con sobrada tormenta para el vaso barroco.

Relampaguea, de tormenta suma,
la faz divinamente atormentada
del hijo a tus entrañas evadido.

Y en el tercero se remansa y aquieta con el triunfo del Cristo agonizante, ante la mar implorante y piadosa, la engendradora de su creador (digámoslo desviando un poco la paradoja del maestro León)* que viene a pedirle, a suplicarle *la voz con que lo engendre.* Porque la mar aspira a redimirse. (Aquí pondría Mairena una interrogación.) Mas Bergamín termina con un imperativo

(Y entrégale tu grito arrebatado)

el característico imperativo de nuestros sonetos.

*

De nuestros sonetos y, en general, de nuestra lírica, donde abundan, superabundan las voces de mando o de súplica.

*

Del barroco literario español —decía Juan de Mairena a sus alumnos— la catedral, de puro estilo jesuita, la encontraréis, acaso, en el teatro de don Pedro Calderón de la Barca, del Calderón más calderoniano, que no es, a mi juicio, tanto el continuador de Lope como un arquitecto definitivo en nuestras letras doradas. Cuanto hay en él de final se pone de resalto, tal vez excesivo, por el gran barranco que, tras de su teatro, aparece en nuestras letras, un ancho foso sin puente levadizo. Como obra de teatro nada hay, acaso, más sólido en nuestras letras que una *comedia* de Calderón, por ejemplo: *El Príncipe Constante* que —digámoslo de paso— no se represen-

---

* De *su criador divina engendradora,* llama Fray Luis a la Virgen.

ta en España desde los tiempos de Isidoro Maiquez. Es en ella donde ese gran poeta de arreboles, de arreboles donde nada amanece, pinta y dibuja con brillo más esplendoroso y trazos más firmes las llamas de una declinante españolidad. Un gran incendio de teatro, ciertamente, pero en el cual —como dijo un coplero— se oculta un ascua verdadera, que todavía podemos aplicar a nuestra sardina.

*

Disimulad, amigos queridos —decía Juan de Mairena— si alguna vez parece que pretendo yo echármelas de crítico y hasta de crítico de teatros. A nada aspiro yo menos que a eso. Alguna vez escribí algo destinado a la escena, mas nunca pretendí oficiar de portero, para que nadie pasase a ella sin hablarme. Contra la crítica de entonces guardo yo algunos rencorcillos, y a curarme de todos ellos aguardo para decir todo lo malo que pensaba de ella muy antes de soportar sus impertinencias o, al par que las soportaba, cuando recaían en alguien mucho mejor que yo y se convertían en verdaderas insolencias. En verdad poca importancia podían tener las tachas que se ponía a mis comedias, y que no coincidían, ni por casualidad, con sus muchos defectos, cuando al creador de todo un teatro se le decía: ¿por qué no se dedica usted a otra cosa? Contra estos desmanes de almogávares del escalpelo habéis de estar en guardia, para nunca incurrir en ellos.

En general, yo os aconsejo que nunca os arrepintáis de los elogios sinceros que prodigáis a la obra de vuestro vecino; porque ello es señal de que algo bueno habéis visto en ella. Y por muy pequeño que sea el acierto objetivo de esos elogios, siempre estaréis con ellos más cerca de la verdadera crítica, que si pretendéis definir una obra por sus faltas o defectos, es decir, por todo aquello de que la obra carece. Acaso esto explica por qué la crítica benévola, de buena voluntad es la única que deja rastro fecundo y por qué los más altos jueces (Cervantes, Goethe) fueron tan pródigos en el elogio.

ANTONIO MACHADO HABLA DEL 7 DE NOVIEMBRE[35]

Quien oyó los primeros cañonazos disparados sobre Madrid por las baterías facciosas, emplazadas en la Casa de Campo, conservará para siempre en la memoria una de las emociones más antipáticas, más angustiosas y perfectamente demoníacas que pueda el hombre experimentar en su vida. Los asesinos de Madrid, asesinos de España, estaban allí, crueles, implacables... Pero no entraban. ¡Oh! No podían entrar. Hubo de aplazarse indefinidamente el sacrílego *Te Deum* en la Puerta del Sol, que proyectaban aquellos enemigos de Dios, para festejar la consumación de su crimen. No entraron, no podían entrar, porque Madrid no lo consentía. Un general insigne y unos cuantos capitanes egregios —¿habrá algún día bronce bastante para ellos?— cuajaron con pechos un frente de combate, una barrera infranqueable para el odio faccioso. Han pasado dos años y, para asombro del mundo —¿merece el mundo tan sublime espectáculo?— esa barrera sangra, pero no cede. ¿Triunfará Madrid? La victoria la ha ganado cien veces, quiero decir que cien veces la ha merecido.

DESDE EL MIRADOR DE LA GUERRA[36]

Un tanto amenguada la cortina de humo, o la utilización como tal de la cuestión checoslovaca, adquiere gran resalto, y tiende a ocupar el puesto que le corresponde, la cuestión del Mediterráneo. Ella, como las otras, guarda relación con todas las demás; porque ya no hay compartimentos estancos en la política universal, pero es ella la que más preocupa, sin duda, en el Occidente europeo y, acaso, la que, por de pronto, más debe preocupar en todas partes. Claro que toda máxima preocupación debe llevar consigo un tabú que prohíbe mentarla. Será difícil, sin embargo, mantenerlo por mucho tiempo. En

---

35. *La Vanguardia,* 8 de noviembre de 1938.
36. *Ibíd.,* 10 de noviembre de 1938.

España es y ha sido siempre cuestión de insuperable importancia. Pero tampoco han faltado en España voces desorientadoras, descaminantes, como si a nosotros también nos conviniera silenciarla, eludirla o aparentar que pensamos en otra cosa. Yo, por mi parte, nunca escuché esas voces, porque siempre me parecieron hijas no de mala intención, mas sí de error patentísimo.

Que Mr. Chamberlain y lord Halifax, y cuantos hacen en Inglaterra una política de clase, que pretenden vender por política de Estado, no tengan mucha prisa por que los ingleses vean con demasiada claridad y sepan a punto fijo cómo se encuentra la cuestión del Mediterráneo, es algo perfectamente comprensible. Mucho más si, como algunos sospechan y otros creen saber, la llave más importante del Imperio británico, el estrecho de Gibraltar, no está ya muy segura en la insondable faltriquera de la vieja Albión. La cosa es perfectamente comprensible porque nadie que no pueda rendir estrechas cuentas de algo puede tener prisa porque se le exijan. El que a nosotros, españoles, nos interese tanto el pellejo y la tranquilidad de esos ilustres pescadores de caña, el que contribuyamos en la modesta medida de nuestras fuerzas a guardarles el secreto, en perjuicio de nuestros buenos amigos de Inglaterra, no es ya tan comprensible. Al menos yo confieso no haberlo comprendido todavía. Bien entiendo, sin embargo, que se me puede preguntar: ¿Y cuáles son nuestros buenos amigos de Inglaterra? Yo respondo sin titubear: en primer lugar, Inglaterra entera como democracia, de la cual hemos aprendido algo y pudimos aprender mucho más; en segundo lugar, Inglaterra como Imperio, porque mientras haya imperios en el mundo, es el inglés no solamente el más tolerable, sino el más firme puntal de nuestra independencia. No ignoro que se me puede seguir preguntando: ¿Y cuáles son, entonces, nuestros enemigos? Nuestros enemigos, respondo, son aquellos que están en la propia Inglaterra, no sólo contribuyendo a nuestra asfixia, sino comprometiendo su propia democracia y su Imperio —su Imperio democrático o su democracia imperial— por salvar los intereses sin patria de la alta banca, y, todo ello, en beneficio de nuestros enemigos y de los suyos, mucho más suyos que nuestros. Y el que nosotros contribuyamos a que los ingleses vean esto con la acuidad con que nosotros lo vemos, no es pagarles nuestra amistad con mala moneda, ni mucho menos trabajar contra nuestros propios intereses.

* * *

También es incomprensible que cuantos siguen en Francia, más o menos a remolque, una política semejante a la inglesa, cualquiera que sea su filiación política, no tengan demasiada prisa por rendir a Francia cuenta de su conducta. Ellos han trabajado con todas sus fuerzas y pretenden seguir trabajando no sólo contra la Francia democrática, la de la gran Revolución y del *affaire* Dreyfus, sino también, y sobre todo, contra la Francia imperial, que culminó en el Tratado de Versalles. Es muy comprensible que ellos tampoco quieran mentar la cuestión del Mediterráneo, y hasta que soporten con santa paciencia y, en el fondo, con mal disimulado regocijo, que se les acuse de claudicadores en Munich, porque ellos saben muy bien, están hartos de saber que sus claudicaciones son mucho más graves. No es sólo que hayan perdido su crédito y su influencia política en la Europa centrooriental, es que han abandonado las comunicaciones con el África del Norte, la ruta marítima por donde la metrópoli se comunica con sus colonias, por donde sus colonias mandarían las fuerzas que habían de defender la metrópoli contra un enemigo implacable. Han hecho más... Pero, ¿a qué seguir? ¿A qué mentar la soga del Pirineo y del golfo de Vizcaya en casa de ahorcado en Mallorca? Ellos saben muy bien que su gran pecado no ha sido en Praga, ni en Munich, sino en París y en Londres; se llama el Comité de No Intervención en España. Porque, evidentemente, es en España donde debieron intervenir hace ya más de dos años para impedir que España fuera invadida por los más implacables enemigos de Francia.

Cuando sir Neville Chamberlain y su jovial compadre monsieur Daladier dicen que se ha conseguido que la guerra de España deje de ser una amenaza para la paz de Europa, no se sabe a quién pretenden engañar, porque no hay nadie tan palurdo sobre el planeta que comulgue con esa rueda de molino. Es ahora cuando los intereses vitales de Francia y de Inglaterra han de aparecer más directamente amenazados.

Y es ahora cuando para tranquilidad de todos ha dicho Chamberlain que ni Hitler ni Mussolini tienen la menor ambición en España, ni siquiera de perturbar el equilibrio mediterráneo.

Lo afirma Chamberlain y, digámoslo con ironía shakespeariana,

Chamberlain is an honourable man.

Los sinceros amigos de Francia y de Inglaterra —más amigos aún, claro está, de nuestra España—, vemos con más repugnancia que terror que la suprema iniquidad contra nosotros se proyecta en todas las cancillerías donde el fascio se alberga y, por ende, también en las de Londres y París. De los cuatro fingidos no intervencionistas, los dos invasores de nuestra patria se quitarán pronto la careta, que ya les sofoca, y aparecerán sus rostros aborrecibles, sin sorpresa de nadie. Las máscaras eran inútiles por demasiado transparentes. Los otros dos procurarán conservarlas, no por miedo a nosotros, sino a sus propias conciencias, quiero decir a sus propios pueblos, a quienes vienen engañando. Son estos pueblos mismos los que han de arrancárselas.

Entretanto, el doctor Negrín y Álvarez del Vayo han elevado la voz de España, sin vanagloria y sin miedo, con el orgullo modesto, perdonadme la aparente *contradictio in adjecto,* con que habla siempre España en los momentos decisivos. España no es una invención de las cancillerías europeas, la resultante de un tratado de paz más o menos inepto. Lleva siglos de vida propia perfectamente definida por su raza, por su lengua, por su geografía, por su historia, por su aportación a la cultura universal. No es fácil disponer de su presente ni, mucho menos, de su porvenir. Aun suponiendo —y es mucho suponer— que pueda caer arrollada por la fuerza bestial de sus enemigos, su deber es caer con dignidad, resistir hasta el fin, porque sólo así sería indefectible su resurgimiento futuro. Y, por de pronto, España piensa en la victoria, porque está segura de merecerla.

GLOSARIO DE LOS 13 FINES DE GUERRA[37]

Los trece puntos del Gobierno de la República.— Con esta denominación, designa ya la fama, dentro y fuera de España, una declaración de los propósitos de nuestra guerra, que contiene, al mismo tiempo, los fundamentos de toda una Constitución política, en la cual resplandecen dos grandes virtudes: la de mirar al mañana y la de recoger lo mejor y más esencial de la tradición española.

Yo siento mucho no haber meditado bastante sobre política. Pertenezco a una generación que se llamó a sí misma *apolítica,* que cometió el grave error de no ver sino un aspecto negativo de la política, de ignorar que la política podía ser algún día una actividad esencialísima, de vida o muerte, para nuestra patria. No es extraño que no sea un hombre de mi quinta, sino de otra posterior, el doctor Negrín, quien tiene hoy la gloria de intepretar, en plena guerra, la voluntad política de España, en un documento que ya la historia ha hecho

---

37. *La Vanguardia,* 13 de noviembre de 1938. «Requerido el ilustre escritor don Antonio Machado para intervenir en la encuesta abierta para glosar por radio los trece puntos del Gobierno Negrín, escribió lo que se acaba de transcribir. El duodécimo postulado era el siguiente: "El Estado español se reafirma en la doctrina constitucional de renuncia a la guerra como instrumento de política nacional. España, fiel a los pactos y tratados, apoyará la política simbolizada en la Sociedad de Naciones, que ha de presidir siempre sus normas. Ratifica y mantiene los derechos propios del Estado español y reclama como potencia mediterránea un puesto en el concierto de las naciones, dispuesta siempre a colaborar en el afianzamiento de la seguridad colectiva y de la defensa general del país. Para contribuir de una manera eficaz a esta política, España desarrollará e intensificará todas sus posibilidades de defensa".»

suyo y que merece el respeto y la admiración de todos. Cábeme la profunda satisfacción de no haber sido totalmente recusado en mi vejez por los pecados de mi juventud, de que todavía se quiera escuchar mi voz, cuando tantas otras, justamente autorizadas, tienen la palabra.

«El Estado español —se dice en el punto duodécimo— se reafirma en la doctrina constitucional de renuncia a la guerra como instrumento de política nacional. España, fiel a los pactos y tratados, apoyará la política simbolizada en la Sociedad de Naciones, ratifica y mantiene los derechos propios del Estado español, y reclama, como potencia mediterránea, un puesto en el concierto de las naciones, dispuesta siempre a colaborar en el afianzamiento de la seguridad colectiva y de defensa general del país. Para contribuir de una manera eficaz a esta política, España desarrollará e intensificará todas sus posibilidades de defensa.»

Reparemos en el contenido de este párrafo esencialísimo sin pretender completarlo, porque su análisis completo requiere muy hondas meditaciones, que exceden en mucho a nuestra capacidad de reflexión. Con toda energía, se hace constar en él que el Estado se reafirma en una doctrina constitucional: la de la Constitución que debe ser sagrada para nosotros, la Constitución cien veces legítima de España, votada en unas *Cortes Constituyentes* como expresión inequívoca de la voluntad política de la nación, precisamente la Constitución hollada, ultrajada y pérfidamente combatida por militares facciosos que se alzaron en armas contra ella... No lo digo bien; procuraré expresarme con más exactitud. Los militares no se alzaron *en armas* contra la Constitución, se alzaron *con las armas*, cobarde y subrepticiamente, para dejarla totalmente indefensa, aunque, por fortuna, los heroicos puños del pueblo supieron defenderla, la están defendiendo todavía.

De modo que el Gobierno de la República, en el párrafo duodécimo del documento que analizamos, no promete novedades para ponerse a tono con circunstancias políticas que pudieran serle propicias, sino que se afirma en la doctrina constitucional, que representa la evolución histórica de su pueblo, en el momento en que la traición de dentro y la codicia de fuera surgieron en su camino.

El Estado Español se reafirma en la doctrina constitucional de renunciar a la guerra como instrumento de política nacional. Esto quiere decir, y lo dice muy claramente, que España renuncia para siempre a toda ambición imperialista, a todo ensanchamiento territorial debido a la violencia. Esta declaración pudiera parecer superflua al pensamiento superficial pero de ningún modo lo es, porque España, reducida al dominio de su metrópoli que actualmente se le disputa, ha sido un gran imperio, y la nostalgia de volver a serlo tendría en ella razones psicológicas muy hondas, que otros muchos pueblos no podrían invocar. Pero España, en su Constitución y en el magnífico documento del doctor Negrín no las invoca, porque está mucho más allá de ellas. España es, en el fondo, fiel a su historia, al hacer hoy, *mutatis mutandis,* lo que ha hecho siempre: dar más que recibe. España ha sido, en efecto, un pueblo de conquistadores; América es su gesta inmortal. Pero España no ha conquistado nunca para sí misma, no ha sido nunca un pueblo de presa, como lo han sido otros muchos. Sus conquistas en América van precedidas del descubrimiento de un continente, de todo un mundo nuevo. ¿Qué representan unas cuantas batallas ganadas a los indios por nuestros capitanes, ante aquella ingente labor exploradora, de adentramiento y de aventuras en países desconocidos, bajo climas crueles, ante aquella lucha gigantesca contra una naturaleza hostil, inhóspita, abrumadora? La gran gesta española es la conquista de la naturaleza, si queréis de la geografía para la historia.

Nunca invocó España —a la manera de los totalitarios— la virtud de la fuerza para el dominio de los hombres. Se podrán discutir sus razones y sus ideales, de ningún modo su posición ética; porque siempre ha creído servir a una causa más alta que su propio egoísmo.

Cuando el doctor Negrín, en el número doce de su escrito, declara que España renuncia a la guerra como instrumento político, hace una afirmación españolísima, que autoriza y confirma lo más esencial de la tradición española.

España, fiel a los pactos y tratados, apoyará la política simbolizada en la Sociedad de Naciones que ha de presidir siempre sus normas.

Reparemos en que cuando el doctor Negrín habla de la Sociedad de Naciones, ha sido en efecto, creada para fines tan altos como el de ponerse a todos los pueblos bajo el imperio de la justicia, de ningún modo para coadyuvar al exterminio de los débiles para conservar el equilibrio de fuerzas antagónicas entre los fuertes. La política que ella simboliza, de bueno o de mal grado, nada tiene que ver con el estado empírico de ese organismo de opereta tan justamente desacreditado en nuestros días.

España —continúa el documento— *ratifica y mantiene los derechos propios del Estado español, y reclama, como potencia mediterránea, un puesto en el concierto de las naciones, dispuesta siempre a colaborar en el afianzamiento de la seguridad colectiva y de defensa general del país.*

En los momentos que vivimos, cuando se lucha en defensa de los derechos inalienables, no huelga de ningún modo invocarlos, puesto que no falta quien ciega y bárbaramente, pretende desconocerlos para atropellarlos. España es, en efecto, potencia mediterránea por su posición geográfica, por virtud de su historia y por razones étnicas de todos conocidas. Cuando a título de tal reclama un puesto en el concierto de las naciones, no tiene ninguna pretensión usuraria, ninguna ambición desmedida. Fiel a su historia, no expresa ningún propósito de hegemonía sobre las naciones de Europa. Porque España, este vasto promontorio del Occidente europeo, gran escudo de Europa durante ocho siglos; España por quien existen potencias oceánicas y mundiales, ha dado siempre —repito— más de lo que ha recibido y este sentido generoso de su actuación en la historia no lo ha perdido nunca. A cambio de tanta nobleza —digámoslo de paso— España ha sido víctima de las mayores calumnias; porque hasta el título de europea se le ha negado. Quienes, con total desconocimiento de la historia y de la geografía, sostienen que el África empieza en los Pirineos, olvidan que en los Pirineos no empieza, sino que en ellos acaba el gran baluarte de la Europa Occidental, erizado de sierras y poblado de pechos indomables, merced a los cuales Europa es Europa. Olvidan, quienes pretenden disminuir a España como potencia en el mar latino, que cuando España había descubierto y daba su sangre a un continente más allá del Atlántico, conservó Venecia la hegemonía del Mediterráneo con la ayuda de España, y que merced a España triunfadora en Lepanto, no fue el Mediterráneo un lago totalmente entregado a las amenazas del poderío turco y a las piraterías berberiscas. Miguel de Cervantes, el más egregio soldado en las galeras de España y el más ilustre cautivo europeo que tuvo Argel, viene hoy a nosotros para decirnos: «En verdad que ese título de potencia mediterránea no se lo hemos robado a nadie».

Para contribuir de una manera eficaz a esta política —termina el párrafo duodécimo— *España desarrollará e intensificará todas sus posibilidades de defensa.* Oídlo bien, amigos muy queridos de Francia y de Inglaterra, porque España no habla el lenguaje equívoco y perverso de las cancillerías: *«todas sus posibilidades de defensa, y ninguna de sus posibilidades de agresión».* Oídlo también vosotros, mal encubiertos enemigos de la España leal, encaramados en el poder de dos pueblos amigos, que de ningún modo pueden ser enemigos nuestros. La defensa que España quiere desarrollar e intensificar, no es sólo la suya, ¡tan legítima!; es también la que vosotros tenéis abandonada en provecho de nuestros comunes enemigos, que son los más implacables enemigos nuestros. Fiel a su historia, fiel a su tradición, siempre generosa, España sigue dando más de lo que recibe. En su lucha heroica, justo asombro del mundo, la España leal al Gobierno de su gloriosa República, no sólo defiende la integridad de su territorio y el derecho a disponer de su propio destino: defiende también, y sobre todo, la hegemonía de las dos grandes democracias del Occidente europeo, la llave de un imperio civilizador, las rutas marítimas de otro gran pueblo orgullo de la historia, y las defiende contra los poderes demoníacos de las llamadas potencias totalitarias, contra la barbarie que amenaza anegar el mundo entero.

Bajo las bombas asesinas de los *totalitarios,* jurados enemigos del género humano, bajo un diluvio de iniquidades y en plena refriega, España ha tenido el ánimo sereno, la inteligencia clara y el pulso firme para escribir un documento en el cual, sin odios ni jactancias, se expresa la voluntad política de un pueblo. Yo no digo más porque mi deber estricto se limita a comentar el párrafo doce. Otros mejores que yo os hablarán de los demás.

EJÉRCITO DEL PUEBLO[38]

Hace ya mucho tiempo que vengo pensando y diciendo a cuantos quieren oírme que no es sólo el valor y la energía moral, sino también y sobre todo la inteligencia, la enorme y abrumadora superioridad estratégica del mando lo que constituye ventaja indudable del Ejército leal de la República sobre los ejércitos fascistas y facciosos.

En verdad, no había demasiadas razones para afirmar que una cabeza teutona o italiana fuese muy superior a una cabeza ibérica. Sería, sin embargo, jactancia imperdonable el afirmar rotundamente lo contrario. Lo que sí puede afirmarse, sin miedo a error, es que el espíritu, en todas sus manifestaciones, y, por ende, la inteligencia, suele acompañar con preferencia a los mejores, a los que combaten por la razón y por la justicia. Es evidente que los nazifascistas invasores y traidores vienen dando, desde los principios de la guerra, pruebas inconcusas, no sólo de cinismo, cobardía y crueldad, sino también, y sobre todo, de torpeza y de brutalidad específicas. El mundo entero sabe que, con igualdad de armamento, nuestros adversarios hubieran sido derrotados en unas cuantas semanas, porque no luchamos ni contra la Alemania de Einstein, ni contra la Italia de Benedetto Croce, sino —digámoslo con toda pompa— contra dos grandes potencias totalitarias, quiero decir, contra

38. *Nuestra España,* n.º 70, 21 de noviembre de 1938.

la morralla de dos grandes pueblos agavillada por Hitler y Mussolini.

¡La batalla del Ebro! ¡Buen nombre de batalla española! Cualquiera que sea el resultado final de la contienda —yo no he desconfiado nunca de la victoria— la batalla del Ebro es un ejemplo magnífico de alcance universal, un ejemplo consolador que nos habla del posible triunfo de la justicia sobre la iniquidad. Un pueblo que defiende su territorio, que defiende el Gobierno que en uso del más incuestionable derecho se dio a sí mismo, que defiende la libertad de su destino a través de la Historia, y el porvenir del mundo, triunfa por su propio esfuerzo de las más bestiales, abrumadoras fuerzas que lo cercan, lo envuelven y lo acosan, de los traidores de casa y los ladrones de fuera —¡cuántas veces lo he dicho, cuántas veces tendré que decirlo todavía!— triunfa, sobre todo de esas máscaras viles, las más abominables de todas, de esas cancillerías hipócritas que, bajo el disfraz de neutros o de amigos, aguardan que se consume el asesinato de un pueblo, para mostrar al sol sus hocicos de hienas... Alguien dirá que ese triunfo puede ser momentáneo, que los cañones del fascio dirán la última palabra. ¡Bah! Nunca faltan malvados afanosos de verdades estúpidas. En el peor caso la batalla del Ebro será un relámpago de justicia que ilumine un mundo que ha de quedar otra vez en tinieblas. Y ello no amenguaría un ápice su valor espiritual. Mas yo no soy tan pesimista. La iniquidad no ha dicho nunca la última palabra. Tampoco la batalla del Ebro es un milagro inconcebible, sino una hazaña de hombres, que tiene ya muchos precedentes en nuestros días. Recordad a Tortosa, a Viver, a Brihuega, ¡a Madrid!

A los ejércitos del Ebro, a sus soldados y sus capitanes, mi más ferviente y sincero saludo militar.

UNA ALOCUCIÓN DE DON ANTONIO MACHADO DIRIGIDA A TODOS LOS ESPAÑOLES[39]

A todos los españoles.— Más de una vez he dicho, y nunca me cansaré de repetirlo, que mi ideario político se ha limitado siempre a aceptar como legítimo solamente el Gobierno que representa la voluntad del pueblo, libremente expresada. He de añadir que la palabra pueblo no tiene para mí una marcada significación de clase: del pueblo español forman parte todos los españoles. Por eso estuve siempre al lado de la República española, por cuyo advenimiento trabajé en la modesta medida de mis fuerzas y dentro de los cauces que yo estimaba legales. Cuando la República se implantó en España, como una inequívoca expresión de la voluntad política de nuestro pueblo, la saludé con alborozo y me apresté a servirla, sin aguardar de ella ninguna ventaja material. Si ella hubiera venido como consecuencia de un golpe de mano, como imposición de la astucia o de la violencia, yo hubiera estado siempre enfrente de ella. Yo sé muy bien que dentro de una República se plantean problemas mucho más hondos que el estrictamente político —son ellos de índole económica, social, religiosa, cultural, en suma—, y que, dentro de esa República, caben ideologías no sólo diversas, sino hasta encontradas. Pero por muy honda y enconada que sea la lucha, la República conserva su legitimidad mientras la voluntad del pueblo, libremente expresada no la condene. Por eso cuando un grupo de militares volvió contra el legítimo Gobierno de la República las armas que de él había recibido para defenderla de agresiones injustas, yo estuve, sin vacilar, al lado de ese Gobierno desarmado. Sin vacilar, digo, y también sin la menor jactancia; porque creía cumplir un deber estricto. Los profesionales de las armas no eran ya el Ejército de España; el Ejército de España era entonces, para mí, aquel que el pueblo hubo

---

39. Esta alocución fue radiada en la emisión «Voz de España», que se emitía diariamente en Barcelona. Fue recogida en *La Vanguardia,* 22 de noviembre de 1938.

de improvisar con los mejores de sus hijos; un Ejército tan débil e insuficientemente armado por fuera, como fuerte y superabundantemente provisto, por dentro, de razón y de energía moral. Improvisado, digo, con los mejores de sus hijos, y no vacilo en añadir: con un pequeño grupo de voluntarios propiamente dichos, de hombres abnegados y generosos que venían a España, sin la más leve ambición material, a verter su sangre en defensa de una causa justa.

Con todo ello, y convencido de la ceguera, de los errores, de la injusticia de nuestros adversarios, de cuya índole facciosa no dudé un momento, confieso que nunca pude aborrecerlos: con todos sus yerros, con todos sus pecados, eran españoles; y el lazo fraterno, hondamente fraterno de la patria común, no podía romperse ni con la más enconada guerra civil.

Pero se inició el hecho monstruoso de la invasión extranjera. De un modo subrepticio y cobarde, la invasión se produjo, y fue tomando cuerpo y realidad innegable a medida que el tiempo avanzaba. Dos pueblos extranjeros habían penetrado en España para disponer de su destino futuro y para borrar por la fuerza y la calumnia su historia pasada. En el trance trágico y decisivo que hoy vivimos, no puede haber dudas ni vacilaciones para un español. Ya no le es dado elegir bando ni bandería: ha de estar necesariamente con España y en contra de los invasores. Dejemos a un lado la parte de culpa que en la invasión de España hayan podido tener los españoles mismos. Si este pecado existe, si alguien lo cometió conscientemente, es de índole tal que escapa al poder de sanción de todo tribunal humano.

Reparad también en que ni siquiera he hablado de fascismo ni de marxismo. No creo que haya nadie en España que diste más que yo del ideario fascista. Siempre he creído, sin embargo, que, desde un punto de vista teórico, cabe ser fascista sin por ello dejar de ser español. Mas siempre he afirmado que no se puede ser español y entregar el territorio y los destinos de España a la codicia imperialista del fascio italiano o del racismo alemán. No creo que nadie, hoy, en España, pueda pretender honradamente que esto sea posible.

Se nos ha calumniado, dentro y fuera de España, diciendo que nosotros también servimos a una causa extranjera; que trabajamos por cuenta de Rusia. La calumnia es doblemente pérfida, pero tan grosera, que no ha podido engañar a nadie que no sea perfectamente imbécil. Porque todos saben (están hartos de saber) que Rusia, ese pueblo admirable, que renunció a su imperio para libertar a sus pueblos, no atentó nunca a la libertad de los ajenos y que no tuvo jamás la más leve ambición territorial en España. Esto lo saben todos, aunque muchos simulen ignorarlo.

Ha llegado el día, hombres de España, de España entera —quiero decir de todos los pueblos hispánicos cuyo territorio está invadido— en que hemos de reconocer esta verdad inconcusa: nuestro deber imperioso es luchar por nuestra independencia terriblemente amenazada. Y España es fuerte, mucho más fuerte de lo que piensan nuestros enemigos, porque, como he dicho una vez, y no me importa repetirlo, España no es una invención de la diplomacia extranjera o la resultante de tratados de paz más o menos ineptos. Lleva siglos de vida propia, perfectamente definida por su raza, por su lengua, por su geografía, por su historia y por su aportación a la cultura universal. No dudéis un momento que traiciona a su patria quien se niegue a defenderla contra la invasión extranjera.

El Gobierno de nuestra República, en el ejercicio de un derecho incuestionable, y en el cumplimiento de su más alto deber, ha formulado, en el documento del doctor Negrín, de todos conocido, las líneas generales de los fines de guerra para España entera. Nada en ellos se prejuzga; nada en ellos implica coacción o amenaza. Todo en ellos significa atención y respeto para todas las buenas voluntades de España. Meditadlo bien. Y escuchad, al par, el dictado de vuestra conciencia. Él os señalará el único camino para ser españoles.

DESDE EL MIRADOR DE LA GUERRA. LA GRAN TOLVANERA[40]

La segunda cortina de humo que, para hacer *pendant* a la centro-oriental ya casi extinguida, ha de levantarse en el Occidente europeo, va a consistir en sobrestimar lo que se pretende escatimar a Hitler y a Mussolini —por ejemplo: las colonias africanas que Hitler *parece* reclamar, etc.— para encubrir o paliar concesiones mucho más graves, no sólo para nosotros, los españoles, sino también y sobre todo, para Inglaterra y para Francia, las concesiones que en la zona española piensan hacer los defensores del fascio en Londres y en París.

Es evidente, de toda evidencia, que el simple otorgamiento de la beligerancia a Franco, sin que Italia y Alemania hayan retirado la totalidad de las fuerzas invasoras de nuestra península, implica un apoyo, una ayuda y un aliento para los propósitos en España de Hitler y de Mussolini, y que ello supone para el porvenir de Francia y de Inglaterra un daño mucho más grave que la devolución de unas colonias que, digámoslo de paso, fueron arrebatadas a Alemania en aquel abuso de una justa victoria que se llamó tratado de Versalles. Alemania, por su parte, no ha de hacer demasiado hincapié para que se les devuelvan con premura, porque creen tener sobrada fuerza para recobrarlas, porque aspira a mucho más y porque, fiel a sí misma, no gusta de invocar sus razones, mientras pueda inventar alguna sinrazón monstruosa que aterre al mundo.

Quienes disponen todavía de los destinos de Inglaterra y de Francia para servir intereses sin patria, complicados con el provecho de las patrias ajenas, pretenderán otra vez engañar a sus pueblos, haciéndoles creer que ellos son los más fieles guardadores de la integridad de sus respectivos dominios coloniales. El tratado de Versalles es intangible. Tal es una de las frases más huecas que pueden proferirse. En primer lugar, porque el tratado de Versalles viene siendo violado hace ya

40. *La Vanguardia*, 23 de noviembre de 1938.

muchos años; en segundo, porque, en cuanto tiene de injusto y de inepto, no hay razón alguna para que sea intangible. Aun suponiendo que haya sido Alemania la única responsable de la guerra de 1914, cuesta algún trabajo creer que los alemanes que no habían nacido en aquella fecha puedan ser también culpables de la gran contienda. No creo que haya hoy en el mundo ningún hombre de mediana conciencia que no esté convencido de la perfecta tangibilidad de ese tratado. Frases de esta índole se profieren, no obstante, en Francia y en Inglaterra, con la complicidad de la inconsciencia por un lado, y, por otro, de la prensa venal para levantar una tolvanera, un remolino de polvo que encubra la complicidad del fascio anglofrancés en el chantaje de gran estilo que hoy perpetra en el mundo el eje Roma-Berlín. Hoy sabemos todos que ese chantaje ha sido y es posible entre otras cosas, por la llamada *no intervención en España,* quiero decir por el apoyo que Inglaterra y Francia —los gobiernos, no sus pueblos— han prestado a los invasores. Merced a este apoyo, Hitler y Mussolini tienen en su mano las prendas que les permiten ejercer el chantaje, a saber: las posiciones estratégicas contra Inglaterra y Francia que han logrado tomar en el Mediterráneo y en nuestra península. Los gobiernos de Francia e Inglaterra, ¿lograrán su propósito, el de engañar a sus pueblos? No me atrevo a creerlo. Ellos tienen gran fe en la lentitud con que se forman los verdaderos estados de opinión, y en el poder de la prensa afecta para retardarlos y para desorientar y desencaminar a los pueblos. Confían, no sin razón, en que cultivando el miedo, aumenta la eficacia de la amenaza de guerra. La lucha política, en cuanto tiene de artificial, les ayuda, porque las verdades más obvias se debilitan en boca de quienes las usan exclusivamente como arma polémica. Sin duda, la verdad no deja de serlo cuando se convierte en proyectil o coincide con intereses de partido, pero pierde para los neutros toda eficacia suasoria. El gran chantaje está perfectamente organizado. Los unos amenazan con la guerra, a que no están ni mucho menos, decididos; los otros, fomentan el miedo de sus pueblos, y les prometen una paz, que de ningún modo está en sus manos. La resultante de todo ello es, por de pronto, que el chantaje prospera.

Con todo, yo no dudo que la verdad ha de abrirse paso en Inglaterra y en Francia. De Francia, sobre todo, espero la voz inconfundible del *acusador,* voz de timbre francés, que es, como tantas veces lo ha sido, el timbre de lo universal humano. Entre tanto, hemos de reconocer que el mingo de la incomprensión lo están poniendo nuestros buenos vecinos. Todavía hay en Francia quien cree de buena fe, que nosotros, los llamados rojos, luchamos contra una España auténtica amante de sus tradiciones, campesinos y falangistas auxiliados por marroquíes, también españoles, y que no ha reparado aún en el hecho insignificante de la invasión italogermana. Por fortuna, piensa el articulista a que aludo —nada menos que un miembro de la Academia Goncourt— el labrador, en las tierras reconquistadas por los nacionales, *a retrouvé son isolement, sa peine et sa vérité.* Y acaba citando las palabras de un oficial español, modelo —según él— de buenos patriotas y de hombres de ingenio sutil: *La phalange... est une belle maitresse! Mais la monarchie... c'est l'épouse!* Cuando se piensa que hay todavía en Francia hombres de prestigio poseedores de tan insuperable estolidez... Por suerte, en caso de suprema incomprensión no ha de representar allí el nivel mental más frecuente en la Academia Goncourt.

La opinión en Inglaterra no parece tan desorientada como en Francia. Ya son muchos los ingleses que ven el aspecto de dictadura que va adquiriendo la actuación de Chamberlain y de sus amigos. Mas todavía no han visto con suficiente claridad que esa dictadura es de una categoría moral muy inferior a las de Hitler y de Mussolini, porque no se ejerce en favor de Inglaterra —ni como democracia ni como imperio— sino en favor de la City y del eje Roma-Berlín; que es, sencillamente, una tiranía encubierta y una traición al destino futuro de la Gran Bretaña.

MAIRENA PÓSTUMO[41]

Si dais en literatos —decía Juan de Mairena a sus alumnos— quiero decir en pretensos mágicos prodigiosos de la expresión por medio de las palabras, no habéis de olvidar que lo verdaderamente taumatúrgico —*obrador* del portento— consiste en hacerse comprender por las mismas piedras de la calle. Que sea esta empresa la que tiente vuestra ambición, y no la contraria, también difícil aunque no tanto: la de enturbiarle las ideas a quienes más claras las tenían. Os digo esto pensando que no habéis de apartaros por completo del culto supersticioso a la dificultad, que es propio de los virtuosos de todas las artes.

*

Si no has *tiraillo* piedras
poquillo te va faltando.

Es manera afectuosa y andaluza, como parece indicar el diminutivo aplicado a la expresión verbal, de decir a un prójimo: Estás a punto de volverte loco para incurrir en el mayor desmán de la locura, y acaso es tiempo todavía de evitar la catástrofe. Reparad en cómo el poeta pudo decir: Poco te falta para volverte loco, que sería una expresión perfectamente lógica, intemporal, de la misma idea. Prefirió, sin embargo, la expre-

41. *Hora de España*, n.º 23, noviembre de 1938.

sión temporal que alarga el presente, un presente que fluye, con el empleo del gerundio, precedido de un verbo de movimiento.

Desde un punto de vista emotivo. comprenderéis que no es lo mismo decir *poco te falta* que *poco te va faltando*; porque en el primer caso se alude a un concepto, en el segundo a una viva intuición. Yo os aconsejo que meditéis sobre el empleo de los gerundios en poesía, porque los preceptistas que, fuera de sus preceptos no saben nada de nada, os hablarán contra ellos. Traedme, para el próximo día de clase, un análisis, a nuestro modo, de los versos anotados y otro sobre la siguiente estrofa de San Juan de la Cruz:

Mil gracias *derramando,*
pasó por estos sotos con presura,
y, *yéndolos mirando,*
con sólo su figura,
vestidos los dejó de su hermosura.

Reparad en la estructura temporal de estos versos, y en cómo nuestra poesía, antes de encerrarse en la cápsula barroca, o en la neoclásica, se inclina más hacia el verbo que hacia el sustantivo. Y los que tengan alguna noción de la lengua inglesa, reparen en cómo los ingleses —un pueblo de poetas y de navegantes— se inclinan al uso y hasta al abuso del gerundio. Los franceses, en cambio —pueblo esencialmente lógico— no dirán nunca *yo estoy haciendo,* sino *yo hago, me ocupo, me entretengo* o *me esfuerzo en hacer,* etc.

Don Blas Zambrano

Y aunque su vida murió,
nos dejó harto consuelo
su memoria.

Pláceme recordar —hubiera dicho Juan de Mairena a sus alumnos— estos versos de don Jorge Manrique, siempre que muere algún amigo querido. Harto consuelo, en efecto, nos ha dejado don Blas Zambrano al morir, el mejor y, acaso, el único que puede dejar un hombre cuando muere. *Se fue,* pero no *se nos fue,* quiero decir que algo suyo, muy suyo, inconfundiblemente suyo ha quedado vibrando en nuestros corazones. A este algo inconfundible y, por ello mismo, indefinible, llamo yo, *para entenderme,* la sonrisa de don Blas.

Era don Blas Zambrano, cuando lo conocí en Segovia, hombre maduro, frisando en los cincuenta, figura varonil aunque nada imponente, la cabeza, entre romano y florentina, muy noble. Algunos pensábamos al verle en el Nicolo Uzzano de *Donatello.* Emiliano Barral lo esculpió en piedra durísima y le llamaba —a don Blas y a su busto en piedra— el *arquitecto del Acueducto.* Y así acabamos llamándole todos, con expresión familiar, no exenta de ironía por lo desmesurado del anacronismo, pero que no excluía el respeto ni, mucho menos, la estimación. Don Blas sonreía satisfecho —y esto era lo más suyo— al oírse llamar así. Y yo pensaba que la calidad moral de los hombres puede medirse, con relación a su edad, por la mayor o menor cantidad de años que se quitan de encima cuando sonríen. Y en la sonrisa de don Blas había algo perfectamente infantil.

Era don Blas Zambrano maestro de profesión y, sobre todo, de vocación, una vocación de la cual ni él mismo parecía darse cuenta. Reparad en que los hombres más finos no suelen preciarse ni de *llamados* ni de *elegidos.* En el grupo de sus amigos abundaban los jóvenes que no habían pisado las aulas de la Escuela Normal, donde don Blas prestaba estrictamente sus servicios oficiales, pero que preferían el trato de don Blas al de sus viejos profesores del Instituto, de la Universidad, de las Escuelas Superiores donde habían estudiado. Ninguno de ellos se llamaba discípulo de don Blas —si alguno lo había sido en el sentido más literal de la palabra parecía no recordarlo— pero todos lo reconocían por maestro, al declarar que, en su formación espiritual, debían mucho a don Blas, y casi nada a sus viejos profesores. Entre los amigos de don Blas, el grupo de los nuestros, había —no lo olvidaré— un joven que terminaba sus estudios de la Escuela de Artillería. Sabíamos de él que, durante toda la carrera, había sido el primero en todas las clases, que sus profesores y sus condiscípulos lo reconocían y que ninguno, por lo demás, puso tacha en su conducta privada. Sabíamos también que, con todo ello, sus compañeros no lo estimaban, porque decían de él que carecía en absoluto de vocación militar. El mismo joven a que aludo parecía reconocerlo: a muchos de nosotros no nos costaba gran trabajo creerlo, y pensábamos de él que, andando el tiempo, sería acaso un distinguido desertor de su oficio. Los hechos, sin embargo, vinieron un día a darnos una terrible lección. Porque la historia militar del joven teniente fue tan breve como gloriosa. Un día supimos de él que había muerto en África, salvando la batería que mandaba, cuando sus servidores quedaron fuera de combate, muertos los unos, y obligados fugitivos los otros. Yo pensaba ¿por qué los buenos, los mejores de esta magnífica y encantada Segovia son siempre los amigos de don Blas? Algo hay, sin duda, y muy hondo y muy esencial en él para que este hombre nada imponente, nada *importante,* que ni siquiera es segoviano, reúna en torno suyo a la verdadera aristocracia juvenil de Segovia. Entre veras y burlas se lo dije un día: «amigo don Blas, para saber a quién se debe tratar en este pueblo, hay que preguntar siempre si es amigo de usted». Don Blas sonreía satisfecho, con sonrisa infantil, un tanto ruborosa, una sonrisa fugaz que no interrumpía, sino en momentos reveladores, la seriedad de su rostro.

Era don Blas un alma benevolente, quiero decir deseosa del bien, de ningún modo indulgente con lo ruin o encanallado. Acaso acompañaba a don Blas una honda fe en que no todo ha de estar necesariamente podrido en el hombre. Por lo demás hay muchas maneras de ser maestro, y no es la peor la de saber inclinarse hacia los buenos. Quien así ejerce su magisterio a lo largo de toda su vida es, no solamente una esponja que se empapa en virtudes, sino además un magnífico instrumento de selección, y un guía seguro para los otros.

Vi a don Blas por última vez en Barcelona, acompañado de su hija —esta María Zambrano que tanto y tan justamente admiramos todos—. Pláceme recordarlo así, ¡tan bien acompañado! Encontré a don Blas algo envejecido para los años que yo le suponía —de sesenta y cinco a sesenta y siete— y algo físicamente decaído. Parecióme, sin embargo, que lo más suyo, lo indefinible personal que nos permite recordar y reconocer a las personas, no sólo no se había borrado en él, sino que aparecía más intacto que nunca. De tarde en tarde, como siempre, su rostro se iluminaba con aquella sonrisa de fondo, que yo interpretaba como expresión de una infantilidad deseosa y esperanzada del bien. Y hoy pienso que, si es esto lo que don Blas trajo consigo al mundo y esto es también lo que tenía al llegar a los umbrales de la muerte, acaso sea esto, que parece dejarnos para el recuerdo, precisamente lo que él se lleva. Y ello sería en verdad consolador, si es que, como muchos pensamos, el destino de todos los hombres es aproximadamente el mismo.

Don Juan Tenorio

Llamé al cielo y no me oyó;
y pues sus puertas me cierra,
de mis pasos en la tierra
responda el cielo, no yo.

En estos cuatro versos de nuestro —¡y tan nuestro!— romántico Zorrilla —sigue hablando Mairena a sus alumnos— culmina el latiguillo de nuestros actores, juntamente con el aplauso popular. Y como estos versos, como tantos otros, llevan cerca de un siglo resbalando por la piel elefantina de nuestros delicados, me atrevo a recomendarlos a vuestra reflexión.

El zapatero y el rey

Reparad también en estos otros, que pone Zorrilla en boca de don Pedro el Cruel, en su magnífico drama *El zapatero y el rey*:

Vamos a apurar mi estrella,
sin fe, pero con valor;
que lo que en suerte me falta
me sobra de corazón.

Comparad estos versos con las últimas palabras del gigantesco Macbeth, de Shakespeare, cuando se decide a afrontar su lucha con un adversario invencible.

La metafísica del orgullo

Llegaremos a una verdadera metafísica del orgullo —decía Juan de Mairena a sus alumnos— el día de nuestra máxima modestia, cuando hayamos averiguado el carácter *faltusco,* la esencial insuficiencia del existir humano, y aspiremos a Dios para rendirle estrecha cuenta de nuestra conducta y a pedirle cuenta, no menos estrecha, de la suya.

HÉROES DE LA INDEPENDENCIA DE ESPAÑA. AGUSTINA DE ARAGÓN[42]

En los años de 1808 y 1809, las tropas de Napoleón, que invadían a España, pusieron sitio a Zaragoza. Fue Zaragoza, como todos sabemos, una de las cumbres más altas del heroísmo en aquella guerra por la independencia española, que no fue la primera, como alguna vez se ha dicho, y que tampoco, ¡ay!, iba a ser la última. Los sitios fueron dos: el primero ocurría aproximadamente desde fines de mayo a fines de agosto de 1808; el segundo, desde septiembre de 1808 a fines de febrero de 1809.

Un viejo cronista de estos sucesos, don Agustín Alcaide Ibieca, escribe en la introducción a su libro sobre los Sitios de Zaragoza, publicado en Madrid, en 1830: «Sólo el hecho aislado sorprende. Porque hasta ahora no se había visto en la guerra que una ciudad abierta, situada en una llanura, rodeada de

---

42. *España,* n.º 6, diciembre de 1938.

débiles tapias, y lidiando sus habitantes en las calles y plazas a la aventura, llegase, como Zaragoza, a refrenar los ímpetus de un ejército aguerrido». Reparad en la semejanza de los hechos. Una ciudad abierta y pacífica, ametrallada sin piedad por un ejército poderoso. Una ciudad heorica, asombro del mundo en los principios del siglo, como en nuestros días Madrid y otras ciudades egregias de España. Reparemos también en ciertas leves diferencias. Zaragoza luchaba contra los invasores extranjeros, entre los cuales no había demasiados mauritanos: pero los traidores de casa, contra los cuales luchamos hoy también, estaban entonces casi todos en Bayona, lo que de ningún modo quiere decir que fueran menos despreciables que los de nuestros días. Reparemos también en que el récord de la hipocresía fue batido entonces por un Borbón, que el mingo de la iniquidad lo puso entonces en Bayona Fernando VII, felicitando a Napoleón por sus victorias de nuestra patria, y que actualmente se ha puesto en Londres en el flamante *Comité de No Intervención*.

Pero volvamos a Zaragoza.

Destaquemos el hecho, objeto de estas líneas. En la mañana del 1.º de julio, el general Verdier, que mandaba las fuerzas francesas, ordenó un ataque despiadado y a fondo sobre toda Zaragoza. Asomaron los franceses por el camino de la Muela y las Eras de Chueca, con objeto de distraer las heroicas fuerzas de nuestro Ejército que ocupaban el castillo y a los bravos escopeteros que mandaba el comandante Sanz, defensores del convento de los Agustinos. Los franceses embistieron con preferencia el Portillo, a cuya puerta había un corto número de defensores, y entre ellos muy pocos artilleros. Fue terrible el estrago y magnífica la defensa de aquel grupo de héroes. Los cañones quedaron abandonados porque sus servidores yacían en el suelo muertos o malheridos. Los franceses habían logrado abrir un boquete por donde entrar. Uno de los artilleros, moribundo, oprimía en su mano una mecha encendida. Pero ya no podía levantarse. Fue entonces cuando se obró la hazaña portentosa que la historia y la leyenda de consuno han inmortalizado con el nombre, hoy sagrado para nosotros, de Agustina de Aragón. En algunos diccionarios buscaréis en vano este nombre con asombro vuestro. Lo han suprimido con el fútil pretexto de que no era exactamente el nombre de la heroína. Ella se llamaba, en verdad, Agustina Zaragoza Doménech. En otros diccionarios más respetuosos con la tradición popular y con la exactitud histórica, encontraréis esto: «Aragon (Agustina): Véase Zaragoza Doménech». Con perdón de los unos y de los otros seguiremos llamándola como la llama el pueblo y muchos cronistas de su tiempo: Agustina de Aragón.

Recordemos las palabras de don Agustín Alcaide Ibieca, testigo presencial de aquellos sucesos, que mereció en su tiempo la honrosa cruz concedida a los defensores de los sitios. «...A esta sazón, las granadas y la bala rasa habían desbaratado nuestras débiles trincheras y dado muerte a los artilleros, lo que difundió el terror y el espanto; y por un impulso casi involuntario, creyendo algunos que iba a ser tomada la batería extendieron la voz de que habían entrado los franceses, lo cual oído por una porción de paisanos que concurrían al ataque, como sucedió luego que se trabó el choque retrocedieron y llegaron en pelotón hacia el mercado, a sazón que aparecía el intendente Calvo, quien les hizo retroceder, dirigiéndose hacia la Puerta del Portillo. El temor fue fundado, pero por una de aquellas singularidades que hacen más asombrosa la defensa de los zaragozanos, sucedió que al tiempo que el enemigo, viendo callados los fuegos de batería avanzaba denodadamente, desplegando sus fuerzas con más confianza, Agustina de Aragón, que permanecía en el sitio, movida de un impulso extraordinario, y deseosa de vengar la pérdida de tantos valientes que entre el día anterior y aquella mañana habían perecido, al mirar que el último artillero expiraba, y que los franceses iban a lograr sus intentos, tomó gallardamente la mecha, y disparando el cañón de a 24 cargado de metralla, causó a los franceses un terrible destrozo y una mortandad extraordinaria.» Tal fue el hecho inmortal, repetido en el segundo sitio por Manuela Sancho y otras heroínas.

Tenía veintidós años Agustina, y era, sin duda, hermosa.

¿Quién podrá dudar de la belleza de una heroína que vive en el alma del pueblo? Acaso no falte erudito que nos demuestre algún día que Agustina de Aragón, o mejor, Agustina Zaragoza Doménech, no era bella, sino cuando más, agraciada o vistosa. Porque nunca faltan enemigos de las verdades estúpidas. Para mí, las mujeres como Agustina de Aragón y Manuela Sancho y la Condesa de Bureta —como Lina Ódena en nuestros días— tienen la belleza moral insuperable, y reclamo el derecho a representármelas sensiblemente como hermosas, sin miedo a que ellas me desmientan o a que el pueblo, en cuya alma viven, me obligue a imaginármelas de otro modo.

Todos sabemos lo que significan los Sitios de Zaragoza en nuestra guerra contra los ejércitos de Napoleón, invasores de España en 1808. En verdad, la proeza de Agustina de Aragón fue un hecho entre mil no menos portentoso a la luz de esta terrible guerra, de esta gloriosa epopeya que estamos viviendo, en que todo alcanza la grandeza heroica de los zaragozanos de 1808, si es que no la supera (se lucha hoy, en verdad, contra enemigos mucho más poderosos y mucho más viles que entonces). Vemos con melancolía que Zaragoza, la inmortal Zaragoza, cuyo solo nombre ha producido en nosotros el escalofrío de la patria, yace hoy silenciosa, abatida, presa de los traidores de casa y de los invasores extranjeros. En verdad, Zaragoza no ha sido tomada desde fuera, sino sencillamente, vendida desde dentro, como otras muchas invictas ciudades de España. Por fortuna, somos ya muchos los que pensamos que Zaragoza no ha dicho todavía su última palabra.

DESDE EL MIRADOR DE LA GUERRA. RECAPITULEMOS[43]

Aunque los acontecimientos no marchen al ritmo de nuestra impaciencia, hemos de reconocer que tienden a seguir sus cauces naturales. En Inglaterra y en Francia la opinión está

43. *La Vanguardia,* 7 de diciembre de 1938.

cada día más despierta y menos desorientada. No es fácil ya que los gobiernos de Londres y París hagan demasiadas concesiones a los matones de Berlín, y Roma, sin que un abucheo universal los asorde.

La ocurrencia genial de nuestro presidente, el doctor Negrín, de retirada total de nuestros voluntarios, y las justas palabras de Álvarez del Vayo, han eliminado del problema español la turbia zona de los equívocos, donde tanto provecho encontraron nuestros adversarios. Ya nadie puede engañarse, ni aun el número incalculable de los papanatas. España está invadida por potencias extranjeras. Del lado de la República no hay más que españoles. Frente a nosotros un pueblo mediatizado por la invasión, el que más directamente la padece, un pueblo al que se arrastra a una lucha contra nosotros (es decir contra España misma, la España libre aún de invasores), y las fuerzas militares de Italia y de Alemania, que pretenden sojuzgar nuestro territorio y establecer en él las bases defensivas y los focos de agresión contra Inglaterra y Francia, las dos imperiales democracias de Occidente.

Parece indudable que la retirada de fuerzas invasoras de nuestra península no ha de pasar de un mero y groserísimo simulacro, por razones tan obvias que, como decía un ateneísta, hasta las señoras pueden comprenderlas. El régimen dictatorial, descaradamente dictatorial, basado en el éxito inmediato y progresivo, no puede sobrevivir a arrepentimientos de ese calibre, mucho menos cuando los tales arrepentimientos implicarían renuncias a ventajas positivas, verdaderas victorias estratégicas, obtenidas en la gran contienda ya entablada, y en la cual los totalitarios llevan, hasta la fecha, la mejor parte. En verdad, nadie piensa en la retirada de invasores de España, sin que éstos intenten por todos los medios, cotizar sus ventajas en pro de sus designios de expansión imperial. Alemania ha obtenido éxitos enormes para su expansión centro-oriental en Europa —Austria primero, después Checoslovaquia— sin haber abandonado un momento su presión en España, donde el Aquiles británico tiene su talón invulnerable. Italia reclama ya con impaciencia las ventajas equivalentes en el Mediterráneo y, en parte, compensatorias, porque la anexión de Austria por Alemania supone un grave atentado al porvenir de su pueblo. Hablar en estos momentos de *no intervención en España* es un abuso descomedido de las palabras; porque todas las pretensiones de Alemania y de Italia —los máximos intervencionistas— están complicadas y lo estarán más de día en día con la presión en España.

A medida que el tiempo avanza, el problema se agudiza, no para nosotros sino para todos. En verdad, nosotros lo hemos sacado de puntos para dejarlo reducido a sus propios términos. Tal ha sido la gigantesca obra militar de nuestro Ejército, y de la política del doctor Negrín. Para un nuevo reparto del mundo, Alemania e Italia ocupan en España posiciones que no piensan abandonar, antes por el contrario pretenderán arraigar en ellas, posiciones que tampoco pueden impunemente conservar, en primer término porque España no soporta la invasión ni abdica de su independencia (sobre esto, como decía un filósofo, conviene que no quepa la menor duda); en segundo lugar, porque la permanencia del invasor en España obligaría a Inglaterra y a Francia a la defensa de sus intereses vitales amenazados de muerte.

El nuevo Munich al que se encaminan les llevará a concesiones en el Mediterráneo, infinitamente más graves que las que han realizado hasta la fecha, en perjuicio no sólo nuestro, sino en daño de sus pueblos respectivos.

Por de pronto, han pinchado en hueso en su entrevista de París. El patriotismo francés empieza a estar en guardia y ese patriotismo no puede ser fascista y es algo más serio de lo que muchos creen. La beligerancia a Franco tras la cual veía Mussolini el aplastamiento de la República española y su posición en España para una cínica política de *beati possidentes* (la que tuvo en Abisinia), no ha podido ser concedida. La loba romana aúlla desvergonzadamente y no parece que Mussolini renuncie a la empresa; tampoco es fácil que deje de contar con el apoyo del fascio anglo-francés. Pero el fascio anglo-francés comenzará a ser muy poca cosa ante el patriotismo integral de dos grandes pueblos.

DESDE EL MIRADOR DE LA GUERRA[44]

La política de Chamberlain se caracteriza por su incansable pertinacia para navegar en aguas turbias, por la ocultación constante de sus motivos y por la gran ceguera para el porvenir de Europa y, en primer término, para el porvenir de Inglaterra. Lo menos malo que puede pensarse de Chamberlain es que, convencido de la fatalidad de la guerra, considera el tiempo empleado en la fabricación de armamentos como una ventaja mayor para Inglaterra que la suma de sus claudicaciones puede serlo para sus adversarios. En este caso sólo podría acusársele de un cálculo que parece implicar un error monstruoso. Por muy abundantes que sean los elementos bélicos que Inglaterra y Francia puedan acumular en el plazo que sus adversarios les consientan, es evidente que una España totalmente sometida a Italia y a Alemania, la ocupación de Mallorca, el emplazamiento de las fuerzas enemigas en el norte de África y en el contorno de Gibraltar, de una línea ofensiva a lo largo del Pirineo y la existencia de todo un ejército en la Península perfectamente aguerrido y con hondas raíces en nuestro territorio, dueño de todas las posiciones estratégicas (todo esto supone el nuevo Munich a que parece encaminarse la política filofascista de Inglaterra y de Francia), son desventajas enormes de compensación imposible. A esto hay que añadir que la política de claudicación ante el fascio, aunque sólo sea temporal, restará a Inglaterra y a Francia el apoyo de las dos grandes democracias del mundo.

Es evidente que el viaje de Chamberlain a Roma, si llega a realizarse, abrigará el propósito de entregar España a la codicia italiana, como fue en Munich entregada Checoslovaquia a los manejos imperialistas de Alemania. Y el hecho es doblemente monstruoso, porque no hay la más leve razón, ni aun la más mínima apariencia de razón, para que sea mermada la independencia española. Pero el hecho es también infinitamente más grave para el porvenir de Inglaterra y de Francia.

44. *La Vanguardia,* 6 de enero de 1939.

La sola concesión de la beligerancia a Franco, sin la retirada total de las fuerzas italianas invasoras de España, es, a todas luces, la aquiescencia a los propósitos del fascio y a su total dominio en el Mediterráneo occidental, la entrega definitiva de la más importante llave de un Imperio y de las rutas marítimas de otro. Cuesta trabajo pensar que nadie, de buena fe, pueda en Inglaterra y en Francia amparar esta política.

Mas no exageremos nuestra extrañeza. Gran parte de la prensa, a cuyo cargo está la labor de formar la opinión, sirve a intereses de clase sin patria, cuando no a intereses fascistas, literalmente vendida al adversario. En Francia no es un secreto para nadie la cantidad que invierte Alemania en la compra de plumas mercenarias. Pero no es esto todo, ni sería suficiente. En las esferas del Gobierno y de la plutocracia anglofrancesa imperante reina el terror a un despertar verdadero de la conciencia de los pueblos. El error monstruoso, o la iniquidad sin ejemplo, que supone la llamada *no intervención* en España, enderezada toda ella a hacer creer que la lucha en nuestra península es una mera guerra civil promovida por Rusia, una lucha de opiniones encontradas, cuya repercusión más allá de nuestras fronteras, sólo podría contribuir a precipitar la revolución social; la ocultación del hecho verdadero que es, a todas luces, la invasión constante, sistemática y progresiva de nuestro territorio por quienes aspiran a un nuevo reparto del mundo en detrimento de los dos imperios democráticos del Occidente europeo, es algo que no admite el total desenmascaramiento sin una repulsa de fondo, ajena a todo juego polémico de partido, que llevaría a los pueblos de Inglaterra y de Francia, despiertos, a pedir cuentas demasiado estrechas, a imponer las más terribles sanciones a los culpables. Cierto que en Inglaterra y Francia han sonado ya voces acusadoras que suponen conciencias vigilantes; mas todo ello no ha roto la espesa costra del engaño. Para muchos, los más, estas voces cantan de falsete, responden a intereses políticos y sociales no siempre legítimos, simulan peligros inexistentes. Se ignora que, aun en el caso de que las voces apocalípticas no fuesen enteramente sinceras, coinciden con la realidad de los hechos, que en política se miente muchas veces con la verdad y que no falta quien señale peligros verdaderos sin creer en ellos.

La turbia política de Chamberlain aprovecha el equívoco y lo cultiva. Contra lo que se cree, la opinión en Inglaterra está menos adormilada que en Francia, sin duda —también contra lo que se cree— porque el problema de Inglaterra es mucho más grave que el de Francia. Francia podría sobrevivir a su Imperio colonial; Inglaterra, no. Se dice, además, que el inglés es más tardo de comprensión que el francés, y esto es sólo cierto con una limitación, que suele omitirse: de cuanto pasa fuera de Francia, suele ser el francés el último en enterarse, porque su política y su diplomacia suelen estar en manos de hombres mediocres; las de Inglaterra —en cambio— han venido siendo hasta hace poco el patrimonio de una *élite*. Con todo, aun en la misma Francia la opinión despierta en el momento preciso en que los gobiernos filofascistas meditan la suprema iniquidad contra España y la suprema traición al porvenir de sus pueblos.

Si contra lo que nosotros creemos, ambas se realizan, el naufragio moral de las llamadas democracias del Occidente europeo sería un hecho irremediable; Inglaterra y Francia habrían perdido no sólo sus posiciones estratégicas para la inevitable contienda futura, sino su razón de ser en la historia. Ni dignidad ni precio; ni honra ni provecho. Les quedaría una fuerza disminuida y degradada y una retórica manida, sin valor ideal, que no podrá convencer a nadie. Porque entre el deshonor y la guerra —recordemos las palabras de Churchill— habrían elegido el deshonor y tendrían la guerra, una guerra sin honor —añadimos nosotros— y que de ningún modo merecería la victoria.

España, por fortuna, la España leal a nuestra gloriosa República, cuantos combaten la invasión exterior, sin miedo a lo abrumador de la fuerza bruta, habrán salvado, con el honor de la Europa occidental, la razón de nuestra continuidad en la Historia.

PRÓLOGO A *LOS ESPAÑOLES EN GUERRA*, DE MANUEL AZAÑA[45]

Cuatro discursos de don Manuel Azaña; cuatro discursos en que la voz de España suena, desde el más alto peldaño del poder —en Madrid, en Valencia, en Barcelona—, con timbre inconfundible, clara y viril, sin la menor jactancia para ser escuchada por todos: en el frente de combate, más allá y más acá de la línea de fuego, más alla y más acá de nuestras fronteras.

Nada superfluo encontraréis en estos cuatro discursos. Don Manuel Azaña es maestro en el difícil arte de la palabra: sabe decir bien cuanto *quiere* decir, y es maestro en un arte más excelso que el puramente literario y mucho más difícil: sabe decir bien lo que *debe* decirse.

Por una vez, el presidente de una República en el Occidente europeo no es un mero remate decorativo, una máscara inocua encumbrada sobre los trajines de la política activa, mucho menos un dictador encubierto, o el emboscado maquinador de una política de partido.

Una buena enseñanza, entre otras muchas, hemos de sacar de nuestra República, en estos años terribles: España, la tierra de las negligencias lamentables, ha sido también el pueblo de los aciertos insuperables: supo elegir su presidente. Y como la grandeza de los hombres de Estado no puede medirse por la extensión de los territorios en que ejercen su elevada función, el nombre de Azaña quedará en la historia con una significación universal y como una enseñanza inolvidable.

En los días actuales, cuando una ola de cinismo invade el mundo, las figuras de mayor relieve en el centro y el Occidente europeo son políticos de tipo *realista,* quiero decir que son hombres más o menos profundamente convencidos —yo no quiero dudar aquí de su sinceridad— de la perfecta inanidad

45. Prólogo al libro de Manuel Azaña, *Los españoles en guerra.*

de la ética. Yo no creo que estos hombres hayan caído de otro planeta, y que no representen corrientes de opinión más o menos impetuosas de sus pueblos. Estoy convencido de todo lo contrario. Hoy como ayer, triunfa fácilmente el político cuando pone la vela para ser henchida por el viento que sopla, nunca cuando pretende que sople el viento hacia donde él caprichosamente pone la vela. Desde este punto de vista, la política ha sido siempre un arte de realidades. He aquí lo que siempre ha de separar a los hombres de Estado de los ideólogos puros. Platón naufraga en política, porque sus ideas no podían ser henchidas por los vientos de Siracusa.

Pero existe una realidad española, de la cual es y ha sido nuestra República selección y compendio. El caso de España en nuestros días, como fenómeno histórico, dará mucho que meditar a los reflexivos del porvenir. Cuando la fe pagana en la voluntad de poder alcanza su cenit en Europa, cuando toda razón al margen de las fuerzas ciegas de la naturaleza y del hombre alcanza su máximo descrédito, alienta en España una fe contraria, una creencia invencible en el valor dinámico de lo imponderable. No hay español propiamente dicho que no crea en la profunda eficacia de la moral para la lucha, y que es, precisamente, en la moral donde tiene el hombre sus más poderosos resortes polémicos. De otro modo, ¿cómo es posible que Madrid, vendido, desarmado, cercado por fuerzas materiales abrumadoras, y con perfecta conciencia de ello, resistiese un solo día a sus adversarios? ¿Cómo serían posibles los hechos portentosos de Brihuega, de Teruel, de Tortosa, del Ebro? ¿Cómo la insuperable hombría de Barcelona? ¿Cómo la resistencia de dos años heroicos frente a la hostilidad cínica de dos grandes potencias y la emboscada complicidad de otras dos? El español no pierde nunca su fe en la victoria, mientras crea merecerla. De esta fe en la justicia, tan española, tan quijotesca y tan en crisis en otros pueblos, ha brotado ese maravilloso ejército de la República, que es hoy el asombro y el ejemplo del mundo. Tal es el hecho gigantesco, de inigualada trascendencia, que ha perturbado las viejas cuentas de las cancillerías europeas. Esa vela hinchada por los vientos de

España, por el aliento de sus hijos, es mucho más firme, mucho más tensa de lo que ellos pensaban. Tal es el pueblo, y don Manuel Azaña el hombre que en la más alta magistratura del Estado lo representa.

Leed con toda la atención de que seáis capaces los cuatro discursos de don Manuel Azaña dirigidos a la nación española. Han sido pronunciados en los momentos más arduos, más decisivos y acaso más gloriosos de nuestra vida. Algún día serán leídos como esencialísimos documentos históricos y se pronunciarán sobre ellos juicios de una madurez a que nosotros no podemos aspirar. Esos juicios tendrán, para acercarnos a un acierto que coincida con la verdad, algunas ventajas sobre nuestros sentimientos y nuestras opiniones: se formularán cuando los hechos de nuestros días, cuajados en lo pretérito, muestren un perfil definido y puedan compulsarse con otras cristalizaciones de lo pasado y, sobre todo, con nuevos acontecimientos que irán saliendo en el transcurso del tiempo de la inagotable caja de sorpresas de lo futuro. Pensad, sin embargo, que esos juicios, más objetivos que los nuestros, no han de ser tampoco definitivos; porque la historia de los pueblos no puede contenerse en silogismos cerrados. Si hay una lógica de la historia, ella es de tal índole que sus premisas evolucionan a la par que sus conclusiones, porque las perspectivas del tiempo las van constantemente enriqueciendo y modificando. Mas pensad, también, que es imposible revivir lo pasado, y que hay para todos los hechos momentos excepcionales, que en esta ocasión son los nuestros, precisamente aquellos en que los hechos son vividos más que contemplados. No es fácil juzgar un incendio por el mero *análisis de las cenizas.* Así nosotros, hombres de España, contemporáneos de Manuel Azaña, los que vivimos dentro de este gran incendio que es la guerra española contra facciosos e invasores, somos, en parte, testimonios irrecusables e insustituibles; en parte, testimonios que no pueden omitirse sin desertar de los deberes más elementales. Porque el presidente de nuestra República, la cien veces legítima República de toda España, ha hablado para la historia, que tanto es el alcance de su voz; pero, por ello mismo, habla en primer término para nosotros, los españoles en guerra, aquellos en cuya conciencia se ha producido la fatal explosión, para quienes, con imprudencia incalificable, desataron la guerra, para quienes honradamente y sin vacilaciones han sabido afrontarla, para unos y otros en cuanto profesamos idearios políticos diversos, conceptos distintos sobre el porvenir de nuestra España, para todos los españoles, sin distinción de clases, de partidos ni de banderas, señalando que el hecho monstruoso de la invasión va contra todos, porque pretende abolir totalmente el porvenir de España.

Lejos de mi ánimo la pretensión de menoscabar el prestigio de ningún español que por su propio esfuerzo lo haya merecido. Porque España necesita de todos y ninguna voz española dejará de ser escuchada a su tiempo. Creo, sin embargo, que hay una posición frívola e incomprensiva de muy escaso provecho para el porvenir: la de aquellos españoles que, ante el hecho indudable de la invasión, piensan que puede haber para ellos un puesto enteramente marginal en la contienda, donde les sea dado trabajar para una España futura. No. La España futura, esa tercera España de que nos hablan, o no será nada con el triunfo total de sus adversarios, o se está engendrando en las entrañas sangrientas de la España actual.

La voz de don Manuel Azaña habla para todos los españoles, allí donde se encuentren: en Madrid, en Barcelona, en París, en Nueva York o en Nueva Zelanda, porque la guerra de invasión va contra todos, y esa voz, no por firme y serena carece de la profunda e intensa vibración de la guerra en España.

Leed los cuatro discursos de don Manuel Azaña, meditad sobre ellos y preguntaos si vosotros también ocupáis el puesto que os corresponde en la contienda.

PRÓLOGO A *LA CORTE DE LOS MILAGROS*, DE RAMÓN DEL VALLE-INCLÁN[46]

Conocí a don Ramón del Valle, cuyas son las admirables páginas que hoy se reimprimen, cuando él era un hombre en plena juventud, y yo, poco más que un adolescente. Don Ramón había aparecido en Madrid, a su vuelta de América, con un sombrero a la mejicana, negra y lustrosa melena, barbas tan crecidas como bien peinadas y un cuello de pajaritas, como era uso —aunque con menos desmesura— en aquellos días. Madrid, algo curioso y novelero, como todas las grandes ciudades, había reparado en don Ramón, por su apariencia extravagante. La ingenuidad madrileña, o su inventiva, no exenta de ironía, había hecho correr esta voz: «Es el hijo de Julio Verne».

Encontré a don Ramón pocos años después, en una tertulia literaria del antiguo «Café Colonial», y allí me fue solemnemente presentado por Manuel Sawa: «Don Ramón del Valle-Inclán, el primer gallego de su siglo, y el mejor escritor de España». Don Ramón sonreía sin declinar el honor del elogio hiperbólico, y pasaba a hablarnos de sus hazañas en Méjico. Él había preferido siempre —así nos lo confesaba— la espada a la pluma, y la profesión de literato, que, al fin, era la suya, le parecía un tanto subalterna para hombres de su laya.

A pura extravagancia achacaron muchos estas declaraciones de don Ramón, pensando, no sin motivo, que sus hazañas ultramarinas, de coronel del ejército mejicano en Tierra Caliente, eran más fantásticas que reales. De su talento de escritor, en cambio —ya había publicado su libro *Femeninas*—, nadie podía dudar. En efecto. Pero yo no dudaba tampoco de la honda sinceridad de sus palabras. Porque aquellas hazañas que él se complacía en relatarnos eran, en parte, al menos, imaginarias, mas no por culpa suya: él fue siempre muy capaz de todas ellas. Don Ramón, como Don Quijote, no conocía el

46. Prólogo a Ramón del VALLE-INCLÁN, *La Corte de los milagros*, Barcelona, Ramón Sopena.

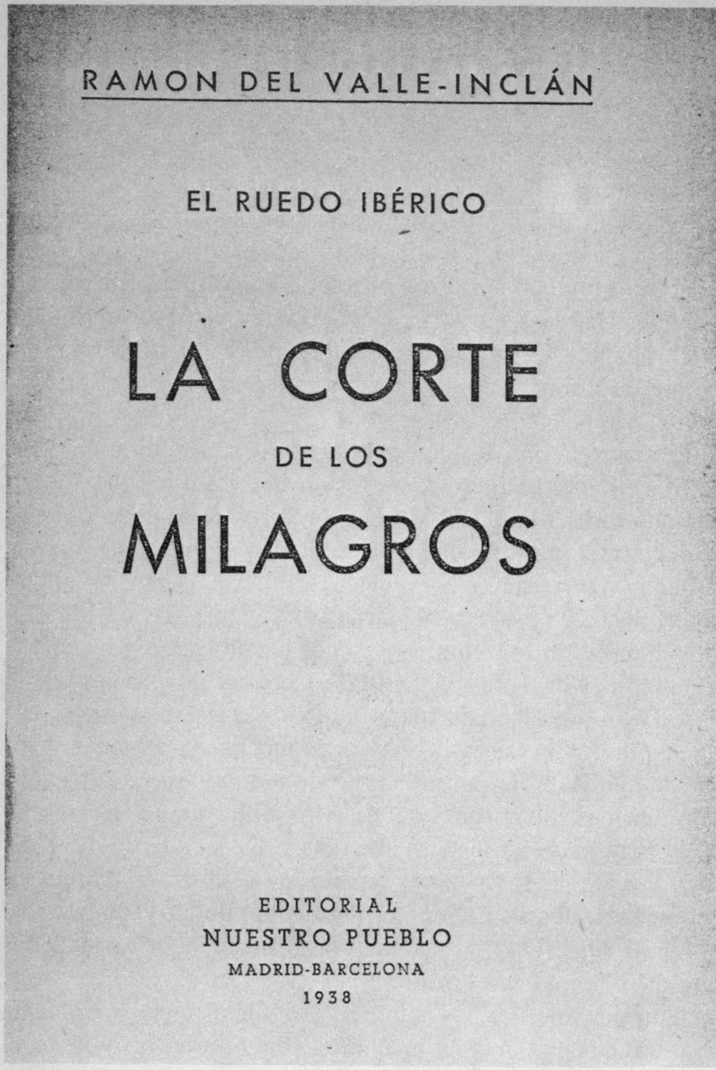
RAMON DEL VALLE-INCLÁN

EL RUEDO IBÉRICO

LA CORTE

DE LOS

MILAGROS

EDITORIAL
NUESTRO PUEBLO
MADRID-BARCELONA
1938

Portada del libro de don Ramón del Valle Inclán cuyo prólogo escribió Antonio Machado.

miedo, o no había para él miedo que no superase por el espíritu, y estaba dotado de una enorme capacidad de resistencia para el sufrimiento físico. De ésta, sobre todo, puedo dar fe. Después de la pérdida de su brazo, don Ramón se disparó, por descuido, un pistoletazo en un pie. Hubo que operarle hasta el raspado de los huesos, para evitar la gangrena; y el doctor San Martín, que dirigió la operación, quedó maravillado de que nuestro don Ramón la resistiese sin cloroformo, con la sonrisa en los labios y sin el más leve gesto o movimiento de dolor. Era un andarín infatigable, y, en sus conversaciones peripatéticas por el heroico Madrid, a todos nos cansaba, y no ciertamente por su palabra, sino por el infatigable vigor de sus flacas piernas. Todos oíamos con deleite y con respeto las fantasías de don Ramón, convencidos de que muy rara vez excedían a su capacidad para realizarlas. Por eso, cuando un día nos dijo que había venido a pie y en cuatro horas de Burgos a Madrid, disfrazado de fraile trapense, el más irónico de la tertulia no pasó de decirle: «Buen paso llevaría usted, padre Valle». Porque todos sabíamos que don Ramón, puesto a andar, no encontraría *globetroter* o trotamundos que le aventajase, y que sólo podía dudarse de su capacidad para el cómputo del tiempo, o para el exacto conocimiento de nuestra geografía.

De sus proezas imaginadas —las que él hubiera deseado realizar— sacó don Ramón uno de los rasgos más atrayentes de su carácter y que más lo recomendaban a nuestra dilección. Don Ramón, así le llamamos siempre los que alcanzamos mayor intimidad con él, tan *literario,* tan empapado en literatura, fue siempre mucho más que un literato. El capitán fracasado, no por su culpa, que llevaba consigo, proyectó acaso sobre toda su vida una cierta luz de heroísmo y abnegación militar, contribuyó en mucho a aquel sentido de consagración de su arte, como tarea ardua y espinosa que le distinguirá siempre entre sus coetáneos, por su capacidad de renunciación ante todas las comodidades del oficio, y por la inflexible lealtad a sus deberes de escritor. Como alguien nos refiriese el caso de un poeta, que, abandonando las faenas de su vocación, ponía su pluma al servicio de intereses bastardos, y se tratase de hallarle disculpa en la necesidad apremiante de ganarse el pan, don Ramón exclamó: «Es un pobre diablo que no conoce la *voluptuosidad del ayuno»*. ¡La voluptuosidad del ayuno! Reparad en esta magnífica frase de don Ramón, y decidme qué otra ironía hubiera proferido el capitán a quien se intima en la rendición por hambre de la fortaleza que, en trance desesperado, defiende. ¡La voluptuosidad del ayuno! Nuestro gran don Ramón la conoció muchas veces, aunque nunca se jactó de ella. Porque Valle-Inclán, consagrado en los comienzos de su carrera literaria a una labor de formación y aprendizaje constante y profunda, a la creación de una nueva forma de expresión, a la total ruptura con el lugar común, a lo que él llamaba, la unión de «las palabras por primera vez», tuvo que renunciar para ello a todas las ventajas materiales que se ofrecían entonces a las plumas mercenarias, a las plumas que se alquilan hechas para el servicio de causas tanto más lucrativas cuanto menos recomendables. Desde este punto de mira —reparadlo bien— ningún escritor menos *fascista* que don Ramón María del Valle-Inclán.

Nunca fue don Ramón, ni aun en los tiempos de su mayor penuria, un bohemio a la manera desgarrada, maloliente y alcohólica de su tiempo. Don Ramón no bebía más que agua, sin presumir de abstemio (él sabía muy bien que la mera carencia de vicios no supone virtud), sin que *su sequedad* le inclinase a eludir el trato con los *húmedos,* cuando los *húmedos,* como el gran Rubén Darío, tenían talento. Don Ramón cuidaba del atavío externo hasta la extravagancia, y no, ciertamente, como pensaban los maliciosos, para recomendarse por la apariencia a falta de valores internos (nadie más afanoso de ser, ni más desdeñoso de aparentar en literatura que nuestro don Ramón), sino para oponer con su apariencia de gran señor estrafalario una barrera indumentaria al señoritismo vulgar, y algo también —digámoslo en su honor— para que no adivinásemos, los que más le queríamos, que don Ramón María del Valle-Inclán y Montenegro, se entregaba con demasiada frecuencia a la *voluptuosidad del ayuno*. Digámoslo con otras palabras: nadie llevó la pobreza y la mala fortuna del literato español, con mayor dignidad y más carencia de toda mendiguez que nuestro don Ramón.

Cuando se haga un día la verdadera etopeya de Valle-Inclán, se empleará el copioso anecdotario de su vida, no para enterrar al escritor bajo un diluvio de hechos insignificantes —como se hace hoy— sino para llevar un poco de luz a la más honda raíz de su personalidad.

La crítica literaria de su tiempo —llamamos crítica a todo cuanto se jactaba de serlo— nos ayuda muy poco a conocer al hombre y al literato. De las primeras obras de Valle-Inclán, la crítica no dijo nada. ¿Para qué? Ya hablaba de ellas bastante su propio autor. Don Ramón, en efecto, disertaba en su cátedra de café sobre su obra y sobre la ajena. Además, no era don Ramón hombre que agradeciese demasiado el elogio arbitrario, ni mucho menos hombre capaz de soportar con paciencia —a pesar de su manquedad— algo que también se ha llamado crítica en España: una cierta insolente matonería literaria, que ha solido ejercerse a mansalva por algunos sedicentes críticos que confunden, como decía un discípulo de Mairena, la crítica literaria con las malas tripas del literato.

En cuanto a los viejos, a los escritores consagrados de mayor prestigio, no eran muy propicios a aceptar la obra de don Ramón, cada vez más copiosa y perfecta, como un nuevo valor. A sus oídos, algo tardos y embotados por el tiempo, sólo llegaban anécdotas, más o menos verídicas, y siempre interpretadas peyorativamente, de la procacidad y la insolencia hostil a los viejos de nuestro don Ramón. Don Ramón, en efecto, predicaba insistentemente contra el teatro de Echegaray, y pretendía abrumarlo con burlas y sarcasmos. Los que más habían menospreciado a Echegaray en su tiempo, por cuanto hubo en él de intento renovador, se sentían ahora sus más fieles custodios. Y se olvidaba decir, que don Ramón ponía cátedra también para defender las pocas realizaciones poéticas de nuestro teatro romántico, tan injustamente maltratado en su tiempo; para defender los valores olvidados e incomprendidos de nuestros clásicos, y para abrir paso a los dos nuevos valores que pugnaban entonces con la hostilidad de una crítica inepta y el desdeño de un público desorientado por esta misma crítica: el teatro de Jacinto de Benavente, que venía a continuar y a enriquecer con una obra magnífica nuestra gran tradición dramática; y las aportaciones que hacían al nuevo teatro las adaptaciones escénicas de un novelista muy justamente consagrado: don Benito Pérez Galdós. Pero don Ramón llamaba viejo *idiota* a don José Echegaray. ¿Había injusticia en ello? Sin duda, y don Ramón que no escribió nunca estas palabras —reparad en que don Ramón no solía perder su tiempo en escribir contra nadie—, acaso lo sabía. Pero ¿por qué tantos ilustres ancianos, contra quienes don Ramón nunca hizo armas con la lengua, habían de darse todos por aludidos? Lo cierto es que nuestro don Ramón tuvo hasta su vejez herméticamente cerradas las puertas de la Academia Española. Digamos, en su loor, que él nunca llamó a estas puertas ni, mucho menos, pretendió forzarlas. Sin embargo, ¡cuántos menos academizables que Valle-Inclán, y algunos aun en contra de su propio deseo, penetraron por ellas! Él no fue nunca un enemigo sistemático de lo específicamente académico. Al contrario. Para él, más que para nadie, la lengua era materia inapreciable e instrumento precioso del arte literario. Muchos años de su vida había consagrado a conocerla, a manejarla, a enriquecerla, y hasta a pulirla. Todo cuanto se relacionaba con el lenguaje, desde la fonética hasta la semántica le interesaba.

Las páginas de Valle-Inclán que hoy se reimprimen, han sido escritas en una época muy avanzada en la vida de su autor, en plena madurez de su talento literario, durante la dictadura de Primo de Rivera. En ellas se describe el aspecto picaresco de los días revolucionarios de una época anterior a todos nosotros y que nuestro don Ramón no había vivido. Nació Valle-Inclán el año 69 del pasado siglo, un año después de la famosa revolución de Septiembre y del destronamiento de Isabel II. En todos los manuales de Historia encontrará el lector relatos sucintos de los hechos políticos de aquellos días aborrascados a que alude Valle-Inclán con frecuencia. Yo me atrevo a aconsejar su lectura a los jóvenes de nuestros días, como labor útilmente complementaria para la lectura de estas páginas *vallinclanescas*. Porque las postrimerías del reinado de Isabel II son ya para ellos muy distantes. Los jóvenes no tienen ya, como tuvimos nosotros en nuestra juventud, fuentes vivas de información. Don Ramón y el círculo de sus amigos escuchamos, de labios de nuestros abuelos, de nuestros padres y de nuestros maestros, relatos de hechos vividos o presenciados, los más autorizados juicios sobre aquellos sucesos, y la historia escrita tiene para nosotros mucha menos importancia que tuvo la inmediata tradición oral. Don Ramón, que escribe para la posteridad y, por ende, para los jóvenes de hoy, olvida a veces, lo que nunca olvidaba Galdós: mostrar al lector el esquema histórico en el cual encuadraba las novelas un tanto frívolas de sus «Episodios Nacionales». Pero don Ramón, aunque menos pedagogo, es mucho más artista que Galdós, y su obra es, además, mucho más rica de contenido histórico y social que la galdosiana.

Dos palabras para terminar. Don Ramón, a pesar de su fantástico marquesado de Bradomín, estaría hoy con nosotros, con cuantos sentimos y abrazamos la causa del pueblo. Sería muy difícil, ciertamente, que encontrase un partido del cual pudiera ser militante ortodoxo o que coincidiese exactamente con su ideario político. Pero ante la invasión de España por el extranjero y la traición de casa, habría renacido en don Ramón el capitán de nobles causas que llevaba dentro, y muchas de sus hazañas soñadas se hubieran convertido en realidades.

Los capitanes de nuestros días no tendrían ni amigo más sincero ni admirador más entusiasta que don Ramón María del Valle-Inclán y Montenegro.

Barcelona, 1 de agosto de 1938.

Sr. D. Carlos Contreras.

9 Mayo 1908.

Querido amigo:

Con esta fecha envío mi trabajo sobre el 2 de Mayo al Director de Nuestro Tiempo.

En la carta en que me pedía mi ~~trabajo~~ artículo me hablaba de su deseo de retribuir mi trabajo. Yo le ruego a V. que le diga, como yo me siento honradísimo y sobradamente pagado con la satisfacción de contribuir en la medida de mis fuerzas a la causa de todos, y en atención a los deseos de V. a quien debo infinitamente más de lo que pueden valer mis pobres artículos. Mas que ello no arguya mi gratitud a su ofrecimiento, así pues que no obstáculo para que exija indicándome temas para mi trabajo a su [illegible]

Con mil saludos a su esposa, a quien tanto he que agradecer, le envía el más cordial saludo su amigo

Antonio Machado

CARTAS

(Barcelona, abril 1938 - enero 1939)

Sr. D. Carlos Contreras.

9 mayo 1938.

Querido amigo:

Con esta fecha envío mi trabajo sobre el 2 de Mayo al Director de *Nuestro Ejército.*

En la carta en que me pedía un artículo me hablaba de su deseo de retribuir mi trabajo. Yo le ruego a V. que le diga cómo yo me siento honradísimo y sobradamente pagado con la satisfacción de contribuir en la medida de mis fuerzas a la causa de todos, y en atender a los deseos de V. a quien debo infinitamente más de lo que puedan valer mis pobres artículos. Mas que ello no amengüe mi gratitud a su ofrecimiento, ni quiero que sea obstáculo para que siga indicándome temas para mi trabajo en esa Revista.

Con mil saludos a su esposa, a quien tanto tengo que agradecer, le envía el más cordial saludo su viejo amigo

Antonio Machado.

Barcelona, 1 junio 1938.

Señor don Pío Baroja.

Querido y admirado amigo:

Por algunos amigos nuestros he sabido que se encontraba V. en París, y me complazco en saludarle desde Barcelona donde resido, hace ya algunos meses, después de larga estancia en Valencia. Vivo siempre en la España que nos han dejado los traidores de casa y los ladrones de fuera y, de todo corazón, al lado de la República.

He visto con satisfacción que tiene V. aquí en la España leal, muchos y buenos amigos. Aquí se le quiere, se le admira y se le desea toda suerte de bienandanzas. Nadie con solvencia moral o intelectual olvida al gran Baroja, ni piensa que otro pudiera mejor que él escribir de estos *Episodios,* tan definitivos, de nuestros días. Tampoco hay nadie entre nosotros que espere de Pío Baroja otra labor que la muy sincera e insobornable que viene realizando en los cuarenta (?) años de su gloriosa carrera de escritor.

Creo cumplir un deber al decirle estas cosas; porque nunca faltan malsines —más allá o más acá del Pirineo— que gusten de enturbiar el ambiente y sembrar equívocos para apartarnos de los hombres de prestigio. Por fortuna, contra esta labor de quinta columna estamos hoy perfectamente en guardia.

Aquí se proyecta una selección de «Memorias de Aviraneta». Creo que nuestro amigo Navarro le habrá hablado de ello. ¿Podría V. hacerla o ayudarnos a hacerla?

Y nada más, porque éste era el tema concreto de mi carta. Mil afectos a su hermano Ricardo, a quien deseo toda clase de prosperidades, y si ve V. a alguno de nuestros viejos amigos de París, sin olvidar a aquellos que conocimos en el año 99, salúdelos en mi nombre.

Disponga V. siempre de su viejo admirador y amigo

Antonio Machado.

S/C: Torre de Castañer, Paseo de San Gervasio, 21.

A LOS SOLDADOS DEL 5.º CUERPO DEL EJÉRCITO[1]

Con la más sincera emoción, camaradas, os envío un saludo a esas trincheras, cavadas en el suelo de nuestra patria, donde defendéis la integridad de nuestro territorio y el derecho de nuestro pueblo a disponer de su futuro.

Ayer obreros de la ciudad y los campos, consagrados a las santas faenas de la paz y de la cultura, hoy soldados todos, cuando esta paz y esta cultura peligran, todos alistados bajo las banderas de la libertad y de la justicia social, sois, por trabajadores y por guerreros, en vuestra doble calidad de obreros y de soldados, creadores, constructores y sostenes de la civilización, al par que ardientes y abnegados defensores de ella; digo, los españoles integrales de nuestros días y la primera categoría de españoles. Sois algo más (y perdonad si hiero vuestra modestia con elogios desusados), sois mucho más, porque no es sólo España quien ha de agradecer a vuestro esfuerzo su continuación en la Historia; el mundo entero, que hoy os contempla, espera de vosotros una experiencia victoriosa y alentadora; sois la mejor esperanza de todos los trabajadores del mundo y de todos los hombres honrados que pueblan nuestro planeta. Defendiendo a España, traicionada y vendida, combatís al fascio, esa ola de cinismo que amenaza anegarlo todo al poner la fuerza de las armas al servicio de los privilegios injustos acumulados por la Historia: la propiedad desmedida y el derecho a la holganza. Para vosotros, amigos queridos, la fuerza de las armas sirve para amparar el trabajo creador y fecundo, para defender el derecho, para imponer la justicia entre los hombres.

Salud, obreros y soldados, combatientes en las filas del V

1. Carta enviada a los soldados del 5.º Cuerpo del Ejército con motivo de la batalla del Ebro, y que fue publicada en su órgano de expresión. Reproducida en Enrique LÍSTER, *Nuestra guerra,* pp. 228-229, París, Col. Ebro, 1966. Esta carta fue escrita probablemente entre julio y noviembre de 1938.

Cuerpo de nuestro gran Ejército de la victoria. Espero que nadie pueda arrebataros el triunfo; estoy seguro de que nadie puede privaros de la gloria de merecerlo.

Antonio Machado.

Querida y admirada amiga:[2]

Me anuncia usted su viaje a la Argentina, donde va usted a organizar los trabajos de solidaridad con España. Yo le deseo el más feliz arribo a su patria, y el más rápido también, si ello ha de amenguar el tiempo de su ausencia.

Como usted lleva a España consigo, me parece redundante pedirle que lleve también a la Argentina, a esa gran República, un mensaje español con una carta mía. Soy yo, además, muy poca cosa para asumir la representación de algo tan grande como es la España de hoy. Pero sí me atrevo a suplicarle que lleve a sus compatriotas, de parte mía, el abrazo fraterno de un español que, en los momentos actuales, cree estar en su puesto, cumpliendo estrictamente su deber. Usted sabe muy bien, porque lo ha visto con sus propios ojos, que España está invadida por el extranjero; que merced a la traición, dos grandes potencias han penetrado en ella subrepticiamente, y pretenden dominarla para disponer de su destino futuro, para borrar por la fuerza y la calumnia su historia pasada. En el trance trágico y decisivo que vivimos, no hay, para ningún español bien nacido, opción posible, no le es dado elegir bando o bandería, ha de estar necesariamente con España, contra sus invasores extranjeros y contra los traidores de casa. Carezco de filiación de partido, no la he tenido nunca, aspiro a no tenerla jamás. Mi ideario político se ha limitado siempre a

---

2. Carta dirigida a María Luisa Carnelli.

aceptar como legítimo solamente el Gobierno que representa la voluntad libre del pueblo. Por eso estuve siempre al lado de la República española por cuyo advenimiento trabajé en la modesta medida de mis fuerzas, y siempre dentro de los cauces que yo estimaba legítimos. Cuando la República se implantó en España como una inequívoca expresión de la voluntad popular, la saludé con alborozo y me apresté a servirla, sin aguardar de ella ninguna ventaja material. Si hubiera venido como consecuencia de un golpe de mano, como una imposición de la fuerza, yo hubiera estado siempre enfrente de ella. Cuando un grupo de militares volvió contra el legítimo gobierno de la República las armas que éste había depositado en su ejército, yo estuve, incondicionalmente, al lado del gobierno, sin miedo a la potencia de aquellas armas que traidoramente se le habían arrebatado. Al lado del gobierno y, por descontado, al lado del pueblo, del pueblo casi inerme que era, no obstante su carencia de máquinas guerreras, el legítimo ejército de España. Cuando se produjo el hecho monstruoso de la invasión extranjera, tuve el profundo consuelo de sentirme más español que nunca: de saberme absolutamente irresponsable de la traición. Por desgracia se habían confirmado mis más tristes augurios: quienes traicionan a su pueblo dentro de casa, trabajan siempre para cobrar su traición en moneda extranjera, están vendiendo al par su propio territorio. Y en verdad, no es mucho vender el propio territorio cuando antes se ha vendido al hombre que lo labra. Lo uno es consecuencia inevitable de lo otro.

Se nos ha calumniado diciendo que trabajamos por cuenta de Rusia. La calumnia es doblemente pérfida. Rusia es un pueblo gigantesco que honra a la especie humana. Nadie, que no sea un imbécil, podrá negarle su admiración o su respeto. Pero Rusia, que renunció a toda ambición imperialista para realizar en su casa la ingente experiencia de crear una nueva forma de convivencia humana, no ha tenido jamás la más leve ambición de dominio en España. Rusia es por el contrario el más firme sostén de la independencia de los pueblos. Si ha sabido, en su gran revolución, libertar a los suyos, ¿cómo ha de atentar a la libertad de los ajenos? Esto lo saben ellos —nuestros enemigos— tan bien como nosotros, aunque simulan ignorarlo.

Por fortuna, hoy sabemos que nuestros adversarios no son tan fuertes como ellos creen, porque entre todos ellos no hay un átomo de energía moral. Porque ellos no pueden dudar de su propia vileza, están moralmente *vencidos;* y lo estarán en todos los sentidos de la palabra cuando refluya la ola de cinismo que hoy invade a la vieja Europa.

Y no quiero seguir. De españolismo, querida amiga, nada tiene usted que aprender de mí. Usted sabe muy bien que los enemigos de España son enemigos de todas las Españas.

Lleve usted a los suyos un saludo fraterno y la expresión de una gratitud infinita.

Su amigo que la admira

Antonio Machado.

Barcelona, 19 de noviembre de 1938.

Barcelona, 1 de enero de 1939.[3]

Querido amigo: Recibo su carta y su espléndido regalo. Con toda el alma agradecido a sus hombres.

Sus palabras me conmueven y me llenan de optimismo y esperanza.

Disponga siempre de su buen amigo.

Antonio Machado.

---

3. Carta publicada en *Memorias de un luchador,* de Enrique Líster, p. 374 (Ed. G. del Toro, Madrid, 1977).

MANIFIESTOS Y DECLARACIONES

(Barcelona, abril 1938 - enero 1939)

MANIFIESTO DE LOS INTELECTUALES ESPAÑOLES EN DEFENSA DE LA CULTURA CONTRA LAS HORDAS DEL FASCISMO INTERNACIONAL[1]

Los intelectuales españoles, hondamente afectados por los sucesos de Extremo Oriente, firman su solidaridad con el pueblo chino en la defensa de la paz, de la justicia y de la libertad. La lucha que se desarrolla en China, es idéntica a la que sostiene el pueblo español. China, como España, se opone a las fuerzas agresoras del fascismo que, escarneciendo los principios más elementales del derecho y de la cultura, no retrocede ante la destrucción y el crimen con tal de satisfacer su ansia delirante de dominio.

Los intelectuales españoles consideran que una sola es la lucha empeñada, aunque sean dos distintos los frentes de batalla, y estiman que una victoria del pueblo español contra sus agresores, no será completa —una vez que los valores universales de la civilización se hallan comprometidos— si no se viera acompañada por otra victoria alcanzada en el frente chino y a la inversa.

1. *La Vanguardia,* 22 de abril de 1938.

Persuadidos de que esta afirmación refleja fielmente la realidad, los intelectuales españoles invitan a todos los pueblos libres y a cuantas personas se solidarizan con la causa de la República española a favorecer por todos los medios la defensa común de los pueblos chino y español hasta el triunfo de los principios democráticos indispensables para el verdadero desarrollo de la cultura humana.

¡Por la unión eficaz de los pueblos chino y español! ¡Por la defensa de la cultura contra las hordas del fascismo internacional!

Firman: *Antonio Machado,* Pompeyo Fabra, Pablo Picasso, Tomas Navarro, José Gaos, Pedro Bosch Gimpera, José Bergamín, Rafael Alberti, Victorio Macho. Odón de Buen, Carlos Riba, Emilio Mira, Rafael Sánchez Ventura, Corpus Barga, J. Serra Hunter, León Felipe, María Teresa León, Ramón J. Sender, César M. Arconada, C. García Maroto, Timoteo Pérez Rubio, Juan Larrea, Samuel Gili Gaya, Arturo Serrano Plaja, Emilio Prados, Manuel Altolaguirre, Pla y Beltrán, Luis Lacasa y Victoria Kent.

PROTESTA DE ESPAÑA ANTE EL MUNDO[2]

Contra el espantoso crimen de Santa Coloma, los señores Martínez Barrio, Ramón Lamoneda, Irujo, José Díaz, Dolores Ibarruri, Navarro Tomás, Rodríguez Vega, Nicolau d'Olwer, *Machado,* Fabián Vidal, Matilde de La Torre, han lanzado, con muchas otras personalidades, representando todos los sectores de la opinión pública, un llamamiento al mundo civilizado que declara:

Un crimen de esta naturaleza sobrepasa todo lo que se conoce sobre las invasiones de los tiempos más bárbaros. Nosotros, representantes de todos los sectores de la opinión española, llamamos a la conciencia de todos los señores civiliza-

---

2. *Voz de Madrid,* n.º 28, 21 de enero de 1939.

dos. Les pedimos que comprueben a qué crímenes, a qué crueldad inaudita, los invasores de España no dudan en recurrir con el fin de dominar un pueblo cuyo sentimiento de independencia nacional no será sacudido por ningún desencadenamiento de terror. Queremos que decidan si es posible que el mundo deje un día más, en el año de 1939 de la era cristiana, perpetrarse tales matanzas de seres sin defensa. Los crímenes más monstruosos de los tiempos bárbaros se encuentran eclipsados por esa carnicería de mujeres, niños y ancianos realizada con premeditación y sangre fría por las tropas italianas de la división «Littorio».

Presentamos ese crimen ante el tribunal de la conciencia universal y de la historia.

DE BARCELONA A COLLIOURE

(22-29 enero 1939)

¡Ah soledad, mi sola compañía!

Antonio Machado

En la noche del 22 al 23 de enero de 1939, Antonio Machado junto con otros intelectuales se dirige hacia Gerona, donde tienen que permanecer unas horas por la acumulación de vehículos que allí había. Entre estos intelectuales iban Carles Riba, gran poeta catalán; el filósofo Joaquín Xirau, Tomás Navarro Tomás, Pedro Carasco, Enrique Rioja, el doctor Trías, el escritor Corpus Barga, José Sacristán y José Pous y Pages.

En la mañana del día 23 se dirigieron hacia Raset, aldea próxima a Cervià de Ter (Gerona). Allí, debido a las bombas que seguían cayendo, tuvieron que permanecer unos días, hasta el día 26 por la tarde. Residieron en la Casa Santa María, propiedad del señor Casamor. Hemos tenido ocasión de hablar con la administradora de esta casa, la señora Llúcia Teixidó que nos confirmó que Antonio Machado estaba muy mal y que incluso ella le dio un licor casero para ver si recobraba alguna fuerza. «Llucieta» —así llamaban a Llúcia Teixidó— nos dijo también que Machado le pidió que le guardara un maletín; ella no se podía responsabilizar de ello y así se lo dijo. Don Antonio se llevó el maletín... A pesar de todo don Antonio guardaba su entereza y no dejaba de alabar la solicitud de los catalanes: «¡Qué corteses son los catalanes!»

Casa Santa María (Raset).

Antonio Machado conversando con otros intelectuales en Raset.

El día 26 de enero, sobre las seis de la tarde, llegaron a Raset unas ambulancias enviadas por el comisario general de Sanidad Militar, Franciso Gómez de Lara. La familia Machado y los demás intelectuales que estaban en Casa Santa María tuvieron que ir andando hasta la carretera, ya que los coches no podían llegar hasta Casa Santa María. Desde allí se dirigieron al pueblo de Viladasens, para pasar su última noche en España en Mas Faixat, a las afueras del pueblo.

Mas Faixat es una vieja masía del siglo XII y pertenecía al doctor Faixat, que en aquel momento estaba en Ibiza. La masía estaba tomada por los militares y en ella se encontraba el puesto de mando de las Brigadas Internacionales. Allí les atendió Conchita Comas, que era la *masovera* de Mas Faixat. De su estancia en la masía, Enrique Rioja nos dejó este testimonio: «En aquella masía, catalanes y castellanos comulgaban en el mismo y común dolor. Allí, en un viejo diván, don Antonio conversaba, pausado y sereno, con Navarro Tomás, Corpus Barga y otros. En algún otro lugar Carles Riba hablaba, en un ambiente de tristeza, con un grupo de escritores. La luz mortecina, la desesperanza mucha y la fatiga que se apoderaba de nosotros, pese al inaudito y cordial esfuerzo de la familia Puche, que se desvivía por entibiar el trance tan amargo, creaban un ambiente que imagino es el de todas las retiradas ante el acoso de los vencedores que avanzan».

«En aquella noche de horrible pesadilla —nos dice José— parecía el poeta una verdadera alma en pena entre aquella desasosegada multitud.»[1]

Al amanecer del día 27 reanudaron el viaje —última etapa en tierra española— intentando el coche en que viajaban abrirse paso entre la gente, baúles y maletas abandonadas. Enseres que suponían toda una vida de labor y de amor, quedaban abandonados en un instante porque las últimas fuerzas físicas de sus dueños no les permitían más que llevar —y aún con mucho trabajo— sus cuerpos desfallecidos. Personas que hicieron el viaje con la familia Machado nos han relatado que

1. José Machado, *Últimas soledades del poeta Antonio Machado*, p. 152.

la «Mamita» —así llamaban sus hijos a doña Ana Ruiz— trataba a don Antonio como a un niño, tapándole y preocupándose por él.

El coche en que iban sufrió una avería y tuvieron que proseguir el viaje en una ambulancia. Al final, después de veinticuatro horas en que dieron vueltas por la montaña, llegó el momento en que iban a dejar atrás, para siempre ya, a su querida España. La ambulancia se paró. Silencioso y resignado, Machado tuvo que recorrer a pie el camino que le separaba de la frontera, aproximadamente un kilómetro.

La familia Machado tampoco pudo cargar con las maletas y «casi desnudos como los hijos de la mar», extenuados, llegaron a la cadena fatídica que separaba España de Francia, que fue separación para Antonio Machado y doña Ana Ruiz entre la vida y la muerte.

Fue en esos últimos kilómetros antes de la frontera —según nos declaró Matea Monedero— donde terminaron de perder los últimos libros y manuscritos que llevaba el poeta. ¿Alguien recogería alguno? Es poco probable, ya que todos lo abandonaban todo. Lo más seguro es que yazgan enterrados, destrozados por la lluvia y la barahúnda, deshechos por los años, en el fondo de un barranco.

Waldo Frank narró así aquel atardecer: «Pasó la frontera bajo la amenaza andando con la muchedumbre de los desdichados... Muchos de los fugitivos que rodeaban a Machado eran soldados heridos: sus vendajes se diluían bajo la lluvia, se veía el esqueleto al desnudo, la carne enferma tocando las ropas. Había niños en los brazos de sus madres; había ancianas, entre ellas la madre de Machado que no había querido abandonar a su hijo. El poeta casi inválido caminaba en el seno del cuerpo doloroso de su pueblo sostenido por su madre...».

Al llegar a la frontera, bien custodiada por los guardias senegaleses, su amigo Corpus Barga, que ya tenía residencia en Francia, se encargó de los trámites de aduana. Antonio Machado, que tenía pasaporte, pudo pasar en seguida con su madre. El comisario puso a disposición de Machado y de otros

Viladasens.

Mas Faixat (*foto Montserrat Faixat*).

Cocina de Mas Faixat, donde Antonio Machado pasó su última noche en España, y Conchita Comas, que atendió a Machado.

intelectuales, como por ejemplo Carles Riba, un coche celular —*le panier à salade*— para que pudieran llegar a Cerbère.

José y su mujer no tenían pasaporte y tuvieron que esperar en la frontera para cumplir con varias normas sanitarias que se exigían. Antonio y su madre esperaron a José en el bar de la estación y no pudieron siquiera pagar el café con leche que se tomaron, ya que el dinero que llevaban ya no valía nada. Este café lo pagaron otros intelectuales que llevaban algo de dinero francés, pues no consintieron que don Antonio empeñara un reloj que llevaba.

Pasaron su primera noche en Francia en un vagón de ferrocarril que estaba en vía muerta en la estación de Cerbère, junto con otros intelectuales (Joan Sales, Carles Riba...).

En la tarde del día siguiente, gracias a la ayuda, entre otros, de Corpus Barga y Tomás Navarro Tomás, terminaron este viaje fatal que tenía que ser el último del poeta... Y llegaron a Collioure.

«Pasó así los montes altos de la frontera helada porque sus mejores amigos, los más pobres y los más dignos los pasaron así.»[2]

---

2. Juan Ramón JIMÉNEZ, en *Revista Sur* (Buenos Aires), n.º 79.

Aspecto de la frontera cuando la cruzó Antonio Machado.

TESTIMONIOS SOBRE ANTONIO MACHADO

WALDO FRANK: LA SALIDA DE ESPAÑA DE ANTONIO MACHADO[1]

Cerca de Figueras, en la fértil llanura noreste de Cataluña, se yergue una masía, alquería de piedra construida por manos de labriegos en el siglo XIII. El piso de tierra, como de establo, huele a estiércol; arriba, una enorme cocina, con vigas rudamente desbastadas, y con cacharros de cobre que cuelgan sobre el gran fogón que ha dado el fuego para la comida de veinticuatro generaciones. Aquí, la noche siguiente a la caída de Barcelona en manos de los fascistas, Antonio Machado, el más noble de los poetas españoles modernos, pasó sus últimas horas bajo techo español. Como para honrarlo, quizás no del todo inconscientemente, cuarenta hombres y mujeres, entre quienes había los mejores intelectuales de España, que como él, habían huido en el último momento de Barcelona, compartieron con Machado la fría cocina, sin sueño, sentados en la oscuridad, al morir de unas velas, hasta que el alba los trajo a todos a una noche más enorme todavía.

Llovió toda la noche; de vez en vez hablaba un cañón,

1. Testimonio recogido en Waldo Frank, *España Virgen*, pp. 264-266.

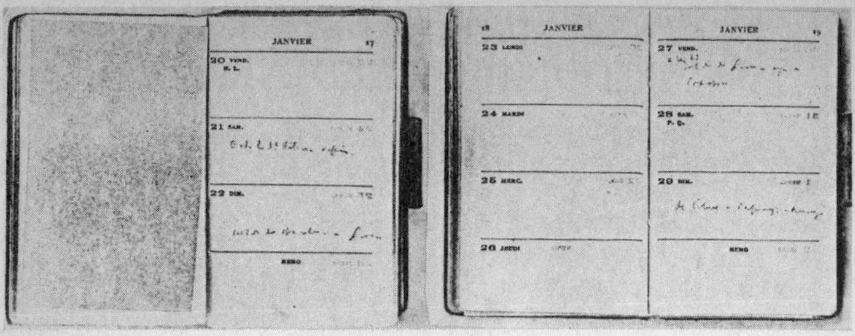

Agenda de un intelectual catalán que salió de Barcelona y llegó a la frontera junto con Antonio Machado.

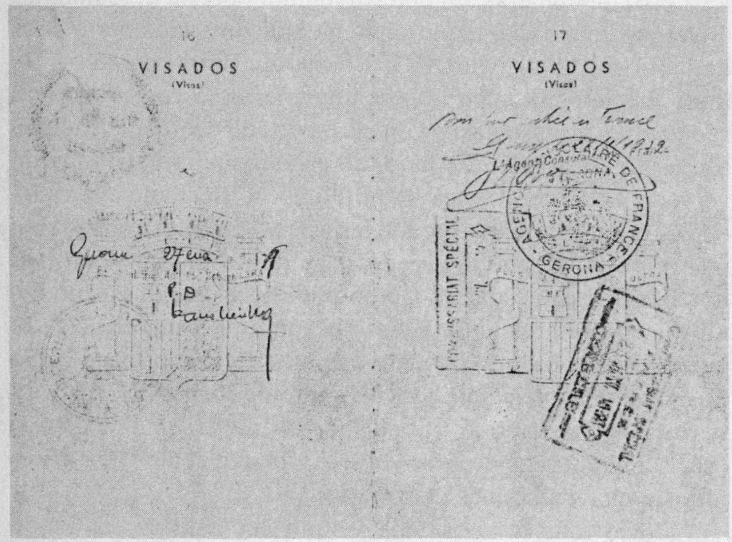

Pasaporte de un intelectual que cruzó la frontera con Antonio Machado. El pasaporte del poeta llevaría los mismos sellos.

gemía una granada. Machado se sentó con las mujeres, en los bancos, mientras los hombres más fuertes se sentaban en cuclillas sobre el piso. La figura de Machado se doblaba y ya en parte cedía a un mal que se le iba entrando despacio, sigilosamente. Dos años antes, en Madrid, había escrito a un amigo, como si hablara de España: «Estoy viejo y enfermo; viejo porque he pasado los sesenta...». Cuando, en noviembre de 1936, llegó la orden del Gobierno de evacuar Madrid e ir a Valencia, Machado habló en una reunión de amigos y camaradas. Explicó cómo había tratado de servir en el ejército, donde quiera que fuese, y que había sido rechazado. Explicó por qué, a diferencia de tantos de sus ilustres colegas, no podía aceptar asilo en el extranjero, en Europa, en Rusia, en América, de entre los muchos que se habían ofrecido. «No puede haber hoy elocuencia en España —dijo— más que la elocuencia del soldado. Triste es estar condenado, como yo, a la pluma. Sólo queda una moneda en que podamos pagar nuestra deuda a nuestro pueblo: nuestras vidas.»

Poco se habló en la masía catalana en esa última tertulia de una generación de intelectuales en su España. Sin duda que, mientras estaban sentados, en montón, en la fría oscuridad como caprichosos aguafuertes estereotipados por las velas, tenía cada uno su vida, callada y llena, como en una muerte lúcida.

La noche siguiente fue la última de Antonio Machado en España. Pero no estuvo con sus compañeros intelectuales, ni bajo techo; la pasó a pie, con gente humilde, por el camino, bajo la lluvia y el ataque de los fascistas. Demasiado apretados para caer, se arrastraron hasta la frontera: hombres y mujeres que no podían enfrentar a la mentira; sólo con ella puede ahora comprar su vida, a sabiendas, el español que queda en España. Muchos de los que iban junto a Machado eran soldados heridos: vio cómo la lluvia arrancaba sus vendajes; vio la sangre y el hueso pelado y la carne enferma que tocaban las ropas empapadas de sus camaradas. Había niños, en brazos de sus madres, había ancianas: había una, la madre de Antonio Machado, que tenazmente se había negado a dejarlo. El poeta, casi inválido, caminaba dentro de este doloroso cuerpo de su pueblo, apoyado en la mano de su anciana madre; salía de la agonía actual de España; caminaba dentro siempre de la España cuya robustez de espíritu y fecundidad de visión le sobreviven.

Esta partida de Antonio Machado de España y de su vida estaba modelada con la misma plástica realidad de sus poemas. Dentro de la angustia de los cientos de miles, llegó a la frontera francesa, la frontera política, porque la Francia que amara, la enseñanza de cuya lengua y literatura le habían dado el pan cotidiano durante cuarenta años, no tenía su frontera cerrada a España. Pero había una cerca de alambres de púas, y soldados senegaleses, de feces rojos, las caras negras borroneadas contra la oscuridad, que habían recibido de sus oficiales blancos la orden de «tratar con dureza a los españoles».

Machado conocía muy bien la Francia política. Sabía la traición que el pueblo español había sufrido por la cobardía de León Blum, que no se atrevió a proteger a su nación con un pacto benéfico, inteligente y valeroso, como Daladier, dos años y medio después, se atrevió a traicionar a su nación, con un pacto estúpido y cobarde. Sabía que los grandes hombres se habían demorado, que los hombrecitos se habían enriquecido con pertrechos que dejaban escurrir; nunca lo bastante para una verdadera ofensiva leal. Sabía que los enormes almacenes de cañones y bombas con que había contado la República para la defensa de Cataluña, y que habían sido mantenidos en la frontera —¿a través de qué traición?— hasta que fue demasiado tarde. Machado conocía también la ironía que entrañaba la presencia de los africanos en esta escena de la muerte de Europa, de la muerte de la gran Francia, y no sintió rencor por los ignorantes negros.

Esas últimas horas en el filo de su tierra, en el filo de una época, mientras las mujeres, que chillaban frenéticamente arrancadas de sus hombres, cubrían a sus hijitos con sus cuerpos y pasaban como rebaño las alambradas mientras la lluvia golpeaba, fueron las verdaderas últimas horas en la vida de Antonio Machado.

Alicante 17 Marzo 1983

Respetada Sra.

En mi poder su atento escrito del 2 del corriente mes, paso a poner en su conocimiento mi corto pero doloroso contacto con Dº Antonio Machado, y digo doloroso por los momentos en que se produjo.

En aquel entonces hera yo Guardia del Cuerpo de Seguridad y Asalto con destino en Barcelona, el 27 de Enero de 1939 ante la inminente toma de Barcelona por las tropas "fascistas" se nos dio orden de retirarnos a Gerona y mas tarde a Camprodon en donde se nos comunicó que quedabamos en libertad para

cruzar la frontera; al salir de esta ciudad por una carretera que conducia a la frontera y dicho sea de paso con un frio intensisimo, tuvimos la sorpresa de que la carretera quedaba cortada y tubo que seguir a campo trabes; en todo este trayecto puede Vd. imaginarse cuadros dolorosos de todo tipo de jente civil que intentaba ganar la frontera, pero cuando ya llebabamos unos Kms andados encontramos uno que francamente nos conmovio; habia alli un grupo de personas al rededor de una anciana, y una y una de estas personas suplicaba, por favor ayudarme a llebar a mi madre que está enferma, esta persona a la que me refiero me cansó (1)

Testimonio de un guardia del Cuerpo de Seguridad de Asalto que ayudó a la familia Machado a su llegada a la frontera.

(1) estrañeza en su forma de vestir, pues me dió la sensación de estar viendo personajes de tipo castellano pero muy a la antigüa; ante to esto yo fui el primero que desprendiendome de todo lo que llebaba cargué con la anciana a mi espalda y la lleve sobre un Km. siendo relebado despues por mis compañeros que eramos cinco en el grupo, mas tarde nos relebo otro grupo de jobenes militares; en el curso de esta peregrinación una de aquellas personas que componia el grupo nos comentó que se trataba del catedratico Dn. Antonio Machado, nombre que en aquel entonces a mi no me dijo nada ya que mi cultura de escuela primaria por desgracia para mi no daba para mas; mas tarde y através de los acontecimientos es cuando e averiguado que por casualidad tuve la dicha de haber por vida de esta respetada persona.

Todo esto es lo que puedo poner a su disposición con el ruego de que sepa perdonarme mi mala escritura.

Siempre a su disposición

COLLIOURE
(29 enero - 22 febrero 1939)

Hombres de pecho de hierro
como niños han llorado
al saber que en el destierro
ha muerto Antonio Machado.

FRANCISCO DE TROYA

El día 29 de enero de 1939, llegó por fin nuestro poeta a Collioure. Serían las cinco y media de la tarde cuando el tren repleto de viajeros llegó a la estación. En él llegaban «cuatro personas vestidas de negro», según Jacques Baills. Estas cuatro personas no eran ni más ni menos que Antonio Machado, su madre Ana Ruiz, y su hermano José con su esposa Matea. Las sobrinas de Machado, que salieron con ellos de Madrid, habían sido evacuadas en septiembre de 1938 a la URSS.

Al bajar del tren preguntaron por un hotel al primer empleado que encontraron en la estación. Éste era Jacques Baills, quien les indicó el Hotel Bougnol Quintana, donde él mismo se alojaba. Este hotel estaba —y sigue estando— a mano derecha de la «Placette»[1] según se baja la Avenida de la Estación.

Aquella tarde de enero el tiempo estaba tan triste como el corazón de la familia Machado. Había llovido mucho y seguía lloviendo. El cielo estaba encapotado. Parece que la naturaleza, augurando el futuro, se había puesto de luto y lloraba al acoger al poeta en lo que sería ya su última estancia.

La calle que iba de la estación al hotel estaba de obras y

1. Así se llama la Plaza Principal de Collioure.

Túnel de acceso a la estación de Collioure. Tras este túnel, Antonio Machado dejó para siempre España.

Estación de Collioure.

Calle que conduce de la estación a la «Placette».

esto dificultó todavía más el caminar de nuestros viajeros para recorrer estos pocos metros. Así, antes de llegar al hotel la familia Machado tuvo que descansar. Así fue como la señora Figueres vio entrar en su tienda a «dos mujeres y tres hombres: madame Machado, la esposa de José, Antonio, José y un señor que les acompañaba, pero que hablaba muy bien francés».[2] Este señor era el generoso Corpus Barga que, después de haber ido a Perpignan en busca de alguna ayuda, regresó a Cerbère a buscar a la familia Machado, «y cuyo comportamiento llegó hasta el punto de coger en brazos a nuestra anciana madre y llevarla como una pluma desde la estación al pueblo, por toda la ancha calle que lo cruzaba y terminaba en el mar».[3]

Madame Figueres acogió a estos cinco refugiados en la tienda que tiene en la Placette desde 1928. Hay que señalar que esta tienda no ha sido nunca una tienda de antigüedades, como se ha venido diciendo repetidamente, sino de ropa interior para caballero. Allí, esta buena señora les ofreció la primera de tantas cosas que les tendría que ofrecer luego: una taza de café con leche y una silla para descansar.

La familia Machado estaba tan agotada que no tuvieron siquiera fuerzas para cruzar el Douy —arroyo que pasa por delante del Hotel Bougnol Quintana— y todavía menos para dar la vuelta para cruzarlo por el puente. Corpus Barga fue a buscar un taxi. Éste, conducido por el señor Ferrer, les llevó hasta el hotel, dando la vuelta por la calle del cementerio que lleva ahora el nombre de Antonio Machado.

En el hotel en cuyo rótulo rezaba «Bougnol Quintana: La plus ancienne réputation», había muchos refugiados españoles, entre ellos el comandante Orgaz y su mujer. La dueña del hotel, la señora Pauline Quintana, les proporcionó dos habitaciones en el primer y único piso del hotel: una para Antonio y su madre, otra para José y su mujer. Para acceder a la segunda habitación había que pasar por la del poeta.

---

2. Entrevista con madame Figueres.
3. José Machado, *Últimas soledades del poeta Antonio Machado*, p. 158.

Aquella noche, cuando regresó Jacques Baills al hotel para cenar, hacia las ocho o las nueve, le preguntó a la dueña si habían llegado unos viajeros que él había enviado. Pauline Quintana contestó: «Sí, ya se han acostado, no han querido cenar». Jacques Baills nos decía: «Cuando llegaron aquí, llegaron como todos los refugiados españoles; nadie les conocía, no sabíamos que era Machado ni mucho menos, y fueron recibidos como tenía costumbre de recibir la señora Quintana; o sea, sabía que trataba con refugiados y como tales estaba dispuesta a aliviar todos los tormentos que ella pudiera».

Al día siguiente, José bajó a la tienda de la señora Figueres para darle las gracias por su acogida de la víspera. Luego bajaría casi todos los días para recoger los periódicos del día anterior, y *Match* (en la actualidad *Paris Match,* revista francesa).

No hay que olvidar que los Machado llegaron a Collioure con la ropa que llevaban puesta, «con un paraguas para cuatro» y sin ningún medio económico. Fue gracias a una ayuda de la Embajada de España en París que llegaron a sobrevivir económicamente y también gracias a una ayuda material de los nuevos amigos de Collioure. Por ejemplo, el señor Figueres era quien le compraba algo de tabaco a Machado, ya que nunca, aun en esos momentos tan difíciles, don Antonio no pudo dejar de fumar. Madame Figueres les proporcionó también algo de ropa.

Sólo al cabo de dos o tres días se reconoció en aquel refugiado a la figura de Antonio Machado, gran poeta español.

Jacques Baills tenía costumbre de ayudar a Madame Quintana en la contabilidad del hotel. Este trabajo no lo hacía todos los días, sino cuando sus ocupaciones se lo permitían. Fue al recopilar la ficha de Antonio Machado, «profesor», que se acordó de las poesías estudiadas en la escuela, de cierto poeta español llamado Antonio Machado. Entonces le preguntó a don Antonio si el que se había presentado como profesor era por casualidad el poeta. Éste le contestó muy sencillamente, «sin sonreírse siquiera»: «Sí, soy yo». A partir de

Hotel Bougnol-Quintana.

ese día, después de la cena, Jacques Baills iba a sentarse a su mesa y conversaba un poco con ellos, intentado sustraerles un momento de «esa soledad que llevaban entre cuatro». Pero nunca tuvieron conversaciones de fondo político. Sus conversaciones fueron más bien triviales. Otros días, don Antonio pedía permiso a Madame Quintana para entrar en la cocina y oír las noticias en la radio. Pero don Antonio iba agotándose poco a poco. Veía claramente que se acercaba el fin de su vida y le decía a su hermano José: «Cuando ya no hay porvenir por estar cerrado el horizonte a toda esperanza, es ya la muerte lo que llega».

Un día José le preguntó a Jacques Baills si no tendría unos libros o algo con que distraer al poeta. Éste había conservado algunos libros de cuando iba a la escuela, y así prestó a Machado dos libros de Pío Baroja: *El amor, el dandysmo y la intriga*[4] y *El mayorazgo de Labraz*;[5] una traducción de *Los vagabundos*, de Máximo Gorki, y un folleto: *Vicente Blasco Ibáñez: su vida, su obra, su muerte*. Respecto a este folleto, Jacques Baills se arrepintió siempre de habérselo dejado al poeta, porque «pudo hacerle pensar en su fin próximo».

Estos libros fueron, pues, los últimos libros que tuvo Machado en sus manos. Los que él trajera en sus maletas se perdieron con ellas, así como las últimas poesías escritas por el poeta.

En Collioure, Machado no escribió. Sólo encontró José en el bolsillo de su gabán, días después de su muerte, «un pequeño y arrugado trozo de papel».[6] En él, tres anotaciones: la primera reproducía las palabras con que empieza el monólogo de Hamlet: «Ser o no ser»; la segunda contenía las últimas palabras en verso escritas por el poeta: «Estos días azules y este sol de la infancia»; la tercera no era más que una corrección a unos versos suyos ya publicados:

---

4. Madrid, Caro Raggio Editor.

5. Barcelona, 1903, Biblioteca de novelistas del siglo XX.

6. Este papel se lo entregó José a Manuel. Al morir Manuel su mujer se metió monja y este papel desapareció.

Mme. Figueres delante de su tienda.

Jugadores de petanca en la «Placette».

Y te daré mi canción:
se canta lo que se pierde
Con un papagayo verde
que la diga en tu balcón.[7]

Se ha dicho también que un día Machado fue hasta Saint Vincent, capillita cercana al rompeolas, y que en el momento en que estaba escribiendo pasó por allí un pescador. Este pescador nos aseguró durante años que él todavía conservaba este papel, pero sin consentir jamás, a pesar de nuestra insistencia, en enseñárnoslo. A su muerte nos pusimos en contacto con sus herederos, quienes nos aseguraron que dicho papel no había existido. Pensamos que así sería, sobre todo si consideramos el estado físico de Machado y el pésimo estado del camino que conducía a dicha capilla.

En los últimos días de su vida, don Antonio se recogió en sus pensamientos. ¿En qué pensaría entonces el poeta? ¿En todo lo que más amaba y que su destino le robaba? ¿En el patio sevillano?

¡Mi Sevilla infantil! ¡Tan sevillana!

¿En Leonor, que se durmió para siempre en los páramos de Soria que él no volverá a ver?

En la memoria mía,
tu recuerdo a traición ha florecido;
Soria pura, entre los montes de violeta.

¿En su hermano Manuel, que se quedó en la otra zona?

Aviva tu recuerdo, hermano.
No sabemos de quién va a ser el mañana.

7. En los versos publicados en sus *Obras completas* se podía leer «te enviaré» o «te mandaré» mi canción.

¿En Guiomar?

Tú, asomada, Guiomar, a un finisterre,
miras hacia otro mar, la mar de España.

¿En la agonía de su madre que tanto amaba?

En Collioure, don Antonio casi no salió. Una semana después de su llegada al pueblo, el poeta bajó a darle las gracias a la señora Figueres. Por lo demás, salía algunas veces a sentarse en un banco que había delante del hotel y desde allí contemplaba a los jugadores de *pétanque*.

Sin embargo, unos días antes de morir, el día 17 de febrero, en su amor infinito a la naturaleza, le dijo a José: «Vamos a ver el mar».

«Esta fue su primera y última salida —nos dice José—. Nos encaminamos a la playa. Allí nos sentamos en una de las barcas que reposaban en la arena.

»El sol del mediodía no daba casi calor. Era en ese momento único en que se diría que el cuerpo entierra su sombra bajo los pies. Hacía mucho viento, pero él se quitó el sombrero, que sujetó con una mano en la rodilla, mientras que la otra mano reposaba en una actitud suya, sobre la cayada de su bastón. Así permaneció absorto, silencioso ante el constante ir y venir de las olas que, incansables, se agitaban como bajo una maldición que no las dejara nunca reposar. Al cabo de un largo rato de contemplación me dijo señalando a una de las humildes casitas de los pescadores: "¡Quién pudiera vivir allí tras una de esas ventanas, libre ya de toda preocupación!". Después se levantó con gran esfuerzo y andando trabajosamente sobre la movediza arena, en la que se hundían casi por completo los pies, emprendimos el regreso en el más profundo silencio.»[8]

Este sería el último paseo de don Antonio. El día 18, la afección de bronquios que padecía se empeoró y el poeta tuvo

---

8. José Machado, *Últimas soledades del poeta Antonio Machado*, p. 159.

que guardar cama. Unos días después emprendería el viaje sin retorno, el de la muerte, conservando, no obstante, todas sus facultades hasta el último momento.

Los últimos días de la vida de Machado llevan pues, para él como para sus familiares, el signo de la desgracia y de la fatalidad.

Dañado en su cuerpo y en su alma, Antonio Machado tenía que expirar a las tres y media de la tarde del día 22 de febrero de 1939 (miércoles de ceniza, ¡triste coincidencia!).

Cuando el poeta tuvo que guardar cama, le atendió el médico de Collioure, el doctor Cazabens, quien pronosticó una congestión grave. Sí, era grave el estado del poeta que agonizaba en la misma habitación que su madre. Todos los proyectos de don Antonio morían con él. Morían sus deseos de ir a la URSS, donde se disponían a recibirle como huésped de honor. No llegó tampoco a ver la carta del hispanista John Brande Trend que le ofrecía un puesto para el lectorado del Departamento de Español de la Universidad de Cambridge.[9] Moría sin terminar esta obra que tantas ganas tenía de terminar. Y también moría su esperanza de ver a su patria libre... .

La noticia de la muerte del poeta se divulgó muy rápidamente y sus nuevos amigos de Collioure fueron los primeros en estar a su lado.

A las cinco de la tarde, el señor Jacques Baills fue al Ayuntamiento a declarar la muerte del poeta, y a correos para enviar un telegrama a la Embajada de España. También avisó a algunos amigos del poeta, como por ejemplo el profesor Sala, el poeta catalán Ventura i Gassol, el señor Santaló, cónsul en Port Vendres...

---

9. Lista de lectores españoles en la Universidad de Cambridge: Ricardo Baeza (1921-22); Dámaso Alonso (1923-25; 1928-29); Joaquín Casalduero (1930-31); Dámaso Buena Prat (1933-35); Jesús Bal (1935-37); José Antonio Muñoz Rojas (1937-39); Enrique Moreno (1939-41); Esteban Salazar y Chapela (1941-43); Luis Cernuda (1943-45); Batista y Roca (1945-47).

Portadas de los últimos libros que leyó Antonio Machado.

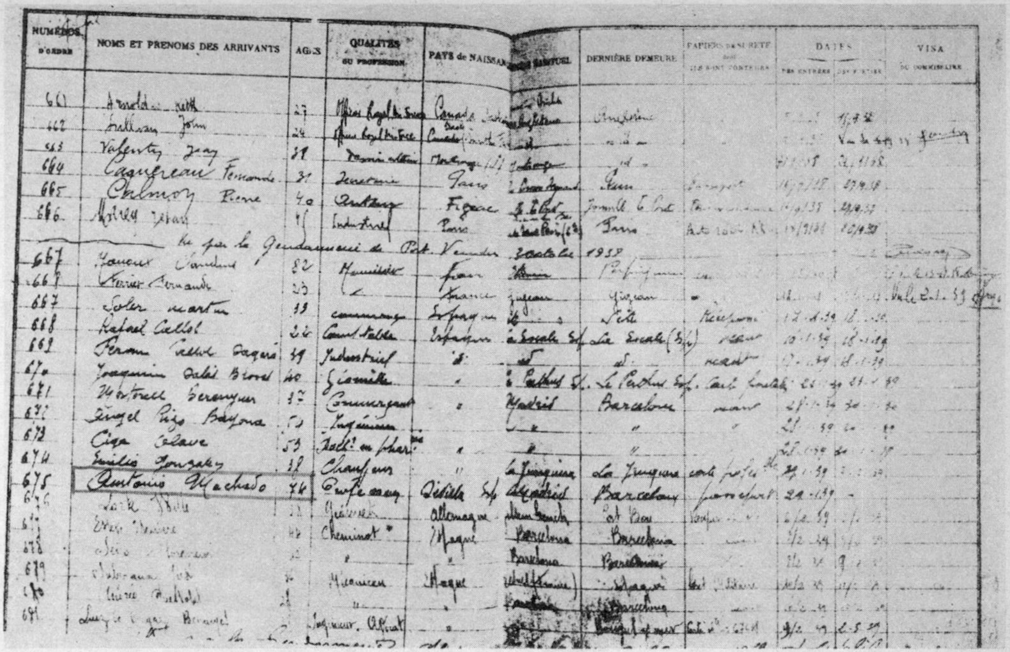

Registro del Hotel Bougnol-Quintana. Fecha de entrada: 29-1-39; la fecha de salida quedó en blanco. Hay que notar un error en la edad del poeta, que tenía entonces 64 años.

La prensa también se encargó de dar a conocer la noticia. *L'Indépendant* de Perpignan titula el 23 de febrero: «Le grand poète espagnol Antonio Machado est mort». *Ce Soir* da la noticia el día 24 de febrero. No por eso su homenaje es menor y titula: «Antonio Machado, le plus grand écrivain espagnol est mort à Collioure: chassé de son pays par l'invasion étrangère, usé par les privations il n'a pu résister aux fatigues de l'exode».

Varios amigos acudieron inmediatamente a Collioure y velaron el cadáver del poeta: el señor Santaló, el señor y la señora Figueres, el señor Joan Corominolle, exilado español; la señora Quintana, el señor Jacques Baills, el señor Gaston Prats, profesor de español en Perpignan; y el señor Henri Frère, profesor de español y también escultor.

Conociendo su ideología, y siguiendo la idea de un republicano exiliado que estaba también en el Hotel Bougnol Quintana, sus amigos se apresuraron a confeccionarle una bandera con los colores republicanos. Y así, don Antonio, el profesor de francés, el poeta, el amigo del pueblo español, acabará su último viaje en tierra francesa.

Hasta su muerte estuvo junto a su madre, en la misma habitación. Sólo los separaron para poner a don Antonio de cuerpo presente en otra habitación. Se discute mucho el saber si doña Ana se dio cuenta o no de que había muerto su hijo. Varios testigos nos han asegurado que no. La señora Matea Monedero nos contó que en un momento de lucidez, una de las veces que José fue a verla, le preguntó por Antonio: «¿Y Antonio, dónde está?». José la engañó diciéndole que estaba en un sanatorio.

El entierro tuvo lugar a las cuatro de la tarde del jueves 23 de febrero. Aquel día había salido un sol tímido de despedida al poeta; quizá un rayo tímido de esperanza. Machado no había muerto por nada, había muerto luchando por su patria, por su verdadera patria: LA ESPAÑA LIBRE.

Sus exequias civiles —así se lo había pedido él a su hermano— fueron de una sencillez a la imagen de su poesía y de su corazón: desprovistas de toda literatura. Asistieron a ellas algunos amigos y admiradores llegados de fuera; y gente del pueblo: campesinos, pescadores y sus nuevos amigos de Collioure.

Entre estos amigos estaba el alcalde de Collioure, el señor Marceau Banyuls, quien pronunció una breve pero sentida oración fúnebre. Se contaba también a varios intelectuales, entre ellos españoles que acudieron a acompañar a su última morada al poeta de Castilla, que no pudo sobrevivir a la pérdida de España ni sobreponerse a la angustia del destierro. Estaban también los señores Méndez, cónsul en Perpignan; Santaló, cónsul en Port Vendres; Sánchez Ventura, en representación de la Embajada de la República española; representantes del Centro Español y del Casal Català de Perpignan; los señores Soler i Pla, Fontbernat y Costafreda de la Generalitat de Catalunya; Garriga, presidente del Centro Español de Cerbère; representantes de la prensa inglesa y E.G. de Caux, corresponsal del *Times* en Madrid.

El cortejo fúnebre iba encabezado por tres grandes coronas de flores: una de la Embajada de España en París, otra del Gobierno español y otra del Centro Español de Perpignan.

Lo más emocionante del entierro fue sin duda, aquellos soldados de la Segunda Brigada de Caballería del Ejército español, que estaban encerrados en el castillo de Collioure y que salieron para rendir los últimos honores al poeta. Luis Carreras, un oficial intérprete, ayudó a organizar los funerales.

Aquellos doce milicianos —dos relevos de seis—, según el testimonio de uno de ellos, fueron elegidos por los superiores del castillo para llevar a hombros el cuerpo, ya sin vida, de aquel que con su pluma había luchado a su lado. Dos hombres de Collioure sacaron el féretro del hotel y luego los soldados españoles lo condujeron por las calles de Collioure, acompañado también por el triste rumor del agua del mar cercano, como había acompañado al poeta en su cuna el confuso rumor del agua en el surtidor del palacio de las Dueñas de Sevilla.

Estos hombres que regresaron al castillo apenas terminado

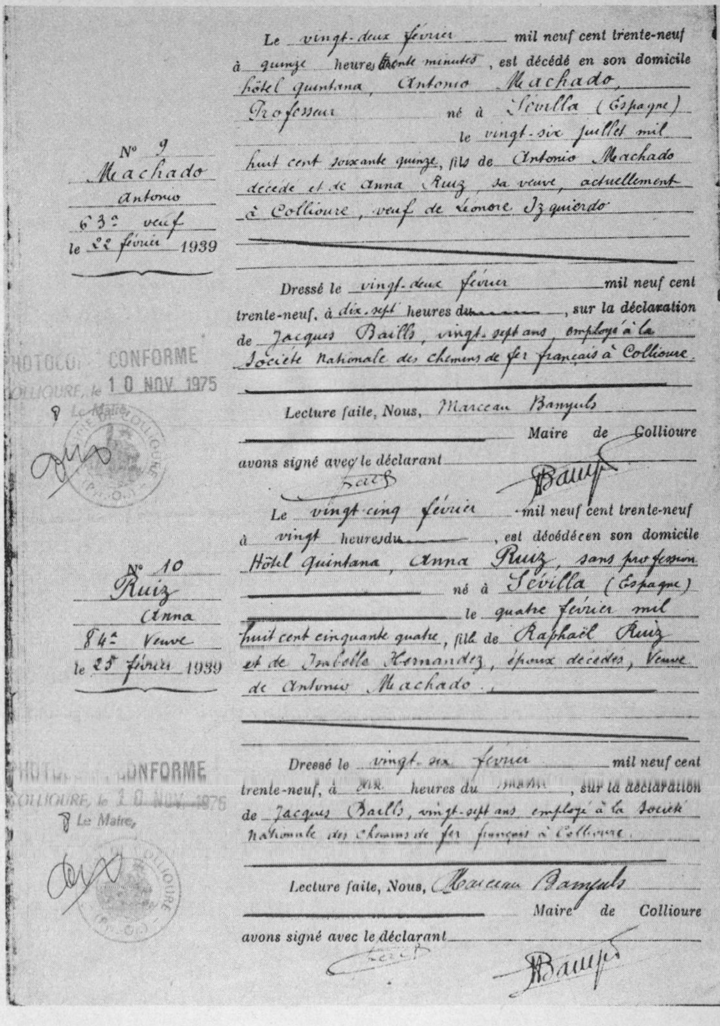

Nº 9
Machado
Antonio
63ª veuf
le 22 février 1939

Le vingt-deux février mil neuf cent trente-neuf à quinze heures trente minutes, est décédé en son domicile hôtel Quintana, Antonio Machado, Professeur né à Sevilla (Espagne) le vingt-six juillet mil huit cent soixante quinze, fils de Antonio Machado décédé et de Anna Ruiz, sa veuve, actuellement à Collioure, veuf de Léonore Izquierdo

Dressé le vingt-deux février mil neuf cent trente-neuf, à dix-sept heures du ——, sur la déclaration de Jacques Baills, vingt-sept ans, employé à la Société nationale des chemins de fer français à Collioure.

Lecture faite, Nous, Marceau Banyuls Maire de Collioure avons signé avec le déclarant

PHOTOCOPIE CONFORME
COLLIOURE, le 10 NOV. 1975
Le Maire,

Nº 10
Ruiz
Anna
84ª Veuve
le 25 février 1939

Le vingt-cinq février mil neuf cent trente-neuf à vingt heures du ——, est décédée en son domicile Hôtel Quintana, Anna Ruiz, sans profession née à Sevilla (Espagne) le quatre février mil huit cent cinquante quatre, fille de Raphaël Ruiz et de Isabelle Hernandez, époux décédés, Veuve de Antonio Machado.

Dressé le vingt-six février mil neuf cent trente-neuf, à dix heures du matin, sur la déclaration de Jacques Baills, vingt-sept ans employé à la Société nationale des chemins de fer français à Collioure.

Lecture faite, Nous, Marceau Banyuls Maire de Collioure avons signé avec le déclarant

PHOTOCOPIE CONFORME
COLLIOURE, le 10 NOV. 1975
Le Maire,

Acta de defunción del poeta Antonio Machado y de su madre Ana Ruiz.

el acto, llevaron al poeta a su última morada en el más estricto anonimato. Sólo hemos podido recordar los nombres de Sancho, García, Vega, Franco, Rivada, Padín... El nicho fue ofrecido por una señora francesa, amiga íntima de la dueña del Hotel Bougnol Quintana, la señora Deboher.

La ceremonia acabó con estos versos del poeta:

Corazón ayer sonoro
¿Ya no suena
tu monedilla de oro?

Así pues, Machado descansa en este sencillo pueblo de pescadores de los Pirineos orientales. Su hermano José declinó el honor ofrecido por el intermediario del profesor Jean Cassou, por las autoridades francesas. En una carta que el hermano del poeta califica de «emocionante y cariñosa», el escritor Jean Cassou decía en su nombre y en el de los escritores franceses: «Quisiéramos hacer el entierro aquí, en París. Es un deber para nosotros, escritores franceses, encargarnos de las cenizas del gran Antonio Machado, caído aquí, en tierra francesa donde había buscado y creído encontrar refugio».

«Pero agradeciendo de infinito este homenaje de la Francia inmortal —nos dice José— decliné tan grande honor, pues aunque en esos momentos lejos de los hermanos, creí interpretar así el sentimiento de todos, mirando más que nada a la sencilla y austera manera de ser del poeta.»

Manuel Machado se enteró de la muerte de su hermano en una barbería de Burgos. Se puso inmediatamente de viaje hacia Collioure, donde llegó dos días después de la muerte de doña Ana Ruiz.

Su hermano José y su cuñada Matea, «fieles compañeros de su destierro», se fueron muy pronto de Collioure.

Bosquejo de Henri Frère,
realizado durante el velatorio
de Antonio Machado.

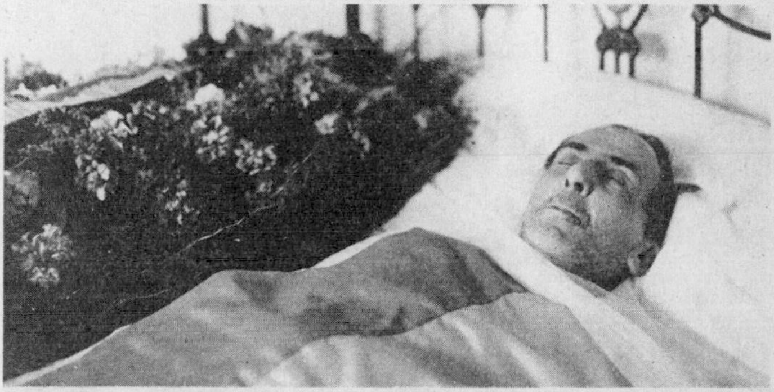

Don Antonio Machado en su lecho de muerte.

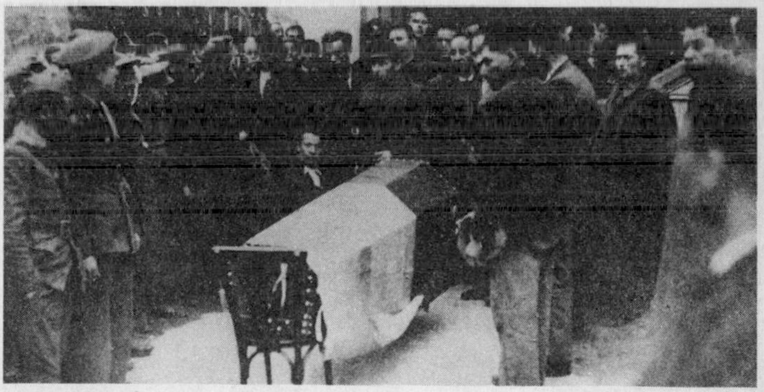

Féretro a la salida del Hotel Bougnol-Quintana.

Cortejo fúnebre cruzando el Douy.

El cortejo fúnebre a su paso por el Ayuntamiento.

El féretro, donde se pueden distinguir las iniciales «A.M.».

Cortejo fúnebre.

El féretro a la llegada al cementerio de Collioure.

Les obsèques du poète Machado ont eu lieu, hier, à Collioure

COLLIOURE. — Hier, à 16 heures, ont eu lieu les obsèques de Antonio Machado, le grand poète espagnol, décédé à Collioure.

Trois superbes gerbes de fleurs précédaient le cortège, l'une offerte par l'ambassade d'Espagne à Paris, une deuxième par le Gouvernement espagnol et une troisième par le Centro Espagnol de Perpignan. Le frère de l'illustre défunt était seul membre de la famille au cortège.

Nous avons remarqué parmi l'assistance : MM. Menolez, consul à Perpignan ; Santalo, consul à Port-Vendres ; Banyuls, maire de Collioure ; Zugazagoita, Otero et le général Rojo, sous-secrétaire du ministère de la Défense nationale et Santalo, ancien ministre ; les chefs militaires des forces de génie et de cavalerie espagnole du camp de Collioure ; Nolla et Sanchez Ventura, représentant l'ambassade ; les représentants du Centro Espagnol et du Casal Catala de Perpignan ; MM. Solé i Pla, Fontbernat, Costafreda, etc., de la Généralité de Catalogne ; Garriga, président du Centro Espagnol de Cerbère ; les représentants de la presse anglaise : MM. Henry W. Bukley, du « Daily Telegraph » ; E.-G. de Caux, correspondant du « Times », de Madrid.

Beaucoup de notables de Collioure et quelques artistes qui sont en ce moment parmi nous assistaient également aux obsèques, ainsi que notre population de pêcheurs qui fit au grand poète une escorte émue et recueillie.

Le cercueil recouvert du drapeau espagnol était porté par des officiers de cavalerie.

M. Zugazagoita, ancien ministre de l'Intérieur, a retracé la vie et l'œuvre du grand poète espagnol.

M. Banyuls, maire, a remercié au nom de la famille et des autorités espagnoles assistantes et représentées.

Antonio MACHADO est mort à Collioure

Mercredi, à 15 h. 40, le grand écrivain espagnol Antonio Machado, est décédé à Collioure.

Dans la modeste pension où il vivait depuis quelques jours, malade, des amis se rassemblèrent au moment du décès : des familiers, des représentations des Consulats Espagnols de Port-Vendres et de Perpignan, ainsi que le député et ancien ministre M. Michel Santalo.

L'illustre académicien était entré en France à la dernière minute de la retraite des armées républicaines de la Catalogne.

En gare de Cerbère, il passa la nuit à la belle étoile, après quoi il dut s'aliter, frappé de broncho-pneumonie.

L'enterrement du célèbre écrivain espagnol a eu lieu hier à Collioure, en présence d'une nombreuse représentation diplomatique et consulaire de son pays.

■ ■

Antonio Machado naquit à Séville en 1875. Il peut être considéré comme le plus pur représentant lyrique de la génération d'écrivains « dits de 98 ». Son inspiration suit la trajectoire castillane et pessimiste des meilleurs poètes classiques espagnols.

Dès son jeune âge, Kant et Shopenhauer furent ses meilleurs inspirateurs. Il partagea leurs conceptions philosophiques, avec de célèbres penseurs, tels Miguel de Unamuno et autres grandes figures de la pleiade moderne des intellectuels espagnols.

Son premier recueil de poésies : « **Soledades, galerias y otros poemas** » fut publié en 1903.

En 1912 il publia « **Campos de Castilla** » et en 1917 apparut la première édition de ses « **Poésies complètes** ».

Ses essais en prose, sur l'esthétique et la philosophie furent exprimés dans des articles remarquables et sous la signature de Juan de Mairena, son pseudonyme.

Avec son frère, le poète moderniste Don Manuel, il a collaboré à la production du théâtre poétique.

Antonio Machado était professeur de Langue Française, Académicien, fondateur de « **Institucion Libre de Ensenanza** » avec Don Francisco Giner de los Rios et membre du Conseil de l'Education Nationale.

Il possédait même un grand nombre de décorations et distinctions françaises.

Il ne militait dans aucun parti politique. Il fut simplement un grand écrivain et un grand professeur, un des plus loyaux et des plus enthousiastes auprès du Gouvernement de la République Espagnole.

M. M.

ANTONIO MACHADO
le plus grand écrivain espagnol
EST MORT à Collioure

CHASSE DE SON PAYS PAR L'INVASION ETRANGERE, USÉ PAR LES PRIVATIONS il n'a pu résister aux fatigues de l'exode

Collioure, 23 février. — Hier, à midi, est mort dans un hôtel de notre ville où il s'était réfugié après avoir franchi la frontière pyrénéenne le grand écrivain Antonio Machado. Il était âgé de 64 ans. Il avait auprès de lui à sa dernière heure l'un de ses frères, ses trois enfants et sa mère presque centenaire.

Antonio Machado, qui vient de mourir en exil à Collioure, était une des figures les plus hautes des lettres européennes, un des plus grands poètes espagnols, un homme dont l'œuvre et la vie exemplaire avaient forcé l'admiration et le respect des plus implacables ennemis de l'intelli-

Prensa de los Pirineos orientales que recogió la noticia de la muerte de Antonio Machado.

CARTAS

Collioure - Hotel Bougnol-Quintana
9 de febrero de 1939 - (Pyr. Or.)

Sr. D. José Bergamín.
Muy querido y admirado amigo:

Después de un éxodo lamentable, pasé la frontera con mi madre, mi hermano José y su esposa, en condiciones empeorables (ni un sólo céntimo francés) y hoy me encuentro en Collioure, Hotel Bougnol Quintana y gracias a un pequeño auxilio oficial con recursos suficientes para acabar el mes corriente. Mi problema más inmediato es el de poder resistir en Francia hasta encontrar recursos para vivir en ella de mi trabajo literario o trasladarme a la URSS, donde encontraría amplia y favorable acogida.

Con toda el alma agradezco los generosos ofrecimientos de esa Asociación de Escritores, muy especialmente los de Mr. Jean Richard Block y el Prof. Cohen, pero temo no solamente quedarme muy aislado como V. indica, sino además no disponer de medios pecuniarios para mantenerme con mi familia en esas casas y para trasladarme a ellas. Así pues, el problema queda reducido a la necesidad de un apoyo pecuniario a partir del mes que viene, bien para continuar aquí en las condiciones actuales, bien para trasladarme a alguna localidad no lejana donde poder vivir en un pisito amueblado en las condiciones más modestas.

Vea V. cuál es mi situación de hecho y cuál puede ser el apoyo necesario.

Con toda el alma le agradezco sus cariñosas palabras: nada tiene V. que agradecerme por las mías; son expresión muy sincera, aunque todavía insuficiente de mi admiración por su obra.

Si en estos días cambiásemos de residencia ya se lo haría saber telegráficamente.

Mientras tanto mi residencia es siempre la misma.

Le envía un fuerte abrazo su siempre suyo.

Antonio Machado.

P.D. Muy afectuosos saludos de mi familia. De Carlos Riba no tengo noticia alguna de que esté en este pueblo.

TESTIMONIOS SOBRE ANTONIO MACHADO

LA MUERTE DE DON ANTONIO MACHADO[1]

Antonio Machado, gran poeta de España, raíz viva, sangre purísima de la entraña española, acaba de morir en tierra francesa adonde le trajera el éxodo de su pueblo.

El más alto poeta contemporáneo de lengua castellana, la más ilustre figura de las letras hispánicas, muere en su puesto, fiel hasta el último instante a su pueblo y a su patria traicionada, «vendida toda de mar a mar», como cantara en uno de sus últimos poemas.

Vida y muerte ejemplares las de nuestro gran Antonio Machado. Fiel a sí mismo, fiel a los valores eternos de su pueblo, al lado de quien se coloca al estallar la rebelión fascista, lucha contra las fuerzas negras de la reacción, sin desmayos ni tregua, hasta la muerte.

Voz de Madrid se asocia al dolor de la literatura española, al dolor del pueblo español, que lloran hoy la pérdida de su más limpia y noble figura.

---

1. José María Quiroga Pla, «La muerte de don Antonio Machado», *Voz de Madrid*, n.º 33, 25 de febrero de 1939.

Del lado de acá de la frontera, refugiado en tierras de Francia, acaba de morir don Antonio Machado, poeta de nuestro pueblo, si alguno en las letras españolas es acreedor a este calificativo.

Del pueblo tiene y ha tenido siempre, en efecto, el señorío —no sin cierto empaque—, al mismo tiempo que la gracia. Pero él mismo, el propio poeta, ha tenido de su pueblo, sobre todo, y en todo momento, la honradez auténtica, noble hombría, apasionada de lo justo hasta la combatibilidad sin desplantes del hombre «cargado de corazón» movido naturalmente de ese su amor a la justicia, ha servido hasta su muerte don Antonio a la causa del pueblo, de su pueblo, a lo largo de nuestra actual guerra de independencia. Y la ha servido con el máximo decoro, como poeta, como español, como hombre sensible e insobornable. Su voz se ha alzado en la protesta, ha sonado gravemente emocionada sobre la lucha del pueblo, de su pueblo, ha sonado a voz de la entraña misma de nuestra tierra.

Ha sido, en fin, la suya, la voz de España, de nuestra España. Y lo ha sido con la misma espontaneidad, con la misma grandeza, con la naturalidad misma con que lo fueron el estampido del fusil de los milicianos, el «¡no pasarán!» de los madrileños en los días de noviembre del 36, el aliento y el brío del ejército del Ebro, en su ofensiva, primero, en la resistencia después.

Voz de España, entrañablemente nacional. Poesía y humanidad de España. De poesía, de humanidad, de españolidad, fue nuestro don Antonio Machado. Su lección no ha sido, no será baldía. Los poetas de España, y como ellos los españoles todos, en los campos de concentración de Francia, en los de batalla de la España republicana, o sometidos a la opresión del invasor, sabrán recoger en esta lección, de íntegra entereza, de segura confianza, y al amor de ella templar su decisión de lucha, su voluntad de mantener vivas e intactas las libertades, la independencia, la dignidad de España... «El hoy es triste, pero el mañana es mío», cantaba la mocedad del poeta, en las agonías del siglo pasado, que le había visto na-

Mme. Figueres y un refugiado español junto a la tumba de Antonio Machado.

Nichos donde descansaron los restos de Antonio Machado y doña Ana Ruiz, antes de su reinhumación en 1958 (abajo Antonio Machado y arriba doña Ana Ruiz).

cer. En la brega de este otro siglo que ve morir al poeta máximo de España, los españoles que no se resignan a la indignidad, al peor de los vasallajes, se dicen, a su vez: «El hoy es duro, pero el mañana es nuestro». Y el mañana es una España libre, fiel a sí misma, su propio señorío, tal como lo soñó —y ayudó a mantener viva— su poeta.

CARTAS DE JOSÉ MACHADO

A/25

Sr. J. B. Trend.

Muy distinguido y admirado señor:

Cuando llegó el ofrecimiento de esa célebre Universidad de Cambridge para mi hermano Antonio, en aquel mismo momento acababa de morir.

Yo, que he sido siempre el hermano inseparable de todas las horas, sé muy bien, cuan alta estimación sentía por Vd., y cuanto se hubiera honrado aceptando este nombramiento, que además suponía la salvación de nuestra madre 86 años) con los dos restantes que constituían el pequeño grupo familiar con que siempre había vivido, del naufragio económico.

Dada la profunda y devota admiración que siempre sintió por Inglaterra, hubiera visto colmado uno de sus más fervientes anhelos de toda su vida que era: visitar esa Nación. Precisamente en estos últimos meses leía y releía las obras maestras de esa formidable literatura inglesa. Pero los sueños no se cumplen!

Lo hemos enterrado ayer en este sencillo pueblecito de pescadores en un sencillo cementerio cerca del mar. Allí esperará, hasta que una humanidad menos bárbara y cruel le permita volver a sus tierras castellanas que tanto amó.

Usted Sr. Trend, que tan alta cumbre representa en la intelectualidad de ese país, reciba la profunda gratitud por sus bondades para con mi hermano "de este antiguo alumno de "La" Institución Libre de Enseñanza".

José Machado

Collioure. Hôtel Bougnol-Quintana
Pyr-(O.) 24 Febrero de 1939

Sr. J.B. Trend.

Muy distinguido y admirado señor:

Cuando llegó el ofrecimiento de esa célebre Universidad de Cambridge para mi hermano Antonio, en aquel mismo momento acababa de morir. Yo, que he sido siempre el hermano inseparable de todas las horas, sé muy bien cuán alta estimación sentía por Vd., y cuánto se hubiera honrado aceptando este nombramiento, que además suponía la salvación de nuestra madre (86 años) con los dos restantes que constituían el pequeño grupo familiar con que siempre había vivido, del naufragio económico.

Desde la profunda y devota admiración que siempre sintió por Inglaterra, hubiera visto colmado uno de sus más fervientes anhelos de toda su vida que era: visitar esa nación. Precisamente en estos últimos meses leía y releía las obras maestras de esa formidable literatura inglesa. ¡Pero los sueños no se cumplen!

Lo hemos enterrado ayer en este sencillo pueblecito de pescadores en un sencillo cementerio cerca del mar. Allí esperará, hasta que una humanidad menos bárbara y cruel, le permita volver a sus tierras castellanas que tanto amó.

Usted Sr. Trend, que tan alta cumbre representa en la intelectualidad de ese país, reciba la profunda gratitud por sus bondades para con mi hermano, de este antiguo alumno de la Institución libre de Enseñanza.

José Machado.

Collioure. Hôtel Bougnol-Quintana.
(Pyr.-Or.) 24 febrero de 1939.

Collioure, Pyr. Or., Hotel Bougnol-Quintana (febrero, 1939)
Sr. D. Tomás Navarro Tomás.

Mi muy querido y admirado amigo:

Agradezco a usted en el alma su cariñosa carta de pésame. Efectivamente, también nosotros lo queremos a usted como de la familia y nos damos perfecta cuenta de la sinceridad de sus palabras.

Supongo le habrán llegado a usted noticias de la muerte de mi pobre madre, que a los tres días después acompañaba a su hijo bajo la misma tierra del pequeño cementerio de este pueblo.

Ya puede usted figurarse el vacío espiritual que en mí deja la muerte de mi hermano. Usted sabe muy bien la compenetración, hasta la identidad, que nos unía a través de una vida fraterna —siempre estuvimos juntos— que sólo la muerte podía romper.

A los 24 días de llegar a este pueblo ocurrió la desgracia. El 28 de enero llegamos y el 22 de febrero moría. Yo que nunca quise dar entrada a la idea de su muerte, no esperaba tan triste desenlace. Claro que ahora comprendo que el cariño entrañable que le profesaba me impedía ver la terrible realidad.

Cuando llegamos a este pueblo, al que nos trajo el querido amigo Corpus Barga —que tan bien se portó con nosotros— no recelábamos lo que poco después iba a pasar.

Realmente venía herido de muerte del fatal éxodo, que los demás logramos sobrellevar a duras penas. Su grandeza espiritual se sobrepuso a tantas fatigas —espirituales y corporales— con la resignación de un verdadero santo. Todo lo soportó con una dignidad ejemplar.

En sus últimos días, dos veces salió a ver conmigo el mar que tanto anhelaba. La última, sentados en una barca de la playa, me dijo: ¡Quién pudiera quedarse aquí en la casita de algún pescador y ver desde una ventana el mar, ya sin más preocupaciones que trabajar en el arte!

Al día siguiente, sábado, empezó a sentir una gran angustia del corazón. Al llegar el miércoles de ceniza, cinco días después, amaneció mortal. Sus últimas horas fueron completamente tranquilas. A las cuatro de la tarde de este día murió.

Su cabeza se mantuvo firme hasta pocas horas antes de su fin, que perdido ya el conocimiento se nos fue para siempre. En su gran bondad, antes de las últimas horas, procuró ocultarnos una gravedad de la que seguramente se daba cuenta. Creo que en pocas personas se habrán igualado la bondad y el talento como en mi pobre hermano.

Ya sabe usted, querido amigo, los últimos días del poeta.

Por lo que respecta a la generosa ayuda que esos buenos amigos y admiradores de Antonio puedan prestarnos, nosotros la aceptaremos agradeciéndola de todo corazón. Ya sabe usted la tristísima situación en que quedamos los pobres españoles. Aunque de momento nos ayuda algo la Asociación Internacional de Escritores para la Defensa de la Cultura, el porvenir es incierto y tenebroso, y todo hará falta para llegar —si se llega— a buen puerto.

Claro que si se decidieran a hacer algo en nuestro favor, yo le ruego que lo envíen a Santullano, a casa de su cuñado, Dr. Ch. Brzezicki, 46 rue d'Anguleme, París XI, pues nosotros no sabemos el rumbo definitivo que podremos tomar.

Mucho le recordamos a usted en los últimos tiempos en que su grata presencia nos acompañaba. Aquellas reuniones inolvidables, de las que usted fue fundador, quedarán grabadas en nuestro corazón para siempre, como el mejor disco de toda su magnífica colección.

Reciba usted, querido don Tomás, con los más afectuosos recuerdos de mi mujer, que siempre le tuvo a usted en gran estima, un cordial abrazo de su agradecido amigo y admirador

José Machado.

Meurville (Aube).
14 de Mayo de 1939.

Mr. Jacques Baills y señora.

Mis muy queridos amigos:

Mucho le agradecemos su cariñosa carta que nos trae a estas soledades el latido de tan buenos amigos.

Ya veo que en estos momentos, gozan Vds. de una luna de miel que nosotros deseamos sea el comienzo de una vida llena de prosperidades y bienandanzas. Bien se la merecen los que como Vds. gozan de tan noble corazón.

No sé cómo agradecerles esa visita a la tumba del poeta. Es un rasgo de tan fina espiritualidad, que yo no encuentro las palabras con que expresarles mi gratitud. Y es, que el corazón, no ha encontrado jamás las palabras que le satisfagan. Esto le habrá pasado a Vd. muchas veces al hablar a la que ahora tiene la dicha de ser su mujer y a ella lo mismo.

Mucho echamos de menos los ratos en que charlábamos

con una absoluta comunión de ideas. No hay nada que una más a los hombres que la comunión en el más alto y noble sentido de la palabra.

Por eso en el amor, como en la amistad, es el lazo que más estrecha las relaciones.

A Mme. Quintana, que tan bien se ha portado con nosotros, le escribimos ayer agradeciéndole su cariñoso interés. Se portó como si fuera de la familia en los momentos más difíciles de nuestra vida. Lo mismo que Vd. querido Jacques, al que siempre recordamos con la más profunda gratitud.

Mme. Machado agradece mucho las líneas que le dedica, y ambos levantamos la copa en honor de ese querido matrimonio cuyos titulares son: Therese y Jacques.

Quedan de Vds. siempre agradecidos amigos que no les olvidan

José Machado y M. Monedero.

P.D. Recibimos la postal de nuestras hijas. Gracias. Por cierto que hasta ahora y ya hace un mes que les escribimos desde aquí no hemos tenido nueva carta. Esto nos tiene algo intranquilos.

Meurville (Aube)
14 de Mayo de 1939.

Mr. Jacques Baills y señora.

Mis muy queridos amigos:

Mucho le agradecemos su cariñosa carta que nos trae a estas soledades el latido de tan buenos amigos.

Ya veo que en estos momentos, gozan Vds. de una luna de miel que nosotros deseamos sea el comienzo de una vida llena de prosperidades y bienandanzas. Bien se la merecen los que como Vds gozan de tan noble corazón.

No sé como agradecerles esa visita a la tumba del poeta. Es un rasgo de tan fina espiritualidad, que yo no encuentro las palabras con que expresarle mi gratitud. Y es, que el corazón, no ha encontrado jamas las palabras que le satisfagan. Esto le habrá Vd pasado muchas veces al hablar a la que ahora tiene la dicha de ser su mujer y a ella lo mismo.

Mucho echamos de menos los ratos en que charlabamos con una absoluta communion de ideas. No hay nada que una mas a los hombres que la communion en mas alto y noble sentido de la palabra. Por eso en el amor, como en la amistad, es el lazo que mas estrecha las relaciones.

A Mme Quintana, que tan bien se ha portado con nosotros, le escribimos ayer agradeciendole su cariñoso interes. Se portó como si fuera de la familia en los momentos mas dificiles de nuestra vida. Lo mismo que Vd querido Jacques, al que siempre recordamos con la mas profunda gratitud.

Mme Machado agradece mucho las lineas que le dedica, y ambos levantamos la copa en honor de ese querido matrimonio cuyos titulares son Therese y Jacques.

Quedan de Vds siempre agradecidos amigos que ...

José Machado y M. Monedero

P.D. Recibimos la postal de nuestras hijas. (gracias) Por cierto que hasta ahora y ya hace un mes que les escribimos desde aqui no hemos tenido nueva carta. Esto nos tiene algo intranquilos

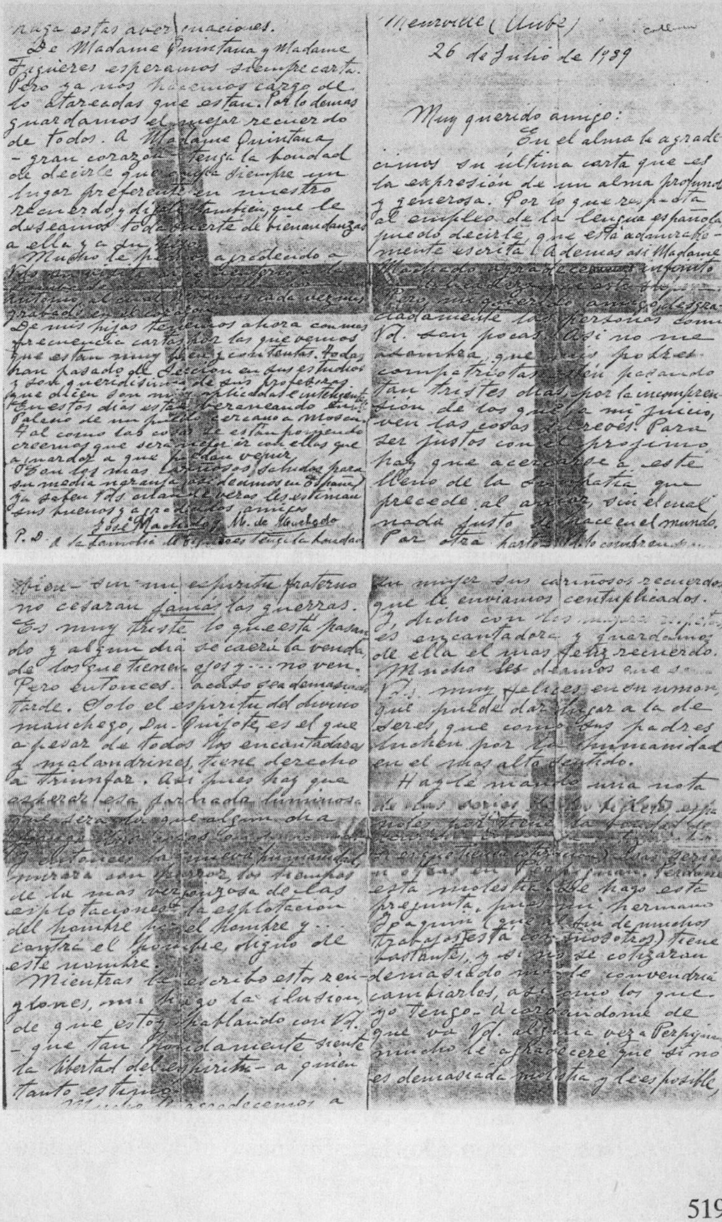

Menrville (Aube)

26 de Julio de 1939

Muy querido amigo:

En el alma le agradecimos su última carta que es la expresión de un alma profunda y generosa. Por lo que respecta al empleo de la lengua española, puedo decirle, que está admirablemente escrita. Además así Madame Machado agradecemos infinito [illegible] Pero, mi querido amigo, desgraciadamente las personas como Vd. son pocas. Así no me asombra, que [illegible] pobres compatriotas estén pasando tan tristes días, por la incomprensión de los que, a mi juicio, ven las cosas al revés. Para ser justos con el prójimo hay que acercarse a éste lleno de la simpatía que precede al amor, sin el cual nada justo se hace en el mundo. Por otra parte [illegible] bien — sin un espíritu fraterno no cesarán jamás las guerras. Es muy triste lo que está pasando y algún día se caerá la venda de los que tienen ojos y... no ven. Pero entonces, acaso sea demasiado tarde. Sólo el espíritu del divino manchego, Don Quijote, es el que a pesar de todos los encantadores y malandrines, tiene derecho a triunfar. Así pues hay que esperar esa jornada luminosa que será [illegible] algún día [illegible] Entonces la nueva humanidad mirará con horror los tiempos de la más vergonzosa de las explotaciones: la explotación del hombre por el hombre y... contra el hombre, digno de este nombre.

Mientras le escribo estos renglones, me hago la ilusión de que estoy hablando con Vd. — que tan hondamente siente la libertad del espíritu — a quien tanto estimo.

Mucho agradecemos a su mujer sus cariñosos recuerdos que le enviamos centuplicados. Y, dicho con [illegible], es encantadora y guardamos de ella el más feliz recuerdo. Mucho les deseamos que sean Vds. muy felices en su unión, que puede dar lugar a la de seres, que como sus padres luchen por la humanidad en el más alto sentido.

Hágale mandar una nota de [illegible] españoles [illegible] tiene la bondad de [illegible] Perdone esta molestia. Le hago esta pregunta, pues mi hermano Joaquín (que al fin de muchos trabajos está con nosotros) tiene bastantes, y si no se cotizaran demasiado mal le convendría cambiarlos, así como los que yo tengo. Acordándome de que va Vd. alguna vez a Perpignan mucho le agradeceré que si no es demasiada molestia y le es posible, haga estas averiguaciones.

De Madame Quintana y Madame Figuieres esperamos siempre carta. Pero ya nos hacemos cargo de lo atareadas que están. Por lo demás guardamos el mejor recuerdo de todos. A Madame Quintana — gran corazón — tenga la bondad de decirle que ocupa siempre un lugar preferente en nuestro recuerdo y dígale también, que le deseamos toda suerte de bienandanzas a ella y a su hijo.

Mucho le [illegible] agradeciendo a Vds. [illegible] Antonio, al cual tenemos cada vez más grabado en el corazón.

De mis hijas tenemos ahora con más frecuencia cartas por las que vemos que están muy bien y contentas. Todas han pasado de sección en sus estudios y son queridísimas de sus profesoras que dicen son muy aplicadas e inteligentes. En estos días están veraneando en [illegible] Palacio de un pueblo cercano a Moscú. Tal como las cosas se están poniendo creemos que será mejor ir con ellas que aguardar a que puedan venir.

Son los más cariñosos saludos para su media naranja que deseamos en España ya saben Vds. cuánto de veras les estiman sus buenos y agradecidos amigos

José Machado y M. de Machado

P. D. A la familia [illegible] tenga la bondad

Meurville (Aube), 15 de julio de 1939.

Sr. J. Santaló.

Distinguido amigo:

Muy grato me ha sido tener noticias de V. y saber a la par de su tío, por quien tengo la más alta estimación. Quisiera pues, atender a su ruego, pensando además, que es el gran poeta Neruda el que desea algunas impresiones sobre mi inolvidable hermano Antonio.

Procuraré recoger mis recuerdos, tan directos como mi gran fraternidad y compenetración, en la convivencia de toda una vida. Me pregunta V. cuáles eran sus propósitos, sentimientos y pensamientos. Intentaré contestarle.

Como poeta fue uno de ellos durante toda su vida, conservar en el fondo de la conciencia la clara visión de la infancia. Pensaba que conseguir este ideal era casi el milagro, ya que para él, era el hombre una degeneración del niño, que se alejaba cada vez más como un río de la fuente de su origen. Sus versos fueron jamás improvisados sino la consecuencia de muchas cuartillas escritas y tiradas al cesto de los papeles para dejar al fin sobre la mesa de trabajo cuatro versos todavía con infinitas correcciones. Y para esto había visto amanecer, cosa que le ocurría casi siempre y no se acostaba satisfecho.

Con relación a sus sentimientos, puede decirse que fueron de una delicadeza extrema. Adoraba la música, con gran preferencia la popular, en la que encontraba el sentido hondo del pueblo. Esto no excluía su admiración por la música sinfónica de los grandes maestros siendo Mozart su predilecto.

Muchas veces le he oído decir cuánto lamentaba no haber estudiado este arte excelso para poder componer. Encontraba en su espíritu cosas que creía no poder expresar sin este conocimiento.

Detestaba cordialmente a todas las recitadoras y recitadores de versos, así como a los lectores más o menos declamatorios. Pensaba que éstos eran los verdaderos enemigos de la poesía, ya que ésta debe llegar directamente al lector.

Toda su vida fue atormentada y nadie ha sentido más ni sufrido más como consecuencia de esta sensibilidad. Ya puede Ud. imaginarse el tormento que para él han representado estos últimos tiempos la guerra y su fin.

En cuanto a sus pensamientos tuvo —además de los ya expresados en los párrafos anteriores— el de estudiar a fondo la filosofía a la que dedicaba largas horas de trabajo. Buena prueba de ello sería su biblioteca de Madrid —si es que aún existe— en la que ocupaban mucho más espacio los libros de filosofía que los de verso. Amaba también profundamente la filosofía del pueblo en sus sentencias, cantares, etc...

Estas dos aficiones tienen un origen familiar. La primera en su bisabuelo paterno y la segunda en su padre —muerto prematuramente— que fue el fundador del folklore en España. Decía con relación a la filosofía que era un ejercicio mental de gran eficacia para cimentar la arquitectura de las ideas.

Así su obra tiene tan sólida construcción que será siempre tan antigua y tan moderna.

He aquí, querido amigo, estas breves notas sobre el que fue para mí, más que un hermano, un padre espiritual, y como prueba de no haber olvidado la generosa amistad de su tío y de V. en los días más amargos de mi vida.

Con los más cariñosos recuerdos para su tío, V. reciba un atento saludo de su buen amigo

José Machado.

CARTA A JACQUES BAILLS

Meurville (Aube).
26 de julio de 1939.

Muy querido amigo:

En el alma le agradecemos su última carta que es la expresión de un alma profunda y generosa. Por lo que respecta al empleo de la lengua española, puedo decirle que está admirablemente escrita. Además así Madame Machado agradece infinito la delicadeza que esto supone.

Pero, mi querido amigo, desgraciadamente las personas como Vd. son pocas. Así no me asombra, que mis pobres compatriotas estén pasando tan tristes días, por la incomprensión de los que, a mi juicio, ven las cosas del revés. Para ser justos con el prójimo, hay que acercarse a éste lleno de la simpatía que precede al amor, sin el cual nada justo se hace en el mundo.

Por otra parte —Vd. lo comprende muy bien— sin un espíritu fraterno no cesarán *jamás* las guerras.

Es muy triste lo que está pasando y algún día se caerá la venda, de los que tienen ojos y... no ven. Pero entonces... acaso sea demasiado tarde. Sólo el espíritu del divino manchego, Don Quijote, es el que a pesar de todos los encantadores y malandrines, tiene derecho a triunfar. Así pues hay que esperar esa jornada luminosa que será la que algún día ponga las cosas en [...] y entonces la nueva humanidad, mirará con horror, los tiempos de la más vergonzosa de las explotaciones, la explotación del hombre por el hombre y... contra el hombre, digno de este nombre.

Mientras le escribo estos renglones, me hago la ilusión de que estoy hablando con Vd. —que tan hondamente siente la libertad del espíritu— a quien tanto estimo.

Mucho le agradecemos a su mujer sus cariñosos recuerdos, que le enviamos centuplicados. Y, dicho con los mejores respetos, es encantadora y guardamos de ella el más eficaz recuerdo. Mucho les deseamos que sean Vds. muy felices en su unión, que puedan dar lugar a la de seres, que como sus padres luchen por la humanidad en el más alto sentido.

Ahí le mando una nota de las series de los billetes españoles, por si tiene la bondad de [...] (si es que tienen cotización) esas series u otras en Perpignan. Perdone esta molestia. Le hago esta pregunta, pues mi hermano Joaquín (que al fin de muchos trabajos está con nosotros) tiene bastantes, y si no se cotizan demasiado mal le convendría cambiarlos, así como los que yo tengo. Acordándome de que va Vd. alguna vez a Perpignan, mucho le agradeceré que si no es demasiada molestia y le es posible, haga estas averiguaciones.

De Madame Quintana y Madame Figueres esperamos siempre carta. Pero ya nos hacemos cargo de lo atareadas que están. Por lo demás guardamos el mejor recuerdo de todos. A Madame Quintana —gran corazón— tenga la bondad de decirle que ocupa siempre un lugar preferente en nuestro recuerdo, y dígale también que le deseamos toda suerte de bienandanzas a ella y a su hijo.

Mucho le hemos agradecido a Vds. su visita al cementerio a la tumba de mi [...] Antonio, al cual tenemos cada vez más grabado en el corazón.

De mis hijas tenemos ahora con más frecuencia cartas por las que vemos que están muy bien y contentas. Todas han pasado de Sección en sus estudios y son queridísimas de sus profesoras, que dicen son muy aplicadas e inteligentes. En estos días están veraneando en un Palacio de un pueblo cercano a Moscú. Tal como las cosas se están poniendo creemos que será mejor ir con ellas que ayudar a que puedan venir.

Con los más cariñosos saludos para su *media naranja* (así decimos en España) ya saben Vds. cuán de veras les estiman sus buenos y agradecidos amigos

José Machado y M. de Machado.

P.D. A la familia de Figueres tenga la bondad [...]

REINHUMACIÓN DE LOS RESTOS MORTALES DE ANTONIO MACHADO (Collioure, 16 julio 1958)

Machado está vivo en la
conciencia, en la memoria
de todos los que hablan español,
de todos los que en el mundo
aman la libertad.

MARCEL BATAILLON

Pero el poeta descansaba en tierra ajena y en sepultura ajena. Por eso se creó unos años después de la Segunda Guerra Mundial, la Asociación de Amigos de Machado, cuyo tesorero fue Jacques Baills y el secretario fue José María Corredor.

Fue entonces, después de un artículo publicado en *Le Figaro Littéraire* del 12 de octubre de 1957 bajo el título de «Un grand poète attend son tombeau» por José María Corredor, cuando se abrió una suscripción apoyada por Pablo Casals para hacerle una sepultura propia al poeta y a su madre.

La municipalidad de Collioure cedió gratuitamente el terreno y el señor Jacques Baills se encargó de recibir los donativos. En la lista de los donantes contamos 98 nombres con un total de 413.472 francos antiguos recaudados. Entre esos nombres sobresalen los de Jean Sarrailh (2.000 fr.), André Malraux (10.000 fr.), Eduardo Santos, ex presidente de la República de Colombia (25.000), René Char (10.000); las librerías Gallimard y de Catalogne; el PSOE y UGT también participaron en los donativos, y fijándonos bien en esta lista, podemos observar que figuran hombres de todos los niveles sociales y de todos los rincones de Francia y de América.

Gracias a todas estas aportaciones, la sepultura fue edificada según los planos del señor Cyprien Lloansi, arquitecto. En la lápida fueron grabados los nombres de Antonio Machado y de Ana Ruiz, así como sus respectivas fechas de nacimiento y de muerte. La reinhumación tuvo lugar el día 16 de julio de 1958.

A la ceremonia, que se desarrolló en la más estricta intimidad, asistieron el señor Billard, entonces alcalde de Collioure; los señores Guiot y Barthélemy, ambos tenientes alcalde; el señor Felix Marin, guarda del cementerio; los señores Giner Pantoja y Paul Combeau, representantes con el profesor Bataillon de la familia; la señora Quintana; la señora Py Debo-her; la señora y el señor Figueres; el señor Lloansi; Jacques Baills; Gumersindo Gomilla; el escultor Manolo Valiente, y el poeta catalán Ventura i Gassol.

Gracias a los papeles conservados por Jacques Baills podemos saber exactamente el importe de los gastos de exhumación y de reinhumación, así como apreciar con estas cifras que los amigos del poeta hicieron todos sus posibles para que, a pesar de ser en tierra francesa, el gran Antonio Machado y su madre descansaran juntos en un lugar sencillo pero digno de ellos.

Cerca de las playas de Argelès y de St. Cyprien, convertidas en campos de concentración cuando el poeta llegó a Collioure, Antonio Machado duerme su último sueño. Don Antonio es un exilado más que descansa cerca del mar en el Mediodía francés. Él es para todos un símbolo; símbolo de cuantos españoles descansan anónimamente en tierra francesa después de haber tenido que abandonar su patria:

> «Tengo la certeza de que el extranjero
> significaría para mí la muerte...»

LE FIGARO LITTERAIRE — SAMEDI 12 OCTOBRE 1957

Un grand poète attend son tombeau

Avec l'appui du maître Pablo Casals qui a bien voulu nous écrire à ce propos, des amis et des admirateurs de l'œuvre de Machado prennent l'initiative de lui élever un tombeau. Nous nous associons de grand cœur à leur pensée qui doit devenir un hommage de tous les lettrés à un grand lyrique de ce siècle.

DEPUIS dix-huit ans les restes d'un poète reposent dans le cimetière de Collioure, cette petite ville de pêcheurs, bien connue de nombreux touristes, qui se trouve sur la côte méditerranéenne, tout près de la frontière franco-espagnole. Ce poète est Antonio Machado, l'un des premiers lyriques de notre époque. Pour certains critiques, en effet, une triade symbolise le sommet de la poésie du XXe siècle : Valéry, Rilke, Machado. D'ailleurs, lorsqu'elle décerna, en 1936, le prix Nobel de littérature à Juan Ramon Jiménez, l'Académie de Stockholm prit soin d'associer au nom du nouveau lauréat celui du poète qui avait été l'une des premières victimes de l'exode survenu à la fin de la guerre civile espagnole.

Qui était Antonio Machado ? Bien qu'il fût né à Séville en 1875 — son [illegible] avait été « gobernador » de la [illegible] que espagnole —, il avait résidé à Madrid depuis l'âge de huit ans ; il y fut un élève fervent de l'*Institucion Libre de Enseñanza*, et de son fondateur, Francisco Giner de los Rios, « le vieillard joyeux à la vie sainte ».

Sa vocation littéraire s'éveilla de bonne heure. La « fin du siècle » est marquée en Espagne par un nom qui prête à confusion : le « modernisme ». Les éléments qui composaient ce mouvement étaient passablement hétéroclites ; toutefois, à la suite de Ruben Dario — « *el Indio divino* », comme l'appelait Ortega y Gasset — un renouveau incontestable se faisait jour dans la littérature et plus spécialement dans la poésie. En 1899, nous voyons Antonio et son frère Manuel à Paris engagés comme traducteurs par la maison Garnier. Antonio rentre en Espagne deux ans plus tard et il publie, en 1903, son premier livre de poésie, *Soledades*, salué par la critique comme un événement. Il est nommé, en 1907, professeur de français au lycée de Soria, cette ville si typique et si représentative du plateau castillan. C'est la période décisive de sa vie. Soria signifiera pour lui la connaissance en profondeur du paysage et de l'âme de Castille, ainsi que la rencontre de Leonor, l'enfant adorable, l'incarnation d'un rêve d'amour, vite brisé, et dont la blessure restera inguérissable.

Antonio et Leonor se marient en 1909. Elle a seize ans ; lui, trente-quatre. Machado, qui prépare un nouveau livre, *Campos de Castilla*, obtient, en 1911, une bourse d'études, et le jeune ménage part pour Paris. Le poète assiste aux cours de Bédier et surtout à ceux de Bergson au Collège de France, car la philosophie l'attire de plus en plus. Quel ravissement, pour ces jeunes mariés, que ce séjour dans [illegible] juillet, quand on lui [illegible] Leonor commence à cracher du sang. C'est une entreprise terrible. Dans ce soir de fête, son mari ne parvient pas à trouver un médecin. Le lendemain, l'on transporte Leonor dans une clinique de la rue Saint-Denis et, comme son état ne fait qu'empirer, les deux époux retournent à Soria au mois de septembre.

Machado comprend que sa femme est condamnée. Désespéré, il se propose de ne pas lui survivre. Il fait tout pour se contaminer. Il pose ses lèvres sur le verre

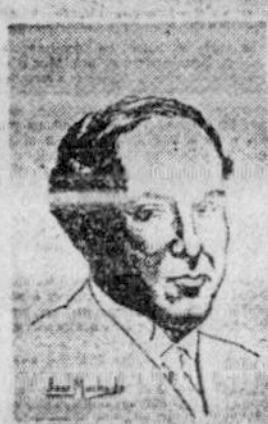

Antonio Machado.

dans lequel Leonor vient de boire, il respire son haleine quand elle dort. Cependant, à d'autres moments, il se rend compte qu'il doit garder son sang-froid pour soigner la malade. Il fait construire une sorte de voiture d'enfant et, lorsque le temps est favorable, lui-même conduit Leonor, assise comme une fillette, à l'ermitage du Miron, sous les regards émus et respectueux de leurs concitoyens. Au début de 1912 paraît *Campos de Castilla*. C'est un succès foudroyant, la consécration définitive de Machado. Unamuno, Ortega y Gasset, Azorin, les noms les plus prestigieux de l'intelligentsia espagnole, prodiguent leurs éloges au poète, qui en ce moment ne songe qu'à la vie, ou plutôt à la mort, de sa femme. Celle-ci s'éteint le 1er août. Ce même jour, elle avait serré la main de son mari et lui avait dit doucement : « Je ne me séparerai jamais de toi. »

Antonio quitte Soria pour toujours. La joie de vivre est finie pour lui. Après le désespoir, il se sent envahi par un vide si angoissant qu'il paraît lui-même une sorte [illegible] lycées de Baeza, de Ségovie et de Madrid. Sa mère — qui repose maintenant à ses côtés, au cimetière de Collioure — lui tient compagnie. A Baeza, les gens de cette petite ville andalouse s'habituent à voir un monsieur, négligemment habillé, qui s'assied tous les après-midi sur le même banc de la promenade et qui regarde tristement le paysage. Machado lit beaucoup ; il écrit beaucoup moins, mais ses poèmes, volontairement dépouillés, renouvellent le vocabulaire et les images et atteignent un degré suprême de pureté, de densité, de profonde résonance. Homme de vaste culture, il poursuit des études philosophiques poussées. Le temps a joué un rôle important dans son œuvre, car ce poète n'a pu se dessaisir d'une sensation d'angoisse devant « le reflux des heures qui constituent notre existence ». La durée bergsonienne et « le temps perdu » de Proust l'ont vivement frappé, ainsi que le *Sein und Zeit* de Heidegger, en raison des rapports étroits que le philosophe allemand établit entre le temps et l'existence humaine. Pourtant, il ne faudrait pas s'y méprendre : Machado n'est rien moins qu'un poète philosophique. La poésie de ce grand inspiré ignore les éléments conceptuels. C'est une poésie qui reflète un maximum d'authenticité et qui atteint [illegible] plus simples. Machado apprécie les choses et il les touche à peine ; il nous les signale, tout simplement, d'un geste timide et surpris, qui en souligne la beauté ou l'émotion.

Le 18 juillet éclate le soulèvement militaire contre la République espagnole. Quatre jours plus tard, la presse madrilène publie un communiqué signé par des intellectuels éminents, qui proclament « leur attachement au gouvernement légitime de la République et leur admiration pour le peuple espagnol qui défend [illegible] signataires de ce document un relève le nom d'Antonio Machado.

Sa vie durant il s'est tenu à l'écart des luttes politiques. Cependant, le libéral qu'il a toujours été, l'ancien élève de Giner de los Rios, l'intellectuel pour qui la vie de l'esprit est inconcevable sans la liberté d'expression, le poète qui connaît la misère séculaire des paysans andalous et castillans, a ressenti le soulèvement militaire comme un affront. Il a pris position dès le premier jour et il n'a pas varié par la suite. L'assassinat de Garcia Lorca lui inspire un poème bouleversant : *El crimen fué en Granada*. Il collabore régulièrement à *Hora de España*, porte-parole des écrivains républicains. Il regrette douloureusement les excès et les horreurs de la guerre civile, mais il ne transige pas sur la question de principe.

Février 1939. La République espagnole s'écroule. Des centaines de milliers de personnes s'approchent péniblement de la frontière pyrénéenne au milieu d'un froid glacial. Parmi cette avalanche de malheureux se trouvent Antonio Machado et sa très vieille mère. Tous les deux sont malades. « Il (Machado) était comme la meilleure tête de bétail d'un troupeau humain persécuté, chassé d'Espagne. C'est ainsi qu'il traversa les montagnes de la frontière glacée, parce que ses meilleurs amis, les plus pauvres et les plus dignes, en avaient fait autant. » (Juan Ramon Jiménez.) [illegible] français, on fait monter Antonio et sa mère sur un camion surchargé. Le poète transporte avec lui deux valises : l'une contient du linge et un costume ; l'autre, ses papiers, ses manuscrits. On lui dit qu'il n'y a pas de place pour les valises. Il les abandonne... Avec quel regret ! Cet homme, insensible à la réussite matérielle ou sociale, n'a vécu que pour ces papiers, et pour le souvenir d'une jeune femme ensevelie dans un cimetière lointain. Le camion arrive à Collioure. Des gens simples et charitables accueillent les deux exilés. Il faut surtout citer Mme Quintana, la propriétaire de l'hôtel Quintana [illegible] matériaux, et M. Jacques Baills, un modeste cheminot [illegible] Machado, victime d'une pneumonie, meurt le mercredi des Cendres. Il avait été prophète, lorsqu'il avait écrit : « Et quand arrivera l'heure du dernier voyage (...) vous me trouverez presque nu, comme les enfants de la mer. » Sa mère, à qui on a caché, pieusement, la mort d'Antonio, ne lui a survécu que de quelques jours.

Une famille de Collioure a prêté son caveau pour abriter provisoirement la dépouille d'Antonio Machado. Dix-huit ans ont passé et il est tout possible que cette famille se trouve dans l'obligation de réclamer bientôt la place qu'occupe le cercueil du poète. La situation deviendrait alors tragique. Nous nous permettons donc de lancer un appel pour qu'Antonio Machado dispose enfin d'une tombe. Le conseil municipal de Collioure s'est engagé à céder le terrain nécessaire (c'est tout ce que ses attributions lui permettent de faire). Il ne s'agit pas d'ériger un panthéon, cela conviendrait fort mal à l'esprit d'un homme qui souhaitait mourir « presque nu ». Il importe de trouver une solution à un problème angoissant, afin qu'Antonio Machado, le grand poète mort et enterré en France, cesse d'être le poète sans tombe.

J. Ma. Corredor.

Les personnes désireuses de contribuer à cette œuvre réparatrice peuvent adresser leurs dons à M. Jacques Baills, 3, rue Aguste, Perpignan. C.C.P. 84-46, Montpellier.

DEUX POÈMES DE MACHADO

CHEMINS

(Mort de sa femme)

C'était une nuit d'été.
La fenêtre était ouverte,
La porte l'était aussi.
La Mort est entrée chez moi,
S'est approchée de son lit —
Sans même un regard pour moi —
De ses doigts fins a brisé
Quelque chose de ténu,
Muette, sans un regard.
La Mort passe de nouveau
Par-devant moi — Qu'as-tu fait ?
Mais la Mort ne répond pas.
Mon enfant est dans la paix.
Et mon cœur est dans la peine.
Ce que la mort a brisé
N'est qu'un fil entre nous deux.

CANTARES

Pourquoi appeler chemins
Les sillages du hasard ?
[illegible] chemins marche,
Comme Jésus, sur la mer.

J'aime Jésus qui a dit :
« Ciel et terre passeront,
Ma parole restera. »
Quelle fut cette parole ?
Amour ? Pardon ? Charité ?
Non, cette parole fut
Cette parole : « Veillez !
Comme vous ne savez l'heure
Où l'on vous doit éveiller,
Vous resterez endormis
Tout éveillés : Veillez donc. »

Extrait d'*Anthologie de la poésie espagnole* par Mathilde Pomès. (Librairie Stock.)

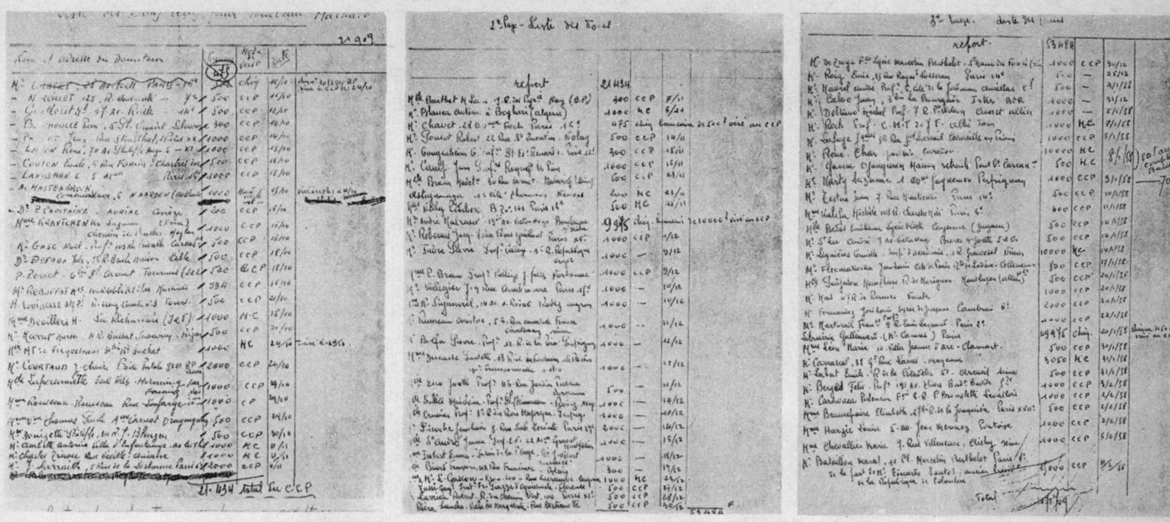

Lista de donativos para la nueva sepultura de Antonio Machado.

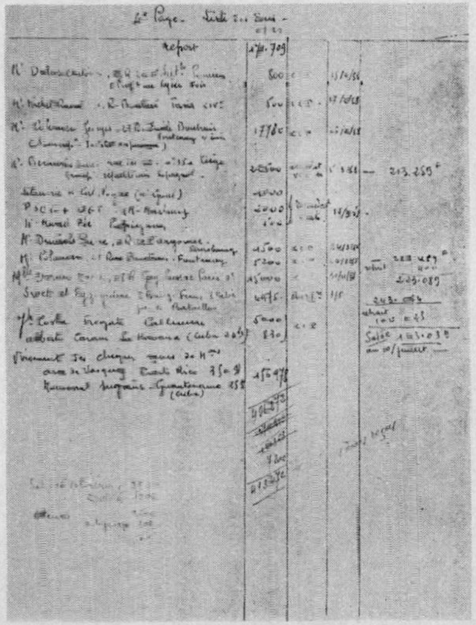

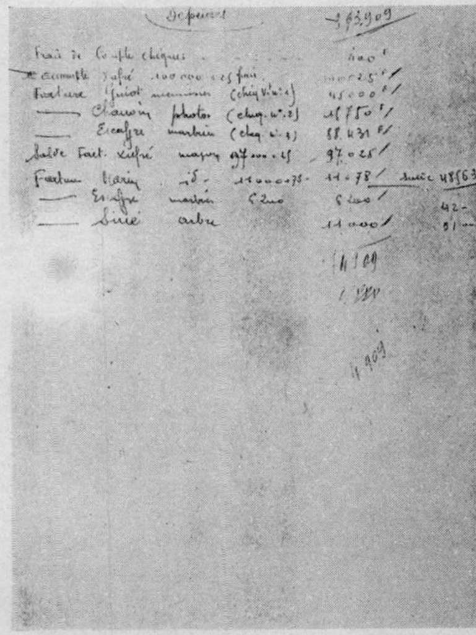

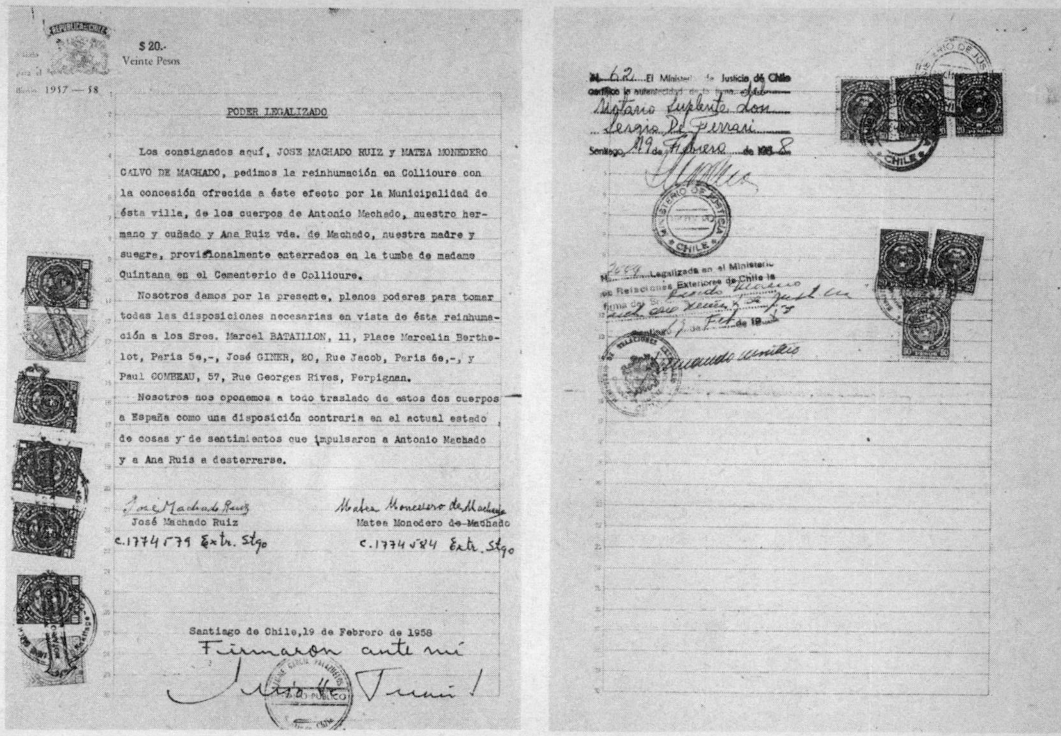

$ 20.-
Veinte Pesos
1957 — 58

PODER LEGALIZADO

Los consignados aquí, JOSE MACHADO RUIZ y MATEA MONEDERO CALVO DE MACHADO, pedimos la reinhumación en Collioure con la concesión ofrecida a éste efecto por la Municipalidad de ésta villa, de los cuerpos de Antonio Machado, nuestro hermano y cuñado y Ana Ruiz vda. de Machado, nuestra madre y suegra, provisionalmente enterrados en la tumba de madame Quintana en el Cementerio de Collioure.

Nosotros damos por la presente, plenos poderes para tomar todas las disposiciones necesarias en vista de ésta reinhumación a los Sres. Marcel BATAILLON, 11, Place Marcelin Berthelot, Paris 5e,-, José GINER, 20, Rue Jacob, Paris 6e,-, y Paul COMBEAU, 57, Rue Georges Rives, Perpignan.

Nosotros nos oponemos a todo traslado de estos dos cuerpos a España como una disposición contraria en el actual estado de cosas y de sentimientos que impulsaron a Antonio Machado y a Ana Ruis a desterrarse.

José Machado Ruiz
José Machado Ruiz
c.1774579 Extr. Stgo

Matea Monedero de Machado
Matea Monedero de Machado
c.1774584 Extr. Stgo

Santiago de Chile, 19 de Febrero de 1958
Firmaron ante mí

N.º 62 El Ministerio de Justicia de Chile certifica la autenticidad de la firma del Notario Suplente don Sergio De Ferrari
Santiago, 19 de Febrero de 1958

N.º 2669 Legalizada en el Ministerio de Relaciones Exteriores de Chile la firma del Sr.
Santiago, 19 de Feb. de 19

COLLIOURE le 17 Mars 1958

Madame Veuve DEBOHER Marie née FY
rue de la Parre
à COLLIOURE

Monsieur le Maire de Collioure,

Lors du décès de Antonio MACHADO, le 22 Février 1939 à Collioure, j'avais mis provisoirement à la disposition de la mère de l'intéressé, un caveau de ma famille pour l'inhumation du corps de son fils.

Depuis Mme Veuve MACHADO, est décédée également à Collioure le 25 février 1939, et je n'ai pu jusqu'à ce jour connaître les personnes de la famille auxquelles je devais m'adresser pour faire libérer ce caveau dans lequel Antonio MACHADO avait été provisoirement inhumé.

En conséquence j'ai l'honneur de vous demander Monsieur le Maire de vouloir bien, faire le nécessaire, afin que le caveau familial me soit rendu disponible, puisque j'ai appris qu'un Comité MACHADO, était formé, et se proposait de recueillir dans une tombe du cimetière de Collioure, la dépouille mortelle de Antonio MACHADO et des restes de sa mère.

Veuillez agréer Monsieur le Maire l'assurance de mes sentiments distingués.

Marie Deboher

PHOTOCOPIE CONFORME
Co...
p' 22 2 1977
Le Maire

CN 02552

COLLIOURE le IO juillet 1958

DEMANDE D'EXHUMATION ET DE REINHUMATION
DE CORPS A L'INTERIEUR DU
CIMETIERE DE COLLIOURE

Nous soussignés MM. COMBEAU Paul, et GINER José domiciliés respectivement à Collioure, et à Paris, avons l'honneur de demander l'autorisation de faire exhumer du caveau et de la fosse dans lesquels ils sont actuellement inhumés, et de les faire réinhumer dans un caveau leur étant destiné et sis dans le cimetière de Collioure les Corps de:

- MACHADO Antonio, décédé à Collioure le 22 Février 1939 et inhumé à Collioure le 23 Février 1939

- RUIZ Anna Veuve MACHADO, décédée à Collioure le 25 Février 1939 et inhumée à Collioure le 26 .2.1939.

Cette demande est formulée en tant que mandataires de Monsieur José MACHADO - RUIZ, Frère et fils des défunts (Délégation en date du I9 Fevrier 1958 établie à Santiago du Chili).

Ces opérations s'effectueraient le I6 Juillet 1958 à IO heures.

J. M. a Giner Pantoja

Paul Combeau

PHOTOCOPIE CONFORME
Co...
p' 22 2 1977
Le Maire

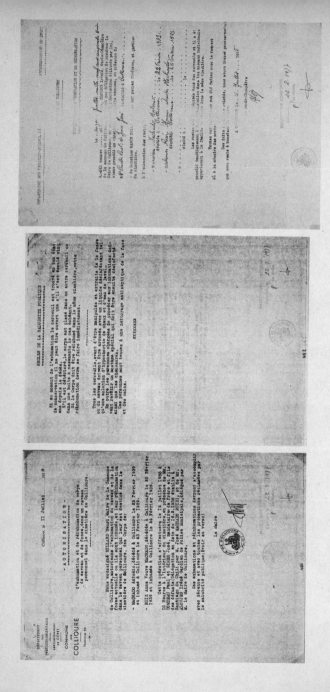

DÉPARTEMENT DES PYRÉNÉES-ORIENTALES

ARRONDISSEMENT DE CÉRET

COMMUNE DE COLLIOURE

TÉLÉPHONE 55

Collioure, le II Juillet 1958

- A U T O R I S A T I O N -

d'exhumation et de réinhumation de corps de caveau et de fosse, dans un caveau personnel dans le cimetière de Collioure.

Nous soussigné BILLARD Henri, Maire de la Commune de Collioure, autorisons l'exhumation du caveau et de la fosse actuelle où ils sont inhumés, et leur réinhumation dans le caveau personnel qui leur est destiné dans le cimetière de Collioure, des Corps de:

- MACHADO Antonio, décédé à Collioure le 22 Février 1939 et inhumé à Collioure le 23 Fevrier 1939.

- RUIZ Anna Veuve MACHADO, décédée à Collioure le 25 Février 1939 et inhumée à Collioure le 26 Février 1939.

Cette opération s'effectuera le 16 juillet 1958 à 10 Heures à l'intérieur du cimetière, en présence de MM. COMBEAU Paul et GINER José, mandataires du Frère et fils des défunts (Délégation en date du 19.2.1958 établie à Santiago du Chili, par M. José MACHADO RUIZ), et de Mr. ALOUJES Iréné Gardien de Police Municipale, délégué par M. le Maire de Collioure.

Ces exhumations et réinhumations devront s'accomplir avec décence et avec toutes les précautions réclamées par la salubrité publique; (voir au verso)

Le Maire

MAIRIE DE COLLIOURE (P.-O.)

PHOTOCOPIE CONFORME Collioure, le 22.2.1977 P/ Le Maire

REGLES DE LA SALUBRITE PUBLIQUE

Si au moment de l'exhumation le cercueil est trouvé en bon état de conservation il ne peut être ouvert que s'il s'est écoulé cinq ans depuis le décès.

S'il est détérioré, le corps est placé dans un autre cercueil ou dans une boite à ossements le cas échéant.

Si le Corps doit être réinhumé dans le même cimetière, cette réinhumation devra se faire immédiatement.

Tous les cercueils, avant d'être manipulés et extraits de la fosse ou du caveau doivent être arrosés avec un liquide désinfèctant tel qu'une solution d'hypochorite de chaux et d'eau de javel.

En outre les personnes chargées de procéder aux inhumations doivent revêtir un costume spécial qui doit être ensuite désinfecté ainsi que les chaussures.

Ces personnes sont tenues à une nettoyage antiseptique de la face et des mains.

XXXXXXXX

PHOTOCOPIE CONFORME Collioure, le 22.2.1977 P/ Le Maire

DEPARTEMENT DES PYRENEES-ORIENTALES ARRONDISSEMENT DE CERET

[illegible] DE COLLIOURE

PROCES-VERBAL [illegible] EXHUMATION ET DE REINHUMATION

Le . Seize juillet mille neuf cent cinquante huit

à 10 heures ..... ALOUJES Iréné, Garde-Champêtre de la commune de Collioure [illegible] par délégation de Monsieur le Maire de Collioure, en [illegible] l'autorisation délivrée par lui, avons procédé au cimetière [illegible] dite commune, en présence de

MM Combeau Paul et Giner José domicilié à Collioure . . . .

- de Monsieur MARIN Félix [illegible] aux pompes funèbres, et gardien du cimetière,

à l'exhumation des restes [illegible]

- Monsieur Machado Antonio . . . .
  décédé à . Collioure . . . le 22 Février . 1939 . .

- Madame Ruiz Anna Veuve Machado
  décédée . Collioure . . . . le . 25 Février . 1939

- M . . . .
  décédé à . . . . le . . . .

Les restes [illegible] déposés dans des cercueils et il a été procédé immédiatement à [illegible] réinhumation dans les caveaux individuels appartenant à la famille [illegible] dans le même cimetière.

Toutes ces [illegible] ont été faites avec le respect dû à la mémoire des morts.

Des faits [illegible] relatés, nous avons dressé procès-verbal qui sera remis à Monsieur le Maire.

A COLLIOURE le . 16 Juillet . . . 1958

Le Garde-Champêtre

PHOTOCOPIE CONFORME Collioure, le 22.2.1977 P/ Le Maire

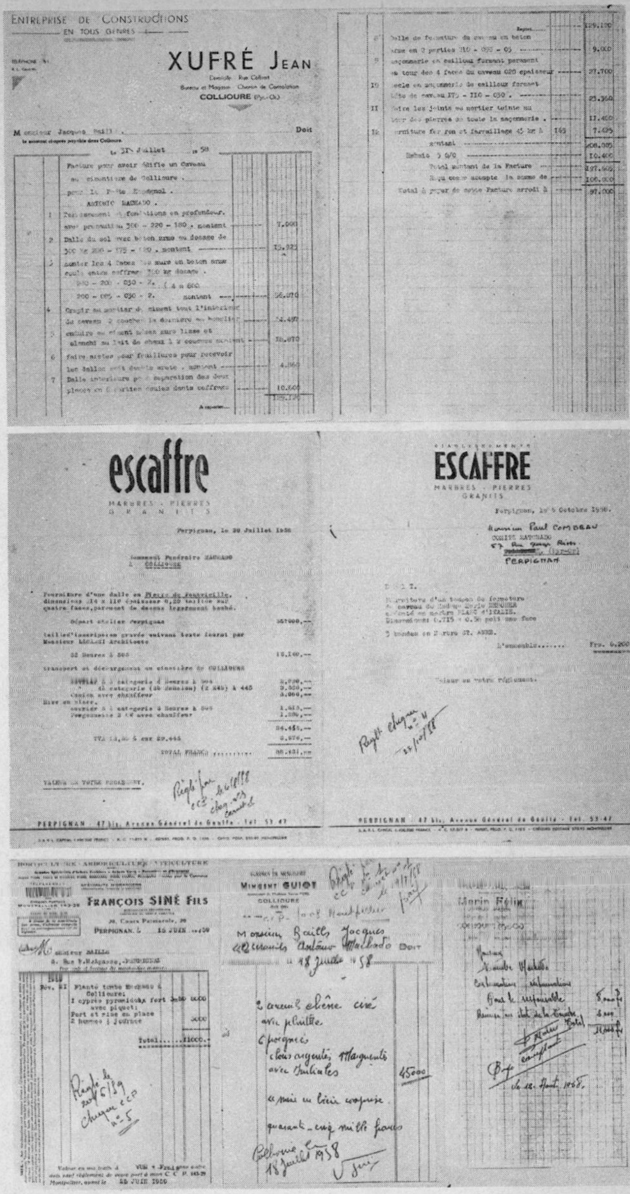

ENTREPRISE DE CONSTRUCTIONS EN TOUS GENRES

XUFRÉ JEAN

COLLIOURE (Pyr.-Or.)

Monsieur Jacques Baills ... Doit

le 31 Juillet 1958

Facture pour avoir édifié un Caveau au cimetière de Collioure pour le Poète Espagnol ANTONIO MACHADO.

Total à payer de cette Facture arrondi à ... 97.000

escaffre

MARBRES · PIERRES · GRANITS

Perpignan, le 30 Juillet 1958

Monument Funéraire MACHADO à COLLIOURE

TOTAL FRANCO ... 86.131.-

VALEUR EN VOTRE REGLEMENT.

PERPIGNAN · 47 bis, Avenue Général de Gaulle · Tél. 53.47

ETABLISSEMENTS ESCAFFRE

MARBRES · PIERRES · GRANITS

Perpignan, le 5 Octobre 1958.

Monsieur Paul COMBEAU

COMITE MACHADO

PERPIGNAN

Frs. 6.200

PERPIGNAN · 47 bis, Avenue Général de Gaulle · Tél. 53.47

FRANÇOIS SINÉ FILS

PERPIGNAN, le 15 JUIN 1959

Monsieur BAILLS

Planté tombe Machado à Collioure:

1 cyprès pyramidal fort avec piquet:

Port et mise en place

2 hommes 1 journée

Total ... 11000.-

Marcel GUIOT

COLLIOURE

Monsieur Baills Jacques

Restes Antonio Machado Doit

le 18 Juillet 1958

45000

Collioure le 18 Juillet 1958

Marin Félix

Facturas de los gastos de reinhumación de los restos de Antonio Machado.

Cambio de sepultura.

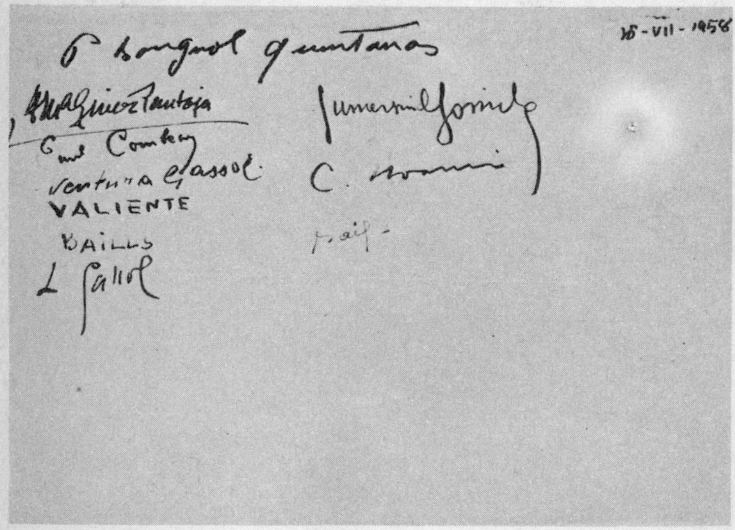

Firmas de los asistentes al cambio de sepultura.

ANTONIO MACHADO

Misterioso y silencioso
Iba una y otra vez.
Su mirada era tan profunda
Que apenas se podía ver.
Cuando hablaba tenía un dejo
De timidez y de altivez.
Y la luz de sus pensamientos
Casi siempre se veía arder.
Era luminoso y profundo
Como era hombre de buena fe.
Fuera pastor de mil leones
Y de corderos a la vez.
Conduciría tempestades
O traería un panal de miel.
Las maravillas de la vida
Y del amor y del placer,
Cantaba en versos profundos
Cuyo secreto era de él.
Montado en un raro Pegaso,
Un día al imposible fue.
Ruego por Antonio a mis dioses,
Ellos le salven siempre. Amén.

RUBÉN DARÍO

¡Señor! La guerra es mala y bárbara; la guerra
odiada por las madres, las armas entigrece;
mientras la guerra pasa,
¿Quién sembrará la tierra?
¿Quién regará la espiga que junio amarillece?

ÍNDICE

ANTONIO MACHADO: CARTAS

MANIFIESTOS Y DECLARACIONES

ANTONIO MACHADO: CARTAS